la dynastie des
Bronfman

Couverture
- Maquette:
  CLAIRE DUTIN

Maquette intérieure
- Conception graphique:
  GAÉTAN FORCILLO

Les chapitres quinze,
seize et dix-sept
ont été traduits de l'anglais
par Ivan Steenhout

DISTRIBUTEURS EXCLUSIFS:

- Pour le Canada
  AGENCE DE DISTRIBUTION POPULAIRE INC.,*
  955, rue Amherst, Montréal H2L 3K4, (514/523-1182)
  *Filiale du groupe Sogides Ltée

- Pour l'Europe (Belgique, France, Portugal, Suisse,
  Yougoslavie et pays de l'Est)
  OYEZ S.A. Muntstraat, 10 — 3000 Louvain, Belgique
  tél.: 016/220421 (3 lignes)

- Ventes aux libraires
  PARIS: 4, rue de Fleurus; tél.: 548 40 92
  BRUXELLES: 21, rue Defacqz; tél.: 538 69 73

- Pour tout autre pays
  DÉPARTEMENT INTERNATIONAL HACHETTE
  79, boul. Saint-Germain, Paris 6e, France; tél.: 325 22 11

Peter C. Newman

la dynastie des Bronfman

Traduit de l'anglais
par
Claire Dupond

LES ÉDITIONS DE L'HOMME*

CANADA: 955, rue Amherst, Montréal H2L 3K4
EUROPE: 21, rue Defacqz — 1050 Bruxelles, Belgique

*Division de Sogides Ltée

L'édition originale est parue sous le titre:
Bronfman Dynasty
The Rothschilds of the New World
publiée chez McClelland and Stewart Limited.

Bibliothèque nationale du Québec
Dépôt légal — 1er trimestre 1979

ISBN-2-7619-0015-4

Pour Camilla

La dynastie Bronfman

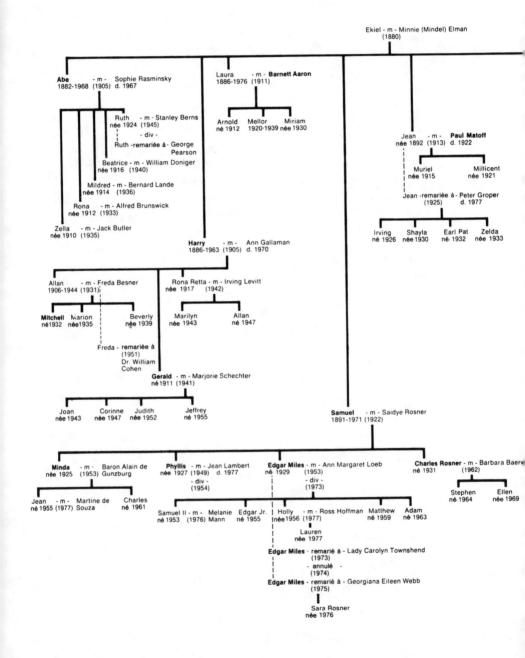

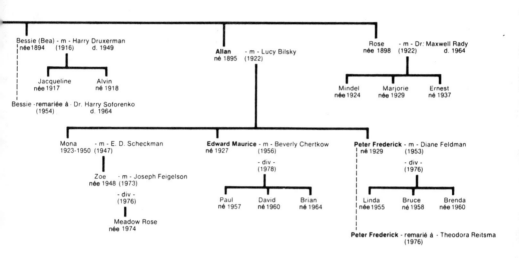

Bessie (Bea) - m - Harry Druxerman
née 1894   (1916)   d. 1949

Jacqueline
née 1917

Alvin
né 1918

Bessie - remariée à - Dr. Harry Soforenko
(1954)   d. 1964

Allan   - m - Lucy Bilsky
né 1895   (1922)

Rose   - m - Dr. Maxwell Rady
née 1898   (1922)   d. 1964

Mindel
née 1924

Marjorie
née 1929

Ernest
né 1937

Mona   - m - E. D. Scheckman
1923-1950   (1947)

Zoe   - m - Joseph Feigelson
née 1948 (1973)

- div -
(1976)

Meadow Rose
née 1974

Edward Maurice - m - Beverly Chertkow
né 1927   (1956)

- div -
(1978)

Paul
né 1957

David
né 1960

Brian
né 1964

Peter Frederick - m - Diane Feldman
né 1929   (1953)

- div -
(1976)

Linda
née 1955

Bruce
né 1958

Brenda
née 1960

Peter Frederick - remarié à - Theodora Reitsma
(1976)

Avant-propos

Cet ouvrage se veut la première reconstitution de
l'histoire controversée et de l'étonnante influence d'une
famille suprêmement riche, infiniment complexe et profondément névrosée: celle des Bronfman, de Montréal et de
New York. Peu connus en dehors du milieu fermé auquel ils
appartiennent, ils comptent parmi les plus grosses fortunes
du monde, si l'on fait exception des Arabes, et leur pouvoir
s'accroît de jour en jour.

Il n'a guère été facile de percer le mystère qui a été
délibérément créé afin de jeter un voile sur les débuts des
Bronfman comme trafiquants d'alcool dans l'Ouest du
Canada. J'ai heureusement pu retracer quelques-uns de
ceux qui partagèrent leurs aventures durant les belles
années de ce commerce en Saskatchewan. Même s'ils sont
presque tous des octogénaires perclus vivant dans des maisons de vieillards aux abords de petites villes des Prairies,
ils se souviennent fort bien de l'époque où "ils transportaient de la "booze" [1] pour les Bronfman" et ces valeureux
survivants ont accepté de me confier leurs souvenirs. L'un

---

1) Boisson alcoolique; pourrait se traduire par gnôle ou tord-boyaux.
(N.D.L.T.)

11

d'eux, Ken John, qui habite à Estevan, est un comptable à la retraite, encore vigoureux et au verbe abondant. Il était présent, la nuit où Paul Matoff, beau-frère de Sam Bronfman et gérant d'un des "boozoriums" les plus fréquentés de la Saskatchewan, fut tué par l'explosion d'une carabine à canon tronçonné que quelqu'un avait lancée par la fenêtre de la gare du C.P.R. [2], à Bienfait.

J'ai aussi pu mettre la main sur un document de poids, en l'occurrence une copie du journal inédit de Harry Bronfman, où celui-ci raconte ce que furent les débuts de la famille dans les Prairies. J'ai également eu accès à d'autres documents rassemblés par Clifford Harvison qui, à l'époque, était caporal dans la G.R.C. [3] et procéda, en 1934, à l'arrestation des frères Bronfman accusés de conspiration criminelle; Harvison devint, par la suite, l'un des commissaires les plus avertis de cet organisme.

Au cours des trois années que dura la rédaction de ce livre, j'ai interviewé une douzaine de membres de la famille Bronfman, ainsi que des dizaines de leurs critiques, collègues et concurrents, sans oublier l'habituelle cohorte de parasites, de lèche-bottes et de grands-prêtres du whisky qu'attire inévitablement toute constellation financière d'une telle importance.

Le portrait collectif que l'on peut tracer des héritiers de la grande fortune des Bronfman comprend des rêveurs impétueux au regard blessé et à l'ego hypertrophié, dont les efforts les plus sincères sont ternis par leur insécurité émotive. Les mâles de cette bizarre coterie consacrent leurs plus belles années au respect du credo enseigné en accroissant leur immense empire industriel avec une hâte inconce-

---

2) C.P.R.: Canadian Pacific Railways, compagnie ferroviaire (N.D.L.T.)

3) G.R.C.: Gendarmerie royale du Canada. (N.D.L.T.)

vable, exponentielle — pour ensuite l'agrandir encore un peu plus.

Etre un Bronfman est quelque chose d'assez particulier et ils le savent. Incapables de rester en place, ces types chaussés de mocassins Gucci sont constamment en quête d'eux-mêmes. Ce livre se veut une chronique de leur recherche.

Ce n'est pas là le livre que j'avais l'intention d'écrire

Après la parution de *The Canadian Establishment,* en 1975, j'ai commencé à rassembler de la documentation pour le second tome qui devait traiter, en principe, des autres groupes dominants et dont un chapitre aurait été consacré à la communauté juive. La notion de pouvoir juif m'a toujours intrigué parce que si, collectivement, les Juifs possèdent une influence énorme, en tant qu'individus ils se sentent souvent douloureusement vulnérables, menacés par cette société qui les entoure. On se trouve devant une forme de parenté où hommes et femmes se livrent une lutte acharnée pour s'approprier prestige et autorité tout en restant unis à l'intérieur de ce qui pourrait bien s'avérer la plus dynamique et la plus intéressante des élites.

Pendant mes recherches toujours plus poussées sur la singulière structure de pouvoir de la communauté juive nord-américaine, la quantité d'éléments qui conduisaient aux diverses branches de la dynastie des Bronfman m'incita à penser que cet illustre clan méritait de se voir consacrer un ouvrage. Même au sein des quelques familles qui dominent le commerce international, les Bronfman représentent un phénomène unique, autant à cause de l'étendue de leur suprématie que du poids de leur fortune. Je vis, dans la rédaction d'un tel livre, l'occasion d'esquisser une sorte de portrait clinique sur la façon dont on peut exercer le pouvoir, l'étendre, l'accaparer et en abuser, tout ça grâce à une famille juive d'une fierté indicible, qui réussit à accumuler une fortune fabuleuse en l'espace d'une seule génération.

On ne connaît qu'un seul auteur qui ait tenté de rédiger la biographie des Bronfman (laquelle ne fut jamais publiée): Terence Robertson, qui se suicida après en avoir terminé un premier jet [4]. Sinon, c'est dans l'excellent livre de James Gray, *Booze: The Impact of Whisky on the Prairies West,* qui raconte partiellement les débuts de l'empire de la distillerie en Saskatchewan, qu'on peut trouver la principale source de renseignements sur cette famille.

Au moment de mettre sous presse, Charles Bronfman avertit Jack McClelland, mon éditeur, qu'il s'était procuré, "d'une source anonyme" selon ses propres termes, un jeu des épreuves. Au nom de toute la famille, Charles tenait à exprimer son profond désaccord sur tout le livre dans son ensemble et, plus particulièrement, sur le portrait qui y était fait de son père.

Mais le plus ennuyeux, c'était que Charles Bronfman avait relevé dans les épreuves certaines erreurs, mineures pour la plupart, mais dont quelques-unes étaient tout de

---

4) En 1977, au cours du procès qu'intenta McClelland and Stewart Ltd. à la Compagnie d'assurances Mutual Life afin de toucher le montant de l'assurance-vie souscrite par Robertson, soit cent mille dollars, Roderick Goodman, journaliste au *Toronto Daily Star's,* déclara que, le 31 janvier 1970, l'auteur lui avait téléphoné d'une chambre d'hôtel de New York et lui avait alors expliqué que la rédaction de l'histoire de la famille Bronfman était une commande, mais qu'il avait "découvert des choses sur lesquelles ils ne veulent pas que j'écrive". Pendant sa déposition, Graham Murray Caney, également du *Star,* affirma que Robertson lui avait dit avoir été "menacé de mort et nous aurions su de qui il s'agissait s'il n'avait pas mis fin lui-même à ses jours". Pendant la conversation téléphonique, Caney avait fait rechercher d'où venait l'appel et avait alerté la police new-yorkaise. Des détectives avaient fait irruption dans la chambre d'hôtel de Terence Robertson, quelques minutes à peine avant sa mort provoquée par l'absorption d'une trop forte dose de barbituriques.

même plus sérieuses. Pareille possibilité n'avait rien d'étonnant pour qui entreprenait d'écrire sur une dynastie aussi
mystérieuse et impénétrable que celle des Bronfman. Mais
cela posait un dilemme unique en son genre.

Jamais, durant toute ma carrière de journaliste, je n'ai
accepté de montrer, avant publication, mon manuscrit à la
personne mise en cause. Je considère ce point comme une
loi du métier et n'y déroge sous aucun prétexte. Je me
souviens, à titre d'exemple, de J.A. "Bud" McDougald qui
avait menacé d'"acheter les éditions Maclean-Hunter",
c'est-à-dire mes employeurs, si je ne lui soumettais pas le
chapitre que j'avais rédigé sur lui dans *The Canadian Establishment*. Finalement, il dut s'incliner devant mon refus
catégorique. Mais, cette fois-ci, le problème était différent.
Les Bronfman avaient déjà les épreuves en main et je me
sentais professionnellement tenu de corriger, peu importe
la source de cette correction, toute erreur de nature pure-
ment factuelle. C'est effectivement ce que j'ai fait, sans pour
autant changer quoi que ce soit au ton de l'ouvrage ou à
mes appréciations.

Il est possible que les Bronfman trouvent encore à
redire sur ce livre. J'admets sans hésiter que l'esprit qui a
prévalu dans l'élaboration de cette fresque, et qui est
demeuré intact dans ces pages, n'est en rien définitif. J'ai
essayé d'être juste et précis, mais on ne peut s'attendre à ce
que, étranger à la famille, je perçoive feu Sam Bronfman
sous le même éclairage sans ombre que son fils attentionné
et bien-aimé. Néanmoins, je crois avoir réussi à tracer un
portrait aussi complet que possible de Monsieur Sam,
avant que n'aient disparu les derniers témoins de son
ascension vers la gloire et que la chaude légende n'ait
commencé à se substituer à la froide réalité.

Quand, comme ce fut le cas pour cette biographie,
il faut procéder à peu près sans la moindre autorisation tout

en essayant d'obtenir des précisions assez intimes sur les nombreux éléments faibles d'une puissante dynastie, il est impossible de citer ses sources. La plupart des collaborateurs avertis qui ont bien voulu m'aider en me fournissant des renseignements sur la famille ont accepté de le faire à la condition de conserver l'anonymat. Ce n'est qu'à la lecture des pages qui suivent qu'ils se rendront compte de l'importance de ma dette.

Par son travail acharné et par la loyauté dont elle a fait preuve lors de la préparation de ce manuscrit, mon assistante Helen McLachlan s'est mérité mon respect et ma gratitude au-delà de tout ce que je pourrais dire ou faire pour m'en acquitter. Je remercie Susan Cole, qui est bien la meilleure recherchiste de tout l'hémisphère nord, d'avoir accepté de compiler les documents présentés en annexe. Bev DuBrule a consciencieusement transcrit mes nombreuses entrevues. Je suis on ne peut plus reconnaissant envers Lloyd Hodgkinson, éditeur du magazine *Maclean's,* qui m'a laissé toute la liberté voulue pour écrire ce livre dont ni le ton ni le contenu n'ont été soumis à l'approbation de Maclean-Hunter Limited.

Plusieurs bons camarades — notamment Olrie McCall, Martin Lynch, Janet Craig, Abe Rostein, Kevin Doyle et Jim Paupst — se sont révélés des amis stables, sages et compatissants tout au long du processus, souvent pénible, de recherche et de rédaction. Mais ma plus grande source d'inspiration a été la souriante présence de ma fille Ashley qui est encore plus gentille, plus éveillée et plus amusante que ce dont même le plus favorisé des pères pourrait rêver.

Ce livre, comme tout ce que j'ai écrit jusqu'ici, porte la marque de mon long et heureux apprentissage aux côtés du regretté Ralph Allen, mon guide et ami. Je serai éternellement redevable à mon ex-femme Christina pour son élégance et sa personnalité raffinées. Enfin, je ne saurais terminer sans dire toute ma gratitude à Stan Kenton dont la musique m'a apporté l'élan spirituel et le sens du rythme qui m'ont soutenu pendant ces heures qui précèdent l'aube et où furent rédigées la plupart de ces pages.

Si cet ouvrage a pu voir le jour, c'est également grâce à plusieurs autres personnes que je ne nommerai pas ici; mais nul autre que moi-même ne doit être tenu responsable de ses imperfections.

P.C.N.

1er juillet 1978

Monsieur Sam

Chapitre Un

Les Rothschild
du Nouveau Monde

Le style de vie de la famille Bronfman a atteint, dans son élégance, un raffinement tel que c'est dans les aléas du quotidien que ses membres manquent de naturel et adoptent un comportement factice.

Mis à part le fait qu'ils sont probablement plus riches et, sans aucun doute, plus secrets, les Bronfman sont devenus les Rothschild du Nouveau Monde. Mais, contrairement à cette famille de banquiers européens qui a concentré toute sa fortune dans les métaux, la dynastie des Bronfman détient une position prépondérante dans le commerce de ces deux liquides dont s'abreuve le monde moderne: le whisky et le pétrole.

Les membres belliqueux de cette famille singulière et passionnée vivent dans un monde fermé, protégés par le plus impénétrable huis-clos que l'argent puisse permettre d'acheter. A une époque où les multinationales qui dominent l'activité économique internationale sont devenues beaucoup trop grosses et beaucoup trop complexes pour pouvoir être dirigées par un individu ou une famille, les Bronfman ont réussi à conserver une poigne de fer sur la plus importante distillerie du monde — la compagnie Seagram — et ont découvert une méthode incomparable pour se transmettre, d'une génération à l'autre, les rênes de leur immense empire commercial, intact et en continuelle expansion.

Seagram, qui a lancé sur le marché six cents marques de spiritueux dans cent soixante-quinze pays, connaît actuellement un chiffre de ventes annuel de deux milliards de dollars. Cela correspond à un million et demi de bouteilles d'alcool par jour. Deux de ses whiskies — Seven Crown et V.O. — occupent le premier et le second rang au niveau des ventes mondiales. Ses nombreux entrepôts renferment en permanence quelque quatre millions de tonneaux de spiritueux, et quarante-deux millions de gallons de vin y vieillissent lentement.

A l'abri de la curiosité et de l'attention du public — grâce à un amoncellement de filiales connues uniquement des nombreux avocats qu'ils emploient sur une base permanente —, les Bronfman ont accumulé fortune et puissance aussi rapidement et aussi silencieusement que l'éclosion d'une fleur filmée en accéléré.

Bien qu'il soit impossible de citer des chiffres précis, l'ensemble des actifs détenus par les diverses branches de la famille Bronfman s'élève, au bas mot, à sept milliards de dollars. Dans le contexte canadien, cette somme représente un groupe de sociétés ayant plus de trois fois l'envergure de la si célèbre Argus Corporation dont le président était feu John A. "Bud" McDougald, doyen de l'oligarchie canadienne. A l'échelle internationale, les Bronfman administrent l'une des plus grosses masses de capitaux qui ne soient pas entre les mains des Arabes. Selon le magazine *Fortune*, "la fortune des Bronfman n'a rien à envier à celles des familles américaines, à l'exception de quelques-unes, dont certaines ont acquis leur puissance au dix-neuvième siècle, alors que les impôts n'avaient pas plus d'effet que les troncs d'église sur la richesse."

"Dans les milieux financiers nord-américains, le nom des Bronfman provoque le même type d'agitation que celui des Rothschild, affirme Jean de Brabant, président de la Société financière privée Limitée, une banque d'affaires montréalaise. L'autre jour, au Texas, je discutais avec un banquier, quand on les a mentionnés à propos d'une éventuelle source de financement. Il n'en a pas eu le souffle coupé, mais il s'en est fallu de peu."

On n'aurait pu trouver de Juif plus orthodoxe que le patriarche Bronfman qui, ayant décidé de partir avec toute sa famille pour le Nouveau Monde en 1889, n'avait pu se résoudre à entreprendre le voyage sans un rabbin pour servir de précepteur à ses enfants. Mais les efforts acharnés d'Ekiel Bronfman pour établir les siens dans les Prairies eurent également comme résultat d'insuffler un esprit dynastique à son troisième fils, Samuel, qui écarta frères et soeurs, neveux et nièces, pour déterminer clairement la lignée à qui reviendrait la fortune familiale, laquelle passa directement de ses mains entre celles de ses fils. Il n'existe aucun entrepreneur canadien qui puisse même sembler capable de répéter l'exploit de Samuel Bronfman (1891-1971) qui, après avoir débuté dans la vie comme colporteur en vendant du bois de chauffage et du poisson congelé dans les villages du centre du Manitoba, s'est retrouvé à la tête de la première entreprise canadienne à avoir réalisé un chiffre d'affaires annuel de un milliard de dollars. Il est assez improbable qu'un individu ou même une famille puisse jamais mettre sur pied un pareil empire industriel ni même amasser une telle fortune — sûrement pas, en tout cas, dans les circonstances qui permirent à Sam et à ses frères de réussir dans le commerce du whisky, tout en jouant constamment avec le feu à cause de la prohibition alors en vigueur au Canada et aux Etats-Unis, justement pour mettre fin à ce genre de trafic.

Physiquement, Sam Bronfman n'était pas un homme impressionnant. Mais il était plein de verve, avait de l'imagination à revendre, débordait d'énergie, faisait en sorte que chaque instant comptât et était perpétuellement en guerre avec ses concurrents, ses associés et lui-même. Il n'avait pas de plus grand plaisir que d'évaluer les risques infinitésimaux quand il mettait au point les tractations et les machinations qui furent à la base de l'expansion de l'empire Seagram. On lui demanda, un jour, quelle était l'invention de l'esprit humain qui, à ses yeux, revêtait le plus d'importance et il répliqua aussitôt: ''L'intérêt.''

Malgré toute sa perspicacité en affaires et son incommensurable succès, Sam ne put jamais s'intégrer harmonieusement dans cette société qui l'avait enrichi. Même si quelques-uns de ses meilleurs amis étaient des WASP [1], il fut incapable de s'habituer à leur vocabulaire de caste, aux règles de leur étiquette ou à leur décorum. Obsédé par son passé, trop dominé par ses passions et par la sincérité de ses émotions pour pouvoir masquer ses sentiments, Sam Bronfman mena pendant les trente dernières années de sa vie une lutte tumultueuse pour devenir membre à part entière de l'Establishment financier canadien. Il n'y parvint jamais.

Il conquit le monde mais ne put triompher de Westmount.

---

1) White, anglo-saxon and protestant: label de qualité des conservateurs anglo-saxons (N.D.L.T.)

Les Bronfman de la génération de Sam définirent les limites que l'oligarchie canadienne n'était pas disposée à franchir; or, non seulement ses enfants en font-ils maintenant partie, mais ils la transcendent. La seule autre dynastie canadienne qui se cantonne dans une atmosphère financière aussi raréfiée est le clan Eaton, de Toronto, dont les membres possèdent toutes les actions de leur immense entreprise de commerce au détail. Néanmoins, quand, vers le milieu des années 70, les héritiers des grands magasins décidèrent de construire dans le quartier des affaires de Toronto le plus coûteux et le plus moderne de leurs ensembles commerciaux, ils ne puisèrent pas dans leurs propres coffres pour financer la première phase du projet, évaluée à quelque deux cent cinquante millions de dollars; bien au contraire, ils s'adressèrent aux Bronfman, de Montréal, qui, avec une participation de soixante pour cent, s'assurèrent d'office la mainmise sur ce gigantesque complexe. Cette transaction illustre parfaitement la façon dont les deux plus grosses fortunes canadiennes pouvaient s'échanger les rênes du pouvoir [2].

---

2) Un incident survenu au début des années 50 donne une assez juste idée de la puissance de Sam Bronfman: David Mansur, un mandarin aguerri d'Ottawa qui était alors président de la Société centrale d'hypothèques et de logement, reçut un coup de téléphone de Jean Lambert, le mari de Phyllis Bronfman. Lambert cherchait un cadre expérimenté pour diriger ses opérations immobilières au Canada et il invita Mansur à venir le rencontrer à son bureau de Wall Street. Le grand patron de la S.C.H.L. refusa et, presque sur-le-champ, il reçut un second appel venant cette fois de Gordon Ball, le président de la Banque de Montréal, qui le supplia, comme s'il s'agissait d'une faveur personnelle, d'accepter au moins de prendre l'avion pour une entrevue. "Je répondis à Ball que je le ferais par égard pour lui, à cause du sérieux coup de pouce qu'avait donné la Banque de Montréal au moment de l'adoption de la nouvelle loi canadienne sur l'habitation, raconte Mansur. En route pour New York, je fis escale à Montréal où je voulais rencontrer mon vieil ami, Laz Phillips. Celui-ci me conseilla de me tenir loin de Lambert. Je lui demandai alors ce que venait faire Ball dans cette histoire. Il sourit et me répondit:

— Vous êtes vraiment un type naïf, non? Si jamais les Bronfman se déchaînaient contre la Banque de Montréal et y fermaient leurs comptes, elle ne serait

Les millions des Bronfman ont été partagés entre les huit enfants et les vingt-neuf petits-enfants d'Ekiel et de sa femme Minnie. La majorité de ces avoirs ont été plantés dans des jardins soigneusement fertilisés qu'on appelle des sociétés de placement et, en guise de tuteurs, sont entourés de conseillers en placement et d'avocats spécialistes du droit fiscal qui veillent sur leur croissance. Au moins deux des jeunes Bronfman — Edward et Peter, les fils d'Allan, le frère de Sam — ont, grâce à leurs efforts, mis sur pied un impressionnant empire commercial évalué à quelque deux milliards de dollars. Ils possèdent, entre autres, le centre commercial de Yorkdale, à Toronto, l'usine de mise en bouteille de Coca-Cola dans l'île d'Antigua, d'importantes sociétés à Calgary, l'énorme édifice Place Ville-Marie, à Montréal, et le nombre le plus élevé d'actions de la dernière-née des banques canadiennes.

Il y a longtemps que le simple fait de faire fructifier l'argent comme tel n'intervient plus dans la réussite des Bronfman. "Avoir cent dollars et en tirer cent dix, déclare Edgar, le fils aîné de Sam, qui dirige les activités de Seagram à l'extérieur de New York, c'est du travail. Mais en gagner cent dix millions à partir de cent millions, c'est inévitable."

Le style de vie de la famille Bronfman a atteint, dans son élégance, un raffinement tel que c'est dans les aléas du quotidien que ses membres manquent de naturel et adoptent un comportement factice [3]. Ils parcourent le monde

---

plus la seconde banque du Canada, mais dégringolerait immédiatement au troisième rang."

On trouvera, à l'annexe III, la liste des sociétés de portefeuille et immobilières que possède la famille Bronfman au Canada.

3) Un cas exceptionnel chez les Bronfman (et qui représente peut-être le comble de la sophistication) est celui de Phyllis, la fille cadette de Sam, qui habite dans une ancienne fabrique de traitement des sous-produits de l'arachide, dans le Vieux Montréal.

dans leurs propres avions à réaction, dégagés de tous ces soucis financiers qui accablent le commun des mortels, sereinement convaincus qu'à peu près tout et tout le monde est à vendre — et peut s'acheter. Exception faite de leur crainte de la publicité, il ne montrent guère de scrupules à profiter de leur argent [4]. "Après tout, remarquait Edgar, à quoi ça sert d'avoir un père riche si on ne peut pas dépenser son argent?"

Etre un Bronfman est à la fois un bienfait et une malédiction. La majorité des membres de la famille mènent une existence dorée ressemblant à l'été des Indiens, dans la chaleur que procure le confort et ce sens de la grandeur né du sentiment d'appartenir à une lignée historique. C'est uniquement dans la solitude des premières heures de l'aube, lorsqu'ils se retrouvent livrés à eux-mêmes que les mâles de la famille Bronfman contemplent cet héritage moins rutilant qui consiste à essayer de réussir aussi bien que Monsieur Sam, le bâtisseur d'empire, et ressentent les affres de l'imperfection qui accompagnent la conviction de n'être, fatalement, jamais à la hauteur. "On attend un tas de choses de vous parce que vous grandissez à l'ombre d'un type absolument invraisemblable qui s'appelle Sam, déclare Mitch Bronfman, l'un des petits-fils d'Harry, frère aîné de Sam. Mais, en vieillissant, cela devient de moins en moins un fardeau et de plus en plus un mode de vie."

Les jeunes Bronfman ne mûrissent pas; ils hibernent. Gâtés par tout cet argent et tous les égards dont ils sont l'objet, ils ont tendance à considérer le monde extérieur

---

4) Quelques-uns des membres appartenant à la quatrième génération et qui arrivent maintenant à l'âge adulte ont été élevés selon une tout autre tradition. A une certaine époque, désireux d'enseigner à ses enfants la valeur de l'argent, Gerald Bronfman (fils de Harry, l'un des frères aînés de Sam) versait à ses filles adolescentes une allocation hebdomadaire de trente-sept sous et demi, en leur donnant une semaine trente-huit sous et, la suivante, trente-sept.

avec suspicion et ne se risquent que rarement à nouer des liens poussés avec leurs contemporains tant qu'ils ne sont pas à l'abri de la quarantaine; et même là, ils n'éprouvent jamais à fond certains des sentiments qui animent les autres individus. "Dès que vous vous nommez, cela provoque une réaction, remarque Peter Bronfman. Vous pouvez voir une caisse enregistreuse cliqueter dans le regard de votre interlocuteur. Qu'ils vous abordent ou qu'ils prennent part à la même activité que vous, ils le font toujours d'une façon stéréotypée. On ne peut jamais savoir ce qu'ils ressentent. Je présume qu'il doit y avoir du bon et du mauvais dans le fait d'être un Bronfman, mais, le bon, je ne sais pas trop ce que c'est — sauf, peut-être, que cela vous ouvre certaines portes et vous permet d'accomplir certaines choses plus rapidement."

Aucun Bronfman ne peut échapper à son héritage en s'en détournant; il ne peut que grandir et essayer de s'affirmer. "Pour mes enfants, avoue Gerald Bronfman, le nom des Bronfman est un désavantage, mais j'adore le genre de vie que je mène."

Pour se protéger contre les assauts des nombreux étrangers qui lui réclament constamment une partie de son argent et de son attention, la famille a élevé une multitude de barrières, dont la plus efficace est un sentiment tribal qui divise le monde entre ceux qui sont des Bronfman et tous les autres. Néanmoins, même entre eux, ils ne livrent pas aisément le fond de leur personnalité. Leur affection porte souvent des gants de boxe. Quand, à l'aube du 30 mai 1970, un groupe de séparatistes québécois radicaux lança quatre bâtons de dynamite dans la cheminée de la maison de Peter Bronfman, cela fit la manchette de tous les journaux montréalais. Mais, la première fois que Saidye, l'épouse de Sam Bronfman, rencontra Peter après l'incident, son seul commentaire fut: "Pourquoi *toi*?", laissant ainsi entendre qu'il n'occupait pas un rang assez élevé dans la dynastie, tant s'en fallait, pour mériter un traitement particulier. Les nuances les plus subtiles sont strictement respectées. Charles dit toujours "Oncle Allan" au père de Peter, mais Peter, quand il parle du père de Charles, ne l'appelle jamais autrement que "Monsieur Sam".

Les diverses branches de la famille semblent liées ensemble par des fils à haute tension qui dégagent un perpétuel bourdonnement de commérages: à propos des nouveaux exploits d'Edgar, de la guerre secrète menée par Charles contre les séparatistes de René Lévesque, des dernières exentricités de Phyllis, du divorce d'Edward, de la récente querelle de Mitch avec la G.R.C., de la déconcertante réussite de Peter en affaires et de la prochaine réception que donnera Minda à Paris. Ils ne se lassent jamais de commenter les faits et gestes des autres, les transactions, les victoires et les échecs. Il y a toujours au moins une branche de la famille qui traverse une crise. Les anciennes catastrophes et les situations critiques finissent par former une sorte de litanie: le jour où Mona (la fille d'Allan) s'est suicidée; comment Mitch a réussi à avoir un ulcère hémorragique à dix-neuf ans; la plus récente menace d'enlèvement qu'Edgar venait de transmettre au F.B.I.; les dessous du mariage d'Edgar avec Lady Carolyn Townshend; les détails de l'interminable bataille qui avait eu pour résultat d'écarter Edward et Peter de la succession Seagram [5].

Aucun de ces événements ou de ces histoires ne laisse indifférent, mais suscite plutôt l'impression, partagée par tous ceux qui y ont pris part, qu'appartenir aux Bronfman équivaut à vivre au coeur même d'un ouragan d'émotions.

---

5) Etant donné les nombreuses querelles familiales, deux des meilleurs avocats de Montréal — Lazarus Phillips et Philip Vineberg — sont devenus membres ex-officio de la famille et sont chargés d'arbitrer les conflits qui éclatent entre ses multiples factions.

L'obligation constante de devoir se prouver leur valeur personnelle a réduit la plupart des petits-enfants d'Ekiel et de Minnie à un état de tension nerveuse qui les pousse à sentir leur propre pouls chaque matin, uniquement pour s'assurer qu'ils sont encore dans la course.

Sam Bronfman, qui régnait sur cette progéniture batailleuse, n'a jamais souscrit à aucun des parallèles établis entre sa famille et les Rotschild. "Non, répliqua-t-il à un subordonné qui s'était laissé aller à les comparer. Non, je m'en suis beaucoup mieux tiré que les Rothschild. Leurs enfants se sont dispersés. Moi, j'ai fait en sorte que les miens restent unis." [6]

Tel est l'impératif dynastique. Malgré les conflits amers provoqués au fil des années par sa décision, Sam a impitoyablement écarté ses frères et soeurs ainsi que leurs enfants de toute participation significative à l'administration de l'empire Seagram. "Autrefois, l'intimité de la famille était quelque chose de merveilleux, déplore Gerald Bronfman. Tous les enfants et les enfants des enfants s'en voient maintenant privés. Ils ont ainsi beaucoup perdu."

Les Rothschild ont débuté comme cambistes dans les ghettos d'Europe centrale, les Baring dans les textiles, les Hambro dans les denrées alimentaires et les Guggenheim dans la broderie suisse. Les Bronfman, eux, ont eu la malchance sociale de, non seulement se retrouver dans le commerce des spiritueux, mais surtout de le faire au Canada.

---

6) C'était une allusion à la volonté inébranlable de Sam de transmettre les pleins pouvoirs à ses seuls descendants directs. Mais cette remarque fait penser à une histoire apocryphe selon laquelle un pauvre Juif, observant un bébé de la famille Rothschild qu'un chauffeur en livrée aidait à prendre place dans une élégante Rolls-Royce, s'exclama avec envie: "Si jeune et déjà un Rothschild!"

Même si le Canadien moyen boit annuellement 1,80 gallon d'alcool [7], les vestiges du puritanisme subsistent avec suffisamment de force dans la mentalité nationale pour que la gnôle soit encore perçue comme une invention du diable. Ajoutée aux rumeurs voulant que les Bronfman aient été des grands manitous de la contrebande de l'alcool qui sévissait le long de la frontière canadienne pendant que les Etats-Unis étaient sous le joug de la prohibition, cette ambivalence priva les héritiers d'Ekiel de cette respectabilité qu'ils tentaient désespérément d'acquérir.

Cette quête de la respectabilité ou plus exactement du *yechus,* son équivalent juif, a été l'obsession de Sam Bronfman tout au long de sa vie et demeure la principale préoccupation de la dynastie. Plus que le simple besoin irrésistible de considération, le *yechus* est un état où celle-ci est consacrée publiquement par quelque chose de prestigieux qui n'est pas le fait d'une faveur gratuite ou d'une distinction honorifique. Les empereurs recherchaient le *yechus* en faisant élever des monuments à leur mémoire. Sam Bronfman caressait des ambitions plus modestes: il rêvait de siéger au conseil d'administration de l'université McGill, d'être élu membre du Mount Royal Club de Montréal, nommé directeur de la Banque de Montréal et d'accéder au Sénat. Mais comme ces pauvres honneurs continuaient de lui échapper, il entreprit de se réfugier en lui-même en adoptant une façon de vivre de plus en plus marquée par ses exclusions et par une morgue voulue que par ses enthousiasmes et ses passions de la première heure.

Pour Sam Bronfman qui aurait voulu acquérir une identité sociale en dehors du milieu juif, la légende familiale s'est avérée un obstacle permanent. L'assassinat de son

_____
7) Ceci équivaut à 28,9 bouteilles de rye par année.

beau-frère Paul Matoff, tué par le fusil de chasse d'un mystérieux contrebandier à Bienfait, en Saskatchewan, en 1922; la brève incarcération de Harry Bronfman au cours du procès qu'il subit en 1930 pour avoir voulu soudoyer un douanier; la seconde comparution de celui-ci devant le tribunal, toujours en 1930, mais cette fois pour une affaire de corruption de témoins — à qui on faisait quitter le pays grâce au réseau des hôtels Bronfman — où il s'agissait d'éviter la prison à son beau-frère, David Gallaman; l'accusation de fraude et d'évasion fiscale portée à Montréal contre les quatre frères Bronfman, au milieu des années 30; et, plus que tout, le fait indéniable que la fortune des Bronfman provenait carrément de la vente d'alcool aux contrebandiers américains — tel était le passé qui le poursuivait.

Les Bronfman ne furent jamais convaincus de quelque action illégale que ce fût. Mais cela ne mit pas fin aux murmures pour autant [8], et Sam ne put faire plus que de rester le nez collé aux vitres des bastions de l'Establishment. Son oeil exercé et son oreille interne pouvaient déceler chez tout étranger entendant prononcer son nom une hésitation d'une fraction de seconde dans la voix ou une minuscule lueur dans le regard.

Chez Seagram, il était le roi et se comportait comme s'il régnait en empereur sur l'univers tout entier. Mais, hors de son bureau, il paraissait solitaire et isolé, craignant de parler franchement, espérant que les mémoires finiraient par oublier le passé — l'oreille continuellement tendue vers ces murmures.

---

8) Cela ne se limitait pas toujours à des murmures. Jusqu'à tout récemment, chaque fois qu'un Bronfman mourait, ses proches recevaient un télégramme d'un certain Max Chechik, de Vancouver, bénissant le ciel de ce qu'il y eût un Bronfman de moins sur terre. De plus, ce Max Chechik persiste à envoyer un câblogramme aux principaux membres de la famille tous les 4 mars,

jour anniversaire du décès de son père. Cette haine particulière remonte loin dans le temps, à l'époque où Meyer Chechik avait été un bref moment l'associé d'Harry Bronfman dans une importante affaire de mise en bouteilles, à Regina. "Les Bronfman ont lésé mon père et ont gagné tous les procès en s'appuyant sur des vices de forme, soutient Max Chechik qui est maintenant à la tête de Plant Maintenance Equipment Ltd., à Vancouver. Je leur envoie ces télégrammes pour les ennuyer. Pour moi, le nom des Bronfman demeure maudit." Le père de Chechik vécut ses dernières années à l'hôtel *Mont-Royal*, rue Peel, à Montréal, juste en face du siège social de Seagram. Il passait son temps à téléphoner à n'importe lequel des Bronfman qui acceptait de lui répondre et à faire irruption dans leurs bureaux. "Ça leur déplaît de me savoir ici", écrivit-il à son fils dans l'une des dernières lettres qu'il lui adressa avant de mourir d'une crise cardiaque dans sa chambre d'hôtel, le 4 mars 1947.

Chapitre Deux

Monsieur Sam

Seul Sam Bronfman pouvait faire et dire exactement ce qui lui plaisait et il avait pour ses subordonnés l'attitude vaguement indulgente d'un Schweitzer parmi les incurables.

Russe par ses origines, canadien par conviction, texan par son tempérament, Sam Bronfman appartenait par aspiration à la haute société britannique. Rien, durant toute sa vie adulte, ne l'avait autant marqué que cette période, au cours des années 20, pendant laquelle il fut l'associé en second des propriétaires de l'importante société Distillers, qui étaient d'arrogants aristocrates écossais. Ce fut auprès de cette paisible noblesse que, durant ses fréquents séjours à Londres et à Edinbourg, le jeune Sam se prit d'une telle passion pour le faste britannique et la condition seigneuriale qu'il passa la seconde moitié du siècle à tenter vainement de les imiter, animé par l'espoir d'établir sa crédibilité et souhaitant plus que tout être admis dans ce milieu magique.

Quand le roi George VI et la reine Elizabeth vinrent au Canada en 1939, il créa en leur honneur le prestigieux whisky Crown Royal, ayant, pour ce faire, mélangé personnellement six cents échantillons avant de se déclarer satisfait. L'une des raisons qui le poussa à acheter la distillerie Chivas, d'Aberdeen, fut le fait que les anciens propriétaires possédaient une épicerie où tout était vendu au prix fort et qui, à titre de Fournisseur de Sa Majesté le Roi, approvisionnait la famille royale quand elle séjournait en Ecosse. Mais, en dépit de tous ses efforts, Sam ne réussit jamais à obtenir un brevet royal pour son Chivas Regal Scotch [1].

Comme il voyait dans le titre de sénateur une importante marque de consécration sociale, il mena pendant plus de vingt ans une lutte obstinée, mais entachée de scepticisme, pour accéder au Sénat canadien. Toutefois, son secret désir était d'être fait chevalier par le roi d'Angleterre [2]. Bien

---

1) Il prenait un immense plaisir à assister aux cérémonies royales; ainsi, dans l'après-midi du 28 mai 1953, il assista, accompagné de Saidye et de Minda, à une réception donnée dans les jardins du palais de Buckingham et au cours de laquelle les invités furent présentés au roi. Il obtint également deux billets (dans la galerie supérieure de la nef latérale sud) pour le couronnement d'Elizabeth II, qui eut lieu le 2 juin de la même année, à l'abbaye de Westminster.

2) Cette ambition lui avait été partiellement inspirée par l'exemple de Sir Mortimer Davis, un collègue juif de Montréal. Non seulement celui-ci était-il membre de tous les clubs huppés (le Mount Royal, le Saint James, le Montreal Hunt, le Montreal Jockey, Le Royal Montreal Golf, le Forest and Stream) et siégeait-il au conseil d'administration de la Banque royale, mais il avait, en outre, été chevalier par George V, en 1917, en reconnaissance de son activité philanthropique comme, par exemple, la construction du sanatorium Mount Sinaï à Sainte-Agathe-des-Monts, dans les Laurentides. Ame dirigeante de la compagnie Imperial Tobacco du Canada et, pendant un temps, principal actionnaire de la Canadian Industrial Alcohol (dont les filiales produisent les whiskies Corby's et Wiser's), Davis mourut en 1928 à sa résidence d'hiver de Golfe-Juan, sur la Riviera française, en léguant à son fils un revenu princier. Malgré ça, sa fortune était telle qu'il en resta suffisamment pour bâtir un édifice destiné à la Young Man Hebrew Association et pour l'Hôpital général juif de Montréal qui se vit remettre par la succession de Sir Mortimer la somme de dix

que le Canada n'eût plus recommandé l'octroi de titres de noblesse à des citoyens depuis 1935, Bronfman ne cessa jamais de croire qu'il pourrait constituer une exception. "Sam était presque un génie et, heureusement, sa perspicacité pesait plus lourd que sa naïveté, se souvient Saul Hayes qui fut son principal conseiller pour les affaires juives. Il était incroyablement candide dans son rêve d'être fait chevalier, ce qui ne l'empêchait pas de se montrer d'une telle subtilité qu'il pouvait, à brûle-pourpoint, résumer en une seule phrase une philosophie générale de la vie. En fin de compte, ce fut Mike Pearson qui mit le point final à son désir, si longtemps caressé, de devenir sénateur en lui assurant qu'on lui réservait un poste beaucoup plus important. Aussitôt, Sam commença à se voir, ainsi qu'il le disait lui-même, ambassadeur du Canada à la cour d'Angleterre.''

L'avantage le plus marqué, d'un point de vue pratique, que Sam Bronfman retira de son expérience britannique fut probablement une conception entièrement différente de la manière de boire. Les nombreuses et agréables soirées qu'il passa à déguster du scotch en compagnie de

millions de dollars (selon la volonté du défunt, soixante-quinze pour cent des capitaux devaient être affectés à la construction d'un hôpital). Si on se souvient encore de Mortimer Davis Junior, c'est essentiellement à cause de son penchant pour les tables de jeu et de son mariage avec Roszika (Rosie) Dolly, l'une des fameuses Dolly Sisters, originaires de Hongrie (et de Far Rockaway, Etat de New York), qui dansèrent sur toutes les scènes d'Europe et d'Amérique, de 1909 à 1927. Celle-ci et sa jumelle Jenny gagnèrent deux cent quatre-vingt mille dollars au baccarat en une seule journée, au *Casino de la Forêt*, au Touquet, en 1928. Le jeune Davis mourut en 1940 dans une collision survenue sur la route Montréal-Québec. Pendant la Seconde Guerre mondiale, sa mère, la première Lady Davis (le couple avait divorcé en 1924) offrit au Fonds canadien pour la Reine les plans du premier Spitfire, l'avion de chasse, et ouvrit une "Maison de l'armée de l'air" à Montréal ainsi que deux autres au Nouveau-Brunswick à l'intention des aviateurs des forces alliées. La seconde Lady Davis, Eleanor Curran, de la Nouvelle-Orléans, avait épousé en premières noces un diplomate italien, le comte Moroni. Après le décès de Sir Mortimer, elle devint la troisième épouse d'Eric Loder, descendant d'une famille tirée de Grande-Bretagne. Le couple se lança dans le circuit privilégié par la haute société, ce qui les mena de la Riviera à Deauville, Londres et New York.

ses confrères distillateurs aux manières châtiées, dans l'atmosphère distinguée de leurs clubs, baignée d'une odeur de vieux cuir et de cigares de première qualité, ainsi que d'un léger relent de curée, convainquirent Sam qu'il devait changer l'image de l'alcool qui prévalait en Amérique du Nord. Le whisky n'était rien de plus, à l'époque, qu'un "tord-boyaux" dont on servait une mesure au client qui, après l'avoir sifflé d'un trait, déposait bruyamment son verre sur un comptoir humide. Bronfman entreprit de marquer ses produits du sceau du snobisme et de la dignité subtile des clubs londoniens grâce à une nouvelle présentation (il intervint personnellement dans la conception des étiquettes) et à une publicité jouant sur le prestige (telle la série sur "l'homme de bon goût" qui fut si longtemps la caractéristique du Calvert). Il lança une autre de ses marques — le Chivas Regal — en la présentant comme un symbole de qualité, l'équivalent, pour le whisky, de la Rolls-Royce ou des montres Patek Philippe; finalement, il se surpassa en produisant un whisky encore plus sélect (et plus coûteux), le Royal Salute.

Mais c'est par l'architecture de ses propriétés et de ses bureaux que se manifesta avec le plus de force la vénération de Sam pour l'aristocratie britannique. Puisqu'il ne pouvait acquérir un authentique domaine, il entreprit de créer sa propre "marque" de manoirs — avec de faux créneaux, des corniches alambiquées et le genre de décor qui faisait croire aux visiteurs que les éraflures sur les boiseries de la bibliothèque pouvaient fort bien être dues à l'épée négligente d'un noble aïeul. Garnie de tourelles victoriennes, réminiscence instantanée de la splendeur médiévale, sa maison de Montréal, construite sur les hauteurs de Westmount, était bondée de trésors qui auraient fait l'envie d'un pair du royaume. Toutefois, l'ultime expression — et aussi la mieux connue du public — de cette distinction qu'il avait faite sienne fut le minuscule château féodal qu'il se fit bâtir au 1430 rue Peel, à Montréal, pour y abriter le siège social de Seagram. Il s'agit d'une oeuvre en granit gris qui réunit les pires aspects des styles Tudor et gothique à la première époque Disneyland. Une herse factice est installée devant l'entrée [3] et, il y a peu de temps encore, le rez-de-chaussée était décoré d'une vieille armure et de l'imposante dépouille d'un tigre du Bengale qui aurait, paraît-il, dévoré quatre-vingt-quatre hommes.

Monsieur Sam n'avait en soi rien d'impressionnant — il mesurait cinq pieds cinq, aborait une bonne brioche et une chevelure clairsemée —, mais son regard expressif, auquel rien n'échappait, permettait de connaître la température de son âme en en indiquant avec précision la hauteur barométrique. Une fureur glaciale pouvait être remplacée, en un instant, par une étincelle d'émerveillement comme on en voit dans les yeux d'un enfant qui aperçoit le Père Noël pour la première fois. Son front était ridé par une vie de tension et de travail acharné, mais la douceur de la peau de ses joues et de sa mâchoire lui donnait une expression angélique. L'un des principaux vice-présidents le comparait à un tigre: "Si Monsieur Sam sentait que vous aviez peur, il vous sautait dessus. Mais si vous lui teniez tête, son respect vous était acquis et il pouvait se montrer charmant et plein d'égards."

Pour ses employés, cependant, la comparaison avec un épaulard aurait peut-être semblé beaucoup plus appropriée. Dès qu'il apparaissait, la plupart d'entre eux se dispersaient, en proie à une terreur irraisonnée, semblables à des poissons pilotes filant s'abriter derrière des rochers.

---

3) Elle est tout de même renforcée par un système de verrouillage à distance qui permet au préposé à la réception d'identifier les visiteurs avant de les laisser entrer. Les bureaux sont protégés par un dispositif similaire, soit une porte dotée d'un oeil électronique.

La moindre réunion des directeurs de Seagram se transformait, quand elle se tenait dans le bureau de Bronfman, en un perpétuel chassé-croisé; chacun allongeait le cou pour être sûr que le patron le voie bien, pesait le moindre mot, la moindre idée, et tentait de deviner ce que Monsieur Sam voulait lui voir dire et penser. Seul Sam Bronfman pouvait faire et dire exactement ce qui lui plaisait et il avait pour ses subordonnés l'attitude vaguement indulgente d'un Schweitzer parmi les incurables.

Il savait être attentif aux avertissements de ses sens; toujours réceptif aux nuances qui s'exprimaient autour de lui, il exerçait sur ses employés une forme de pouvoir obscur qui les faisait se sentir obligés de lui dévoiler, dès qu'il l'exigeait, toute partie d'eux-mêmes qu'ils gardaient secrète. Aucune décision importante ne se prenait s'il n'avait pas donné et son avis et son consentement; il fallait lui rendre un constant hommage — lequel, pour être agréé, devait être exprimé au vu et au su de tous [4]. Si certains le considéraient comme un confesseur paternaliste, d'autres voyaient en lui le reflet désagréable de leur propre imperfection. Ses nombreuses questions judicieuses s'attiraient des réponses prudentes, tant il fallait éviter de déclencher l'une de ses colères légendaires. Car son irritation, qui forçait sa victime à jeter des mots d'un ton cassant comme le bruit de billets neufs que l'on froisse, n'avait rien de commun avec la manière WASP qui se limite à pincer les lèvres. C'était, au contraire, une explosion de fureur

---

4) Les rapports avec Sam Bronfman étaient loin d'être facilités par la confiance inébranlable qu'il avait en lui-même. Après avoir raté un marché avec la Commission des alcools du Québec, un directeur de Seagram reconnut, à son retour :

"J'aurais dû procéder à votre façon, Monsieur Sam.

La réponse est restée gravée dans sa mémoire:

— Qu'est-ce que ça veut dire ça, que vous auriez dû agir à ma façon? Il n'en existe pas d'autre."

assourdissante qui, en enfonçant un percuteur dans le cerveau de Sam, le faisait détoner[5]. Ses interlocuteurs sortaient de pareilles crises, au cours desquelles il leur avait souvent fallu esquiver les objets que Sam leur jetait à la tête, tremblants de tous leurs membres et mentalement épuisés. Dans son bureau de New York, seul le battant métallique d'une fenêtre avait empêché qu'un lourd presse-papier lancé contre un vice-président terrifié n'atterrît directement sur le trottoir, plusieurs étages plus bas. (Une plaque avait été gravée pour commémorer l'incident et, chaque fois que Sam commençait à fulminer, ses assistants craintifs la lui montraient silencieusement du doigt, dans l'espoir d'atténuer la crise.)

Un jour, pendant un déjeuner qui réunissait les administrateurs, J.-Alexandre Prud'homme, l'associé d'Aimé Geoffrion, l'un des avocats de Seagram, et son remplaçant au conseil, déclencha une explosion quand il interrogea Sam à propos de la politique adoptée en matière de dividendes avec, par surcroît, l'appui d'Allan Bronfman. Pour toute réponse, Sam le bombarda avec son petit pain suivi de son assiette quand Prud'homme insista. Celui-ci déclara qu'il démissionnerait du conseil d'administration si ses questions restaient sans réponse. Le même après-midi, un messager apporta sa lettre de démission.

Même si ce fut davantage la fidélité que la crainte qui permit à l'énorme entreprise de prospérer, certains des directeurs de Seagram ne purent jamais s'habituer aux explosions de Bronfman. Ainsi, Frank Marshall, qui dirigeait le service des ventes à l'exportation au début des années 50, était tellement à bout qu'il avait arrangé son calendrier de travail de façon à ne pas être à Montréal

---

5) Le docteur Abe Mayman, le médecin de Sam Bronfman, estimait que ses éclats lui permirent de vivre plus longtemps parce qu'en accélérant la circulation sanguine, ils faisaient office de soupape de sûreté.

quand Sam s'y trouvait. Et au cas où celui-ci serait revenu à l'improviste, Marshall gardait en permanence dans son bureau une valise toute prête afin de pouvoir filer sur-le-champ à l'aéroport de Dorval; là, il achetait un billet pour n'importe laquelle des filiales que possède Seagram à travers le monde et où il estimait qu'une inspection inattendue ne saurait faire de tort. Son stratagème fonctionna sans anicroche pendant un certain temps, mais, à un moment donné, Bronfman se rendit compte qu'il ne voyait à peu près jamais son directeur des exportations et le mot d'ordre fut lancé: "Trouvez Marshall. Monsieur Sam veut le voir."

Le fugitif continua de jouer au globe-trotter pendant encore quelques mois, mais la réception prévue pour le soixantième anniversaire de naissance de Monsieur Sam était imminente et tous les cadres attachés au siège social étaient tenus d'y assister. Le personnel avait préparé un film fort complet, doublé d'une bande sonore, sur les points saillants de la campagne de vente de Seagram au cours de l'année précédente. Sam était assis dans la première rangée, dans la salle de bal de l'hôtel Windsor; il s'amusait énormément et riait de bon coeur en voyant sur l'écran des officiers de l'armée égyptienne, passablement éméchés, qui se portaient mutuellement des toasts avec du Crown Royal, à la terrasse de l'hôtel *Shepheard,* au Caire. Ces scènes furent suivies d'un plan général montrant un Bédouin à dos de chameau qui se dirigeait vers les Pyramides, une bouteille dépassant de son burnous. Le chameau se rapprocha de la caméra et Sam se redressa soudain dans son fauteuil, les yeux rivés sur le cavalier qui tanguait sur sa monture. La mise au point se précisa et on put constater sans équivoque possible que le "Bédouin" n'était nul autre que Frank Marshall vêtu d'une longue chemise de nuit, coiffé d'un fez et brandissant une bouteille de V.O.

Sam bondit sur ses pieds. Le doigt tendu avec excitation vers l'image de son directeur nomade, il se mit à hurler en direction de l'écran: "Le voilà, ce fils de pute! C'est comme ça qu'il passe son temps! Sur le dos d'un foutu chameau!"

Une fois que Bronfman se fut un peu calmé, Marshall, qui s'était faufilé dans le vestibule dès que les lumières s'étaient éteintes, s'approcha de lui, et lui tapota l'épaule en murmurant d'un ton implorant: "Ce film a été tourné un dimanche, Monsieur Sam."

La réponse n'est pas passée à la postérité.

Ce qui choquait les associés de Bronfman n'était pas tant ses sautes d'humeur que les jurons qui les accompagnaient [6]. "Sam employait des expressions dont certaines auraient, sans conteste, fait la joie d'un débardeur", se souvient Saul Hayes. Les salves de jurons étaient décochées avec la précision d'un officier d'artillerie observant l'impact de ses coups, debout à côté de sa batterie de canons. Il était capable de rectifier la force et la portée de ses éclats de telle sorte que, s'il n'obtenait pas l'effet voulu en traitant quelqu'un de fils de pute, il n'hésitait pas à le qualifier de "*fils* de fils de pute", ce qui n'était qu'un prélude. Son neveu Gerald lui déclara, une fois, qu'il devrait essayer de se maîtriser s'il ne voulait pas se réveiller, un beau matin, affligé d'un ulcère.

— Ecoute, lui riposta Sam, les ulcères, ce n'est pas moi qui les attrape. C'est moi qui les donne."

---

6) C'était là un trait de caractère que Sam avait en commun avec un autre distillateur, Herb Hatch, ancien président de Gooderham & Worts. Un jour, de passage à Calgary, celui-ci voulut encaisser un chèque de dix mille dollars dans une succursale de la Banque de Toronto, mais s'aperçut qu'il n'avait sur lui aucun papier d'identité. Le gérant téléphona à Toronto où son supérieur lui demanda de lui décrire le client. "Jamais encore je n'avais entendu quelqu'un employer un langage aussi grossier. Il n'a pas cessé de me lancer les cinq lettres à la tête."

Sam Drache, un avocat de Winnipeg et une vieille relation de Sam, se souvient d'avoir rencontré Eddie Gelber au coin des rues Peel et Sainte-Catherine, à Montréal, quelque part au cours des années 50. "Eddie était l'un des piliers de notre communauté. A la fois avocat et rabbin, il n'exerçait aucune de ces deux professions, préférant se consacrer plutôt à la cause juive. Il me raconta ce qui s'était produit dans la matinée, à une réunion du Congrès juif canadien, et comment Sam n'hésitait pas à proférer des grossièretés quand quelqu'un l'importunait. Il ne me les répéta pas, mais la chose l'avait choqué. Je lui demandai alors:

— Mais enfin, Eddie, comment as-tu pu assister à la scène sans broncher?

"Et il me répondit:

— Eh bien, il n'y a tout simplement rien d'autre à faire — c'est lui qui possède les moyens de maintenir l'organisation sur pied. Il se sert du mal pour faire le bien. Il ne connaît pas d'autre façon.

"Je lui répliquai que cela n'avait rien à voir avec le bien et le mal et que Sam n'était qu'une brute mal embou-

---

Il n'en fallait pas davantage au directeur du siège social:
— C'est bien lui. Donnez-lui tout l'argent qu'il veut.
Les Gooderham et les Worts avaient établi de solides liens avec la banque. Le distillateur torontois William Gooderham (1790-1881) en fut le président de 1864 à 1881; son fils George (1820-1905) lui succéda à ce poste, à partir de 1881 jusqu'à sa mort. Parallèlement, James G. Worts (1818-1892) fut vice-président, de 1858 à 1882, de la banque qui, après sa fusion avec la banque Dominion, en 1955, devint la banque Toronto-Dominion. En 1923, la distillerie familiale de Gooderham & Worts, qui avait été fondée en 1832, fut vendue à un groupe à la tête duquel se trouvaient les frères Harry C. et Herbert E. Hatch. Ceux-ci intégrèrent G & W dans la société Hiram Walker-Gooderham & Worts, laquelle avait fait l'acquisition de la distillerie mise sur pied en 1858 par Hiram Walker, originaire de la Nouvelle-Angleterre, dans ce qui est maintenant le quartier Walkerville, à Windsor, en Ontario. Le Walker's Canadian Club est le principal concurrent du V.O. de Seagram au niveau des exportations mondiales.

chée qui explosait à la moindre contrariété. Pour moi, la situation se résumait à ça."

Il y eut quand même quelques collaborateurs capables de supporter un pareil régime, entre autres, Michael McCormick [7] et Jack Clifford qui furent des collaborateurs intimes de Monsieur Sam pendant des années. Clifford est un gros ours irlandais au regard éveillé et à la langue bien pendue, dont la fidélité envers le clan Bronfman a résisté à de nombreuses crises pendant lesquelles sa loyauté et sa résistance furent mises à rude épreuve. Ses débuts, pourtant, n'avaient rien eu de prometteur. Quand il entra comme vendeur chez Seagram en 1936, il avait vingt-trois ans et avait travaillé jusque-là comme annonceur radiophonique; la première tâche qu'on lui confia fut d'approvisionner gratuitement en alcool un congrès sur le base-ball qui se tenait à l'hôtel *Mont-Royal,* à Montréal. Les cent vingt-cinq chroniqueurs sportifs eurent tôt fait de vider les douze caisses de bouteilles qu'on lui avaient fournies. Aussi Clifford alla-t-il voir Abe Bronfman qui était responsable des réserves, au siège social. "Abe m'envoya promener, raconte Clifford. Il me dit:

---

7) Après avoir servi dans la Marine royale canadienne comme spécialiste en décodage, McCormick se dirigea vers la publicité et devint, par la suite, chef comptable chez Cockfield-Brown. Il quitta l'agence en 1959 et entra à la société Cemp comme directeur général du service des affaires immobilières de Fairview avant de passer, cinq ans plus tard, à Seagram pour y diriger les opérations de mise en marché, bien qu'il eût été, en fait, engagé comme adjoint spécial de Monsieur Sam. Extraverti génial et ayant su se faire de bonnes relations, il abandonna Seagram en 1974 et fonda les Guarda Security Services qui fournissent à l'Establishment montréalais des chiens de garde, des gardiens et des systèmes d'alarme sophistiqués de toutes sortes. Quoiqu'il soit maintenant à la tête d'une des rares industries québécoises en plein essor (Charles Bronfman est l'un de ses bons clients), McCormick s'occupe surtout de la ferme de deux mille cinq cents acres qu'il possède à Foster, dans l'Estrie, au Québec, où il fait l'élevage des taureaux noirs Aberdeen Angus, Simmental et Chianina, et dont il vend la semence au prix du marché — environ sept dollars la dose.

— Je vous ai donné une douzaine de caisses, hier soir. Qu'est-ce qu'ils font, là-bas? Ils le jettent par la fenêtre? Pas question de leur en donner davantage. Pour qui nous prennent-ils? Pour un organisme philanthropique?

"Au même instant, la porte s'ouvrit et un drôle de petit bonhomme que je n'avais jamais vu auparavant entra dans le bureau et me demanda:

— Qui êtes-vous?

— Je m'appelle Clifford et on m'a chargé de m'occuper du congrès sur le base-ball qui se tient de l'autre côté de la rue. Il va commencer dans une heure et il ne me reste plus une goutte d'alcool.

— Comment ça, il ne vous reste plus d'alcool?

— Eh bien, ils ont vidé les douze premières caisses et monsieur Bronfman ne veut pas m'en donner d'autres...

"Aussitôt, le petit bonhomme se mit à traiter Abe de tous les noms d'oiseaux et je me suis dit en moi-même qu'il devait être drôlement important pour pouvoir traiter Abe de bâtard juif, d'autant plus qu'il avait lui-même l'air d'un Juif. Et il ne le lâchait pas:

— Tu ne te rends pas compte, lui criait-il, ce que ça veut dire pour nous, espèce de foutu abruti de fils de pute. Il y a là tous les rédacteurs sportifs les plus en vogue qui sont venus couvrir le premier congrès sur le base-ball jamais tenu à l'extérieur des Etats-Unis, et ça, dans la salle Seagram! Ford Frick est là! Le juge Landis fera un discours, ce soir! Il sera présent ici, dans notre foutue salle! Tu ne comprends donc pas ce que ça signifie pour nous, par tous les saints du ciel?

"Le petit bonhomme était tellement hors de lui qu'il finit par s'emparer du téléphone et le lança vers Abe. Mais le fil ne céda pas et l'appareil, en revenant vers lui, lui ouvrit le front. Aveuglé par le sang, il frappait sur tout ce qui lui tombait sous la main. Finalement, il se tourna vers moi:

— Fiche le camp, espèce de grand crétin. T'es viré!

"Du coup, j'étais prêt à retourner à mon micro, mais, après m'avoir appris que le petit bonhomme était Sam, le grand patron, le vérificateur de la compagnie me convainquit de terminer la journée. Un peu plus tard, alors que j'étais en train de classer quelques papiers sur mon bureau, Sam vint vers moi, la tête couverte de pansements et de diachylon, et me dit:

— Salut, mon grand.

— Oh! C'est à moi que vous parlez?

— Non, à Jésus. Comment vous appelez-vous, déjà?

— Jack Clifford.

— Eh bien, Jack, il y a quelque chose que vous devez comprendre tout d'abord. Je suis l'objet de pressions sans nom. Les banques me tiennent à la gorge. Les actionnaires aussi. Il va falloir jouer serré si nous voulons survivre au milieu de toute cette foutue race de pourris. J'ai là l'occasion de frapper un grand coup sur le plan publicitaire et voilà mon maudit abruti de frère qui décide de jouer les pingres. Vous, vous vous êtes trouvé coincé au milieu de tout ça et je voudrais m'excuser.

"Il avait passé son bras autour de mes épaules et, souriant de toutes ses dents, me demandait de l'aider à passer à travers tous ses problèmes, ce que, bien entendu, j'acceptai."

Pendant la Seconde Guerre mondiale, Clifford servit dans la Marine royale canadienne où il se distingua. Il revint à Montréal au moment où le rationnement de l'alcool était sur le point de prendre fin. Sam lui téléphona très peu de temps après pour se plaindre que, la veille au soir, il avait commandé un Tom Collins à l'hôtel *Mont-Royal* et qu'on n'avait pu lui servir aucune des marques distribuées par Seagram. "Pour l'amour du ciel, éclata-t-il, je ne sais vraiment pas ce qui se passe ici, bon sang. Je suis au *Normandie Roof,* le plus gros bar de tout l'Est du Canada et on ne peut pas y boire une seule goutte de notre foutu gin. Pas une foutue goutte de Burnett's! Pas une foutue goutte de White Satin!"

Clifford n'avait rien à voir avec ces marques. Il était responsable de la mise en marché des produits Calvert et proposa à Sam de lui commander du Vickers, une marque de gin qui en faisait partie.

— Non, répliqua celui-ci, j'ai oublié qu'il m'appartenait. Et même si j'y avais pensé, je suis foutrement certain qu'ils n'en auraient pas non plus, ces crétins. Vous feriez mieux d'aller demain à la Commission des alcools. Des rumeurs veulent que le rationnement soit bientôt supprimé."

Le lendemain matin, Clifford apprit que l'organisme gouvernemental avait déjà placé une importante commande chez Corby's et Melchers [8]. Quand il demanda ce qu'il

---

8) C'est au principal concurrent canadien de Seagram, Hiram Walker-Gooderham & Worts, qu'appartient la distillerie Corby, située à Corbyville, près de Belleville en Ontario. Un moulin à blé acheté par Henry Corby en 1855 était à l'origine de la H. Corby Distillery Co. Ltd. qui fut connue sous la raison sociale de Canadian Industrial Alcohol Co. Ltd. de 1922 à 1950, puis redevint, de 1950 à 1969, H. Corby Distillery Ltd. (sans le mot "company"). Elle est propriétaire de Wiser's Distillery Ltd. qui a mis en marché un whisky vieux de dix ans et de Robert Macnish & Co. Ltd., une distillerie installée à Dumberton, en Ecosse. Henry Corby siégea comme conservateur au Parlement ontarien, tandis que son fils, qui portait le même prénom mais se faisait appeler Harry, fut élu député au fédéral, toujours sous la bannière conservatrice, et devint plus tard sénateur. La distillerie Wiser's qui, auparavant, s'appelait J.P. Wiser & Sons Ltd., dirigeait toutes ses opérations à Prescott, en Ontario, depuis son siège installé de l'autre côté du Saint-Laurent, à Ogdensburg (Etat de New York). A l'origine, l'entreprise portait le nom de Egert & Averell et prit, par la suite, celui de son directeur, John Philip Wiser,

en était à propos de Seagram, on lui répondit que la Commission était en train de préparer un ordre d'achat d'envergure pour le lendemain. De retour au bureau, il entreprit de faire un rapport sur la situation, mais avant qu'il n'eût pu lui annoncer la bonne nouvelle, Monsieur Sam lui coupa la parole: "Comment se fait-il que nous ne soyons pas les premiers? Pourquoi doit-ce être ces maudits ingrats de fils de putes après tout ce que j'ai fait pour eux! C'est moi qui leur ai garni leurs foutues étagères durant toute la guerre! Je leur ai fourni du V.O. alors que nous n'en avions à peu près pas pour nous-mêmes! Et vous savez ce qu'ils trafiquent, maintenant? Ils essayent de m'avoir jusqu'au trognon!"

Quand Clifford réussit finalement à interrompre sa diatribe pour lui expliquer que Seagram recevrait, dès le lendemain matin, une commande de cinq mille caisses, Bronfman le repoussa de la main: "Espèce de foutu imbécile, vous ne pouviez pas commencer par ça? Je finirai par attraper un maudit infarctus, à force d'avoir affaire à des types comme vous."

Mais rien ne faisait autant jurer Sam que lorsqu'un de ses employés avait un trou de mémoire, ce qui ne pouvait manquer de se produire. Lui, au contraire, possédait une mémoire d'éléphant, surtout pour tout ce qui touchait aux

venu des Etats-Unis en 1857. Celui-ci, né dans le comté d'Oneida, dans le nord de l'Etat de New York, avait acquis la compagnie en 1862. Il devint un éleveur renommé et fut élu au Parlement comme député libéral. Jan Melchers, un distillateur hollandais producteur du gin Geneva et qui a donné son nom aux distilleries Melchers Limitée, acheta une raffinerie de sucre construite aux environs de 1870 à Berthierville, au Québec, et fut le premier à lancer le gin sur le marché canadien. Son entreprise demeura une filiale d'une distillerie américaine, la compagnie Fleishman (surtout connue pour sa levure), de 1898 à 1928, date à laquelle elle fut achetée par la famille Marchand, de Montréal. Après avoir connu des difficultés financières en 1977, elle passa entre les mains de Melcan Distillers Ltd., un consortium regroupant cinq compagnies, dont Calvert du Canada et les distilleries Corby.

bilans, et il pâlissait à vue d'oeil chaque fois que quelqu'un, dépourvu de ce don, était obligé de consulter les dossiers. Sa capacité de se souvenir d'événements ou de faits sans importance était phénoménale. Il savait par coeur des poèmes du dix-neuvième siècle, y compris les interminables quatrains de Tennyson, dans *In Memoriam* [9]. Il pouvait fournir avec une précision qui tenait du prodige des détails sur l'état de la production, dix années plus tôt, les primes d'amortissement, les bénéfices par action, les situations et les décisions.

"On aurait dit un ordinateur, déclare Noah Torno, l'un de ses anciens associés [10]. On pouvait y insérer n'im-

---

9) On ne sera guère surpris d'apprendre que son préféré était:
"Celui qui rompt les chaînes de sa naissance
Et s'agrippe aux basques de la bonne fortune
Et affronte les coups du destin
Et se défend contre sa mauvaise étoile."

10) Torno devint l'associé de Bronfman en 1948, après que Seagram eut acheté Danforth Wines, la firme familiale et, l'ayant fusionnée avec les Vins Jordan, lui en confia la direction. Dix ans plus tard, Torno fut nommé au conseil d'administration de la société mère. Il négocia de nombreux contrats pour Seagram (y compris, dès le tout début de Cemp, un statut d'associé en second dans la société). Sa fortune s'accroissant, il s'installa dans ce qui est probablement l'appartement-terrasse le plus luxueux de tout Toronto. Perché tout en haut d'un édifice à bureaux de quatorze étages, à l'angle des rues Bloor et Avenue, l'appartement qui comporte lui-même deux étages (et est relié au rez-de-chaussée par un ascenseur particulier) s'ouvre sur un magnifique vestibule à deux niveaux, tout de marbre et de chêne blanc; de là, un escalier en bronze conduit au salon qui donne sur une terrasse plantée de pins arrivés à maturité. Une petite salle de cinéma a été installée à l'étage supérieur et on a, de la salle de bain principale aussi grande qu'un court de squash, une vue imprenable sur Queen's Park et le siège du gouvernement de l'Ontario. Un système de télévision en circuit fermé et des dispositifs d'alarme complexes protègent l'appartement des intrus. Torno se sentit vraiment récompensé le jour où il reçut un coup de téléphone de Bronfman qui était en train de rédiger le rapport annuel de Seagram pour 1970. "Je veux que tu saches, lui dit Sam, que je n'ai utilisé le mot "ami" qu'une seule fois dans tout le truc, et c'est en parlant de toi." Sam exagérait un tant soit peu. Cinq autres personnes y étaient qualifiées d'"ami" ou de "grand ami". Mais seul Torno avait droit à ce titre dans toute la section canadienne du rapport de quatre-vingt-quatre pages.

porte quelle information et on obtenait la réponse voulue exactement de la même façon. En outre, comme il était doté d'un esprit cartésien comme on en voit peu, cela donnait une puissante combinaison. Mais il était une chose, par contre, dont il fut toujours incapable et c'était de se détendre." Ainsi, alors que les deux hommes prenaient quelques jours de repos en Jamaïque, Sam se montra tellement agité pendant la visite d'une attraction touristique — le manoir hanté de Rose Hall — qu'il l'acheta sur-le-champ. Une autre fois, pendant des vacances à Caracas, il décida subitement de copier le mélange bien connu à base de vodka, le Bloddy Mary, en créant une version rhum et jus de tomate qu'il appela Red Devil. Il fit venir par avion, de New York, plusieurs artistes qu'il chargea de dessiner les étiquettes de ce nouveau produit vendu en conserve, mais les ventes furent loin de donner le résultat espéré.

Le choix de son menu quotidien constituait un rite auquel Bronfman consacrait une part excessive de son temps. Chaque matin, avant de s'occuper de quoi que ce soit, il discutait longuement avec les chefs de Seagram (les bureaux de Montréal et de New York sont équipés de cuisines ultramodernes) de ce qui lui serait servi au déjeuner. Parfois, si le menu ainsi élaboré lui plaisait tout particulièrement, il se tapotait l'estomac en disant: "Aujourd'hui, tu vas bien manger, Mary." Ses plats préférés étaient le canard garrot de Winnipeg, le filet de sole, le pot-au-feu et le boeuf mariné et bouilli.

Ce n'était pas toujours chose facile que de satisfaire l'appétit de Monsieur Sam quand il était en voyage. Pendant les années 50, Seagram avait organisé une exposition de peinture itinérante ayant pour thème "Les villes du Canada" et, à cette occasion, il était de passage à l'hôtel *Palliser,* à Calgary, quand une affaire urgente l'obligea à rentrer à New York. Il voyageait avec Merle "Schneck"

Schneckenburger qui avait été un chef comptable sans grande envergure dans une agence de publicité montréalaise et était maintenant l'un des vice-présidents de Seagram. Comme ils n'avaient pas emprunté l'un des avions privés de l'entreprise pour venir à Calgary, Schneck réserva deux billets sur un appareil North Star de la compagnie aérienne Trans-Canada. "Ils ne servent pas de repas", annonça-t-il à Monsieur Sam, mais il s'entendit répondre:

— Je m'en fous complètement. Trouvez-moi un siège. "

Une fois les réservations réglées, Sam s'intéressa à la question du repas:

"Bon, alors, vous me dites qu'on ne pourra pas manger à bord...

— Non, on n'a droit qu'à une vague boîte à chaussures contenant un vieux sandwich et une pomme.

— Qu'ils aillent au diable avec leur boîte! Mais, après tout, pourquoi ne pas nous adresser au chef de l'hôtel qui nous a servi un si bon dîner, hier soir, et lui demander s'il ne pourrait pas nous préparer quelque chose."

Le chef du *Palliser* ne fit pas les choses à moitié. Il envoya un messager acheter au magasin *Birks* un panier de pique-nique qu'il garnit d'un poulet rôti à la peau dorée et merveilleusement croustillante, d'une salade fraîche, d'un thermos contenant un consommé madrilène au sherry et d'un choix de ses desserts les plus savoureux. Au lieu de l'habituelle vaisselle en plastique, il mit dans le panier des assiettes en porcelaine et des couverts qu'il utilisait d'ordinaire pour les visites royales. Le tout avait l'air si exquis que Monsieur Sam, quand le chef lui présenta fièrement son oeuvre, voulut se mettre à table sans plus attendre.

En route vers l'aéroport, Bronfman donna soudain l'ordre au chauffeur de taxi de faire un détour parce qu'il voulait voir si la compagnie Alberta Distillers était à vendre. Il fit irruption dans les bureaux et demanda à un directeur déconcerté s'il voulait vendre. L'administrateur ahuri ne savait même pas qui était Sam, et celui-ci en conclut que les propriétaires ne voulaient probablement pas vendre — en tout cas, pas précipitamment [11]. Accompagné d'un Scheneckenburger nerveux, il monta à bord du North Star à peine quelques minutes avant le décollage.

A Regina, qui était la première escale, l'hôtesse entreprit de distribuer les boîtes de sandwich, mais Monsieur Sam l'écarta d'un geste: "Non, non, nous avons notre propre repas, et il y en aura suffisamment pour toutes les mères et leurs petits. Bon, Schneck, on va se mettre à table."

Ce fut à ce moment-là que Schneck s'aperçut que, dans le branle-bas, il avait oublié le panier de pique-nique au *Palliser*. Monsieur Sam était hors de lui. Sans voix, trop furieux pour hurler ou s'en prendre à son vice-président négligent, il ne voulut même pas rester assis à côté de lui. Son envie de ce poulet rôti était trop forte. Il remonta l'allée et s'installa à côté d'un fermier âgé, convaincu que seul quelqu'un possédant la sagesse que donnent les années pourrait comprendre sa situation.

"Je suis entouré de cinglés, se plaignit-il suffisamment fort pour que tous les passagers pussent l'entendre raconter son malheur. Je ne sais pas dans quel domaine vous êtes, ni

---

11) La compagnie Alberta Distillers Ltd. fut fondée en 1946 par la famille Reifel, de Vancouver, anciennement propriétaire de British Columbia Distillery. BCD, acquise par les Bronfman en 1941 lorsque les Reifel l'avaient mise en vente sur le marché ouvert, comprenait une distillerie à New Westminster, en Colombie-Britannique, et une filiale, Amherst Distillers, ainsi qu'une usine à Amherstburg, en Ontario. Cette dernière devint Calvert du Canada. Bien connue aux Etats-Unis pour ses marques de whisky Carrington's Canadian et Alberta Rock, Alberta Distillers fut acheté en 1964 par National Distillers and Chemical Corporation.

comment vous vous entendez avec les gens. Mais, moi, je suis vraiment entouré de dingues. Venez, je vais vous en montrer un." Tous les deux se levèrent en tête de l'allée et Monsieur Sam désigna à son nouvel ami ce pauvre vieux Schneck qui tentait de s'enfoncer dans son fauteuil. Mais Bronfman n'allait pas lâcher prise pour autant: "Regardez, c'est lui, annonça-t-il à tous les passagers du North Star, là, sept rangées plus loin, le voilà, ce foutu imbécile..."

L'avion atterrit enfin à Winnipeg et Sam se précipita en direction du restaurant de l'aéroport où il se fit servir des oeufs brouillés. Mais il refusa d'adresser la parole à Merle Schneckenburger pendant tout le reste du voyage.

Si de pareils éclats confirmaient la réputation de tyran qu'avait Sam Bronfman, ils étaient pourtant loin d'expliquer son succès. A cause de ses sautes d'humeur, il passait pour quelqu'un de mesquin et d'autodestructeur. Mais le côté volcanique de sa nature était largement compensé par un profond équilibre intérieur, par un instinct sûr qui lui dictait dans quelle mesure il pouvait exploiter à fond toute nouvelle situation pour son propre bénéfice — et celui de Seagram. De plus, il possédait un sixième sens particulièrement aigu qui lui permettait de conclure des marchés financièrement avantageux. Quand on l'interrogeait sur le secret de sa réussite, Sam répondait invariablement: "Mon flair — je sais détecter les bonnes et les mauvaises affaires." Il déclara, un jour, à Edgar Cohen, écrivain et directeur d'une agence immobilière montréalaise: "En affaires, je parie sur le jockey et non sur le cheval." Il voulait probablement dire par là que ce n'était ni la transaction ni la compagnie qui importaient, mais les gens qui étaient à la tête de cette dernière.

Ce qui donnait tant de forces aux divers éléments qui composaient la personnalité de Bronfman, c'était l'énergie avec laquelle il les déployait. Mark Shinbane, un avocat de

Winnipeg qui le défendit dans la plupart de ses démêlés du début avec la justice, se rappelle que "Sam, qui était un Juif modérément orthodoxe, était un adepte de la morale protestante qui prône un travail acharné et de longues heures de labeur. Je l'ai connu et aimé pendant plus de cinquante ans. C'était un être complexe, qui sortait de l'ordinaire, empli de contradictions. Il pouvait se montrer dur et impitoyable, mesquin et généreux. Il était prêt à dépanner financièrement ses quelques amis intimes, mais seulement s'ils se présentaient la main tendue. Il piquait facilement de terrifiantes crises de colère, était âpre au gain comme pas un et, néanmoins, pouvait se montrer charmant et même plein d'égards pour obtenir ce qu'il voulait."

Mais le portrait qu'en trace Sam Drache, un autre avocat de Winnipeg, est passablement différent. Drache fait allusion à l'annonce de la construction du Centre Toronto-Dominion, projet pour lequel la banque Toronto-Dominion s'était associée avec Cemp, la société de fiducie créée par Sam Bronfman pour ses quatre enfants. "Le sceau Good Housekeeping fut ainsi apposé sur ce que beaucoup, à l'époque, considéraient comme de l'argent "souillé" et, du même coup, Sam se trouvait en droit d'estimer que ses efforts pour blanchir sa fortune et son passé avaient porté fruits. Réécrire l'histoire de sa vie est un jeu assez fréquent parmi les magnats du monde des affaires. Dans son cas, le fait d'avoir pu si souvent répéter ses mythes sans le moindre démenti de la part de ses frères donnait un air de vérité au côté romantique de cette carrière qui le vit passer de la misère noire à l'opulence."

Si Bronfman fut capable d'accomplir infiniment plus de choses que tout autre autour de lui, c'est, entre autres, parce qu'il lui était très difficile d'établir une frontière systématique entre le travail et le loisir. Il se réservait rarement un moment de détente et prolongeait plutôt ses séances de travail intense en les entrecoupant de périodes pendant lesquelles il dispensait des conseils non sollicités, racontait des histoires sans grand rapport avec ce qu'il était en train de faire et échangeait des plaisanteries sans formalité.

Mais presque tout ce qu'il faisait, disait ou pensait avait un lien quelconque avec les affaires. "C'était, chez lui, quelque chose d'irrésistible, raconte Philip Vineberg, l'avocat de la famille Bronfman. Il y a des gens qui marchent et d'autres qui courent, mais Sam, lui, ressemblait à un champion olympique et allait jusqu'à l'extrême limite de ses possibilités. Le trait qui le caractérisait le plus était l'intensité de cette impulsion, sa ténacité, son attachement indubitable et incontesté à son objectif ultime. Ses pensées aussi bien que ses actions portaient la marque d'un mélange unique composé d'imagination, d'esprit novateur et d'énergie audacieuse." Même s'il lui plaisait de laisser croire qu'il aimait poser des gestes impressionnants et donquichottesques, Bronfman se fiait rarement à son seul instinct et ne donnait à peu près jamais son avis de but en blanc. Il n'avait rien d'un risque-tout. Chaque fois qu'il devait prendre une décision, il en analysait le moindre détail exhaustivement, en tenant compte non seulement des faits dont il disposait, mais également de ses propres humeurs, de telle sorte que le parti finalement adopté était aussi rigoureusement objectif que possible. C'était un processus interminable. Les décisions qu'il fallait avoir prises à la fin de chaque année civile l'étaient généralement tard dans la soirée du 31 décembre.

Tout au long de ces délibérations prolongées, Sam ne tenait à peu près rien pour acquis. Au lieu de souscrire aux principes modernes de gestion qui encouragent la délégation des pouvoirs, il passait par-dessus la tête des divers responsables avec une désinvolture insouciante qui l'incitait à interroger constamment (et à en tirer des informations utiles) les réceptionnistes qui se trouvent au dernier échelon de la hiérarchie tout comme les vice-présidents qui se situent tout en haut. Il téléphonait sans arrêt directement aux gens qui faisaient quelque chose (par opposition à ceux qui *disaient* aux autres quoi faire) et adorait visiter ses distilleries pour observer les machines de mise en bouteilles [12], goûter les nouveaux mélanges et bavarder avec les contremaîtres. Il ne rédigeait jamais de mémos et dictait rarement des lettres; il préférait, au contraire, fouiller pour son propre bénéfice parmi les diverses hiérarchies de Seagram, demandant son avis à chacun et s'efforçant de trouver un moyen terme au milieu du fatras ahurissant d'opinions contradictoires.

Cette façon de procéder n'était pas sans causer des problèmes. "Cela rendait les conditions de travail très difficiles, se souvient Maxwell Henderson qui fut le secrétaire-trésorier de Seagram pendant dix ans avant d'être nommé Auditeur général du Canada [13]. Par exemple, pendant qu'il reniflait toutes les marques de whisky qui se trouvaient dans son bureau, Sam discutait d'une série de nouvelles étiquettes avec une équipe d'experts en marketing, puis il me convoquait pour résoudre un problème d'impôt, décrochait le téléphone au beau milieu de la discussion pour passer un savon à l'un de ses avocats qui prenait un peu trop son temps pour régler un litige imminent,

---

12) Il en connaissait les opérations dans tous leurs détails, y compris le fait que ses machines utilisaient annuellement dix mille milles de ruban noir et or pour en entourer le col des bouteilles de V.O.

13) Henderson fut l'un des très rares cadres de Seagram à avoir démissionné au lieu d'être mis à la porte. Il quitta l'entreprise en 1956, essentiellement parce qu'il était moins bien payé que le trésorier de la succursale américaine, mais aussi parce qu'il s'était rendu compte que le véritable pouvoir demeurerait toujours entre les mains des Bronfman et resterait inaccessible aux autres dirigeants, si compétents pussent-ils être.

et se préparait en même temps à recevoir une délégation de la communauté juive. J'avais énormément de mal à obtenir son accord pour telle ou telle décision et il me fallait généralement attendre jusqu'à six heures et demie, sept heures; à ce moment-là, il avait déjà sifflé quelques verres et finissait souvent par s'endormir au milieu de notre discussion.''

Sam était d'une curiosité insatiable [14]. Abe Mayman, le médecin des Bronfman, se souvient que, pendant les dernières heures qu'il lui restait à vivre, Sam interrompit brusquement l'examen médical qu'il était en train de subir parce qu'il voulait savoir exactement pourquoi les chaînes de montagnes s'élèvent presque toujours en bordure des continents. Mayman avait lu, quelque temps auparavant, une description du phénomène dans la revue *National Geographic* et il essaya de le lui expliquer entre deux tests sanguins, mais Bronfman continua de l'accabler de questions jusqu'à ce qu'il eût lu l'article lui-même.

Son style de gestion était un curieux mélange de paternalisme et de tyrannie [15]. Sa plaisanterie favorite consistait à mettre ses subordonnés à l'épreuve en leur posant des

---

14) Un jour qu'il avait rendez-vous pour déjeuner au club *Montefiore*, à Montréal, Sam se retrouva assis à côté d'un chauffeur plutôt loquace. "Quelle sorte de pneus utilisez-vous?", lui demanda-t-il comme ça. Le chauffeur se lança dans un discours interminable, émaillé de détails assommants, que Bronfman écouta avec un intérêt stupéfait. Mais juste comme la voiture tournait le coin de la rue Peel, un pneu éclata. Le véhicule freina brusquement et dérapa tandis que le chauffeur négociait le virage. Une deuxième crevaison suivit immédiatement. Sam s'extirpa du taxi et, quelques minutes plus tard, il déclarait à son compagnon de table: "Vous vous rendez compte, ce foutu imbécile qui voulait me donner un cours sur les pneus!"

15) Certains employés ne furent jamais renvoyés ou mis à la retraite. Harold Nelles, un acheteur de grain principal en poste à Winnipeg, était encore inscrit sur la liste de paye des employés à temps plein de Seagram, le jour de son quatre-vingt-treizième anniversaire.

questions dont il connaissait déjà les réponses. Il les jugeait moins sur la façon dont ils pouvaient lui fournir des données précises que sur leur manière de s'en tirer s'ils en étaient incapables. Il se montrait impitoyable envers tout cadre qui essayait de le mener en bateau; par contre, les rares téméraires qui lui avouaient leur ignorance recevaient parfois de l'avancement. Ses proches collaborateurs se divisaient en deux catégories: les héros et les vilains, et leur passage de l'une à l'autre avait souvent des conséquences catastrophiques. "Quand Monsieur Sam rencontrait quelqu'un pour la première fois et si un certain contact s'établissait, il était porté à voir en cette personne des qualités beaucoup plus grandes qu'elles ne l'étaient en réalité, remarque Vineberg. Doté de certains talents, Sam s'imaginait qu'il en allait de même pour son interlocuteur. Et, dans bon nombre de cas, cela signifiait que son attente serait déçue. Ses relations avec la plupart des gens subissaient une métamorphose prévisible. Il appelait tout le monde par leur prénom et les gens, si modeste que fût leur condition, disaient "mon ami Sam Bronfman" quand ils pensaient à lui ou en parlaient. Mais dès qu'ils travaillaient pour lui ou s'il comptait sur eux pour quelque tâche banale ou autre, commençait alors une période de probation qui lui valait souvent d'être profondément désappointé, moins parce que ces personnes s'étaient révélées dépourvues de compétences raisonnables que parce que ses propres normes étaient si élevées qu'on ne pouvait demander à un individu normal d'y satisfaire."

Un malheureux inspecteur de Seagram, qui avait été envoyé au Venezuela pour y examiner les dépenses de la filiale, se trouva dans de mauvais draps à la suite de ce bref échange qui eut lieu dans un couloir, après son retour au siège social:

"Alors, comment vont les affaires, au Venezuela?

— Je l'ignore, Monsieur Sam. Je n'y suis allé que pour examiner les livres."

Bronfman fixa son comptable avec un air d'incompréhension totale, comme un homme affligé d'une gueule de bois insupportable et qui verrait se dresser subitement devant lui le Grand Canyon ou le Taj Mahal. Ces quelques mots restèrent gravés dans sa mémoire. Des années après, il racontait toujours l'anecdote, n'en revenant pas de la stupidité du pauvre type. "Vous vous rendez compte, disait-il aux visiteurs venus le voir à son bureau, en les tenant par le coude pour souligner son étonnement, vous vous rendez compte, parcourir une telle distance jusqu'au Venezuela et ne jamais demander comment marchaient les affaires!"

Plaire à Monsieur Sam était devenu un jeu particulier au siège social et qui absorbait la plus grande part des énergies du personnel. En 1962, Bronfman prit la tête d'une délégation de trente-cinq dirigeants montréalais qui se rendaient en Israël; pour la première étape Montréal-Rome, il s'installa à côté de son vieil ami William Gittes, un fabricant de tissus montréalais. "Dis-moi, Billy, lui demanda-t-il, qu'est-ce que tu dirais d'un petit pari?

— Que veux-tu dire, Sam?

— Eh bien, quand nous atterrirons à Rome, nous irons au bar de l'aéroport et je te parie que, peu importe la quantité de bouteilles, le V.O. de Seagram sera placé au beau milieu de l'étagère.

— Bon, ça va, j'ai des chances de gagner.

— Tope là! Celui qui perd payera une tournée à tout le groupe."

Gittes accepta. L'avion se posa, ils se précipitèrent vers le bar et, bien entendu, une bouteille grand format de V.O. trônait au centre de toutes les autres. De retour dans l'avion, le pari réglé, Sam se détendit, rassuré par l'idée que les gens du siège social étaient toujours aussi vigilants. (Comme Bronfman était un buveur de V.O., la rue Peel avait comme consigne, chaque fois qu'il partait en voyage, d'envoyer un éclaireur pour prendre contact avec les vendeurs affectés à chacune des régions prévues à son itinéraire afin d'être certain que des bouteilles de V.O. seraient placées bien en vue dans les bars des aéroports où il ferait escale.)

L'attitude de Monsieur Sam envers les titres de fonctions était une autre source de problème. Il traitait la plupart de ses employés comme des adjoints de direction; seule l'idée qu'ils pouvaient parfois se substituer fort utilement à des augmentations de salaire atténuait quelque peu le mépris qu'il avait pour les titres officiels. John MacLean, un ancien distillateur de whisky d'origine écossaise qui avait pris du galon au sein de l'organisation Seagram, décida, au début des années 50, qu'il devrait avoir un titre correspondant à l'idée qu'il se faisait de sa position dans la compagnie. Il demanda donc à être nommé directeur général et fut étonné de voir Monsieur Sam acquiescer d'un simple geste de la main. Mais, quelques mois plus tard, il fut viré sans le moindre avertissement [16]. "Vous savez quoi, demanda Sam à un membre de son personnel, ce foutu crétin avait pris la chose au sérieux et s'était mis à *se conduire* en directeur général. Pas question d'accepter ce genre de choses ici. Ça ne peut qu'attirer un tas d'ennuis. De plus, *je* suis le directeur général."

---

16) MacLean termina ses jours dans un petit studio à l'*Union Club* de Victoria, en Colombie-Britannique. Mais après qu'on eut découvert qu'il passait la plupart de ses soirées dans l'obscurité à observer avec des jumelles ce qui se passait en face, dans les chambres de l'hôtel *Empress*, il fut envoyé en maison de repos.

On avait parfois l'impression que la recherche de nouvelles façons d'économiser de l'argent constituait la principale préoccupation de Sam dans la gestion des affaires de
Seagram [17]. Tout lui était bon pour récupérer quelques
sous. Certains jours, sa secrétaire lui apportait, à dix heures et demie, un verre de gin avec une boisson gazeuse;
chaque fois, il goûtait son verre et déclarait qu'il n'y avait
pas assez de gin. Un matin, il demanda à l'un de ses vice-
présidents à la mise en marché de se joindre à lui; ce
jour-là, la boisson gazeuse était du "ginger beer" de
Schweppes. Pendant qu'ils buvaient tranquillement, son
adjoint remarqua: "Vous savez, Monsieur Sam, je crois
que Schweppes gagne plus d'argent avec sa bière de gin-
gembre que nous avec notre gin. Cette petite bouteille coûte trente-cinq sous." Bronfman parut sérieusement préoccupé par sa propre extravagance et, au moment de remplir
de nouveau les verres, il demanda gravement à sa secrétaire: "Seulement une bouteille d'eau gazeuse, cette fois.
C'est cher, vous savez. Trente-cinq sous la bouteille!" [18]

_____

17) Néanmoins, il se servait un généreux salaire. En 1959, par exemple,
alors que J.R. White, le principal administrateur de Imperial Oil — qui était la
plus importante compagnie canadienne —, touchait annuellement $81 666 et
que Henry S. Wingate, le président de Inco, en recevait 155 050, le salaire de
Sam s'élevait à $351 042, ce qui faisait de lui l'homme le mieux payé après
Henry Ford II, le président de la quatrième plus grosse multinationale.

18) Sam Bronfman avait une attitude profondément ambivalente à propos de l'argent. En 1922, lors d'un séjour à New York en compagnie de Saidye
et d'une de ses soeurs, ils entrèrent par hasard chez une modiste. Il refusa de
laisser sa femme s'acheter un chapeau de cinquante dollars qui lui plaisait, mais, dès leur retour à l'hôtel, il lui dit de le commander par téléphone.
Comme elle lui demandait pourquoi il s'y était d'abord opposé, il lui répondit:
"Je ne voulais pas que ma soeur sache que je te laisse dépenser tant d'argent
pour un chapeau." Une autre fois, à Paris, accompagnant sa fille Minda qui
faisait des courses, il n'arrêta pas de lui dire de se montrer un peu plus modérée
dans ses exigences. Par contre, alors qu'elle était en train de meubler sa nouvelle demeure, elle se déclara scandalisée par le prix d'un grand tapis de Turquie
et il la pressa de l'acheter: "Pourquoi pas? Tu possèdes tout l'argent du
monde."

Il avait horreur du gaspillage et, au siège social de Seagram à Montréal, il passait invariablement les quelques dernières minutes de ses longues journées de travail à faire le tour des bureaux pour éteindre toutes les lumières — même si les membres de son personnel ne cessaient pas de lui expliquer que les femmes de ménage seraient bientôt là et qu'elles les rallumeraient. Il se laissait toujours prendre au piège par les offres de primes ou autres. Il rentrait chez lui avec une demi-douzaine de journaux et de revues et, le soir, assis dans son lit, il remplissait laborieusement le moindre coupon permettant de recevoir un catalogue ou une brochure publicitaire et les expédiait sans exceptions, qu'il s'agît de guides sur la culture des dahlias ou de cartes pour des excursions dans les grottes du Nevada ou encore d'offres commençant par le slogan "Terrains gratuits en Alaska".

Il se rendait à son bureau tous les samedis (en plus de travailler généralement chez lui, le dimanche) et avait énormément de mal à comprendre pourquoi il se trouvait si souvent seul dans l'édifice. C'était là un mystère qu'aucune explication ne lui permettait d'élucider. Un de ses assistants se souvient que, en 1968, au cours d'un samedi après-midi d'été particulièrement splendide, il se vit poser la question suivante: "Pourquoi croyez-vous qu'il n'y a personne ici, aujourd'hui?

— Parce que c'est samedi, Monsieur Sam et que tout le monde est chez soi.

— Ah? Et qu'est-ce qu'ils y font?

— Eh bien, ils tondent leur gazon, repeignent leur maison, jouent avec leurs enfants, font les courses avec leur femme — peut-être même font-ils une balade.

— Pourquoi préfèrent-ils ça au lieu d'être ici à travailler avec autant de plaisir que moi?

— C'est peut-être parce que l'affaire vous appartient à vous et non à eux.

— Ah oui, vous croyez vraiment?'' murmura Bronfman d'un ton dubitatif, avec un geste indiquant qu'il considérait cette idée comme une incommensurable aberration du comportement humain.

Il y eut au moins une fois où ses heures de travail prolongées lui valurent de sérieux ennuis. Jack Clifford qui, à l'époque, travaillait comme vendeur pour Seagram était revenu à son bureau, un vendredi soir vers vingt-deux heures, pour y chercher l'alcool commandé par un ami qui se mariait et qu'il avait oublié d'emporter chez lui. Soudain, il entendit de faibles appels au secours qui provenaient de l'ascenseur de l'édifice. La cage était restée coincée entre deux étages, avec Monsieur Sam à l'intérieur. "Sortez-moi de là, ne cessait-il de crier. Faites quelque chose, sacré bon sang!"

Clifford traversa la rue au pas de course pour aller chercher un ingénieur mécanicien à l'hôtel *Mont-Royal*. Ils réussirent finalement à ouvrir la trappe avec un levier, mais l'espace n'était pas assez grand pour la bedaine de Monsieur Sam. En fin de compte, celui-ci retira ses pantalons et sortit en se contorsionnant. Au lieu de remercier ses sauveurs, Bronfman piqua une colère interminable en frappant la porte de l'ascenseur pendant cinq bonnes minutes et en sortant tous les jurons de son répertoire pour terminer avec cette affirmation: "Jamais de toute ma vie je ne remettrai les pieds dans ce maudit ascenseur." [19] Ceci dit, il

_____

19) Il ne l'utilisa qu'une seule fois, par la suite. Au printemps de 1970, un an avant sa mort, il l'emprunta pour descendre en compagnie de son fils Charles qui remarqua: "Ça fait bien longtemps que tu n'as pas pris l'ascenseur, n'est-ce pas, papa?

— Boff, l'escalier est bien meilleur pour la santé comme exercice, tu devrais en faire autant.

retourna sa fureur vers Clifford qu'il accabla d'insultes, tandis que celui-ci lui faisait tranquillement remarquer que, s'il n'était pas revenu chercher l'alcool qu'il avait oublié, Monsieur Sam serait probablement resté coincé jusqu'à l'arrivée de l'équipe de nettoyage, le dimanche à minuit.

"Bah, vous autres, vous êtes toujours en train d'oublier quelque chose", lança-t-il par-dessus son épaule en quittant les lieux d'un pas bruyant. Pendant des années, il murmura, chaque fois qu'il passait devant: "Maudit ascenseur..."

Sam Bronfman était un être intrinsèquement narcissique. Ses principaux contacts s'effectuaient d'abord avec lui-même. Mais, contrairement à la plupart des personnes du même type qui s'aiment et s'adorent, faute de mieux, c'était la crainte de se voir rejeter qui poussait Bronfman à se retirer en lui.

En dépit de tout ce qu'il avait pu accomplir, la réputation que lui avaient value ses débuts dans le commerce de l'alcool semblait indélébile, l'entraînait comme un courant marin, le rendait vulnérable aux affronts, même quand ceux-ci n'étaient qu'imaginaires [20]. Son sens atrophié de la

---

— Tiens, je pensais qu'il s'agissait d'autre chose. N'es-tu pas resté coincé dans cet ascenseur, une fois?

— Je ne suis jamais resté enfermé dans un ascenseur de toute ma foutue vie. D'où sors-tu une pareille idée?"

20) Ceux-ci n'étaient pas toujours le fait de son imagination. Ainsi, au cours d'un voyage en train de Montréal à Winnipeg, en 1957, alors que Saidye l'accompagnait, il constata que, au lieu d'être contigus, leurs compartiments-couchettes étaient séparés par un troisième qui avait été réservé par M.J. Coldwell, dirigeant national du C.C.F. (Canadian Cooperative Federation) et député fédéral de Rosetown-Biggar, dans l'ouest de la Saskatchewan. Après s'être présenté, Bronfman demanda à Coldwell de bien vouloir changer de compartiment, mais le politicien socialiste lui répliqua: "Bronfman, hein? Je ne veux rien savoir de vous!" et il lui claqua la porte au nez.

courtoisie et ses fréquentes infractions aux bonnes manières étaient le fait d'un sentiment d'insécurité que rien ne
pouvait apaiser. Il était constamment sur ses gardes, à
l'affût de toute manifestation de rejet inexprimée de la part
des WASP. Il connaissait trop bien cette forme d'amitié
excessive et forcée qui incitait la brave âme bien intention-
née à tenter d'entraîner dans une conversation quelconque
les intrus de son genre, comme s'ils étaient incapables
d'aborder un sujet d'eux-mêmes.

Il ne put jamais se faire admettre dans les clubs
huppés — le *Mount Royal* ou le *Saint James,* par exemple —,
malgré les nombreuses et discrètes interventions de ses
amis en ce sens. Le mot courut qu'il n'était même pas bien-
venu comme invité. Donald Gordon, alors président des
Chemins de fer nationaux canadiens, qui, un jour, l'avait
audacieusement convié à déjeuner au *Mount Royal Club,* se
vit prié de ne plus jamais recommencer [21].

Juste avant que n'éclate la Seconde Guerre mondiale,
Bronfman loua la résidence d'été du Très Honorable
Arthur Purvis [22], à Sainte-Marguerite. Quand Sir Victor
Sassoon vint au Canada avec une mission commerciale

21) Les membres de l'Establishment WASP de Montréal faisaient des gor-
ges chaudes à propos d'une anecdote selon laquelle Sam Bronfman s'étant
trouvé assis derrière George VI au cours de la visite que fit le couple royal à
Montréal, en 1939, le souverain lui aurait demandé: "Je crois que vous appar-
tenez à une famille nombreuse, Monsieur Bronfman."

Et Sam, toujours selon la rumeur, lui aurait répondu:

— Oui, j'ai quatre frères; nous étions cinq, mais la G.R.C. en a tué un."
Bien entendu, ni la conversation ni le coup de feu ne reposent sur aucun fondement. Sam n'avait que trois frères et c'est son beau-frère qui a été tué, mais
pas par la G.R.C.

22) Après avoir débuté avec la Nobel's Explosives Company, à Glasgow, Purvis vint au Canada en 1924 pour prendre la direction de la Canadian
Industries Limited. Il assura la présidence de la Commission nationale de
l'emploi de 1936 à 1938 et, un an plus tard, C.I.L. le laissa partir pour diriger
le British Supply Council, à Washington. Il mourut dans un écrasement
d'avion, le 14 août 1941.

mise spécialement sur pied à cause de l'état de guerre, Sam l'invita à Sainte-Marguerite à la fin de son séjour officiel à Ottawa. A l'époque, l'*Alpine Inn,* proche de sa demeure, appliquait, tout comme les autres boîtes chic des Laurentides, des règles très strictes contre l'admission d'invités juifs. Bronfman s'était vu personnellement refuser l'accès au terrain de golf de l'*Alpine* et il s'était juré qu'il aurait sa revanche. Car même l'arrogant *Alpine* pouvait difficilement prendre prétexte de ses origines juives pour éconduire un baronnet britannique qui venait d'être présenté au Parlement et avait été reçu par le Gouverneur général et par le Premier ministre [23]. Le secrétaire de Bronfman eut droit à la réponse suivante, quand il téléphona au gérant de l'*Alpine* pour faire les réservations: "Bon, c'est entendu.

---

23) Sir Victor Sassoon descendait d'une famille de Juifs sefardim fabuleusement riche qui s'était établie d'abord à Bagdad, puis à Bombay. Il était un personnage légendaire à Shangaï (où il possédait de luxeux hôtels, comme le *Cathay* avec ses baignoires de marbre et ses robinets d'argent, ainsi qu'un somptueux domaine au bord de la mer), en Inde (où il se fit construire une piste de course privée au coût de cent dix mille livres sterling à l'époque même où les travailleurs du textile de Bombay avaient déclenché une grève pour protester contre des salaires de famine) et en Angleterre (où des pur-sang portant ses couleurs remportèrent le Derby à quatre reprises et gagnèrent au moins une fois toutes les autres courses importantes auxquelles ils participèrent). Sassoon demeura célibataire jusqu'à l'âge de soixante-dix-sept ans, alors qu'il épousa une infirmière de Dallas, Evelyn Barnes; il avait déclaré que "les premières soixante-dix années d'une vie sont essentielles pour qui veut choisir judicieusement son épouse". La fortune de la famille Sassoon est étroitement reliée au judaïsme: en 1975, la vente aux enchères, à Zurich, de quelques-uns des manuscrits juifs du rabbin Solomon David Sassoon rapporta la somme de deux millions cent cinquante-huit mille dollars; elle est liée par alliance aux Rothschild et aux Gunzburg . Mais ce ne sont pas là ses seules attaches: le poète Siegfried Sassoon se convertit au catholicisme en 1957 et la soeur de Sir Philip Sassoon, Sybil, devint marquise de Cholmondeley en épousant le Grand Chambellan d'Angleterre, eut la famille royale pour voisins à Sandringham et fut châtelaine de Houghton que Mark Girouard, la plus grande autorité britannique en la matière, considère comme la seconde plus belle demeure de toute l'Angleterre (la première, selon lui, étant la résidence principale de la reine). "D'après un ami qui a séjourné une fois à Hougton, rapporte Girouard, la vingt-troisième chambre à coucher, par ordre d'importance, était décorée de Titien."

Il peut venir lundi, mardi et mercredi. Mais, que cela lui chante ou non, il devra avoir quitté les lieux jeudi matin, et je prie Dieu que mes patrons n'en sachent jamais rien."

Même si les Bronfman évitaient délibérément d'alimenter le carnet mondain des journaux montréalais, un entrefilet parut, ce lundi-soir-là, dans la *Gazette:* "Ce soir, au *Alpine Inn,* à Sainte-Marguerite, monsieur et madame Sam Bronfman donnent un dîner en l'honneur de Sir Victor Sassoon. Monsieur et madame Allan Bronfman, monsieur et madame Sam Steinberg, madame Sam Jacobs et monsieur et madame Lazarus Phillips seront au nombre des invités."

Du haut de leur morgue et drapés dans cette certitude de n'avoir besoin de personne qui, presque quarante ans plus tard, permettrait aux séparatistes de René Lévesque de s'emparer du pouvoir, les membres de la haute société montréalaise pouvaient difficilement ne pas comprendre le sens du message émis à dessein par Sam. Mais cela ne fit que renforcer leur conviction à peine dissimulée que, si on ne pouvait ignorer les frères Bronfman, du moins était-il inutile de leur trouver des excuses.

A cette époque, la consécration suprême à l'intérieur de la haute société anglo-saxonne de Montréal était une invitation à siéger au conseil d'administration de l'Université McGill. Pareille position découlait automatiquement de la présidence d'organismes comme la Banque de Montréal et la compagnie ferroviaire Canadien Pacifique; ainsi, Sir Edward Beatty, qui fut choisi comme président du C.P.R. [24] en 1918 et fut le chancelier de McGill à partir de 1921 jusqu'à sa mort survenue en 1943, tenait la plupart des réunions du conseil dans son propre bureau, à la gare *Windsor.* A ce moment-là, bien que l'université s'abstînt de

---

24) C.P.R.: Canadian Pacific Railways. (N.D.L.T.)

le reconnaître publiquement, les Juifs avaient énormément de mal à être acceptés en médecine, à cause de barêmes d'admission particuliers; la situation était similaire dans les Facultés des arts et des sciences où les garçons juifs, au lieu de pouvoir simplement présenter les mêmes diplômes que tout le monde, devaient avoir une moyenne d'au moins soixante-quinze pour cent [25]. Lorsque Gerald Clark [26] fut engagé comme rédacteur en chef du *McGill Daily* en 1938, cela fut considéré comme un important pas en avant sur le plan racial, même s'il avait été considérablement aidé par ses dons prodigieux et par le fait que son nom n'avait pas une consonnance juive.

Toujours à cette époque, le philanthrope le plus généreux à l'endroit de McGill était le propriétaire du *Montreal Star,* John William McConnell qui avait acquis sa fortune dans la haute finance et le raffinage du sucre, et siégeait aux conseils d'administration du C.P.R., de la Sun Life, du Royal Trust, de la Banque de Montréal, de la Canada Steamship Lines, d'Inco, de la compagnie de la Baie d'Hudson, de Dominion Bridge et de Brazilian Tractions. Bien qu'il eût dépensé tout près de cent millions de dollars durant sa vie, sa fondation posthume (gérée par une entreprise privée, la Commercial Trust Company) continue d'administrer une masse monétaire évaluée à six cents millions de dollars.

Chaque fois qu'une université ou un hôpital montréalais lançait une campagne de souscription, Bronfman tentait invariablement de découvrir exactement quelle avait été la contribution de McConnell afin de donner encore plus. Pour sa part, McConnell était bien résolu à empê-

---

25) Pour quelque raison inexpliquée, ce règlement stupide ne s'appliquait pas dans le cas des jeunes filles juives.

26) Clark devint plus tard le propriétaire du *Montreal Star.*

cher le distillateur de siéger au conseil d'administration de McGill [27].

Au début des années 50, Cyril James, recteur de l'université, déjeuna, un jour, avec Bronfman. Au moment du dessert, celui-ci laissa entendre qu'il serait prêt à faire don d'un million de dollars en espèces, espérant ainsi se voir invité à devenir administrateur. James était ravi. Il retourna précipitamment à son bureau pour téléphoner à McConnell. Mais le propriétaire du *Star* l'interrompit froidement: "Bon, mettons bien les choses au clair. Ce sera moi ou Bronfman, et n'oubliez pas que j'ai déjà fait don de vingt-cinq millions à McGill." Il jura ensuite que Bronfman ne deviendrait jamais membre du conseil d'administration de McGill de son vivant, et ce fut exactement ce qui se produisit [28].

Le conflit qui opposait Bronfman et McConnell remontait probablement à l'époque de la guerre, lors d'une grande assemblée tenue au Forum de Montréal en faveur des bons de la défense nationale. Par hasard, Bronfman était assis derrière McConnell. Quand le président de l'assemblée eut terminé son discours et invité l'assistan-

---

27) La situation était identique avec la Banque de Montréal dont Seagram était pourtant le plus gros client et il est bien possible que McConnell y ait été pour quelque chose. La candidature de Bronfman fut refusée à trois reprises pour n'être finalement acceptée qu'au cours de l'année où mourut McConnell. Au moment où elle fut étudiée, Seagram traitait également d'importantes affaires avec la Banque royale (qui possédait déjà les comptes de Morgan's et Myer's, producteurs de rhum) et avec la Banque Toronto-Dominion (qui possédait des parts dans la société de gestion Cemp, propriété des Bronfman).

28) Bronfman devint l'un des administrateurs de McGill en janvier 1965, quatorze mois après le décès de McConnell, et, en 1971, l'université commença la construction (pas très loin de la Faculté de génie McConnell) de l'édifice Samuel-Bronfman pour y installer les Facultés d'administration et des langues. Après la mort de son père, Charles Bronfman fut invité à siéger au conseil de McGill; il refusa.

ce à acheter des obligations, il tapa sur l'épaule du journaliste et lui demanda: "Combien croyez-vous, que nous devrions donner?"

Insulté par l'attitude du distillateur qui se voulait son égal, McConnell riposta:

— Pourquoi ne vous mêlez-vous pas de vos affaires comme moi je m'occupe des miennes?"

A la suite de cet échange, Sam, une fois n'était pas coutume, battit sa coulpe. "McConnell avait raison, reconnut-il plus tard. Je n'aurais jamais dû prendre une telle liberté. Pour qui diable me prenais-je pour vouloir ainsi m'associer avec lui? Je n'avais aucun droit de le faire — je n'étais pas un de ses amis."

Quoiqu'il ait fait preuve de plus de générosité et de désintéressement dans son activité philanthropique que la plupart des magnats de sa génération [29], Bronfman ne reçut, dans l'ensemble, que des distinctions relativement peu importantes [30]. Deux des trois doctorats honorifiques

---

29) Outre ses dons à la communauté juive, la générosité de Bronfman prit les formes suivantes: don d'un planétarium à Winnipeg; création de la chaire d'agronomie Rosner à l'Université du Manitoba; financement de la Collection d'art canadien Saidye et Samuel Bronfman, au Musée des Beaux-Arts de Montréal; prise en charge d'une exposition de peinture ayant les villes canadiennes pour thème en vue d'une tournée mondiale de trois mois et dont l'organisation fut confiée à l'Académie royale canadienne; fondation de la Faculté de médecine Samuel-Bronfman au Centre médical Mount Sinaï, à New York, et des chaires de sciences économiques à McGill; parrainage de la bourse en gestion des affaires Seagram à McGill (par la Fondation Samuel-Bronfman) et d'autres bourses similaires à l'Ecole des sciences administratives de l'Université Columbia; et don de vingt-sept dessins à la Galerie nationale du Canada, dont sept croquis de Toulouse-Lautrec, datant de sa première époque.

30) Bronfman remplit les charges suivantes: membre de la Commission technique militaire du Conseil national de la recherche, pendant la Seconde Guerre mondiale; membre des conseils d'administration du Conseil canadien du bien-être, du Conseil national des scouts du Canada, de la Croix Rouge canadienne, de la Chambre internationale de commerce, de l'Association canadienne pour la santé mentale, du Conseil des arts du Canada et de l'Asso-

qui lui furent décernés le furent par des universités peu prestigieuses (Brandon et Waterloo), tandis que le troisième, le seul qui comptât vraiment, fut le doctorat en droit que lui accorda l'Université de Montréal, en 1948.

Ayant essuyé suffisamment de rebuffades de la part de l'oligarchie montréalaise, Sam Bronfman concentra tout son intérêt sur les causes juives. En 1929, son frère Allan avait dirigé la campagne de souscription en vue de financer la construction de l'Hôpital général juif, campagne qui vit doubler son objectif de huit cent mille dollars. Cinq ans plus tard, la présidence de la Fédération montréalaise des oeuvres philanthropiques juives fut offerte à Sam (il conserva le poste jusqu'en 1950), et, dès le début de la Seconde Guerre mondiale, il mit sur pied le Comité d'accueil aux réfugiés sous l'égide du Congrès juif du Canada; il fut aidé par Saul Hayes, un avocat montréalais sympathisant, dont l'esprit avait la précision d'un métronome et qui resta, par la suite, son principal bras droit pour toutes les questions relatives à la communauté juive [31]. Elu

---

ciation canadienne pour l'Amérique latine. Deux ordres lui accordèrent des distinctions importantes: il fut fait Compagnon (le plus élevé des trois échelons) de l'Ordre du Canada en 1967 [voir Peter C. Newman, *The Canadian Establishment,* vol. 1, McClelland & Stewart, Toronto, 1975, pp. 361-362], et, en 1969, il fut reçu Chevalier de Grâce (le plus haut des quatre grades) de l'Ordre de Saint-Jean-de-Jérusalem. Réorganisé en Grande-Bretagne au cours du dix-neuvième siècle, le Très Vénérable Ordre de l'hôpital de Saint-Jean-de-Jérusalem remonte aux Croisades, alors qu'un hospice avait été fondé dans cette ville pour y accueillir les pèlerins de la chrétienté. Il s'est répandu au Canada aux environs de 1880 et l'Ambulance Saint-Jean, qui s'occupe essentiellement de former des secouristes, constitue maintenant sa principale activité.

31) Le Comité d'accueil aux réfugiés obtint son plus grand succès quand il convainquit le gouvernement canadien d'adopter un arrêté ministériel spécial afin d'autoriser l'entrée au pays de mille deux cents "orphelins" juifs, originaires d'Allemagne, d'Autriche et de Tchécoslovaquie. Hugh Keenleyside, qui avait été chargé de la requête à titre d'attaché au ministère des Affaires extérieures, se souvient qu'il fut à peine étonné de voir revenir la délégation du

à la direction du Congrès en 1938, Bronfman resta en fonction durant les vingt-trois années qui suivirent; durant son mandat, il transforma radicalement le caractère de l'organisation qui, d'une agence de coordination, devint le porte-parole officiel de la communauté juive canadienne. "C'est uniquement avec l'arrivée de Sam que nous avons enfin eu un leader national qui ne se contentait pas de vouloir former une communauté juive nationale, mais qui avait les capacités et l'énergie pour ce faire", déclare Hayes.

Bronfman souscrivit personnellement des polices d'assurance-vie pour les pilotes canadiens qui furent recrutés pour aider Israël durant la guerre qu'il mena pour accéder à l'indépendance, en 1948 [32]. "Mais le manque de vigueur manifesté avant la guerre par le Congrès juif à propos des affaires juives et la stratégie de "diplomatie tranquille" envers les questions sionistes reflétaient bien la technique de manipulation discrète adoptée par Bronfman, remarque Larry Zolf, auteur et réalisateur au réseau anglais de Radio-Canada. On peut affirmer à juste titre que l'histoire des Bronfman représente la mini-histoire de la communauté juive canadienne. Le Congrès juif était presque devenu une filiale de Seagram."

Malgré l'autorité absolue dont il jouissait au sein du C.J.C., Sam ne tenta pas de pénétrer l'Organisation sioniste du Canada, moins sélective [33]. Selon l'avocat Sam Drache, de Winnipeg, "ceux d'entre nous qui étaient des

---

Congrès juif du Canada qui voulait que les parents des "orphelins" fussent également admis au pays.

32) L'un d'eux fut George "Buzz" Beurling, l'as canadien de la Royal Air Force, qui fut, par la suite, transféré à l'Aviation royale canadienne; il fut tué quand l'avion qui le conduisait en Israël pour y combattre s'écrasa près de Rome, le 20 mai 1948.

33) Bronfman fut nommé président honoraire de l'Organisation sioniste, mais il n'assista jamais ni à ses réunions ni à ses autres activités.

sionistes de la première heure étaient convaincus que notre mouvement devait rester libre sur le plan idéologique et ne pas être à la remorque d'une organisation parapluie comme le Congrès. C'est du reste pour ça que, si Sam Bronfman était devenu la puissance dominante de la communauté juive canadienne, il n'en fut pourtant jamais accepté comme le chef incontesté. Sam n'avait pas seulement l'argent; il savait se servir du pouvoir. Il avait compris que presque tout le monde a besoin d'argent pour obtenir ce qu'il désire et c'est de là que lui venait son autorité sur les gens que, en contrepartie, il voulait dominer.''

Pour l'aider à diriger le Congrès juif, en plus d'accroître son influence personnelle aussi bien que celle de Seagram, Bronfman recruta d'un bout à l'autre du pays un petit groupe de loyalistes — de petites lumières locales dont il fit ses délégués régionaux. ''S'il voulait être le roi, il lui fallait des ambassadeurs, ajoute Drache. A force de l'observer, j'en vins à la conclusion qu'il était un client si puissant que tous les avocats qu'il s'attachait devenaient inévitablement ses prisonniers. Je fus très tenté quand il me fit une offre, mais je n'avais vraiment pas le tempérament nécessaire pour porter une laisse.'' [34]

---

34) Sam Drache fut l'un des deux seuls dirigeants juifs de tout le pays qui osèrent s'opposer ouvertement aux diktats de Bronfman. Lors d'une réunion du Congrès, en 1950, Drache voulut faire adopter de nouveaux tarifs pour la vente d'obligations en faveur d'Israël, mais Sam combattit sa proposition sous prétexte que ce n'était pas un moyen efficace de ramasser des fonds. Comme Drache refusait de céder, Bronfman et toute sa suite quittèrent la réunion. L'unique autre leader doté d'un esprit indépendant était Michael Garber, un avocat de Montréal qui remplaça Bronfman à la direction du Congrès lorsque celui-ci accéda à la présidence. Pendant la préparation d'un mémoire à l'intention du gouvernement, en 1958, Garber insista pour que Lawrence Freiman, le directeur de l'Organisation sioniste du Canada, soit accepté comme porte-parole conjoint de la délégation. Bronfman s'y opposa de toutes ses forces. La tension entre les deux hommes s'amplifia à un point tel que, au moment du décès d'Abe, le frère de Sam, Garber refusa tout d'abord de se

Pendant trente-cinq ans, aucune campagne de souscription au bénéfice d'une cause juive ne fut organisée, au Canada, sans que Sam Bronfman n'en eût indiqué le rythme. "Chaque fois qu'une campagne était lancée, il réunissait ses amis dans le sous-sol de la maison de Belvédère et décidait que sa contribution, faite au nom de toute sa famille, s'élèverait à dix pour cent du total, se souvient Billy Gittes, l'un de ses amis montréalais. Si, par exemple, il avait en tête un objectif de trois millions de dollars pour telle ou telle cause, il nous convoquait et s'adressait à nous [35] comme à des enfants au berceau:

— Bon, eh bien, voilà, les gars, nous expliquait-il, ils ont de quoi employer tout l'argent dont ils disposeront, mais nous avons le privilège de fixer nos propres conditions et je ne veux rien faire sans l'assentiment des têtes dirigeantes de la communauté.

"Et il nous demandait:

—Bon, qu'en pensez-vous, les gars? Peut-être l'objectif devrait-il se situer entre deux et cinq millions de dollars?

"Et il continuait ainsi jusqu'à ce que nous eûmes enfin convenu que trois millions de dollars représentaient exactement la somme à aller chercher. Aussitôt, il faisait don de trois cent mille dollars."

Si tout le monde se pliait avec tant de docilité aux décisions de Bronfman, c'était parce que la générosité de sa famille éclipsait celle de tous les autres réunis. La contribution annuelle [36] des enfants de Sam aux diverses oeuvres de

présenter à sa demeure où la famille tenait un *shiva* tant qu'il n'aurait pas reçu des excuses, mais il revint finalement sur sa décision.

35) Outre Gittes, ce conseil des anciens se composait, entre autres, de Allan Bronfman, Arthur Pascal, Sam Steinberg, Louis Reitman, Jacob Lowy, Moe Levitt, Maxwell Cummings, Phil Garfinkle et Gordon Brown.

36) C'est seulement durant l'automne de 1977 qu'une autre famille canadienne a donné davantage. Les Reichmann, de Toronto, propriétaires de la

charité juives s'élève à environ deux millions de dollars, et ce, aussi bien à Montréal qu'à Paris et à New York [37].

Dès le déclenchement de la Guerre des Six jours, le 5 juin 1967, Sam réunit une centaine des Juifs les plus influents de tout le Canada pour une séance d'organisation d'une journée, au club *Montefiore*. "Je me souviens de ce moment dramatique, alors que les membres de la communauté juive de Montréal arrivaient chez lui, à sa maison de Belvédère, avec des sacs remplis d'argent, leur pension, leurs économies et que sais-je encore, lui remettant le tout et le priant de l'utiliser à bon escient pour Israël, raconte le docteur Abe Mayman qui fut son médecin. Mais ce qui se passait avec Sam, c'est qu'il ne se contentait jamais de

société d'exploitation Olympia & York, n'avaient encore jamais fait de dons au United Jewish Appeal, parce qu'ils estimaient que le mode de répartition des fonds était trop rigide. Mais quand Albert "Tubby" Cole fut nommé président de l'U.J.A., au printemps de 1977, il se promit de venir à bout de leur résistance. Son premier geste fut d'inviter Paul Reichmann, vice-président de Olympia & York, à jouer quotidiennement au squash, au *York Racquets Club*. Ils devinrent une paire d'amis et, un beau jour, Reichmann déclara que sa famille et lui-même avaient révisé leur position et qu'ils souhaitaient se rapprocher de la communauté torontoise en faisant un don important à l'U.J.A. Combien Tubby croyait-il qu'il conviendrait de donner? Cole espérait ramasser dix-neuf millions pendant la campagne annuelle (ce qui serait la plus forte somme jamais recueillie en un an, quand Israël n'était pas en guerre ouverte avec ses voisins). Il fit un rapide calcul lorsque Reichmann lui demanda: "Que donnent les Bronfman, à Montréal?" Ayant appris que leur contribution était, annuellement, d'environ un million et demi de dollars, Reichmann enchaîna rapidement en promettant un million sept cent cinquante mille au nom de sa famille pour l'année en cours et une somme totale de sept millions pour les cinq années suivantes.

37) Parmi les autres dons d'envergure faits par les enfants de Sam, on peut citer: un million de dollars, en 1962, pour l'addition d'une nouvelle aile au Musée d'Israël, à Jérusalem; la construction, quelque cinq ans plus tôt, du Musée biblique et archéologique; et le financement ainsi que l'érection, à Montréal, du Centre culturel Saidye-Bronfman, dont le plan fut dessiné par Phyllis, fille de Sam et de Saidye. Quand, en 1948, le premier ambassadeur du Canada en Israël, Michael Comay, dut s'installer dans des locaux temporaires à l'hôtel *Château Laurier*, Sam acheta immédiatement, à son intention, une somptueuse résidence, avenue Clemow, à Ottawa.

simplement donner de l'argent; il travaillait d'arrache-pied pour toute cause qu'il faisait sienne. Si, d'une façon ou d'une autre, il avait voulu racheter ainsi son passé, comme certains l'ont cru, son attitude aurait été bien différente.''

L'image de l'ancien contrebandier d'alcool luttant furieusement pour se gagner les bonnes grâces de la haute société ne semble pas du tout cadrer avec la personnalité de Bronfman. ''Je me refuse à admettre que Sam agissait en partie par esprit d'expiation, affirme Philip Vineberg, qui fut son principal conseiller juridique. Je ne crois vraiment pas que Sam pensait devoir se faire pardonner quoi que ce soit. Il est certain qu'il souhaitait s'élever au-dessus de ses origines, désir qu'il n'aurait peut-être pas eu s'il s'était senti marqué. Mais, dans la mesure où il est question de ses débuts, il convient de ne pas oublier que, au Canada aussi bien qu'en Angleterre dans le cas qui nous intéresse, les distillateurs vendaient de l'alcool dans leur propre pays ainsi qu'ils en avaient le droit, et le vendaient à des acheteurs dont certains l'expédiaient vers le marché américain. Le gouvernement canadien a encouragé cette pratique et a prélevé bon nombre d'impôts en passant. De même que tous ceux qui étaient du métier ainsi que les observateurs les plus impartiaux, il a dû penser qu'il valait mieux fournir aux Américains — puisque c'était à eux, en fin de compte, que l'alcool était destiné — du whisky non frelaté au lieu de la camelote illégale et parfois très dangereuse qui circulait aux Etats-Unis. Je n'accepte pas l'insinuation... qu'il passait le plus clair de son temps à ruminer le passé.''

''Pourquoi, grands dieux, Sam aurait-il eu à payer pour je ne sais trop quoi? Il n'a jamais estimé avoir mal agi, remarque Sam Drache. Bronfman était dans le commerce de l'alcool et s'il n'avait pas eu de clients, il n'en aurait pas vendu clandestinement. Aussi, il semble bien qu'il y ait eu un consensus général sur le fait que quelqu'un devait bien faire ce métier et lui, du moins, fournissait du bon whisky aux gens. On ne peut juger ses actes d'après les prétendues normes des consommateurs telles qu'elles existent en 1978."

L'une des explications à sa générosité envers les causes juives réside peut-être dans le fait que l'antisémitisme effréné de l'Establishment WASP montréalais obligea Bronfman à ériger des monuments de son cru. Contrairement à certains collègues philanthropes, il avait compris les racines du judaïsme et n'essayait pas de faire de l'argent une religion succédanée. "Sa générosité découlait d'un sens du devoir, écrivait Chaim Bermant à propos de Sam Bronfman dans *The Jews* [38]. Ce n'était pas tellement parce qu'il était très riche, mais il fabriquait un produit de qualité dont il tirait quelque fierté et il aimait à penser que c'était surtout des gens de qualité qui se le procuraient; ses dons devaient avoir la même qualité. Il est peu probable qu'il ait tenté d'impressionner qui que ce soit, sinon lui-même."

Respectueux de la tradition juive, Sam Bronfman était d'une extrême sévérité envers les Juifs qui ne vivaient pas conformément à leurs obligations, et son irrévérence à l'endroit de la plupart des rabbins et de bon nombre d'institutions juives était parfois teintée de comique. Bert Loeb, un ancien épicier en gros d'Ottawa, se souvient d'une réunion sur les bons en faveur d'Israël, au début des années 60; il était assis derrière Monsieur Sam qui, subitement, se mit à marteler la table en répétant: "Ces maudits Juifs! Ces maudits Juifs! Ces maudits Juifs!"

Après un long silence, Loeb trouva le courage de lui demander:

— De quoi s'agit-il, Sam? Que veux-tu dire?

---

38) *Times* Books, 1977.

— Quand je suis allé en Israël, l'autre jour, j'ai voyagé par EL AL, en première classe, et je leur ai demandé du whisky. Au lieu de ça, ils m'ont servi de la pisse de cheval. De la pisse de cheval, je te dis, de la pisse de cheval! Ces maudits Juifs!''

Après la réunion, Loeb demanda à Allan, le frère de Sam, qu'est-ce qui avait bien pu provoquer cette crise de colère. C'était tout simplement que, quand Sam avait commandé un verre, durant son dernier voyage à destination d'Israël, on lui avait servi une marque qu'il considérait inférieure à son bien-aimé V.O.

En 1951, découragé de n'avoir pu impressionner l'impitoyable bourgeoisie de Westmount, Bronfman fit l'acquisition d'un grand domaine à Tarrytown, à une heure de route au nord de Manhattan. Plutôt que de devoir affronter les manifestations d'hostilité, réelles et imaginaires, des étrangers, il s'enferma davantage dans des lieux familiers et des habitudes bien établies, en emportant son univers avec lui chaque fois que cela lui était possible [39].

Il en était là, lui, l'un des plus puissants brasseurs d'affaires de toute l'histoire, rongé par l'impression qu'il lui

---

39) Il partagea son temps entre Westmount et Tarrytown jusqu'en 1965) alors qu'il revint s'installer pour de bon à Montréal, essentiellement parce qu'il avait été très secoué quand, une nuit, il s'était réveillé, aveuglé par la lampe de poche d'un voleur. "Nous ne l'avions pas entendu entrer, raconte Saidye, parce que le climatiseur fonctionnait et que nous avions d'épais tapis à poils longs. J'ai ouvert les yeux et j'ai vu ce grand noir, coiffé d'une cagoule noire, et un autre homme enveloppé dans un foulard, qui pointait un révolver. Après m'avoir demandé d'ouvrir le coffre, ce que je fis, l'homme à la lampe de poche nous dit:

— Je vais vous enfermer dans la salle de bains et vous ligoter. Je vous donnerai vos oreillers pour vous asseoir dessus.

"Et mon Sam de leur dire:

— Vous savez, vous êtes des gentlemen.

"Vous vous rendez compte, dire une chose pareille en un tel moment. Ils nous attachèrent et nous assurèrent que nous serions libérés une vingtaine de minutes plus tard, ce qui, bien entendu, était faux.''

manquait quelque chose, habité par le sentiment de n'avoir pas vraiment réussi. Sam Bronfman décida alors qu'il n'existait qu'un seul et unique moyen de réellement couronner sa carrière: siéger au Sénat du Canada.

Chapitre Trois

Candidat à la Chambre rouge

Le principal problème de Sam Bronfman venait du fait qu'il n'avait jamais appris à apprécier la subtilité du processus dans lequel il s'était engagé. Bon nombre de sénateurs avaient obtenu leur charge en alimentant la caisse du parti. Mais si la dignité de sénateur était peut-être à vendre, il ne semblait pourtant pas qu'on pût l'acheter.

Les efforts déployés pour entrer au Sénat par un homme qui, toute sa vie durant, avait consacré son intelligence et ses énergies à la conquête du pouvoir semblaient l'expression d'une ambition surprenante et qui laissait perplexe. "Je présume que Sam voulait voir reconnaître publiquement tout ce qu'il avait accompli, se demande Noah Torno. Les ennuis qu'avait connus sa famille à ses débuts n'avaient jamais cessé de le harceler et il voulait probablement pouvoir crier à la face du monde:

— Je ne veux pas qu'on me mette dans le même sac que mes frères!

"De plus, il était juif. Malgré tout ça, il voulait toujours être le premier."

Mais il existe une explication plus vraisemblable; Bronfman était trop perspicace pour s'imaginer qu'il retirerait quelque influence réelle de la charge de sénateur. C'était simplement le titre qui l'intéressait [1]. Il considérait que son accession à la Chambre rouge doterait son nom du cachet de la respectabilité et serait la preuve incontestable de son intégration dans les hautes sphères de la société de son pays.

Pouvoir se faire appeler sénateur Samuel Bronfman dans les cercles internationaux où il aimait manoeuvrer aurait eu quelque chose d'un tour de force. Sam avait déjà déclaré à J.M. McAvity: "Pensez un peu à l'impression que cela ferait si, aux Etats-Unis, on me connaissait comme le sénateur Bronfman." [2] Sa conviction s'était encore renforcée à la vue du respect dont jouissait automatiquement son ami le sénateur Jacob Javits, de New York, qui parlait souvent à voix feutrée du Sénat américain comme du "club le plus fermé du monde". Le fait que les sénats canadien et américain n'avaient strictement rien en commun sauf le nom ne dérangeait pas Bronfman le moins du monde. Qui pourrait bien faire la différence quand le sénateur Bronfman et son épouse se présenteraient à la réception du *George-V*, à Paris, ou du *Claridge's*, à Londres?

Ayant ainsi fixé son objectif, Bronfman entreprit de l'atteindre de la façon la plus directe possible: en essayant

---

1) Lorsqu'il se vit décerner un doctorat honorifique en droit par l'Université de Montréal, en 1948, Sam tint un conseil de famille pour décider s'il devrait désormais se faire appeler "docteur Bronfman". Il ne plaisantait qu'à moitié.

2) Ancien directeur des ventes pour Seagram, J.M. McAvity devint président de House of Seagram; il quitta la distillerie pour assumer la présidence de l'Association canadienne d'exportation.

d'acheter une charge de sénateur. Il est assez difficile d'évaluer ce qu'il lui en a coûté, mais la somme de un million deux cent mille dollars est probablement assez proche de la réalité, parce que, pendant plus de dix ans, il versa annuellement quelque cent vingt mille dollars aux partis politiques canadiens [3]. Maxwell Henderson, qui devint par la suite l'Auditeur général le plus controversé qu'ait connu le Canada, fut son principal intermédiaire tout au long de ces transactions. "A titre de trésorier de Seagram, c'était à moi qu'il appartenait de répartir les sommes entre les partis, raconte Henderson, et j'aurais bien des histoires à raconter à ce sujet; car quand on procède, comme le faisait Monsieur Sam, à ce genre de dons, c'est pour obtenir quelque chose en retour, et ce qu'il voulait, c'était devenir sénateur. Tel était son ultime objectif." Comme tout bon comptable, Henderson prenait note de tous les dons, mais, par-dessus le marché et au grand étonnement de Sam, il trouvait le moyen de se faire remettre des reçus signés au moment où les chèques changeaient de main. "Je voulais simplement tenir les livres à jour. Du moment que j'étais chargé de distribuer le butin, comme nous disions, je voulais savoir au moins les noms de ceux qui en recevaient une partie. Il n'était pas question de se retrouver plus tard avec un malentendu sur les bras. Et ils ont toujours signé." [4]

Si les politiciens ne dédaignaient pas son argent, ils ne faisaient pourtant pas un geste pour aider le rêve de Mon-

---

3) Sam Bronfman était un Libéral. Mais au cas où le vent aurait tourné, il donnait habituellement aux Conservateurs environ soixante pour cent du montant qu'il avait versé à la caisse des Libéraux.

4) Henderson fut l'Auditeur général du Canada de 1960 à 1973. "C'était un poste fantastique, raconte-t-il. Certains politiciens devaient leur situation à l'argent de Monsieur Sam que je leur avais refilé sous la table. Et, maintenant, j'étais à Ottawa avec le titre d'Auditeur général, devant tous ces types qui s'étaient trouvés au bout de la chaîne. Ils espéraient sûrement que j'avais tout oublié, mais, en tant que comptable, j'ai toujours les dossiers."

sieur Sam à se réaliser. Mais quelques-uns défendaient tout de même sa cause devant les hautes instances du Parti libéral, tels les sénateurs Donat Raymond et Armand Daigle, ainsi que l'avocat montréalais, Philippe Brais, qui ne manquait pas de relations. Simultanément, le général Beverley Matthews, qui était l'avocat d'une société torontoise et un conservateur extrêmement influent, faisait, lui aussi, campagne en sa faveur. Il y avait également C.D. Howe qui, s'il était en perte de vitesse, n'en demeurait pas moins l'un des hommes forts du Parti libéral, et qui se proclamait de son côté; mais il finit par en avoir tellement assez de se faire harceler par Bronfman qu'il laissa courir le bruit que le veto à la candidature de Bronfman venait en réalité de Jimmy Gardiner, le tout-puissant ambassadeur Grit[5] des Prairies, à cause des exploits de jeunesse du distillateur en Saskatchewan. Aussitôt, on appela à la rescousse Sol Kanee, un avocat de Winnipeg, ami de la famille et originaire de Melville, la circonscription de Saskatchewan qui avait envoyé Gardiner au Parlement, pour qu'il essaye de faire plier le récalcitrant ministre de l'Agriculture. "Je fis, un jour, irruption dans le bureau de Gardiner, sur la colline parlementaire, raconte Kanee, et lui demandai s'il était réellement opposé à la nomination de Sam au Sénat. Quand il m'eut dit qu'il n'avait rien contre, je composai le numéro particulier de C.D. Howe et lui déclarai:

— Jimmy est à mes côtés et il ne soulève aucune objection.

"Mais les choses en restèrent là; ils faisaient tout simplement marcher Sam pour tenter de lui soutirer toujours plus d'argent."

A un moment donné, Bronfman se sentit tellement frustré qu'il décida de mettre Howe au pied du mur: s'il

5) Membre du parti libéral au Canada. (N.D.L.T.)

n'était pas nommé sénateur, il cesserait complètement de contribuer à la caisse du Parti libéral. Le grand C.D. fixa froidement Bronfman de son regard d'acier, sous ses épais sourcils en broussaille, et sourit doucement: "Ça n'a pas d'importance, Sam, laissa-t-il tomber. Nous n'aurons qu'à augmenter de dix pour cent la taxe d'accise sur l'alcool et le tour sera joué." Ceci dit, il pria aimablement le distillateur de quitter son bureau.

Le principal problème de Sam Bronfman venait du fait qu'il n'avait jamais appris à apprécier la subtilité du processus dans lequel il s'était engagé. Bon nombre de sénateurs avaient obtenu leur charge en alimentant la caisse du parti. Mais si la dignité de sénateur était peut-être à vendre, il ne semblait pourtant pas qu'on pût l'acheter.

C'est sous le gouvernement Mackenzie King que l'idée de nommer un Juif au Sénat commença à faire son chemin, et Archie Freiman, le fondateur du magasin à rayons d'Ottawa, fut pressenti pour la charge. Dès que Bronfman fut mis au courant, il se lança dans une contre-offensive avec une telle frénésie que le Premier ministre abandonna complètement le projet: "Si ces Juifs ne sont pas capables de se mettre d'accord, je n'en désignerai aucun", déclara King à l'un de ses adjoints [6].

Louis Saint-Laurent, qui succéda à King, décida de célébrer l'accession d'Israël au statut d'Etat indépendant en annonçant la nomination de Juifs à la Cour supérieure du Québec et à la Cour d'appel de cette même province. Son choix se porta sur Harry Batshaw, un avocat montréalais (qui fut nommé à la Cour supérieure en 1950), et sur Lazarus Phillips, que la magistrature n'intéressait pas à

---

6) Mackenzie King rendit un dernier hommage à Archie Freiman. Le 6 juin 1944, il retarda le moment d'annoncer aux Communes le débarquement des Alliés en Normandie, afin de pouvoir assister aux funérailles de Freiman.

l'époque [7]. Bronfman sauta sur l'occasion pour recommencer ses jeux de coulisse, mais Saint-Laurent préférait ne pas le voir au Sénat pour la même raison, très exactement, qui poussait le distillateur montréalais à vouloir cette nomination avec tant de force: parce qu'une telle consécration publique abaisserait le rideau, une fois pour toutes, sur le premier chapitre de l'histoire de la famille et que cela équivaudrait à lui offrir sur un plateau une absolution rétroactive, ce que le Premier ministre du Canada n'était pas disposé à accorder.

C'est vers cette époque que M.J. Coldwell, le chef du C.C.F., plongea Bronfman dans l'embarras quand, en pleine Chambre des communes, il voulut savoir pourquoi le gouvernement avait invité quelqu'un avec des "antécédents aussi discutables" à un dîner d'Etat qui devait avoir lieu à la résidence du Gouverneur. Mais le pire de tout, ce fut quand Bronfman essaya, un bref moment, de faire monter ses actions en s'introduisant dans les cercles mondains d'Ottawa: il s'aperçut alors qu'il faisait l'objet d'une attention qu'il était loin d'avoir souhaitée. Dès qu'il se présentait quelque part, Clifford Harvison — qui était alors commissaire adjoint à la Gendarmerie royale, mais surtout était l'ancien caporal de la G.R.C. qui avait procédé à l'arrestation de Bronfman au moment de l'accusation de conspiration, au milieu des années 30 — se joignait silencieusement à tout groupe d'invités dont le distillateur faisait partie et restait planté là, à le regarder d'un air moqueur. Quand Bronfman s'éloignait, Harvison en faisait autant et recommençait son manège [8].

---

7) Dans sa première édition du 10 juin 1945, le *Montreal Star,* reprenant une dépêche de ses bureaux d'Ottawa, annonça que Mackenzie King était sur le point de nommer Phillips au Sénat. Mais la nouvelle ne parut pas dans les éditions subséquentes.

8) Harvison fut commissaire de la G.R.C. de 1960 à 1963.

Pendant ce temps, des pressions s'exerçaient au sein du Parti libéral afin que fût enfin choisi celui qui serait le premier Juif, dans toute l'histoire du Canada, à devenir ministre du cabinet fédéral. Celui qui ralliait tous les suffrages était David Croll qui, après avoir rempli trois mandats de suite comme maire de Windsor, était devenu le premier ministre d'origine juive qu'ait connu l'Ontario, pendant le gouvernement tumultueux de Mitch Hepburn, Premier ministre libéral élu en 1934. Croll démissionna en 1937 pour protester contre le refus du gouvernement provincial de reconnaître le Syndicat des travailleurs de l'automobile d'Oshawa, après avoir déclaré: "Je préférerais marcher avec les travailleurs plutôt que de rouler dans un véhicule fabriqué par General Motors." Ses opinions réformistes, ses brillants états de service durant la guerre et ses dix ans d'expérience à la Chambre des communes semblaient faire de lui le candidat idéal. Inquiet à l'idée qu'il pourrait plutôt se voir expédier au Sénat, Croll devint un ardent défenseur de la candidature de Bronfman. Mais une fois encore, il s'avéra que c'était à C.D. Howe qu'appartenait le dernier mot. Saint-Laurent avait reconnu à son impétueux ministre de l'Industrie et du Commerce un droit de veto officieux sur la plupart des nominations au niveau gouvernemental. Mais quand Howe se fut catégoriquement déclaré opposé aussi bien à la nomination de Croll au cabinet qu'à celle de Bronfman au Sénat, il ne resta plus qu'une seule et unique solution: Croll deviendrait le premier sénateur juif du Canada.

Le matin du 28 juillet 1955, Sam Bronfman participait à une réunion avec ses principaux adjoints dans la salle de conférence de Seagram quand Robina Shanks, sa secrétaire, vint lui annoncer la mauvaise nouvelle. Max Henderson, qui était présent, se souvient que Sam, en proie à la colère, se mit à marcher lentement autour de la pièce en une sorte de pas qui tenait à la fois de la marche funèbre et du défilé militaire, tout en gémissant: "Je suis le Roi des Juifs! Le siège aurait dû me revenir... Je l'avais acheté! Je l'avais payé! Ces sales traîtres m'ont bien possédé!"

Tentant de transformer sa défaite aux mains de l'Establishment libéral d'Ottawa en un échec tempo-raire, sans plus, Bronfman se dit que si les Libéraux avaient nommé un Juif à la Chambre haute, ils étaient bien capables d'en désigner un second. C'est effectivement ce qu'ils firent, mais après treize ans de chicanes politiques et pour en choisir un autre que Sam.

Cette bizarre course au Sénat dans laquelle s'était lancé Sam Bronfman fut à l'origine du plus amer conflit de toute sa vie, et ce, avec l'homme qui était devenu l'un de ses meilleurs amis et l'un de ses plus proches collaborateurs: Lazarus Phillips. Les deux hommes avaient fait connaissance en 1924, au moment où Bronfman était venu s'installer à Montréal. C'était Phillips, à titre de principal conseiller juridique de la famille, qui avait mis au point la stratégie qui leur avait valu de gagner devant les tribunaux, lorsque la G.R.C. était passée à l'attaque en 1935; c'était également lui qui avait imaginé les sociétés de gestion familiales qui permettraient d'absorber les énormes profits de Seagram. Le 10 octobre 1945, à l'occasion du cinquantiè-me anniversaire de Phillips, les quatre frères Bronfman avaient présenté à leur ami "Laz" une lettre rédigée sur parchemin et dont le texte se lisait comme suit:

Le temps est l'un des dons de Dieu. Il le répartit également entre tous — vingt-quatre heures par jour. C'est essentielle-ment par le talent, l'aptitude et l'application de l'individu que s'évaluent les réalisations d'une vie. Grâce à un travail acharné et à vos dons brillants, vous avez atteint une situation enviable et de premier plan au sein de votre profession, et notre fierté n'a d'égale que la vôtre.

Souhaitant souligner cet événement avec quelque chose que vous-même et ceux qui vous sont chers pourrez conserver à tout jamais, quelque chose qui donnera un cachet supplémentaire à votre délicieuse demeure, nous avons le plaisir de vous offrir un cadeau d'un caractère très personnel — votre portrait que vous ferez exécuter par l'artiste de votre choix. Nous vous l'offrons avec le sincère espoir que vous et votre famille retirerez de sa présence dans votre foyer encore plus de joie et d'agrément pendant de très nombreuses années où régneront le bonheur et la santé.

Pendant plus de trente ans, Lazarus Phillips fut la voix et le visage des Bronfman. Il fut leur principal intermédiaire. Outre son savoir-vivre et ses bonnes relations, on lui reconnaissait une respectabilité sociale et un prestige politique auxquels les frères Bronfman ne pouvaient qu'aspirer. Grâce à son intelligence et à leur fortune, il était parvenu à une forme de puissance dans les domaines politique, juridique et industriel absolument unique parmi les avocats canadiens.

A quatre-vingts ans passés, Lazarus Phillips était le plus influent de tous les Juifs canadiens de sa génération. Son oncle maternel, Hersh Cohen, avait été un talmudiste de grande réputation et grand rabbin du Canada; un autre oncle, Lazarus Cohen, était devenu l'un des Juifs les plus riches au Canada, au tout début du siècle (il venait tout de suite après Sir Mortimer Davis), en draguant la majeure partie du Saint-Laurent pour son ami, Sir Wilfrid Laurier. Phillips avait hérité de ces deux réputations et il en tirait énormément de fierté. Après avoir brièvement participé à la Première Guerre mondiale comme sergent-major au sein du Corps expéditionnaire canadien envoyé à Vladivostok pour aider à mâter la révolution russe, Phillips était entré dans un petit cabinet d'avocats, à Montréal, cabinet dirigé par Sam Jacobs qui, peu de temps auparavant, avait fait ses débuts en politique et avait épousé la cousine de Gertrude Stein, originaire de Baltimore. Second Juif à siéger à la Chambre des communes [9], Jacobs se présenta pendant cinq élections dans la circonscription montréalaise de Cartier [10]; son organisateur en chef était Phillips qui devint son associé à part égale en 1923. Quand Jacobs mourut en 1938, Phillips était déjà l'éminence grise de la communauté juive de Montréal. Il mit sur pied, dans la métropole, un petit *Tammany Hall* [11] du Nord qui devint une organisation suffisamment puissante pour que les Libéraux *goyim*, en commençant par le Premier ministre, se sentissent obligés de le consulter à propos des nominations envisagées et pour prendre le pouls de l'opinion juive, chaque fois que leurs politiques ou leur patronage concernaient les vingt-quatre circonscriptions régionales qui revêtaient, pour eux, une importance vitale. Phillips ne se porta candidat qu'une seule fois, lorsqu'il décida de se présenter dans Cartier dont le siège était resté vacant, en 1943, à la suite du décès de Peter Bercovitch qui avait lui-même succédé à Jacobs. Mais cette circonscription qu'on considérait gagnée d'avance se révéla un marécage politique parce que Davis Lewis, du C.C.F., et le communiste Fred Rose [12], qui remporta les élections,

---

9) Le premier Juif qui siégea à la Chambre des communes fut Henry Nathan, député de Victoria à la suite d'une élection partielle tenue en 1871, au moment de l'entrée de la Colombie-Britannique dans la Confédération.

10) Cette circonscription avait été délimitée tout spécialement pour représenter le vote juif de Montréal, lors de la nouvelle répartition des sièges, en 1919.

11) Siège de l'organisation centrale du Parti démocrate de New York. (N.D.L.T.)

12) Rose, convaincu d'espionnage au bénéfice des Russes à la suite des

étaient entrés dans l'arène électorale avec l'intention de diviser le vote juif. Le soir où Phillips fut battu, Mackenzie King lui téléphona de la Citadelle, à Québec, où il avait installé ses quartiers généraux. "Quelle est, selon vous, la principale cause de votre défaite? lui demanda-t-il.

— La principale cause de ma défaite, répliqua Phillips, c'est le fait que Monsieur Rose a obtenu plus de votes que moi." Le prolixe King fut tellement enchanté de cette mise au point lapidaire que non seulement il pardonna son échec à son ami Laz, mais il lui accorda encore plus d'autorité qu'auparavant. Pendant la période de restriction des exportations, ce fut Phillips qui réussit à dégager suffisamment de fonds des griffes de Graham Towers, gouverneur de la Banque du Canada, pour financer le programme d'expansion en temps de guerre de Seagram aux Etats-Unis.

La réputation que Phillips s'était acquise à Ottawa n'était due qu'en partie à l'ascendant politique dont il jouissait à Montréal. Sa grande expérience juridique avait fait de lui le plus grand expert fiscal de tout le pays. "Toutes les portes s'ouvraient devant Laz, raconte Max Henderson. C'était un plaideur extraordinaire. Il se présentait au service de l'Impôt et leur en mettait plein la vue." [13]

révélations d'Igor Gouzenko, fut condamné à six ans de prison, en 1946. Par la suite, il rentra en Pologne. L'avocat de la Couronne, durant son procès, fut Philippe Brais.

13) Henderson et Phillips, au nom de son cabinet, avaient leurs entrées à Ottawa. Nul n'ignorait qu'ils représentaient les intérêts particuliers de Sam Bronfman et de Seagram; néanmoins, quand le ministère de la Santé nationale et du Bien-Etre entreprit, au début des années 50, de préparer sa loi sur les aliments et drogues qui réglementerait les spiritueux, Henderson et Philip Vineberg, le neveu de Phillips ainsi que son associé, présentèrent une série d'amendements. Ils furent presque tous adoptés sans le moindre changement. Le 24 mars 1952, Henderson reçut un coup de téléphone de Paul Martin, qui était alors ministre de la Santé nationale et du Bien-Etre. Celui-ci lui déclara: "Max, j'ai mon stylo en main et le projet de loi sur les aliments et drogues va être déposé. Avant de le signer, je veux seulement vous poser une question: est-

Ce fut avec C. Fraser Elliott, qui fut sous-ministre du Revenu national, section de l'Impôt, de 1932 à 1946, que ses transactions furent les plus intéressantes. ''Je me souviens d'un cas particulier, vers le milieu des années 40, relate Phillips: un groupe d'experts-comptables m'avaient demandé de défendre avec eux un dossier fiscal concernant les intérêts d'un éminent homme d'affaires canadien qui, à ce moment-là, passait le plus clair de son temps à Ottawa, à titre de ''dollar-a-year-man'' [14]. Quand je demandai un rendez-vous au sous-ministre, il commença par refuser de me recevoir parce qu'il estimait que le client en question ne méritait même pas une audience, étant donné les difficultés engendrées par la guerre ainsi que la nature de son travail. J'insistai en lui faisant valoir que c'était ma responsabilité, en tant qu'avocat, de présenter mon dossier conjointement avec l'un des associés principaux du cabinet de comptables. Le sous-ministre conservait son attitude intransigeante envers le contribuable et se refusait à faire la moindre concession. Finalement, après une série de rencontres, il revint quelque peu sur sa décision et me déclara qu'il étudierait avec ses adjoints la possibilité de lâcher un peu de lest, à la condition expresse, toutefois, qu'advenant un règlement je présenterais à mon client des honoraires très élevés. Je répondis au sous-ministre que cette condition ne comportait aucune difficulté insurmontable et que je serais heureux de m'y soumettre.'' [15]

---

ce que c'est une bonne loi et en êtes-vous satisfait?

Henderson répondit:

— Oui, Paul, je le suis.'' La loi régissant l'industrie des spiritueux au Canada n'a subi aucune modification substantielle depuis ce temps.

14) Expression tombée en désuétude et qui désignait une personne chargée d'un poste important dans la fonction publique, mais ne touchant symboliquement qu'un dollar par année. (N.D.L.T.)

15) Le cas fut résolu à la satisfaction de Phillips. Plus tard, Elliott fut nommé ambassadeur du Canada au Chili, puis haut-commissaire du

Les démarches entreprises par Phillips, afin de faire modifier le vote du Canada aux Nations Unies pendant les séances qui précédèrent la reconnaissance d'Israël en tant qu'Etat, donnent une juste idée de son remarquable ascendant. "Un jour, se rappelle Phillips, un délégué haut placé de l'Organisation sioniste me demanda de faire certaines représentations auprès de Brooke Claxton [16] qui agissait comme secrétaire d'Etat aux Affaires extérieures, en l'absence de Lester Pearson. A ce moment-là, les ministres des Affaires étrangères étaient réunis à Paris pour discuter de la reconnaissance d'Israël que, justement, à cette étape précise, le gouvernement canadien avait décidé de ne pas appuyer. Je me rendis à Ottawa pour y rencontrer Claxton qui m'invita à dîner chez lui puisque ma femme m'avait accompagné. Après le dîner, nos épouses se retirèrent et Claxton me demanda de lui exposer mon point de vue, ce que je fis. Pris par mon sujet, je ne me rendis pas compte que le temps passait et qu'il se faisait tard. Vers minuit, Brooke se leva et téléphona à Louis Saint-Laurent, qui était alors Premier ministre, directement à sa résidence. Il s'excusa de le réveiller, puis lui expliqua l'urgence de la situation, étant donné que la réunion devait avoir lieu à Paris, le lendemain matin. Après m'avoir écouté, le Premier ministre chargea Claxton de téléphoner à Pearson, à Paris, même si, là-bas, il n'était que cinq heures du matin, et de lui demander de voter affirmativement. A son tour, Mike Pearson me parla au téléphone et, plutôt irrité de s'être fait réveiller si tôt à cause de moi, se montra rien

---

Canada en Australie. Sa fille Marjorie épousa Daniel Oduber, un diplômé de McGill, qui devint président de Costa Rica.

16) A cette époque, Claxton était ministre de la Défense nationale et l'un des ministres les plus influents du gouvernement Saint-Laurent. Lui-même et Douglas Abbott (alors ministre des Finances et, plus tard, juge de la Cour suprême du Canada) représentaient deux des circonscriptions anglophones de Montréal et comptaient parmi les plus fidèles appuis de Phillips.

moins qu'amical. Bien entendu, il me pardonna quand il se rendit compte de l'urgence du problème."

Au printemps de 1949, les dirigeants du Parti libéral, fiers et débordants d'assurance, se réunirent secrètement en conclave au *Château Laurier* pour préparer la première campagne électorale avec Louis Saint-Laurent à leur tête; Lazarus Phillips était là, occupé à distribuer tâches et fonctions, à recruter Paul Nathanson pour qu'il tourne un film sur le nouveau chef, à fournir conseils et directives à propos de tous les détails qui, à cette époque déjà lointaine, faisaient des campagnes libérales des processions royales. A un moment donné, pendant les débats, Jack Pickersgill, bras droit du Premier ministre et qui était alors à l'apogée de sa carrière comme gourou en titre du Parti libéral, s'approcha de Phillips en se dandinant, passa amicalement son bras autour de ses épaules et lui dit: "Ça va, Laz? Ca fait déjà trois heures que nous traînons ici et tu ne t'es toujours pas pris aux cheveux avec nous, les gentils!"

On ne pouvait être plus aimable. Jamais, jusque-là (ni depuis), un Juif n'avait eu le privilège d'approcher le pouvoir libéral de si près, directement à la tête. Evidemment, Phillips avait bien l'intention de tirer parti des circonstances pour parvenir à ses fins: être nommé sénateur. Mais il vit ses projets entravés par une situation unique, qui se révéla sans issue. En effet, les Libéraux avaient renoncé à l'idée, si tant est qu'ils l'aient jamais eue, de désigner Sam Bronfman pour la Chambre rouge; mais l'en avertir, c'était perdre leur plus riche donateur — et ils ne pouvaient mieux découvrir leur jeu qu'en optant pour son ami et conseiller juridique, Lazarus Phillips.

"Pourquoi Laz y aurait-il droit? ne cessait de demander Sam à qui voulait bien l'entendre. Ce n'était qu'un avocaillon de quatre sous quand il a commencé à travailler

pour moi et j'en ai fait un multimillionnaire." Plusieurs de
ceux qui étaient intervenus, dont Sol Kanee, tentèrent de
le convaincre de laisser tomber, mais il ne voulait rien
entendre. Pendant ce temps, Phillips accumulait des distinctions auxquelles Bronfman n'avait toujours pas eu
droit: le 14 janvier 1954, il était devenu l'un des administrateurs de la Banque royale [17] et, le 12 septembre 1966, il
avait été invité à devenir membre du sacro-saint *Mount
Royal Club* de Montréal [18]. Déjà, avant de siéger au conseil

---

17) Au moment de l'élection de Phillips au conseil d'administration de
Brazilian Traction (connue maintenant sous le nom de Brascan), en 1960, le
président, Henry Borden, avait reconnu que la compagnie avait fait l'objet de
nombreuses critiques parce qu'elle ne comptait aucun Juif parmi ses administrateurs, mais "il n'y avait vraiment personne, dans tout Toronto, que nous
aurions pu avoir envie d'inviter". Dans le cas de la Banque royale, c'était le président du conseil lui-même, James Muir, qui avait téléphoné à Phillips pour
lui faire part de l'invitation; par la suite, celui-ci se vit décerner le titre de vice-
président de l'institution financière — un titre utilisé par les banques canadiennes pour honorer leurs administrateurs —, en plus de devenir le principal
avocat conseil de Earle McLaughlin qui dirige la banque depuis 1962. En 1972,
son fils Neil fut choisi, à son tour, comme administrateur de la Banque royale.
Lazarus Phillips ne fut pas le premier Juif à siéger au conseil d'administration
de la "Royale" — Sir Mortimer Davis l'y avait précédé au cours des années 20
—, mais il fut probablement le seul administrateur de toute l'histoire de celle-ci
qui ne transféra pas son compte bancaire au moment de sa nomination; il
préféra plutôt continuer à faire affaire avec la succursale de la Banque de
Montréal, à l'angle des rues Saint-Pierre et Saint-Jacques, au coeur du quartier des affaires, dans le Vieux Montréal.

18) Le *Mount Royal* avait déjà admis des membres juifs avant Lazarus
Phillips, mais cela remontait à l'époque de la Première Guerre mondiale. Le
tout premier avait été Henry Joseph (1855-1951) qui fut invité à se joindre au
club en 1899 à titre de membre fondateur. Son frère Horace y entra en 1906
et continua d'y adhérer jusqu'à sa mort, survenue en 1939. Sir Mortimer
Davis en fut membre de 1908 à 1928, et Mark Workman, de 1918 à 1936. Il
semble bien qu'aucun autre Juif n'ait été admis dans ce club entre 1918 et 1966,
mais, selon les administrateurs, les archives ne précisent pas la religion des
membres. Phillips fut parrainé par le sénateur Hartland de Montarville Molson et par le sénateur Louis Beaubien, ainsi que par Earle McLaughlin, président-directeur général de la Banque royale. Pour sa part, Neil Phillips fut
admis en 1972. Charles Bronfman l'y avait précédé, deux ans auparavant, et sa
candidature avait été soutenue par Arnold Hart, président-directeur général de
la Banque de Montréal, et par W.J. Bennett, président de la compagnie Iron

d'administration de la Banque royale, il faisait partie de nombreux autres conseils (dont le Montreal Trust, la Montreal Life Insurance et la Mailman Corporation, l'un des tout premiers conglomérats), mais cette nomination était vraiment le plus beau fleuron de sa couronne. Elle fut suivie de plusieurs autres — tels la présidence du conseil d'administration des Industries Domco et des charges d'administrateur à Brazilian Traction, Dominion Bridge, Steinberg, Webb & Knapp (Canada), Great Universal Stores of Canada, Foundation Company of Canada et Trizec, pour n'en citer que quelques-unes. Sa réputation ne cessant de croître, Phillips trouva comment s'acquitter du difficile rôle d'être un Juif en vue sans pour autant devenir un symbole. Il avait découvert le secret pour rester juif et prospérer sans apparaître comme une menace: faire en sor-

---

Ore du Canada, qui, cette année-là, était également le président du club. Entre 1973 et 1977, cinq autres personnes qui, selon la direction du club, étaient également juives y furent admises (leur nom est suivi de leur titre le plus marquant, à l'époque de leur adhésion): J.A. Kraemer (président, Compagnie de pulpe et papier Kruger); Gerald Bruck (président du conseil d'administration, Bruck Mills), Lenard Shavick (président, Holt Renfrew), Alain Teitelbaum (président, Crédit lyonnais Canada); et Leo Kolber (président, Cemp Investments). D'anciens employés du club se rappellent que, durant les années 20, on désignait certaines tables du "Coffee Room" comme celles du C.P.R., de la Banque royale et des Juifs; ils se souviennent aussi que les frères Henry et Horace Joseph, Sir Mortimer Davis, Mark Workman et Lord Shaughnessy se réunissaient presque quotidiennement à la table des Juifs. Shaughnessy, fils de l'ancien président-directeur général du C.P.R. et lui-même administrateur de la compagnie ferroviaire, était un catholique qui dirigeait la société de gestion appartenant à Davis et agissait comme son exécuteur testamentaire. En 1931, durant une partie de bridge, Sir Herbert Holt, qui fut le directeur général de la Banque royale de 1907 à 1934, puis en assuma la présidence jusqu'à sa mort en 1941, décocha un coup de poing en pleine figure à Henry Joseph — un vieil ami et, comme lui, un membre fondateur du club. Après quoi, celui qui était le plus puissant financier canadien de l'époque et l'héritier d'une des plus anciennes familles juives du Canada se rassit et continua à jouer aux cartes comme si de rien n'était. Son geste lui valut d'être suspendu temporairement — et l'incident provoqua quelques remous au sein du gratin montréalais. (Voir: Peter C. Newman, *The Canadian Establishment*, vol. I, Toronto, McClelland and Stewart, 1975, p. 262).

te que les non-Juifs se sentent généreux et ravis de leur tolérance. Très sobre, intellectuel, modeste, astucieux et
vertueux, il discutait d'une affaire, baigné de son aura, un
peu comme si sa seule présence équivalait à une bénédiction. Ainsi, par exemple, il fut au coeur des difficiles négociations qui précédèrent la mise en chantier de la Place
Ville-Marie, et ce fut lui qui incita E.P. Taylor et Leo Kolber à conclure conjointement quelques-unes des premières transactions de Canadian Equity avec Cadillac et
Fairview. Quand les deux plus gros agents immobiliers de
Montréal, Mac Cummings et Stan Feinberg, décidèrent
de s'associer à parts égales pour un contrat de plusieurs
millions de dollars, leur entente ne comporta qu'une seule
condition, tacite de surcroît: toutes leurs disputes seraient
tranchées par Lazarus Phillips dont la décision serait sans
appel. Phillips devint l'expert fiscal attitré de Imperial Oil,
Texaco, House of Morgan, Cominco et Du Pont, pour toutes leurs activités en territoire canadien; en outre, Dominion Securities, Greenshields et Nesbitt, Thomson lui
confièrent la responsabilité de toutes les transactions juridiques inhérentes à leurs plus importantes souscriptions.
Il était l'exemple parfait de la façon dont un Juif pouvait
réussir au sein de l'Establishment canadien. Et, le 15 février
1968, il vit se réaliser son ultime objectif: le Premier ministre, Mike Pearson, l'invita officiellement à siéger au Sénat
du Canada.

Quant à la candidature de Bronfman, le temps lui-
même s'était chargé d'y mettre fin. En célébrant, en mars
1966, ses soixante-quinze ans — l'âge obligatoire de la
retraite pour les membres de la Chambre haute, tel que sti-
pulé par une loi adoptée en 1965 —, Sam avait été éliminé
d'une compétition dans laquelle il n'avait jamais fait figure
de concurrent sérieux. Et les libéraux estimèrent qu'ils
pouvaient désormais procéder sans risque à la nomination

de Lazarus Phillips, laquelle survint à peine trente et un mois avant qu'il n'eût fêté son soixante-quinzième anniversaire de naissance; certains calculèrent, cependant, que l'obstination de son vieil ami lui avait coûté à tout le moins dix-huit ans de vie publique [19].

Bronfman ne sortait pas brisé de sa course au Sénat, mais les subtilités et les préoccupations étriquées de la haute société canadienne avaient lassé sa patience et il se retira encore plus à l'intérieur du groupe restreint de ses camarades de l'entreprise. Il institua une tradition qu'il appela "la cure au White Rock", en vertu de laquelle ses plus proches collaborateurs se réunissaient après dix-sept heures dans son bureau pour y prendre un verre et ajoutaient à leur V.O. du soda fabriqué par la compagnie White Rock. Il avait un faible marqué pour les commérages de bureau croustillants ("Ah oui? Et comment est-ce arrivé?") et il lui arrivait, à l'occasion de raconter quelque anecdote sur les premières années de sa carrière. Pourtant, quand l'un de ses adjoints apporta une boîte de conserve rouillée et étiquetée Seagram's Chickencok, un vestige de l'époque où les Bronfman se livraient au trafic de l'alcool et qu'une dame de Port Dalhousie, en Ontario, lui avait envoyé après l'avoir découvert dans sa cave, Monsieur Sam explosa: "Où, diable, avez-vous déniché ça? Enlevez-moi ce sacré truc et foutez-le en l'air." Une fois calmé, Bronfman se carra dans son fauteuil recouvert d'un tissu vert et contempla longuement cette relique de son passé. "Jésus, ce serait là une histoire fascinante. Si seulement je pouvais raconter la vérité à propos de tout ce qui s'est passé..."

---

19) Quand Lazarus Phillips prit sa retraite en 1970, la veille du *Yom Kippur,* le Sénateur Grattan O'Leary le qualifia de "plus grand sénateur de toute l'histoire du Canada" et ses collègues lui firent une ovation.

Chapitre Quatre

Les origines cachées

Les Bronfman ne purent s'accorder aucun répit pour franchir la difficile période de transition entre l'amertume née du déracinement et la satisfaction que leur apportait leur nouveau pays d'adoption. Ils ne purent, au contraire, que se préoccuper d'une seule et unique chose: comment survivre dans le climat rigoureux des Prairies canadiennes dont ils avaient fait leur refuge définitif.

A cinquante ans, Bronfman était un magnat de l'industrie, à l'abri de la curiosité du public et dont la position sociale aurait pu lui permettre de faire naître et d'entretenir la croyance que son énorme empire dans le domaine des spiritueux avait en quelque sorte jailli tout entier de son front. Il fallait donc mettre au point une légende acceptable pour le monde des affaires afin de la substituer à la véritable histoire de la famille Bronfman et de ses débuts. Durant les années 20 déjà, même si le bureau de la rue Saint-Jacques utilisait le nom "Bronfman Interests", le patronyme comme tel (qui signifie "distillateur" en yiddish) était omis dans la constitution d'une série de sociétés. La distillerie des quatre frères ouvrit ses portes en 1925, à Ville La Salle, en banlieue de Montréal, sous la raison sociale Distillers Corporation Limited, laquelle rappelait étrangement celle du géant écossais du whisky, établi depuis bon nombre d'années, la Distillers Company Limited.

Mais ce fut le mariage de la distillerie Bronfman avec Joseph E. Seagram and Sons Limited, en 1928, qui dota Sam Bronfman d'un passé commercial dont il pouvait fièrement faire état dans ses discours comme président et dans ses rapports annuels. C'est ainsi que le 17 juillet 1952, au cours d'une assemblée de ses propres vendeurs à Lake George, dans l'Etat de New York, il déclara: "Notre compagnie a vu le jour au Canada, en 1857, au moment où Joe Seagram construisit une petite distillerie à côté de sa ferme et vendit ses produits aux habitants des alentours." [1] Cette romanesque version de la genèse familiale fut reprise par Edgar, le frère aîné de Sam, quand il entreprit, à son tour, de raconter les origines de la compagnie.

---

1) Les Bronfman faisaient remonter l'empire Seagram à une petite distillerie établie au bord de la rivière Grand, à Waterloo, en Ontario, et qui *fut* effectivement construite en 1857. Mais ses fondateurs furent William Hespeler et George Randall pour qui elle était un à-côté, étant donné qu'ils étaient déjà propriétaires d'un moulin, la Granite Mills. Quant à Joseph Emm Seagram, il avait seize ans en 1857 et travaillait à la ferme familiale, dans le comté de Waterloo; ce n'est qu'après 1860 qu'il entra à la distillerie. En 1869, il épousa Stephanie Erb, la nièce de William Hespeler dont il racheta les parts vers 1870. (William Hespeler quitta l'Ontario pour le sud du Manitoba où il dirigea l'établissement des Mennonites allemands; de 1899 à 1903, il présida l'Assemblée manitobaine, devenant, par le fait même, le premier citoyen né à l'étranger à occuper un tel poste dans une colonie britannique. Son frère aîné Jacob, qui s'occupait lui aussi du moulin et de la distillerie, était resté en Ontario où, en 1857, la communauté du Nouvel Espoir changea de nom pour prendre celui de Hespeler en son honneur.) Seagram devint l'unique propriétaire de la double entreprise de Waterloo en 1883, date commémorée par la fameuse marque de whisky, Seagram's 83. Il se tourna par la suite vers la politique, tout comme les distillateurs Corby et Wiser (voir note en p. 48) et fut député conservateur de Waterloo-Nord aux Communes de 1896 à 1908. Il mourut en 1919 et sa distillerie devint une société publique en 1926.

Il était, par contre, beaucoup plus difficile d'escamoter les premières années de la famille Bronfman, alors qu'elle se livrait au lucratif commerce de l'alcool, au Canada, et impossible de nier l'existence des contrebandiers qui traversèrent la frontière américaine avec leurs chargements d'alcool pendant tout le temps que dura la prohibition, soit de 1920 à 1933. Fabriquer et exporter de l'alcool étaient choses parfaitement légales au Canada; néanmoins, Sam évitait toujours, autant que faire se pouvait, d'avoir à parler du trafic clandestin des spiritueux. Dans un numéro de la revue *Fortune*, paru en 1966, Philip Siekman cite Bronfman: "Nous chargions les véhicules, encaissions notre dû et expédiions la marchandise. Nous en avons expédié en quantité. Il va de soi que nous connaissions sa destination, mais nous n'en avions pas de preuve formelle. Et je n'ai jamais franchi la frontière pour aller compter les bouteilles vides de Seagram."

En réalité, les clients des Bronfman, durant la prohibition, constituaient une armée (et une flotte) de contrebandiers qui prenaient livraison de la marchandise à bord de bateaux qui longeaient les côtes de l'Atlantique et du Pacifique, dans de petites embarcations qui suivaient les cours navigables du réseau fluvial Saint-Laurent-Grands Lacs, ou encore dans des voitures et des camions qui faisaient le tour des petites villes poussiéreuses des Prairies, éparpillées le long de la frontière du Dakota du Nord et du Montana. Quand ce trafic devint illégal, les Bronfman approvisionnèrent leurs clients à partir des îles de Saint-Pierre-et-Miquelon, à quinze milles des côtes de Terre-Neuve. Au cours des douze mois qui suivirent, la minuscule colonie française vit débarquer suffisamment d'alcool pour que chaque habitant — homme, femme et enfant — pût recevoir une ration hebdomadaire de dix gallons de gnôle.

La valeur du produit fabriqué légalement au Canada et qui envahit les Etats-Unis par le biais de la contrebande, de même que les profits provenant de ce commerce illégal en territoire américain, donnèrent naissance à tout un monde interlope où le moindre accroc à la discipline était puni de la peine de mort.

Les forces policières américaines se révélèrent incapables d'enrayer le trafic de l'alcool et sont encore aux prises avec la pègre qu'il a engendrée. Cependant, quand la prohibition fut abolie, le ministre des Finances, Henry Morgenthau junior, calcula que les distillateurs devaient quelque soixante millions de dollars au Trésor américain en taxes d'accises et droits de douanes pour l'alcool importé illégalement, et il menaça d'interdire les exportations canadiennes tant que la facture n'aurait pas été acquittée. Toutefois, le ministre des Affaires étrangères conclut avec l'ambassade du Canada à Washington une entente réduisant la dette à seulement cinq pour cent du total. En mai 1936, les Bronfman acceptèrent de verser un million et demi de dollars pour se mettre en règle avec le Trésor américain. Ce faisant, la famille reconnaissait tacitement avoir fourni environ la moitié de tout l'alcool qui avait été écoulé aux Etats-Unis durant la prohibition.

C'est vers l'époque où Sam s'attacha à forger une histoire pour son empire que son frère Harry fut écarté des commandes de Seagram. Ce fut pourtant lui qui fixa sur papier ses souvenirs des premières luttes de la famille dans l'Ouest canadien. Son "journal" réunit pêle-mêle des événements familiaux (naissances, décès et mariages) et des activités commerciales (colportage, maquignonnage, hôtels, commerce interprovincial de boissons alcooliques, vente en gros de médicaments, exportation de spiritueux). Il est décousu et imprécis, mais il rend compte du cheminement des Bronfman, étape après étape, de ruse en subterfuge, tout le temps que la loi sur la prohibition fut en vigueur au Canada. Harry ne fait qu'une brève allusion à la brusque expansion commerciale provoquée par la prohibition, de l'autre côté de la frontière: "La prohibition aux Etats-Unis a incité les Américains à se tourner vers le Canada pour obtenir de l'alcool, et nos affaires ont pris de l'ampleur grâce, à la fois, au commerce entre les provinces canadiennes et aux nombreux clients venus des Etats-Unis pour se procurer des spiritueux qu'ils emportaient avec eux. (...) Durant toute cette époque, un grand nombre de clients vinrent à Montréal acheter de l'alcool qui était expédié à Saint-Pierre. Cela devint un secteur florissant que nous appelions le secteur de l'exportation..."

Le fils de Harry, Gerald, célébra son vingt-deuxième anniversaire trois jours avant l'abolition de la prohibition aux Etats-Unis et il se souvient clairement des affaires que traitait sa famille avec les contrebandiers américains. "Si Sam et Allan avaient autant de succès avec les contrebandiers venus des Etats-Unis, c'était, entre autres choses, parce qu'ils les traitaient comme des hommes d'affaires, raconte-t-il. Ces derniers possédaient même un bureau spécial au 1430 de la rue Peel, le siège social de Seagram à Montréal, où ils pouvaient effectuer leurs transactions. Papa ne reculait devant absolument rien (...) les contrebandiers américains avaient l'habitude de nous acheter d'importantes quantités d'alcool avant l'abrogation de la prohibition. Notre position était la suivante: du moment que le gouvernement (canadien) était au courant de nos activités, quelle différence cela pouvait-il faire? Ce n'était pas à nous de décider à qui nous devions vendre. Tant et aussi longtemps qu'il y avait quelqu'un pour nous régler, pourquoi n'aurions-nous pas vendu? Personne ne faisait d'histoires en se demandant s'ils (les Bronfman) savaient où s'en allait leur alcool. (...) Je ne crois vraiment pas que papa s'intéressait à ce qui pouvait se passer de l'autre côté de la frontière (...) qui n'avait rien à voir avec la situation que nous connaissions ici, qui était légale — tant qu'il n'était pas impliqué avec l'autre côté. Après tout, les grosses fortunes de l'Establishment n'ont pas toutes été amassées avec des gants blancs, ou encore sans que des risques ne soient pris ou en respectant les règles de la société. Ceux qui ont réussi sont ceux qui étaient des aventuriers, ceux qui acceptaient de courir des risques, tout comme papa."

Les enfants de Sam Bronfman n'ont aucun souvenir de l'époque de la contrebande (l'aînée, Minda, est née en 1925); c'est ce qui a permis à Sam de conserver son image publique au sein même de sa famille, en laissant soigneusement de côté l'histoire véritable de ses propres origines. (Edgar, qui est né en 1929, lors d'une entrevue parue en 1969 dans le *Columbia Journal of World Business,* affirma que, pendant toute la durée de la prohibition aux Etats-Unis, sa famille vendit ses produits uniquement au Canada). Sam Bronfman ne parla jamais de cette époque à ses enfants et ne laissa jamais personne qualifier de "gnôle" aucun de ses produits; ce n'était qu'occasionnellement, quand il se sentait particulièrement à l'aise en compagnie d'un de ses vieux copains des années héroïques, qu'il se laissait aller à murmurer: "Crois-tu qu'il faudra attendre encore longtemps avant qu'ils ne cessent de me traiter de foutu contrebandier?" [2]

---

2) Le procès intenté par un ancien contrebandier, James "Niggy" Rutkin, constitue l'un des rares faits officiels rappelant les exploits de jeunesse de Sam; Rutkin soutenait que les frères Bronfman et un autre ex-contrebandier avaient conspiré pour le priver de la part qui lui revenait. En 1954, le jury se prononça en faveur de Rutkin, mais ne lui accorda que soixante-dix-sept mille dollars alors qu'il avait réclamé vingt-deux millions. Deux ans plus tard, la Cour d'appel renversa le verdict. Puis, à cause de ses propres déclarations au moment du procès, Rutkin fut accusé de fraude fiscale. Il fit deux ans de pri-

Quand il faisait des déclarations en public, comme lors du discours à Lake George, en 1952, Sam en arrivait à réduire le trafic de l'alcool pendant la prohibition à une simple analyse des goûts, tels qu'ils s'exprimaient avant l'entrée de Seagram sur le marché américain, une fois que la prohibition avait été abolie. "J'avais remarqué que les Américains qui venaient au Canada manifestaient une préférence marquée pour des whiskies plus légers et plus fins, et c'est à ce moment-là que nous avons commencé à accumuler d'importants stocks en prévision du jour où nous pourrions faire une percée sur cet important marché." Si les enfants de Sam ont pu tout ignorer du passé de leur père, ils étaient, par contre, parfaitement conscients de sa soif de respectabilité. "Mon père s'était forgé une image de lui-même à laquelle il attachait énormément d'importance, raconte Edgar. Il avait toujours su ce qu'il voulait devenir et à quel moment il y était parvenu; c'était ainsi qu'il voulait se percevoir, c'était l'image qu'il voulait que nous ayons de lui, d'où sa profonde réticence à parler de l'époque antérieure à sa réussite. Après sa mort, nous étions dévorés par la curiosité et nous nous réunîmes avec oncle Allan pour tâcher de savoir ce qui s'était passé. Mais tout ce que nous pûmes tirer de lui, ce furent de vagues considérations philosophiques. Il n'accepta jamais de nous raconter les premiers chapitres de notre histoire."

Yechiel, le patriarche de la dynastie des Bronfman, possédait un moulin et une assez grande plantation de tabac en Bessarabie, une province rurale au sud-ouest de l'Empire russe qui fut balayée de la carte vers la fin des années 1880 à la suite des pogroms d'Alexandre III. En février 1889, il décida de participer à l'exode des Juifs qui

---

son, fut libéré sous cautionnement après avoir porté sa cause en appel, et retourna derrière les verrous quand celui-ci fut refusé en 1956. Peu de temps après, il se suicida avec un rasoir qu'il avait emprunté.

avaient opté pour l'Amérique du Nord. A l'époque, la famille se composait de Yechiel, de sa femme Minnie et de trois jeunes enfants — Abe, Harry et Laura; cependant, les Bronfman étaient suffisamment riches pour pouvoir emmener avec eux une bonne, un domestique et, le plus important de tout, un rabbin (accompagné de son épouse et de deux enfants), afin d'assurer la perpétuation de l'héritage hébraïque du groupe. Sam naquit durant la traversée en direction du Canada[3]; la petite communauté s'installa dans une ferme près de Wapella, un village de pionniers situé au nord-ouest de Moosomin, dans l'est de la Saskatchewan, à proximité de la frontière manitobaine[4].

Les Bronfman avaient une connaissance tellement limitée du climat des Prairies qu'ils s'étaient imaginé qu'ils pourraient semer les graines de tabac apportées avec eux, dès leur arrivée au mois d'avril. Mais tout était enseveli sous la neige. Yechiel dut acheter des boeufs pour pouvoir défricher la terre et la labourer. Bien qu'il fût le plus riche membre de la petite communauté, son besoin d'aider ses voisins moins bien nantis était tel que, au printemps suivant, il en était presque réduit à la misère. Les Bronfman ne purent s'accorder aucun répit pour franchir la difficile période de transition entre l'amertume née du déracinement et la satisfaction que leur apportait leur nouveau pays

---

3) Ce lieu et cette date de naissance ne correspondent pas à la version officielle qu'on peut trouver dans des ouvrages de référence et dans la notice nécrologique de Sam, et qui indique le 4 mars 1891, à Brandon, au Manitoba. C'est dans la "chronique" familiale de Harry Bronfman qu'il est fait mention d'un endroit différent et d'une date antérieure. Une source proche de la famille de Samuel Bronfman confirme que celui-ci est bien né deux ans plus tôt qu'en 1891 et que ce n'était pas à Brandon. Quoi qu'il en soit, toutes les références subséquentes, dans cet ouvrage, à l'âge et à l'anniversaire de Sam sont conformes à la chronologie préparée par la compagnie Seagram.

4) Environ cinquante familles juives s'installèrent, chacune de son côté, sur des terres agricoles à Wapella, entre 1886 et 1907. Ce fut l'un des premiers établissements de colons européens dans les Prairies canadiennes.

d'adoption. Ils ne purent, au contraire, que se préoccuper d'une seule et unique chose: comment survivre dans le climat rigoureux des Prairies canadiennes dont ils avaient fait leur refuge définitif.

Ce sont les souvenirs de Harry Bronfman qui permettent le mieux de se rendre compte de ce que furent ces premières années au Canada: "La première récolte de blé avait gelé et, par conséquent, (papa passa) l'hiver (...) dans la forêt à couper des billots, à les charger sur un traîneau et à les transporter sur une distance de vingt milles avec une paire de boeufs, afin de pouvoir les vendre là où il lui serait peut-être possible de ramasser suffisamment d'argent pour acheter un sac de farine, quelques pommes flétries, des pruneaux et, avec de la chance, un peu de thé et de sucre qu'il rapporterait à sa famille, afin que l'âme et le corps continuent de former un tout."

S'étant rendu compte qu'il n'arriverait jamais à rien comme fermier, Yechiel partit à plus de cent milles de là en direction du sud-est jusqu'à Brandon, au Manitoba, qui, à cette époque, était une ville de trente-cinq mille habitants; il anglicisa son nom qui devint Ekiel, et trouva un emploi comme homme de peine pour le Canadian Northern Railway qui construisait une voie ferrée. Une partie de son travail consistait à déplacer les maisons et les appentis qui se trouvaient sur le passage prévu pour la ligne, aux abords de Brandon. Dès qu'il en eut les moyens, il acheta l'une de ces cabanes pour la somme de douze dollars, avec l'intention d'y loger sa famille.

Restée seule à Wapella, Minnie avait décidé de construire un four à pain comme ceux de son pays; aidée de ses seuls souvenirs et des conseils de ses voisins, elle transporta les lourdes pierres dans un tablier spécial. Il lui fallut le recommencer à quatre reprises parce que, dans sa hâte de s'en servir, elle brûla la charpente de bois au cours des trois premières tentatives. Quand elle recommença pour la quatrième fois, elle avait appris qu'il fallait laisser sécher la structure pour l'empêcher de s'effondrer au moment où le feu était mis aux étais. Selon les souvenirs de Harry, le four ne permit de manger que des pommes de terre, préparées de toutes les façons que Minnie pouvait inventer, jusqu'au moment où Ekiel put lui envoyer de l'argent pour acheter de la farine. Ce fut durant cette période qu'elle passa seule à la ferme avec les enfants que naquit Jean, la cinquième de la famille.

Ekiel n'oublia jamais les devoirs qu'il avait envers la famille du rabbin. Ainsi, lorsqu'il fit venir les siens pour les installer dans la cabane dont il avait fait l'acquisition dans un secteur de Brandon appelé Johnston Estate, il en procura également une au rabbin. Il repartit pour Wapella, échangea ses boeufs contre un attelage de chevaux, entassa sa famille et leurs maigres possessions dans un chariot, y attacha une vache et tout le monde prit la route du nouveau foyer.

Au cours des années que les Bronfman passèrent à Brandon, trois autres enfants naquirent, un garçon et deux filles. Ekiel ne tarda pas à trouver un emploi mieux rémunéré à la scierie Christie, installée au bord de la rivière Assiniboine. Il remarqua que, lorsqu'on sciait les billots pour en faire du bois de construction, les rebuts provenant de la taille des madriers (appelés tronçons), copeaux et planches extérieures, s'accumulaient en pure perte. L'idée lui vint que ce bois de rebut pourrait servir de combustible pendant l'été et il conclut une entente aux termes de laquelle il pouvait acheter tous ces déchets pour soixante-quinze sous par charretée et utiliser son attelage pour aller de porte en porte revendre ce même bois pour un dollar soixante-quinze. Il continua un certain temps de travailler à la scierie la nuit et de vendre le bois de rebut

durant la journée, puis, finalement, se consacra entièrement à son commerce. Abe et Harry abandonnèrent
l'école à la fin de la huitième et de la sixième année pour
travailler avec lui, mais Sam continua ses études jusqu'à
l'âge de quinze ans. Il fut le seul des fils d'Ekiel à recevoir
un salaire pour son travail: quand il eut dix ans, il s'entendit avec son père pour toucher cinq sous par jour.

La petite entreprise prospéra et, vers 1898, la famille
fut en mesure de verser un premier acompte de deux cents
dollars pour une maison en brique de deux étages, valant
mille dollars et située dans le centre de Brandon. Il y avait
une grange à l'arrière, et les enfants étaient rarement
autorisés à entrer dans le salon dont les meubles étaient
recouverts de peluche bourgogne.

Le respect des pratiques religieuses se poursuivit,
même quand les conditions étaient loin de s'y prêter. Harry
se souvenait d'une année ou Ekiel et Minnie prirent le train
avec toute la famille pour Winnipeg où ils passèrent dix
jours, depuis la veille du *Rosh Hashanah* jusqu'au lendemain
du *Yom Kippur*. "Ils préférèrent risquer de voir s'effondrer
le commerce qu'ils venaient à peine de mettre sur pied,
plutôt que de négliger l'appel à la prière et renoncer à se
mettre en règle avec le Tout-Puissant", ce qu'ils pouvaient
faire au *shule,* à Winnipeg.

Si la vente du bois rapportait suffisamment à la famille pendant l'été, il fallut cependant trouver d'autres sources
de revenus pour l'hiver. Ekiel se lança dans le commerce du
poisson congelé qu'il achetait à Westbourne, près du lac
Manitoba, et revendait à Neepawa et à Carberry, en
rentrant à Brandon. Après avoir travaillé tout un été
comme apprenti dans une manufacture de cigares, Abe
partit pour Winnipeg afin d'aider davantage sa famille en y
fabriquant des cigares. Mais, simultanément, il se prit d'intérêt pour les cartes. On le fit alors revenir à la maison,

d'une part pour l'empêcher de céder à la passion du jeu et, d'autre part, parce qu'on avait besoin de lui pour vendre du poisson (Harry faisait, lui aussi, du porte à porte). La marge de profit était extrêmement faible, et il y avait toujours le risque de se retrouver avec un surplus de poisson après la fonte des neiges. Une saison, les Bronfman durent saler tout ce qui leur restait et passer de ferme en ferme pour l'échanger contre des oeufs et du beurre ou encore des vieux débris de caoutchouc ou de cuivre qu'ils revendirent afin de récupérer un peu d'argent. A force d'économie, ils finirent par pouvoir acheter deux autres attelages de chevaux.

On comprend mieux l'attrait qu'éprouvèrent, des années plus tard, les frères Bronfman pour le grand luxe quand on pense à la misère et aux corvées pénibles qu'ils connurent pendant leur enfance. En plus de la vente du bois de chauffage et du poisson congelé, les Bronfman obtinrent un contrat pour travailler comme charretiers, avec leurs chevaux, à l'entretien des chemins. En outre, avant le déjeuner et après le dîner, ils vendaient pour soixante-quinze sous une pleine charrette de riche terreau aux jardiniers des environs.

Malgré toutes ses occupations, la famille continuait d'adhérer aux rigides principes du judaïsme orthodoxe. Les membres parlaient uniquement yiddish entre eux; Ekiel avait organisé une synagogue locale; tous les sabbats et jeûnes rituels étaient strictement respectés. Quand Frank Lissaman, le fier propriétaire d'une batteuse à vapeur, engagea Harry, ce fut à la condition que celui-ci serait autorisé à rentrer à la maison tous les vendredis soirs, à temps pour allumer les chandelles. "Un certain vendredi, peut-on lire dans le journal de Harry, nous nous trouvions à environ quatorze milles de Brandon; le temps semblait pluvieux, mais j'avais quand même réussi à abandonner la batteuse vers trois heures en me disant que si je marchais vite, je serais de retour à la maison sur le coup de six heures et demie. La pluie commença à tomber peu après que je me fus mis en route. Les chemins étaient boueux et j'étais trempé de la tête aux pieds. Je continuai d'avancer péniblement à cause des chemins glissants. Il devait être vingt-deux heures quand j'arrivai enfin; ce fut pour trouver ma mère, mon père et tous les enfants — dont certains dormaient, tandis que d'autres se reposaient, la tête sur la table — en train de m'attendre. Ils n'avaient touché à aucun plat et le *kiddush* n'avait même pas été préparé. Jamais rien ne m'a autant impressionné que la simplicité et le désir de mes parents qui voulaient me voir conserver dans sa totalité le sens de nos traditions religieuses, et cette nuit en est restée un parfait exemple.''

Harry racontait également comment, dès le début de son adolescence, il fut initié au commerce des chevaux dont dépendait l'entreprise de transport familiale. La méthode la plus logique consistait à investir dans les hordes de chevaux sauvages qui erraient, en attendant d'être capturés, dans le Montana voisin. La famille dépensa à peu près un millier de dollars pour un troupeau dont Harry se vit confier la responsabilité. "A ce moment-là, j'avais appris à attraper un cheval au lasso et j'étais suffisamment casse-cou pour me prendre pour un dresseur de "broncos" [5]. Harry et son père ramenaient les chevaux à Brandon et les brisaient en les attelant, un par un, avec des équipages déjà dressés. Ensuite, les animaux "apprivoisés" étaient revendus aux fermiers des alentours.

Le lien entre le maquignonnage et les bars d'hôtel ne fut pas long à établir. Selon la légende familiale, un jour qu'Ekiel venait de conclure une vente et se dirigeait vers le

---

5) Cheval sauvage ou non dressé de l'Amérique (N.D.L.T.)

bar de l'hôtel *Langham* pour le verre et la poignée de main traditionnels, le jeune Sam, qui l'observait, lui déclara: "Le bar du *Langham* fait plus de profits que nous, père. Au lieu de vendre des chevaux, nous ferions mieux de vendre de l'alcool." Au début du siècle, le métier d'hôtelier était à la portée d'à peu près tout le monde, à cause du flot incessant d'immigrants qui se dirigeaient vers l'Ouest et de la construction continuelle de nouvelles voies ferrées, deux facteurs qui provoquaient un besoin croissant de logements temporaires. Et comme le bar représentait un élément important dans la bonne marche d'un hôtel, les brasseurs et distillateurs locaux n'étaient que trop heureux de prêter de l'argent à ceux qui accepteraient de pousser la vente de leurs produits.

Réunis en conseil de famille, les Bronfman en arrivèrent à la conclusion que s'il y avait un domaine où les fils pourraient réussir tout en continuant de pratiquer leur religion à peu près sans entraves, c'était bien l'hôtellerie. Au tout début de l'hiver de 1902, Harry apprit que l'hôtel *Anglo-American,* à Emerson, au Manitoba, était à vendre pour onze mille dollars avec un apport initial de cinq mille dollars. Patrick Shea, propriétaire de la brasserie Mc-Donagh and Shea, à Winnipeg [6], et George Velie, gérant d'un magasin de spiritueux dans la même ville, acceptèrent de prêter mille huit cents dollars aux Bronfman. Ekiel trouva les trois mille deux cents dollars manquants en hypothéquant sa maison et ses attelages à un taux d'intérêt réel de vingt-quatre pour cent. Le 4 février 1903, Harry, secondé par Abe, prit possession de l'*Anglo-American,* deux mois avant son dix-septième anniversaire de naissance.

---

6) La brasserie McDonagh and Shea devint, par la suite, la Shea's Winnipeg Brewery, la plus importante du Manitoba. En 1954, elle devint une filiale de John Labatt Ltd. et est maintenant connue sous la raison sociale Labatt's Ltd. (Manitoba Division).

L'établissement connut un rapide essor, surtout grâce aux ouvriers qui travaillaient à la construction d'un nouveau tronçon du Great Northern Railway et en firent leur quartier général. Harry était tellement impatient de rembourser son père qu'il changeait tous les profits de l'hôtel pour de grosses coupures qu'il conservait, cousues dans la poche intérieure de son veston. Dès qu'il eut réuni la somme nécessaire, il revint à Brandon en train et remit tous les billets à son père. Beaucoup plus tard, il raconta que celui-ci avait les joues baignées de larmes pendant qu'il remboursait l'hypothèque empruntée sur ses biens [7].

Harry eut la sagesse de se débarrasser de l'*Anglo-American* pendant qu'il était encore rentable. Il déménagea avec sa femme, qui attendait leur premier enfant, à Winnipeg où il acheta un pâté de maisons qui comprenaient des magasins et des logements, à l'angle des rues Isabel et Pacific, dans le centre de la ville. Ekiel, Minnie et les autres enfants quittèrent Brandon pour venir les rejoindre, les parents s'installant comme concierges.

Harry tourna ensuite son attention vers Yorkton, en Saskatchewan, où il acheta l'hôtel *Balmoral,* un édifice en briques de soixante chambres, juste à temps pour profiter de l'expansion qu'allait connaître la ville. Les Doukhobors, qui s'étaient fait octroyer quelque quatre cent mille acres

---

7) Selon les archives de la ville d'Emerson, Harry vendit l'*Anglo-American* en 1906. Le dernier propriétaire de l'hôtel, S.D. Whightman, le fit démolir en 1927, mais le bar fut épargné et réinstallé rue Dominion; en 1978, il abritait la boulangerie *Dan's*. En 1928, Wightman et sa femme firent construire une maison avec des chambres meublées et un café sur l'emplacement de l'ancien hôtel. Leur fils William racontait, en 1978, qu'à l'époque où son père fit l'acquisition du *Anglo-American* en 1918, l'une des chambres de l'hôtel servait de cellule. "La police ayant, un jour, arrêté un suspect, elle le conduisit à la chambre et l'enchaîna par la jambe au vieux lit de fer. Or le prisonnier avait une jambe artificielle et, durant la nuit, il la détacha et sortit en rampant par l'imposte." Le fugitif fut retrouvé le lendemain, dans le fenil de l'écurie de louage Waton, en face de l'*Anglo-American*.

de terrain au moment de leur arrivée, au début du siècle, avaient organisé leur premier défilé nu — vers Yorkton — en 1903, avaient refusé de prêter le Serment d'allégeance et, en 1905, s'étaient vu confisquer environ deux cent soixante mille acres par le gouvernement. La possibilité de s'établir sur ces terres déclencha l'une des plus importantes ruées de toute l'histoire des Prairies. Par ailleurs, Charles Saunders avait réussi à produire les premiers grains de blé Marquis, une céréale précoce qui allait transformer le nord des Prairies en une région de récoltes hâtives.

Après le boom des terres, vinrent les constructeurs de voies ferrées, Mackenzie et Man, dont le réseau du Canadian Northern Railway s'enfonçait toujours plus avant vers l'Ouest, tandis que la ligne Portage la Prairie-Saskatoon du Canadian Pacific s'étendait jusqu'à Sheho (nom indien de la gélinotte des prairies), à quarante-deux milles au nord-ouest de Yorkton [8], au moment où Harry acheta le *Balmoral*. Durant toutes les années que dura l'expansion, celui-ci géra quatre autres hôtels à Sheho, Leslie, Wynyard et Saltcoats, et en posséda même un second à

---

8) Yorkton était resté à l'écart des principales lignes du Canadian Northern Railway et de son concurrent, le Grand Trunk Pacific Railway, qui furent tous deux intégrés, plus tard, au Canadien National. Le G.T.P. opta pour un tracé à environ trente milles plus au sud, passant par Melville (du nom de Charles Melville Hays, le président du G.T.P., qui mourut dans le naufrage du *Titanic*, le 15 avril 1912); quant au Canadian Northern, il se dirigea vers l'ouest en longeant une ligne qui se trouvait à une trentaine de milles au nord de Yorkton et s'arrêtait à Kamsack (un nom indien) et à Canora (nom forgé avec les premières lettres de Canadian Northern Railway). Par contre, Yorkton se trouva sur la route du tronçon du C.P.R. reliant Portage la Prairie à Saskatoon et à Edmonton; cette ligne avait été amorcée par le Manitoba and North Western Railway, mais avant sa mise en chantier, la compagnie était devenue le Westbourne and North Western Railway puis, en 1881, le Portage, Westbourne and North Western Railway. Finalement, Yorkton se retrouva au centre même du tronçon que le G.T.P. construisit de Melville à Canora et devint partie intégrante de la ligne Regina, Hudson Bay Junction (Hudson Bay depuis 1947) et Le Pas, du Canadien National.

Yorkton, le *Royal,* pendant un certain temps. De plus, il compléta le service ferroviaire en mettant sur pied une écurie de louage qui commença, racontait-il, avec la location d'une stalle pour son propre cheval, une bête invendable selon la description qu'il en faisait: "...trop rapide pour un attelage et trop lent pour remporter une course..." L'hôtel aussi bien que l'écurie rapportèrent des profits non négligeables et, après des rénovations majeures, le *Balmoral* s'enorgueillit (voir le *Henderson's Saskatchewan Directory,* 1908) d'offrir à sa clientèle chauffage à vapeur, salles de bains avec eau chaude et froide, éclairage et sonnettes électriques, et chambres à un lit.

Les Bronfman ratèrent une belle occasion à Saskatoon, durant le boom, lorsque Harry rejeta la proposition, mise de l'avant par Abe, d'acheter l'hôtel *Western.* Néanmoins, la famille fit l'acquisition du *Mariaggi,* à Port Arthur, en Ontario, en 1910; c'était un bâtiment de quatre étages qui, comme le disait sa publicité, comportait "cent dix chambres spacieuses et confortables, ainsi qu'un ascenseur qui s'arrête à chaque étage" [9]. A ce moment-là, trois des frères Bronfman, Abe, Harry et Sam, administraient les hôtels de la famille. Barney Aaron se joignit à eux après avoir épousé leur soeur Laura, en 1911.

---

9) Dès son arrivée à Winnipeg en 1879, Frank Mariaggi, un Corse, écopa d'une amende de deux dollars pour ivresse sur la voie publique et pour avoir joué de la musique avec un autre troubadour dans la rue Principale. (Les journaux ne précisent pas s'il jouait de la harpe ou du violon.) Un peu plus tard, les deux musiciens des rues partirent vers l'Ouest avec les ouvriers du chemin de fer et Mariaggi, qui était très réputé comme cuisinier, ouvrit un restaurant à Fort Saskatchewan, près d'Edmonton. Il revint à Winnipeg vers 1900, ouvrit de nouveau un restaurant rue Principale et, en 1902, transforma un édifice nouvellement construit, avenue McDermot, en hôtel. Le bar du *Mariaggi* représentait une grotte, la salle à manger servait les meilleurs repas en ville et l'hôtel fut le premier de tout Winnipeg à avoir des salles de bains particulières. Mais le C.P.R. annonça son intention de construire le *Royal Alexandra* (qui ouvrit ses portes en juillet 1906 et fut démoli en 1971); prévoyant qu'il n'aurait plus l'exclusivité au niveau de la qualité, Frank Mariaggi vendit en 1905, recom-

Agé à peine d'une vingtaine d'années, Sam se chargea de la gestion du plus gros investissement de la famille, l'hôtel *Bell,* à Winnipeg, qui, vendu pour cent quatre-vingt-dix mille dollars, fut acquis avec un payement initial de seize mille dollars en 1913. Ce fut durant cette époque, alors que la Première Guerre mondiale faisait rage, que la famille se retrouva à la tête de trois hôtels dans Winnipeg même: l'hôtel *Alberta,* géré par Harry et situé dans la rue Principale, faisait face au *Bell,* dirigé par Sam, tandis que Barney Aaron s'occupait de l'hôtel *Wolseley* [10]. Allan, le plus jeune des frères Bronfman, qui était étudiant à l'Université du Manitoba, vint seconder Sam à l'hôtel *Bell* [11].

Depuis qu'il était propriétaire du *Bell,* Sam Bronfman s'habituait à l'agitation de la grande ville, apprenait à traiter des affaires, faisait des rêves de grandeur et s'imposait tranquillement. Grâce à sa gestion avisée, l'hôtel finit

---

mença avec un autre hôtel à Port Arthur (qui s'appelle maintenant Thunder Bay) et gagna une honnête fortune. Après son retour en Corse en 1908 (avec sa femme qui était originaire de Gimli, au Manitoba), il acheta et restaura la propriété de son père. Il devint maire de sa ville natale, Ajaccio (qui était aussi celle de Napoléon), et mourut en 1918. Le *Mariaggi* de Winnipeg prit le nom de *Congress,* en 1914, et la grotte fut abandonnée.

10) Ainsi nommé en souvenir du colonel Garnet Wolseley (qui devint Sir Garnet et fut ensuite fait vicomte), qui commanda l'expédition de la rivière Rouge à la tête d'un détachement de l'Est du Canada envoyé pour mater la rébellion du Nord-Ouest en 1869-1870; membre du Ontario Temperance Movement, il ne transportait pas d'alcool, mais uniquement du thé. Il dirigea l'expédition infructueuse de 1884-1885 envoyée à la rescousse de Gordon Pacha, encerclé dans Khartoum, et fut nommé commandant en chef de l'Armée britannique.

11) Allan fut reçu au barreau en 1919 et fit ses débuts dans le cabinet Andrews, Andrews, Burbidge et Bastedo, de Winnipeg, dont il devint, par la suite, associé en second. Quand il passa son baccalauréat, le *Manitoba Year Book* écrivit à son sujet: "Il était semblable à un joueur de curling qui, après avoir lancé sa pierre, aurait catégoriquement refusé de la suivre. Préférant se fier à ses dons intellectuels plutôt qu'à ses capacités physiques, il refusait catégoriquement de se contenter d'imiter le mouvement de la pierre de curling, une fois qu'elle a été lancée."

par rapporter jusqu'à trente mille dollars de profits par an. Sam se lança dans de multiples investissements, y compris une brève incursion dans la fourrure de rat musqué qui lui permit d'empocher cinquante mille dollars.

A cette époque, aucun membre de la famille n'avait de compte bancaire personnel; tous les bénéfices gagnés dans l'hôtellerie étaient versés dans une caisse commune, et Ekiel se chargeait du partage. Mais cela n'allait pas toujours sans quelques heurts, ainsi que Sam le confia, un jour, à un ami: "Je me souviens, c'était en 1912, et nous étions tous réunis à la maison. A un moment donné, père déclara que j'en avais plus fait pour la famille, à moi seul, que Abe et Harry ensemble. Abe était furieux.

— C'est parce que ce foutu petit crétin n'est heureux que quand il amasse du fric, répliqua-t-il.

"Je lui dis de la fermer et que tout ce que j'essayais de faire, c'était d'économiser l'argent de père, tandis que lui, le gaspillait. Ensuite, on eut droit aux lamentations de Harry qui n'admettait pas que père me confiât la direction d'une entreprise, parce que lui et Abe étaient plus âgés. Ce fut à mon tour de voir rouge. Je les traitai de tous les noms d'oiseaux qui me vinrent à l'esprit, jusqu'au moment où Abe se mit à hurler qu'il possédait tous les immeubles du Manitoba lorsque je n'étais encore qu'un péquenot d'hôtelier. Je me contentai de les foudroyer du regard, puis enfonçai mon doigt dans le torse d'Abe, en lui disant:

— On verra, grand frère, on verra..."

En dépit de ces disputes, les Bronfman continuaient à faire front commun devant les étrangers. Une accusation était fréquemment portée contre eux, durant toutes ces années: comme leurs hôtels étaient les relais favoris des commis voyageurs qui, en contrepartie, attiraient une clientèle féminine aux mœurs douteuses, ils ne dirigeaient ni plus ni moins qu'une chaîne de lupanars améliorés. Chaque fois que Sam se faisait ainsi accuser en public, il haussait les épaules et laissait tomber: "Eh bien, si c'étaient des bordels, c'étaient les meilleurs de tout l'Ouest!"

Chapitre Cinq

L'ère de la gnôle

On aurait presque pu croire, parfois, que des représentants du Congrès américain et des gouvernements canadiens, fédéral et provinciaux, s'étaient secrètement réunis à huis-clos dans un seul et unique but: rédiger des lois et règlements qui, en interdisant le commerce des spiritueux, pourraient aider les frères Bronfman à retirer le maximum de profits du trafic clandestin de l'alcool.

La conquête de l'Ouest, telle qu'elle s'est effectuée au Canada, ne rappelle en rien ce qui s'est passé au sud de la frontière, où la loi du pistolet a donné naissance à d'innombrables légendes fourmillant de têtes brûlées, de grandes armées et de milices populaires qui se pourchassaient mutuellement sous des couchers de soleil en technicolor. En effet, en partie à cause du climat pénible qu'un pionnier décrivait comme "six mois d'hiver et six mois passés à trimer pour récolter quatre fois rien", mais surtout à cause du mode de colonisation lui-même, l'Ouest canadien s'était peuplé sans heurts, avec un minimum de violence. La

Compagnie de la baie d'Hudson et le Canadian Pacific Railways avaient pris en main la distribution des terres qui était devenue un simple processus bureaucratique, parfaitement huilé, tandis que la North West Mounted Police [1], un organisme paramilitaire dont les membres portaient un uniforme rouge, se chargeait de faire respecter l'ordre et la loi. En dépit de l'immensité de son territoire qui s'étendait sur des dizaines de milliers de milles carrés, l'Ouest canadien n'offrait que peu de possibilités aux bons et aux méchants légendaires à qui l'on devait d'avoir résolu des questions aussi fondamentales que celles de la morale et de la délimitation des terres dans les plaines américaines. A l'ouest de Winnipeg, l'avant-garde de la civilisation accompagnait généralement les pionniers, ce qui explique pourquoi les premières maisons qu'on voyait s'élever sur l'emplacement d'une nouvelle ville étaient, plus souvent qu'autrement, la succursale de l'une ou l'autre des banques canadiennes, le bureau du représentant du C.P.R. chargé de la distribution des terres, le presbytère du curé ou du pasteur et, parfois, un poste de la North West Mounted Police. C'était là une façon logique d'envisager la colonisation d'un pays reconnu comme tel par le Parlement britannique en 1867 et qui ne promettait rien de plus (ni rien de moins) que "la paix, l'ordre et un bon gouvernement". Cet objectif tranchait nettement avec celui de la Déclaration d'indépendance des Etats-Unis qui se basait sur "la vie, la liberté et la poursuite du bonheur".

Néanmoins, les différences de climat, de sol et de gouvernement n'empêchaient pas les deux régions situées de part et d'autre de la frontière d'avoir quelque chose en

---

1) L'une de ses premières missions, quand elle fut détachée vers l'Ouest en 1874, fut de mettre un terme à l'invasion des marchands de whisky américains. En 1920, elle devint la Gendarmerie royale du Canada.

commun: l'alcool y était la panacée par excellence. Du coup, les Prairies canadiennes furent submergées par une vague d'alcoolisme qui ébranla l'Eglise, l'Etat, la maternité et les activités du C.P.R.

La situation dégénéra en un conflit qui allait colorer l'histoire de l'Ouest canadien pendant la majeure partie des vingt années qui suivirent la fin de la Première Guerre mondiale. "Jamais les Prairies n'ont connu un mouvement de masse qui ait égalé la campagne contre la prohibition, si l'on considère la force et la sincérité de sa conviction, de même que son influence qui ne se relâcha pas un instant tout au long de cette lutte interminable, écrivait James H. Gray. Pourtant, l'agitation et les querelles politiques internes qui marquèrent cette longue guerre contre le rhum diabolique ne furent pas beaucoup plus orageuses que le tumulte déclenché par l'extension de la prohibition au pays tout entier. Ainsi, les gouvernements qui, de temps en temps, faisaient de leur mieux pour appliquer la loi étaient continuellement harcelés par les prohibitionnistes qui ne cessaient de leur poser des questions embarrassantes. Et, tandis que les porte-parole des sociétés de tempérance exigeaient des mesures plus adéquates, de petits groupes de médecins, de pharmaciens, d'avocats, de juges et de volontaires qui se posaient en bienfaiteurs du public assoiffé conspiraient pour rendre la loi aussi inepte que possible. C'est ainsi que se développa une industrie clandestine qui alimenta les journaux en titres à sensation et approvisionna les "Wets" aussi bien que les "Drys" [2] en munitions verbales dont ils bombardaient le palier de gouvernement le plus immédiat." [3]

---

2) *Wets* et *Drys:* respectivement adversaires et partisans de la prohibition (N.D.L.T.)

3) *Booze: The Impact of Whisky on the Prairie West,* Toronto, Macmillan of Canada, 1972, p. 1.

L'esprit de tolérance propre aux années 70 rend malaisée une compréhension réellement objective de ce conflit. Mais, à cette époque, la dissension entre "Wets" et "Drys" était virulente et absolue. Les ivrognes fréquentaient les hôtels ou s'adressaient directement aux trafiquants d'alcool dans le simple but de se saouler le plus rapidement possible; leur principale concession au savoir-vivre se limitait à ne jamais abandonner un copain ivre-mort. Le mouvement en faveur de la prohibition, qui remontait à la croisade menée par l'évêque Laval et les missionnaires jésuites pour supprimer le whisky comme élément de troc dans le commerce des fourrures avec les Indiens, mélangeait allègrement la théologie fondamentaliste et des concepts politiques encore plus primitifs.

En usant à la fois de coercition et de conviction, les croisés antialcooliques mirent tout en oeuvre pour s'assurer l'appui effectif des députés fédéraux et provinciaux dans leur combat pour proscrire le démon du rhum. En parfaits politiciens canadiens, les législateurs adoptèrent une solution de compromis unique en son genre qu'ils se gardèrent bien de formuler. Ne sachant trop qui des "Drys" ou des "Wets" leur vaudraient le plus de votes, ils tranchèrent la question en condamnant l'alcool dans un flot de discours vides et pompeux, et en votant des lois prohibitives suffisamment compliquées et entachées de contradiction pour permettre à n'importe quel ivrogne, bien résolu à étancher sa soif, de les contourner [4].

L'adoption de lois inapplicables ne présentait pas de difficultés majeures, si l'on considère dans quel effroyable imbroglio juridictionnel s'effectuait le commerce de

_____

4) Le célèbre humoriste canadien Stephen Leacock, qui fut un "Wet", s'était exprimé de façon plus modérée: "J'aimerais assez que l'on puisse interdire l'usage de l'alcool et continuer simplement à boire de la bière, du gin et du whisky tout comme avant."

l'alcool. A la suite des décisions rendues par le Conseil privé de Londres dans le cas de nombreux procès, il avait été établi, vers le début du siècle, que les gouvernements provinciaux auraient la haute main sur la vente au détail des spiritueux, tandis que la fabrication, l'importation et l'exportation seraient du ressort du fédéral. Cette division, irréaliste sur le plan administratif, se trouvait encore aggravée du fait qu'aucun des deux paliers de gouvernement ne tenait particulièrement à faire respecter la Loi canadienne sur la tempérance, laquelle imposait cette responsabilité à toute municipalité où la majorité des électeurs avaient voté contre la vente de spiritueux. Néanmoins, ce vote ne portait pas tellement à conséquence puisque, même si toutes les municipalités d'un secteur avaient décidé d'interdire le commerce de l'alcool, il était généralement possible d'en importer d'une autre partie de la région concernée.

Toutes imprécises qu'elles fussent, les lois semblaient tout de même avoir atteint leur objectif: l'indignation bruyante des partisans de la tempérance avait donné des résultats tangibles puisqu'elles avaient été votées, et les poivrots canadiens pouvaient, sans encombre, continuer de se saouler tout à leur aise. Et au milieu, il y avait les distillateurs et les détaillants de gnôle qui ne se faisaient pas faute de contourner les lois, d'autant plus qu'ils ne couraient pas grand risque d'avoir des ennuis avec la justice. De tous ceux qui participaient à ce commerce lucratif, c'était la famille Bronfman qui était la grande gagnante. On aurait presque pu croire, parfois, que des représentants du Congrès américain et des gouvernements canadiens, fédéral et provinciaux, s'étaient secrètement réunis à huis-clos dans un seul et unique but: rédiger des lois et règlements qui, en interdisant le commerce des spiritueux, pourraient aider les frères Bronfman à retirer le maximum de profits du trafic clandestin de l'alcool.

Selon la légende familiale, la création de l'empire Seagram est le fait du seul génie de Sam Bronfman et, dans une importante mesure, de son dynamisme; en réalité, ce fut surtout son frère aîné Harry qui, dès le tout début, manifesta un esprit entreprenant et sut donner à la fragile entreprise l'impulsion qui allait lui permettre de grandir et de prospérer. Pendant les quinze ans qu'il passa à Yorkton, en Saskatchewan, Harry, qui avait débuté en acquérant les deux grands hôtels de la ville, multiplia ses investissements et se retrouva vendeur de voitures et directeur d'une société de fiducie[5]. Il acheta une demi-douzaine de magasins et ouvrit un cinéma, inaugurant, par le fait même, la vente du maïs soufflé dans l'Ouest du Canada[6].

Quand, après la Première Guerre mondiale, la récession frappa les Prairies, les activités hôtelières de Harry commencèrent à battre sérieusement d'une aile. Et lors-

---

5) Harry Bronfman fonda la Western Prudential Investment and Trust Co. Ltd., mais les affaires ne furent pas très brillantes. Il acheta la plus importante écurie de louage de Yorkton, puis décida de s'orienter dans l'automobile en devenant le représentant exclusif de la Gray-Dort, une voiture construite de 1915 à 1925 par Gray-Dort Motors, à Chatham, en Ontario. Dans *A Great Way to Go: The automobile in Canada* (Toronto, Ryerson Press, 1969), Robert Collins relève que, vers la fin de 1922, cinq mille Gray-Dort avaient été enregistrées uniquement dans les provinces des Prairies. La filiale américaine, la Dort Motor Car Company, installée à Flint, dans le Michigan, ferma ses portes en 1925 et la compagnie de Chatham en fit autant, peu après. Harry Bronfman offrait aux acheteurs de Gray-Dort un régime de paiements à terme (il eut huit cent dix clients au cours des deux premières années); plus tard, il se tourna vers d'autres marques, dont Nash et Cadillac.

6) En 1917, Harry Bronfman décida de se présenter à la mairie de Yorkton, mais il dut battre en retraite après que Levi Beck, le plus gros commerçant de la ville, lui eut déclaré: "Je donnerais tout ce que je possède pour vous empêcher, vous ou n'importe quel autre Juif, de devenir maire de Yorkton." Stan Obodiac, un écrivain né à Yorkton et qui, à un moment donné, fut le responsable du service des relations publiques du Maple Leaf Gardens, à Toronto, rappelle qu'après cet incident, toute la famille conserva une dent contre la ville: "Quand Sam et Harry étaient encore en vie, j'ai essayé de les amener à construire le Bronfman Slavic Theatre for Art and Culture, à Yorkton. Ce fut en pure perte. Harry légua cinq mille dollars à la synagogue de Yorkton; Sam ne laissa strictement rien."

que la vente des spiritueux fut prohibée dans la province, le 1er juillet 1915, il devait cent mille dollars à la Bank of British North America, en dépit de son ambitieuse expansion dans Yorkton [7]. Afin de consolider le reste de l'actif familial, Harry loua tout ce qu'il possédait en Saskatchewan et plia bagages pour Winnipeg où Sam continuait d'administrer l'hôtel *Bell* qui restait de bon rapport. Puis, quand la prohibition toucha le Manitoba, le 1er juin 1916 [8], toute la famille décida d'abandonner l'hôtellerie et de se lancer dans le commerce du whisky.

La prohibition fut appliquée dans toutes les provinces canadiennes (à l'exception du Québec), mais sans imposer la fermeture des distilleries et sans mettre un terme aux importations de spiritueux. La voie restait entièrement libre au commerce interprovincial et les Bronfman se préparèrent à profiter de cette situation lucrative. Pendant un séjour à Montréal, en avril 1916, Sam fit l'acquisition d'un petit commerce de spiritueux, la Bonaventure Liquor Store Company, situé fort à propos rue Saint-Jacques, à proximité des gares de triage, dans le sud de la ville; là, venaient s'approvisionner en alcool les voyageurs qui prenaient le train pour les provinces de l'Ouest où pareille denrée devenait rapidement de plus en plus rare. Barney

---

7) La Saskatchewan ferma ses quatre cent six bars dans la nuit du 30 juin et, à neuf heures, le lendemain matin, il ne restait plus, dans toute la province, que vingt-trois magasins de spiritueux régis par le gouvernement (lesquels rapportèrent des profits nets de $378 847 à la fin de l'année).

8) L'Alberta, la Nouvelle-Ecosse et l'Ontario se mirent au régime sec au cours de la même année; toutefois, l'Ontario fit une exception dans le cas du vin produit localement (du moment que le taux d'alcool ne dépassait pas vingt-huit pour cent). La Colombie-Britannique, le Nouveau-Brunswick et le Yukon leur emboîtèrent le pas en 1917 (de même que Terre-Neuve qui, à l'époque, était une colonie autonome au sein de l'Empire britannique). Pour sa part, le Québec resta une oasis tout le temps que la prohibition fut en vigueur, pendant la guerre; ce fut seulement le 1er mai 1919 qu'il interdit la vente des spiritueux, et même là, le vin et la bière continuèrent d'être en vente libre. Quant à l'Ile-du-Prince-Edouard, elle était une province sèche depuis 1901.

Aaron, beau-frère des Bronfman, prit la route de l'Est pour venir diriger les activités du Bonaventure, et des entrepôts furent installés à travers le pays pour faciliter la réexpédition des stocks de spiritueux [9]. Sam se fit commis voyageur, sillonnant toutes les régions, cherchant de quoi ravitailler, directement ou par la poste, les clients dont la liste commençait à s'allonger [10].

Au plus fort de la Première Guerre mondiale, Ottawa fut l'objet d'attaques de plus en plus poussées pour n'avoir pas réussi à enrayer le commerce de l'alcool. Le révérend Sidney Lambert se fit le porte-parole de tous ses collègues prohibitionnistes, gagnés par la frustration, lorsqu'il se mit à tempêter, au cours d'une de leurs assemblées dans la capitale: "Je préférerais que l'Allemagne gagne la guerre plutôt que de voir tous ces trafiquants d'alcool rapaces imposer leur joug aux jeunes du Canada et les conduire à la

---

9) Le mieux situé de tous était celui de Kenora, en Ontario, parce qu'il constituait la plus proche source d'approvisionnement pour le riche marché du Manitoba. Il y avait dans cette ville un hôtel que Bronfman voulait acheter (parce que la municipalité avait rejeté la prohibition à la suite d'un vote local); quand il arriva pour faire une offre, le propriétaire se trouvait dans la région du lac des Bois, à six jours de trajet en traîneau. Craignant de se faire couper l'herbe sous les pieds par l'un ou l'autre de ses concurrents, Sam engagea un guide et loua un attelage de chiens pour aller lui-même négocier la transaction. Cela faisait déjà une journée qu'ils étaient en route quand Bronfman s'aperçut que le guide n'avait emporté aucune provision, à l'exception d'un peu de café, d'un cruchon d'alcool et d'un pistolet. "Ce furent les six jours les plus longs de toute ma vie, raconta-t-il plus tard. Nous dûmes manger de la viande de cerf à tous les repas. La seule chose que ce fils de pute pouvait abattre, c'était des cerfs. Il ne fut jamais fichu de mettre la main sur un lapin, un oiseau ou même un ours."

10) L'entreprise faillit s'écrouler durant l'automne de 1917, lorsque Sam se trouva subitement enrôlé dans l'armée canadienne. Il participa aux exercices d'entraînement, mais fut exempté du service actif parce qu'il avait les pieds plats. L'année suivante, le jour de l'armistice, Minnie Bronfman mourut pendant une épidémie de grippe. Treize mois plus tard, ce fut au tour d'Ekiel, vaincu par un cancer.

damnation!" [11] Devant la quantité d'interventions similaires venant de toutes les régions, le cabinet adopta un arrêté ministériel, en date du 11 mars 1918 (exactement vingt et un jours plus tard), qui interdisait la fabrication et l'importation de boissons contenant plus de deux et demi pour cent d'alcool, pour une période qui ne devait se terminer qu'un an après la fin de la guerre.

En principe, ce décret aurait dû porter un coup fatal au commerce postal des Bronfman. Mais les lois sur la prohibition comportaient toujours quelque issue et Harry eut du mal à se retenir quand il se lança dans une nouvelle carrière: grossiste en produits pharmaceutiques. Il avait découvert que, en Saskatchewan, la prohibition ne couvrait pas les boissons alcooliques prescrites comme médicaments (pareille exception se retrouvait dans toutes les législations provinciales relatives à la prohibition). Il raconte dans ses mémoires qu'il obtint un certain succès en vendant de porte à porte, à travers la Saskatchewan, un vin possédant des propriétés thérapeutiques. Mais ce fut son frère Sam qui saisit toutes les ramifications du commerce pharmaceutique: "Une licence de grossiste en médicaments (...) devrait logiquement inclure aussi bien ceux-ci que les spiritueux, puisque la loi autorise un pharmacien à vendre des boissons alcooliques; par conséquent, un grossiste en médicaments agit dans la légalité la plus totale en approvisionnant les pharmacies en alcool." En moins de vingt-quatre heures, Harry avait obtenu un permis pour la Saskatchewan et, dix jours plus tard, les Bronfman réapparaissaient à Yorkton sous le couvert de la Canada Pure Drug Com-

---

11) Le lieutenant-colonel Sidney Lambert était un prédicateur méthodiste qui parcourait les Prairies. Engagé en 1915, il perdit la jambe gauche à Ypres en 1916 et reçut l'ordination, à Toronto, en 1918, soutenu par des béquilles. Il défendit la cause des amputés de guerre et fut aumônier du Christie Street Military Hospital, de Toronto, qui prit plus tard le nom de Lambert Lodge.

pany. Harry engagea un chimiste, l'envoya à Montréal acheter un stock de produits pharmaceutiques ordinaires, et se relança en affaires. Entre-temps, la Compagnie de la baie d'Hudson avait été obligée, faute de permis, de renoncer à vendre le whisky Dewar dès que le gouvernement canadien avait décidé d'appliquer la prohibition pour toute la durée de la guerre. Harry récupéra le contrat avec Dewar et installa son nouveau commerce dans un entrepôt situé à proximité de l'hôtel *Balmoral,* dont il était toujours propriétaire, juste en face des hangars de marchandises du C.P.R.; grâce aux amis libéraux qu'il possédait dans le gouvernement unioniste d'Ottawa, il n'eut aucun mal à le faire reconnaître comme "entrepôt en douane".

Ainsi, parallèlement à la vente de spiritueux ordinaires aux pharmacies, à l'intention des patients dont les médecins étaient suffisamment compréhensifs pour leur prescrire ce type de potion, la gnôle était vendue à des préparateurs qui inventaient toutes sortes de mixtures pour le commerce pharmaceutique, y compris un "Dandy Bracer — Liver & Kidney Cure" qui, à l'analyse, se révélait un mélange de sucre, de mélasse, de sulfate de cuivre et d'alcool à trente-six pour cent — en plus d'un soupçon d'extrait de tabac. Devant le flot des victimes atteintes subitement d'une maladie virulente et qui se précipitaient chez leur pharmacien pour obtenir de l'aide, Stephen Leacock écrivit: "Il était indispensable de se rendre à une pharmacie (...), de s'appuyer contre le comptoir et de laisser échapper un soupir étranglé comme si on était frappé d'apoplexie. Il n'était pas rare de voir ces cas d'apoplexie s'aligner sur quatre rangs."

Le commerce pharmaceutique rapportait bien, mais il n'avait pas l'importance des anciennes ventes par la poste. Et, alors que l'entreprise semblait sur le point de tomber dans le marasme, les élus du peuple s'empressèrent, une fois de plus, de venir à la rescousse. Comme l'arrêté ministériel du gouvernement fédéral interdisant le commerce interprovincial de l'alcool devait venir à expiration le dernier jour de 1919, la Chambre des communes amenda la Loi canadienne sur la tempérance afin de prolonger cette interdiction pour l'ensemble du pays. Mais, sous les pressions du Québec (qui avait légalisé la vente de la bière, du cidre et du vin en avril 1919), le Sénat refusa d'entériner l'amendement. Finalement, on s'entendit sur un compromis. Le gouvernement fédéral intégrerait ledit amendement à ses règlements, mais pour que celui-ci ait force de loi (en vertu d'un arrêté ministériel fédéral), il faudrait attendre que les provinces aient tenu une série de référendums pour savoir si la population appuyait cette mesure. A la fin de 1919, la plupart des régions se déclarèrent, par une forte majorité, en faveur de la prohibition et de l'interdiction des importations, mais plus d'un an s'écoula avant que les provinces ne commençassent à fermer leurs frontières au commerce de l'alcool [12]. Pendant ce temps, le commerce interprovincial connaissait un nouvel essor.

---

12) Les trois provinces des Prairies tinrent leur scrutin le même jour, soit le 25 octobre 1920, et fixèrent au 1er février 1921 l'entrée en vigueur du décret interdisant les importations. La Nouvelle-Ecosse ferma également ses frontières le 1er février. L'Ontario vota le 18 avril 1921 et la prohibition devint effective le 18 juin. Au Nouveau-Brunswick, le referendum eut lieu le 10 juillet 1920 et la loi fut appliquée le 21 octobre 1921. Simultanément, les provinces entreprirent de légaliser la vente de spiritueux par l'intermédiaire de régies gouvernementales, ce qui signifiait la fin du marché libre interprovincial. La Colombie-Britannique ajouta, lors du référendum du 20 octobre 1920, une question sur la supervision et la vente, dans des contenants scellés, des spiritueux et de la bière. Il y eut à peu près cinquante mille votes en faveur de la prohibition dans la province et près de soixante-seize mille citoyens approuvèrent l'idée de magasins administrés par le gouvernement; ceux-ci ouvrirent leurs portes l'année suivante. Le Québec adopta ce système en 1921, de même que le Yukon. Les autres provinces les imitèrent, l'une après l'autre, tout au long de la décennie: le Manitoba en 1923; l'Alberta en 1924; la Saskatchewan en 1925; l'Ontario et le Nouveau-Brunswick en 1927; et la Nouvelle-Ecosse en 1930. Il

En profitant de cette faille entre les deux séries de lois, les frères Bronfman réussirent à faire de ce qui n'avait été jusque là qu'une petite affaire de vente de gnôle une entreprise commerciale de premier plan qui fut à l'origine d'une des plus grosses fortunes du monde. Pendant ces dix mois trépidants, les anciens hôteliers firent d'importantes percées: ils établirent des contacts avec les contrebandiers américains, plantant ainsi les premiers jalons de leur future pénétration de l'énorme marché constitué par les Etats-Unis, et établirent, le long de la frontière entre la Saskatchewan et le Dakota du Nord, leur chaîne de "boozoriums" dont les bénéfices leur permettraient d'étendre leurs activités. Mais, ce qui importait par-dessus tout, ils s'initièrent aux rudiments de la fabrication d'un whisky acceptable à partir d'alcool pur.

Parce qu'il avait largement fait ses preuves comme homme d'affaires à Yorkton et avait toujours remboursé ses dettes en temps voulu, Harry Bronfman put emprunter à la Banque de Montréal les sommes nécessaires à l'achat d'importantes quantités d'alcool auprès des distilleries écossaises et canadiennes, afin d'approvisionner les entrepôts familiaux disséminés à Montréal, Vancouver, Kenora et Yorkton. "C'est pendant la dépression que je me suis fait un nom; la Bank of British North America m'avait consenti des prêts atteignant quelques centaines de milliers de dollars et quand elle fut absorbée par la Banque de Montréal, le seul compte dont elle se porta garante fut le mien, raconte Harry dans son journal. Comme j'avais (...) toujours fait face à mes échéances, ma situation était

---

fallut attendre 1948 pour voir légaliser la vente de l'alcool dans l'Ile-du-Prince-Edouard. Terre-Neuve, qui fit son entrée dans la Confédération en 1949, supervisait la vente des spiritueux depuis 1924.

excellente avec la banque et je jouissais d'un crédit presque illimité." [13]

En 1919, le jour de Noël, Percy Dallin, préposé des douanes fédérales à Yorkton, nota l'arrivée de cinq wagons remplis de whisky écossais. Avec cet arrivage, l'entrepôt des Bronfman était plein à craquer; mais, quand il en vit vingt-sept autres entrer en gare, Dallin, exaspéré, télégraphia à Ottawa pour obtenir des instructions. Il reçut l'ordre de dédouaner la marchandise entreposée afin que la gnôle fût immédiatement réexpédiée par rail vers les divers entrepôts des Bronfman, à travers le pays. Dès les premières semaines de 1920, la Canada Pure Drug Company, de Yorkton, avait déjà reçu environ trois cent soixante mille bouteilles de gnôle. "Le volume des marchandises qui transitaient par Yorkton était tel, écrit James Gray dans *Booze,* que le *Great West Express* du C.P.R., qui assurait la liaison entre Edmonton et Winnipeg, était fréquemment retardé d'une trentaine de minutes pour qu'on pût terminer de charger l'alcool expédié par les Bronfman dans les provinces voisines, à l'intention des clients assoiffés."

Pour le consciencieux Dallin, cela dépassait les bornes. "La proportion de whisky écossais par rapport au brandy semble indiquer que les marchandises en question sont davantage destinées à la consommation qu'à un usage médical, écrivit-il à son supérieur de Regina. Etant donné les circonstances, la responsabilité de cette licence devrait être assumée par un haut-fonctionnaire plutôt que par un

---

13) En fait, la succursale de la Banque de Montréal, à Yorkton, n'avait d'abord prêté que cinquante mille dollars à Harry Bronfman; mais après un coup de fil à Sir Frederick Williams-Taylor, au siège social montréalais, il se vit accorder un crédit automatiquement renouvelable de trois cent mille dollars.

simple préposé des douanes." Loin d'être impressionné, son patron lui intima l'ordre de dédouaner tous les chargements [14]. Harry s'est contenté de noter, dans ses mémoires, que "bien que le douanier préposé à la surveillance de ce port fût un méthodiste et un homme d'une parfaite sobriété, son honnêteté et son sens des responsabilités l'obligèrent à admettre que nous étions dans la légalité, et il lui appartenait de satisfaire aux obligations de sa charge à titre d'agent des douanes responsable du port".

Grâce à un autre concours de circonstances qui survenait on ne peut plus à propos, une nouvelle mine d'or, la plus importante de toutes, se présenta sous la forme d'une possibilité de percer sur le marché américain. Le mouvement antialcoolique qui, lancé vers le début du siècle, avait fait tache d'huile aux Etats-Unis atteignait maintenant son apogée avec des évangélistes, comme Billy Sunday, qui attisaient le sentiment populaire contre le démon de l'alcool. "Partout où c'est le trafic des boissons qui domine, les enfants cessent de rire et les femmes de chanter! lançait-il d'une voix tonitruante devant des foules toujours

---

14) Dallin n'était pas au bout de ses peines. En juin 1922, le gouvernement de la Saskatchewan ordonna le transfert de tous les entrepôts d'alcool à Regina, Saskatoon ou Moose Jaw, où il serait plus facile d'en contrôler les transactions. Quand il inspecta, une dernière fois, l'entrepôt des Bronfman, à Yorkton, Dallin compta deux cent cinq tonneaux d'alcool pur, transmit son inventaire à ses supérieurs et cadenassa les lieux. Puis (en échange d'un salaire annuel de mille dollars), il assura consciencieusement la surveillance de l'entrepôt jusqu'au jour où, pendant l'automne de 1926, un agent de la G.R.C. en tournée d'inspection releva, lui, un total de seulement deux cent quatre tonneaux. Dallin tenta courageusement d'éclaircir le problème: "Telle qu'elle se présente, la situation jette des doutes sur ma probité — pas plus que je n'ai eu la possibilité de faire évacuer les tonneaux de l'entrepôt, mes livres ne pouvaient porter aucune mention d'un retrait quel qu'il fût, et je suis resté coincé avec ce stock, exactement comme il était. Néanmoins, il manque un tonneau", écrivit-il à son chef de service, à Ottawa. Dallin fut suspendu sans solde pendant un mois et, très peu de temps après, il démissionna.

plus nombreuses. Nous déclarons aux seigneurs de l'alcool: Renoncez à votre sale boulot! Ce monde va vivre dans la sobriété et on n'y verra plus personne en train de pleurnicher, grommeler, commérer, dégobiller, vomir, rendre tripes et boyaux! Les bars et les bistros ont fait s'exhaler suffisamment de plaintes des lèvres humaines pour qu'on puisse en faire une autre chaîne de montagnes! Ils ont sucé suffisamment de sang des veines humaines pour rougir chaque vague de la mer!"

En janvier 1919, les trois quarts des Etats — proportion indispensable — avaient voté en faveur du dix-huitième Amendement qui interdisait l'importation, la vente et la fabrication de boissons alcooliques. En octobre de la même année, le Congrès adopta le National Prohibition Enforcement Act; appelée aussi Loi *Volstead* [15], du nom de l'avocat républicain, représentant Granite Falls, au Minnesota, qui l'avait parrainée devant le Congrès, cette loi prévoyait la mise en place de règlements antialcooliques rigoureux pour l'ensemble des Etats-Unis et devint effective le 16 janvier 1920. "Que les cloches des églises carillonnent et que l'allégresse soit grande, car un ennemi aussi terrifiant que les Prussiens vient d'être vaincu!", proclama la section new-yorkaise Hempstead de la Woman's Christian Temperance Union. Mais ce fut la Anti-Saloon League, également de New York, qui fit la déclaration la plus renversante: elle affirmait que l'alcool n'avait pas fait que saper le développement de l'industrie américaine, mais qu'il était, en fait, à l'origine même de la révolution russe. "Le bolchévisme s'épanouit dans un sol humide, titrait son bulletin

---

15) Aux termes de la Loi *Volstead,* était reconnue comme alcoolique toute boisson dont la teneur en alcool était supérieure à un demi de un pour cent. Elle autorisait la perquisition des hôtels et restaurants, ainsi que la saisie des stocks d'alcool.

officiel. L'échec qu'a connu la Russie dans l'application de la prohibition a été suivi du bolchévisme. Chez nous, ce même échec encouragera le mépris des lois et provoquera une catastrophe industrielle. Les Etats où la prohibition est en vigueur depuis des années ignorent pour ainsi dire tout des manifestations radicales et bolchéviques. **La gnôle est le ferment du bolchévisme.**"

En fin de compte, la prohibition se révéla une expérience déplorable — à la fois pour les "Drys" et pour les "Wets". Durant les quelque dix ans d'anarchie où la prohibition fut en vigueur, les agents fédéraux arrêtèrent cinq cent soixante-dix-sept mille suspects, saisirent plus d'un milliard de gallons d'alcool de contrebande et confisquèrent quarante-cinq mille voitures et mille trois cents bateaux qu'on soupçonnait d'avoir été utilisés pour ce commerce illégal. Mais la situation ne s'en trouva pas beaucoup modifiée pour autant. Lincoln C. Andrews, ministre adjoint des Finances et chargé de l'application de la prohibition, estimait qu'on avait pu mettre la main sur moins de cinq pour cent de tout l'alcool entré en contrebande aux Etats-Unis. Pour sa part, Fiorello La Guardia, qui devint maire de New York en 1934, était d'avis que les poivrots de sa ville avaient permis à vingt-deux mille bars clandestins de subsister. Il réussit même à alarmer les New-Yorkais pourtant endurcis en affirmant que, pour pouvoir appliquer adéquatement la Loi *Volstead,* il faudrait une force policière de deux cent cinquante mille hommes — plus deux cent mille autres incorruptibles pour empêcher les premiers de déroger à la loi. Mais il y eut pire encore: entre 1920 et 1930, environ trente-quatre mille Américains moururent, empoisonnés par de l'alcool frelaté, tandis que deux mille bandits et cinq cents agents fédéraux furent tués au cours des nombreuses bagarres à coups de révolver qui furent la conséquence de ce trafic aux proportions démesurées.

Avec le recul des années, on a l'impression que plus les partisans de la tempérance tentaient de faire de l'abstinence une preuve de patriotisme, plus il était amusant de violer des lois qui, on s'en était rapidement rendu compte, étaient inapplicables. "Je fus antialcoolique jusqu'à l'avènement de la prohibition", plaisantait Groucho Marx, en résumant ainsi l'esprit de l'époque. Dans chaque grande ville, les bars clandestins étaient les endroits les plus populaires et imitaient le *Delmonico,* à New York, où le martini était subtilement servi dans des bols à soupe réfrigérés.

Les propriétaires de bars clandestins qui cherchaient de solides sources d'approvisionnement en gnôle ne tardèrent pas à se tourner vers le Nord où l'interminable frontière avec le Canada restait sans surveillance; dans ce pays, en effet, l'importation des marques britanniques était encore légale et les distilleries locales étaient en mesure de fabriquer, pour l'exportation, des quantités intarissables d'alcool de bonne qualité.

Les premières tentatives chancelantes de contrebande furent le fait d'amateurs qui déployèrent davantage d'imagination que d'habileté. Ceux-ci enfilaient des complets d'une coupe spéciale et dont les profondes poches pouvaient dissimuler des bouteilles, et s'entouraient la taille d'un tube en caoutchouc fermé aux deux extrémités et rempli d'alcool. Une ménagère ukrainienne de Buffalo, complètement noire, s'était donné la peine de vider deux douzaines d'oeufs et de les remplir de whisky canadien, uniquement pour en voir un s'écraser dans la main d'un douanier. Un groupe de contrebandiers du Michigan traversaient régulièrement la frontière, vêtus de soutanes, de telle sorte que leurs véhicules chargés de gnôle passaient la douane au milieu du respect général; ils durent toutefois renoncer à leurs petites promenades après que l'une de leurs Studebaker eut eu une crevaison, juste devant le poste de douane. Furieux de voir sa mission contrecarrée par un incident aussi terre à terre, l'ecclésiastique qui était au volant se mit à donner des coups de pied dans le pneu crevé en hurlant: "Qui m'a foutu une pareille bon Dieu de saloperie!" La fouille qui s'ensuivit mit rapidement au jour la cachette profane de son alcool de contrebande.

Il devint très vite évident que le débit était beaucoup trop important et beaucoup trop payant pour laisser l'approvisionnement entre les mains des amateurs. Mais avant de pouvoir mettre sur pied des circuits plus professionnels, il fallait tout de même assurer un ravitaillement constant et sans faille. Avant même l'instauration de la prohibition aux Etats-Unis, Harry Bronfman, grossiste en produits pharmaceutiques de Yorkton, s'était arrangé pour se faire approvisionner par des distillateurs écossais et une organisation bien rodée lui avait permis d'acheter des Américains d'importantes quantités d'alcool, lorsque les stocks avaient été mis en vente à des prix dérisoires, peu avant l'adoption de la loi. Mais même *après* l'entrée en vigueur de la prohibition, Harry, en compagnie d'un partenaire qui travaillait pour la chaîne d'entrepôts pharmaceutiques des Bronfman, continua d'importer de l'alcool des Etats-Unis [16]. Pendant ses quatre mois d'existence, en 1921, la Canada Drugs Limited, de Yorkton, importa environ trois cent mille gallons d'alcool des Etats-Unis, quantité suffisante pour fabriquer huit cent mille gallons de whisky [17].

---

16) Sa méthode constituait une nette amélioration par rapport à un procédé similaire mis au point par Isaac et Jacob Sair, d'Oxbow, en Saskatchewan. La matière première leur était fournie directement par un entrepreneur de pompes funèbres de Minneapolis: du liquide pour embaumement à un dollar le gallon.

17) Canada, Commission royale d'enquête sur les douanes et l'accise. *Rapport intérimaire*, Ottawa, F.A. Acland, 1928.

La recette employée au tout début par les Bronfman pour fabriquer leur gnôle était d'une simplicité désarmante. Dans le cas du scotch, par exemple, ils détitraient de l'alcool pur à soixante-cinq degrés en le mélangeant avec de l'eau et en y ajoutant un peu de vrai scotch et un soupçon de sucre caramélisé pour la couleur. Leur matériel, acheté de la Brewers' and Bottlers' Supplies Company, de Winnipeg, se composait de dix cuves en bois de séquoia d'une capacité de mille gallons chacune et d'une machine qui pouvait remplir et étiqueter mille bouteilles à l'heure.

La dernière étape, qui était aussi la plus importante, était celle de la mise en bouteilles et du choix de l'étiquette. Les premiers produits portaient des noms anodins comme Old Highland Scotch, Parker's Irish Whisky et Special Vat Old Scotch — Sole Proprietors D. Macgregor — Company, Glasgow [18]. Mais, progressivement, l'activité des Bronfman commença à se teinter d'une certaine distinction. Même si toute la gnôle provenait des mêmes cuves, sa qualité était rehaussée par l'utilisation sans vergogne d'étiquettes relevant quelque peu de la contrefaçon: Black & White, Dewar's, Glen Levitt et Johnny Walker. (Le Johnny Walker, dont le nom s'écartait à peine de la fameuse marque Johnnie Walker, valait quarante-cinq dollars la caisse; le Dewar's en rapportait quarante-deux; le whisky "sans gloire", non étiqueté, se vendait trente-cinq dollars. Quant au

---

18) La firme Bulman Brothers, qui imprimait ces étiquettes à Winnipeg, fit, une fois, une légère erreur géographique pour l'une des marques, le Old Highland Malt Whisky, qu'elle déclara "mis en bouteille par Buchanan & Cie, Porto, Ecosse" — ayant vraisemblablement oublié que Porto, qui s'appelle généralement Oporto en Angleterre, se trouve au nord-ouest du Portugal. Portobello aurait été plus approprié parce que la ville est réellement située en Ecosse, au bord du golfe de Forth, près d'Edimbourg, mais la distillerie qui fabrique le Black & White, la James Buchanan & Co.Ltd.,n'y possède pas non plus d'entreprise. (Toutes ses fabriques sont regroupées à l'ouest de l'Ecosse.)

Glen Levitt, il s'agissait probablement du sosie du Glen-livet, le plus grand nom parmi les whiskies écossais.) En fait, la dénomination de la production quotidienne dépendait uniquement du type d'étiquettes disponible [19].

"Un agent de la Police montée qui participa à une descente à la distillerie des Bronfman, à Yorkton, m'a raconté comment ils fabriquaient leur alcool, raconte John W. Mack, qui vivait, en 1920, dans un édifice à logements connu sous le nom de *Yorkton Club*. Ils avaient de grandes cuves galvanisées et tapissées de chêne dans lesquelles ils versaient de l'eau distillée et de l'alcool avant d'y ajouter un peu de caramel et de l'acide sulfurique. L'idée était la suivante: l'acide devait attaquer le revêtement de chêne jusqu'à ce qu'il fût brûlé, afin de compléter le "processus de vieillissement", tandis que le caramel, lui, donnait la couleur requise. Une fois qu'un chimiste avait prélevé un échantillon avec une pipette et déclaré que la mixture était sans danger, on mettait en perce et on remplissait les bouteilles. (...) Je me souviens avoir acheté, un samedi soir, une bouteille de soi-disant J. & T. Bell que nous allâmes vider à cinq dans la prairie, installés dans un Modèle T. Environ une heure plus tard, nous étions tous paralysés jus-

---

19) Selon la Commission royale d'enquête sur les douanes et l'accise, les Bronfman "mettaient en bouteilles des spiritueux et collaient sur les bouteilles des étiquettes spécifiant qu'elles contenaient du whisky écossais de telle ou telle marque, alors qu'en réalité il ne s'agissait pas de whisky écossais et que le produit ne provenait pas de la distillerie dont le nom apparaissait sur l'étiquette. Dans la plupart des cas, du reste, ces noms étaient fictifs. A notre point de vue, l'étiquetage n'avait d'autre but que d'induire les clients en erreur et nous semble en contravention avec l'article 186 de la Loi sur l'accise (...) mais comme les restrictions inhérentes aux poursuites qu'on pourrait intenter pour pareille offense empêcheraient, apparemment, d'obtenir une condamnation, nous ne faisons aucune recommandation, mais nous contentons de mentionner ces faits à titre d'éléments de l'histoire des divers intérêts administrés par les membres de la famille Bronfman ou leur appartenant."

qu'à un certain point et, le dimanche midi, l'extrémité de mes doigts était encore insensible."

Les débuts de Harry comme expert en distillation furent lamentables. Il avait préparé tous les ingrédients pour sa première cuvée avec tout le soin d'un grand chef cuisinier :

382 gallons d'eau

318 gallons d'alcool pur à soixante-cinq degrés

100 gallons de whisky vieilli

un soupçon de caramel

une dose d'acide sulfurique

Tous les grands distillateurs le savent, c'est la qualité du vieillissement qui constitue l'étape la plus importante de tout le processus. Désireux de ne pas se faire battre sur ce point, Harry, dans un geste grandiose, décida d'accorder à ce premier échantillon de son art *deux pleines journées* pour prendre du moelleux! Au bout de quarante-huit heures, il plongea une éprouvette dans l'une des cuves. Le foutu mélange était devenu d'un violet sale.

Ne sachant pas trop s'il avait commis une grave erreur en élaborant sa recette ou si on lui avait vendu des cuves en mauvais état, Harry réagit comme tout bon Bronfman l'aurait fait. Il se débarrassa de la mixture indigo en la mélangeant à de la gnôle d'une cuvée subséquente à raison de dix gallons pour chaque centaine de gallons d'alcool normalement ambré [20]. En même temps, il refusa de verser à la compagnie Brewers' and Bottlers' Supplies, qui lui avait vendu son matériel, la somme de trois mille deux cents dollars qu'il lui devait encore. La compagnie intenta immédia-

---

20) Cette décoloration, qui ne présente aucun danger, se produit parfois pendant la distillation.

tement des poursuites contre les frères Bronfman et gagna sa cause grâce au témoignage d'un chimiste qui déclara que la couleur bleue n'avait rien à voir avec une quelconque défectuosité des cuves, mais proviendrait plutôt d'une réaction chimique due à "quelque chose comme de l'acide sulfurique". Les dépositions fournirent l'une des rares occasions de voir dévoilée au grand jour la marge de profit des Bronfman pendant ces premières années. Les chiffres déposés en preuve devant le tribunal montrèrent que les ingrédients utilisés entraînaient des dépenses de cinq dollars vingt-cinq par gallon, alors que le produit fini, une fois mis en bouteilles, se vendait vingt-cinq dollars le gallon. Selon Bronfman, la distillerie de Yorkton, après la période de rodage, produisait en moyenne cinq mille gallons par semaine, ce qui se traduisait par des revenus mensuels bruts de cinq cent mille dollars et par un bénéfice annuel net de quatre millions six cent quatre-vingt-douze mille dollars [21].

Tandis que Harry s'occupait de fabriquer la gnôle, Sam parcourait le pays et mettait au point un réseau de contrebande avec les Américains. Il confia à Harry Sokol, un ancien barman de Winnipeg dont il avait fait son représentant attitré, la tâche de sillonner les Etats-Unis, de négocier les prix et de régler les détails inhérents à la livraison. La plupart de ces marchés étaient en fait des discussions à voix feutrée avec des individus plutôt louches, dans des

---

21) En dépit de ces rentrées qui défient l'imagination, les Bronfman se soucièrent peu de remplir des déclarations d'impôt jusqu'au jour où le ministère du Revenu à Ottawa leur réclama un bilan pour 1922. Mais au lieu d'exiger un rapport détaillé pour chacun d'entre eux, Ottawa accepta un remboursement forfaitaire de seulement deux cent mille dollars de la part des huit frères et soeurs Bronfman, pour la période 1917-1921. Bien que la Commission royale d'enquête sur les douanes et l'accise eût recommandé au service de l'impôt de récupérer tous les arriérés, rien ne fut entrepris à cette fin.

ruelles obscures, mais, dès le tout début, les Bronfman tentèrent d'exiger l'exclusivité pour leurs produits. Ce fut avec Fred Lundquist, qui était un courtier en alcools de la région de Saint-Paul au Minnesota avant la prohibition, qu'ils conclurent leur marché le plus profitable à long terme. Celui-ci alla jusqu'à se faire imprimer des cartes d'affaires avec la mention suivante:

Fred L. Lunquist
Représentant
Yorkton Distributing Company, Limited
Saskatoon, Saskatchewan
Vente d'alcool en gros
Près de la frontière internationale
de la Saskatchewan
Estevan, Bienfait, Glen Ewen, Carnduff
Carievale, Gainsborough

Ce qui impressionnait le plus Lundquist et les autres contrebandiers, c'était le fait que Bronfman leur garantissait l'impunité contre toute ingérence des douaniers et des policiers du côté canadien de la frontière. Non seulement Ottawa avait-il déclaré que l'exportation d'alcool aux Etats-Unis était légale, mais, au début du moins, il l'avait fortement encouragée. Pour chaque gallon de gnôle "exporté" aux Etats-Unis, Ottawa remboursait aux distillateurs canadiens la taxe de consommation de neuf dollars par gallon qu'ils devaient verser pour les spiritueux vendus au pays. On estime que, pendant la première année de la Loi *Volstead,* les contrebandiers américains achetèrent pour quelque vingt-trois millions de dollars de bouteilles d'alcool. On put même lire dans un éditorial avantageux du *Financial Post:* "Si le Canada jouit d'une balance commerciale favorable, il le doit pour une bonne part au trafic de l'alcool. ''

La seule intervention d'Ottawa dans ce commerce douteux fut l'imposition d'une taxe (pouvant aller jusqu'à dix-neuf. dollars par caisse) pour l'émission des licences fédérales d'exportation. Il s'agissait bien plus d'une façon détournée d'empocher des revenus que d'une tentative de réglementation, parce que, pour que la marchandise puisse franchir la douane canadienne sans encombre, tout ce que le candidat avait à faire, c'était d'indiquer n'importe quelle destination, du moment que celle-ci se trouvait au sud des Etats-Unis — comme Cuba, le Pérou ou Panama. Au printemps de 1923, le ministère des Affaires étrangères des Etats-Unis demanda au Canada de refuser d'émettre ces permis aux navires dont la cargaison d'alcool était destinée aux ports américains. Le gouvernement libéral de Mackenzie King attendit trois mois avant de répondre, puis refusa froidement de se rendre à la demande en déclarant qu'il n'existait ''aucune clause dans les règlements et lois des douanes qui pourrait justifier le refus d'accorder son congé à un navire en partance pour un port étranger, uniquement parce que l'entrée de ces spiritueux est interdite, sans permis spécial, dans le port étranger en question.

''La contrebande de l'alcool et le passage en fraude de la frontière ne violaient aucune loi canadienne, ainsi que les divers gouvernements (...) le rappelaient fréquemment et à juste titre à la population, souligne Ralph Allen dans son ouvrage sur cette époque [22]. Plus de six ans s'écoulèrent avant que le Canada ne se rendît pleinement compte qu'il était impossible de fournir à la fois une base d'opéra-

---

22) *Ordeal by Fire: Canada 1910-1945,* Toronto, Dobleday Canada Ltd., 1961.

tion et la matière première à une industrie criminelle qui rapportait des milliards de dollars, sans être lui-même touché par lesdits crimes. Quand le pays prit conscience de cette réalité, le choc fut si brutal qu'il faillit provoquer l'effondrement de la dynastie politique la plus stable qu'ait connue le pays."

Harry Bronfman inventa un système de protection supplémentaire pour les Américains qui craignaient l'intervention de la police canadienne en faisant agréer comme transporteur public une compagnie qu'il fonda et nomma la Trans-Canada Transportation Limited. Il pouvait ainsi remettre leurs papiers aux conducteurs des Hudson, Studebaker [23], Packard et Chrysler qui venaient chercher en Saskatchewan leur chargement de gnôle; ceux-ci pouvaient ensuite présenter les documents prouvant qu'ils étaient à l'emploi d'une compagnie de transport dûment accréditée [24]. C'était uniquement lorsque les véhicules se retrouvaient en territoire américain que le voyage s'effectuait dans l'illégalité. Les contrebandiers faussaient compagnie aux agents fédéraux en disparaissant dans des nuages de poussière soulevés par des chaînes de trente pieds de long

---

23) La Studebaker Whisky Six était le véhicule favori des contrebandiers. Equipée d'une suspension renforcée, dépourvue de tout accessoire, elle pouvait contenir, une fois qu'on en avait retiré la garniture intérieure, quarante caisses de whisky, d'une valeur de deux mille dollars. Pour être sûr de ne manquer aucune affaire, Harry ouvrit, à côté de son palais de la gnôle, à Yorkton, le City Garage où les Américains pouvaient faire réviser leurs voitures pendant qu'ils attendaient leur chargement. Devant son hôtel s'alignaient des automobiles d'occasion, remplies de gnôle, qu'il vendait "telles quelles" à des fermiers audacieux de la Saskatchewan, désireux de se faire un petit supplément.

24) Dans l'éventualité improbable où quelque agent zélé n'aurait pas tenu compte des documents, Harry Bronfman garantissait leurs pertes aux contrebandiers en remplaçant sans frais tout stock d'alcool saisi en territoire canadien. Il acquittait également, et toujours sans frais, la caution pour les doubles droits exigée par la douane pour les véhicules saisis.

qu'ils traînaient derrière leurs rapides "boozemobiles". La nuit, de petits projecteurs fixés contre la glace arrière aveuglaient de leurs puissants faisceaux les policiers qui les poursuivaient en voiture. "Nous avions l'habitude de nous diriger aussi bien au nord qu'au sud avec de l'alcool que nous n'avions pas le droit de transporter, se souvient Jack Janpolski, un habitant de Regina qui fut de la partie. Les Bronfman nous remplissaient des certificats précisant la quantité de spiritueux et, si nous nous faisions arrêter en route vers le nord, nous racontions simplement que, en réalité, nous nous rendions au sud, mais que nous nous étions perdus. C'était Harry qui signait nos permis et tout était parfaitement légal. La gnôle se défendait comme qualité, mais même s'il y avait bien une demi-douzaine d'étiquettes différentes, tout venait du même fût."

Afin de réduire la durée du trajet couvert par les contrebandiers, les Bronfman établirent des entrepôts satellites beaucoup plus près de la frontière, comme à Estevan, Bienfait, Carnduff, Carievale, Gainsborough et Glen Ewen. Ces dépôts — dont certains étaient à moins de dix milles de la ligne de démarcation — devinrent les points chauds du trafic, tandis que la production et l'entreposage massif étaient concentrés à Yorkton, puis, plus tard, à Regina. R.E.A. Leech, directeur de la Commission des alcools de la Saskatchewan, témoigna devant la Commission royale d'enquête sur les douanes et l'accise: "Les distilleries ont construit ces entrepôts frontaliers dans le seul but d'approvisionner les contrebandiers américains. A notre avis, ces activités étaient légales, du moment que les voitures et les camions se présentaient aux postes de douane à l'aller et au retour. Les entrepôts étaient installés dans des secteurs déserts et pouvaient contenir des centaines de milliers de dollars en spiritueux. Comme ils pouvaient facilement être attaqués par des bandits, ils étaient généralement barricadés et particulièrement bien protégés. Les fenêtres étaient munies de barreaux en fer, il y avait des cadenas partout; quant aux armes, on y trouvait de tout, y compris des mitrailleuses. C'était vraiment des forts miniatures.''

C'est à Gainsborough, le 8 novembre 1920, que la tension grandissante entre les Bronfman et les agents canadiens chargés de l'application de la loi éclata pour la première fois au vu et au su de tous. L'un des protagonistes fut Cyril Knowles, un militant du parti conservateur qui était entré au Service des douanes et de l'accise, peu après l'élection fédérale de 1911, et qui, en 1919, avait été nommé au port de Winnipeg, à titre d'officier adjoint de la douane. Au volant de sa voiture, Knowles suivait une route frontalière à la hauteur du point de jonction entre le Manitoba et la Saskatchewan; il était accompagné de l'agent A.G. Pyer, de la G.R.C. Soudain, ils repérèrent trois automobiles Ford qui filaient vers le sud, dans le crépuscule, en chassant sous le poids de leurs chargements de gnôle. Knowles découvrit que les conducteurs — trois peintres en bâtiment, alors en chômage, qui venaient de Saint-Paul, au Minnesota — avaient traversé la frontière, la nuit précédente, sans déclarer leur entrée au Canada. Ils étaient donc passibles de détention tant qu'ils n'auraient pas acquitté les doubles droits pour leurs véhicules, soit une somme totale de trois mille vingt-cinq dollars qui leur serait remise au moment de leur retour aux Etats-Unis. Au lieu de protester de son innocence, le trio demanda à être conduit à Gainsborough où se trouvait Max Heppner, le gérant des Bronfman, qui lui avait remis les sauf-conduits valables jusqu'à la frontière américaine. Knowles et son groupe reprirent la route en direction du "boozorium" où ils se heurtèrent à Harry Bronfman, venu à Gainsborough pour régler la situation.

Nul ne sait exactement ce qui se passa à ce moment-là. Bronfman vit rouge quand Knowles exigea les doubles droits pour les voitures de contrebandiers, mais il finit par ordonner à Heppner de sortir la somme du coffre-fort. Selon la version de Knowles, ce serait pendant qu'il remplissait le reçu que Bronfman lui aurait suggéré d'y inscrire "mille, mille deux cents dollars, ou n'importe quel autre montant qui pourrait paraître acceptable au gouvernement". Il lui aurait ensuite offert, pour lui-même, trois mille dollars en lui promettant de lui en verser autant chaque mois s'il s'engageait à empêcher toute intervention ultérieure de la part des douanes.

Quand il déposa devant la Commission royale d'enquête sur les douanes et l'accise, le 25 février 1927, Bronfman nia avoir offert quelque pot-de-vin que ce fût, mais confirma la véracité du reste de la conversation:

Bronfman: Bon, maintenant, vous avez votre argent. Arrangez-vous pour que ces gars récupèrent leurs bagnoles et leur alcool. Et pour qu'il ne leur arrive plus aucun ennui. Ils ont joué de malchance.

Knowles: Ils ne peuvent pas ravoir l'alcool. Il est saisi. Ils étaient au Manitoba et cet alcool a été remis au gouvernement manitobain.

Bronfman: Quoi? Avez-vous l'intention de me faire croire que vous allez priver ces types de leur alcool?

Knowles: Pourquoi pas? Il appartient au gouvernement du Manitoba.

Bronfman: Vous n'êtes pas un homme. Je n'en connais aucun qui ferait un truc pareil.

Knowles: Je suis tout autant un homme que vous.

Bronfman: Je ne veux pas avoir d'histoire avec la justice. Si vous enlevez votre insigne et sortez avec moi, d'homme à homme, pour une dizaine de minutes, je vous en refilerai une double ration.

Bien entendu, Knowles avait décidé d'interpréter la phrase "je vous en refilerai une double ration" comme une seconde tentative de corruption — d'autant plus, témoigna-t-il, qu'en disant ça Bronfman montrait du doigt la pile de billets que Max Heppner venait tout juste de compter avant de la remettre au douanier. Pour sa part, Bronfman maintenait qu'il était tellement en colère que, ce qu'il avait voulu dire, c'était que Knowles avait vraiment mérité de recevoir une raclée. La Commission opta pour la version de Knowles, et conclut: "nous avons recueilli des dépositions qui corroboraient fortement le témoignage de l'inspecteur Knowles et nous estimons que la preuve *prima facie* est suffisante pour justifier la mise en accusation de Harry Bronfman en vertu de l'offense qui lui est reprochée."

L'affaire de Gainsborough fut la première d'une série de conflits judiciaires entre Knowles et Harry Bronfman. Peu après l'arrestation des trois contrebandiers, Knowles confisqua une Cadillac blanche qui servait au trafic et dont le conducteur avait tiré sur lui avant de disparaître dans les buissons. Dans l'espoir de récolter quelques renseignements, Knowles promena la voiture saisie un peu partout dans Winnipeg. En la voyant passer, Harry la reconnut: elle appartenait à Harry Sokol qui était le principal représentant de la famille pour le Nord des Etats-Unis.

Grâce aux relations qu'il possédait à Ottawa, Bronfman réussit non seulement à récupérer la voiture, mais obtint, on ne sait trop comment, qu'un blâme fût infligé à Knowles par le ministère des Douanes et de l'Accise parce qu'il avait utilisé un véhicule confisqué pour son usage personnel. Knowles rédigea aussitôt un rapport détaillé qui se terminait par cette note découragée:

"Si je suis heureux d'avoir ainsi l'occasion de faire cette mise au point, je regrette pourtant que cette explication ait été jugée nécessaire. Tout au long de mon enquête, j'ai été, tour à tour, l'objet de menaces et de propositions alléchantes. On a essayé de me soudoyer et une tentative similaire a été faite auprès de mon frère pour qu'il me convainque de renoncer à couvrir un certain territoire. Mon appartement a été cambriolé et on y a volé des documents. En résumé, on a tout fait pour entraver la poursuite de mon enquête. Si une plainte a été déposée au sujet de la voiture de Sokol, il ne s'agit de rien d'autre que d'un nouvel effort pour nous empêcher de procéder à un nettoyage parmi ces trafiquants de drogues et ces contrebandiers de spiritueux."

Au début des années 20, Sokol avait élu domicile à l'hôtel *Royal Alexandra,* propriété du C.P.R., à Winnipeg. Jim Coleman, chroniqueur sportif canadien, qui, à l'époque, était tout jeune et habitait avec son frère et son père une suite de sept pièces dans ce même hôtel, en a gardé le souvenir d'un personnage romanesque. (D.C. Coleman, le père de Jim, était vice-président du C.P.R., responsable des lignes de l'Ouest.)

"Certains des clients de l'hôtel sortaient incontestablement de l'ordinaire et, à l'insu de mon père, mon frère et moi avions noué une solide amitié avec M. Harry Sokol. C'est monsieur Sokol qui a construit le premier pipe-line canado-américain (...) qui prenait sa source dans une étable du côté canadien de la frontière, près de Emerson, au Manitoba. Ce pipe-line couvrait, sous terre, une distance de plusieurs milliers de pieds pour, finalement, déboucher dans une autre étable, en territoire américain. Monsieur Sokol versait dans sa canalisation des milliers de gallons de bon whisky canadien (...) qui pétillait interminablement jusqu'à la grange située aux Etats-Unis (et) permettait d'apaiser la soif de milliers d'Américains reconnaissants. (...) A mon point de vue qui, pour être celui d'un enfant n'en était pas moins probablement juste, monsieur Sokol était un bienfaiteur de l'humanité. Il ne buvait et ne fumait pas, n'était pas marié, mais il avait de nombreuses parentes, des jeunes femmes étonnamment séduisantes qu'il me présentait comme ses nièces."[25] D'après ce que raconte Coleman, Sokol se serait vu accorder par la direction de l'hôtel la permission de faire construire, dans sa suite et par ses propres plombiers, une baignoire encastrée pour ses "nièces".

Vers la fin de 1921, Harry emménagea dans une grande et longue demeure, située au 2320, 16e avenue (maintenant rue du Collège), à Regina[26] et, même si quelques-uns des citoyens les plus conservateurs fronçaient les sourcils devant les activités des Bronfman, la contrebande de l'alcool, loin d'être considérée comme un délit, s'attirait plutôt l'approbation générale. "C'était quelque chose que tout le monde faisait, et personne n'essayait de s'en cacher, rappelle Lou Kushner, un ancien employé de la distillerie de Yorkton qui dirige maintenant un commerce de fourrure à Regina. Tant que les Bronfman y sont restés, la ville a connu la prospérité."

De tous ceux qui se sont lancés, tête baissée, dans le commerce de la gnôle, seules quelques rares entreprises ont survécu. "Je considère comme un affront à mon endroit la moindre attaque contre le commerce des spiritueux en Saskatchewan, se vanta Harry Bronfman dans une entre-

---

25) Jim Coleman, *A Hoofprint on My Heart,* Toronto, McClelland and Stewart, 1971, p. 16.

26) C'est maintenant le siège de la Frances Olson Realty Ltd. Les plus vieux citoyens de Regina montrent encore son garage où l'alcool de contrebande était chargé dans de grandes La Salle.

vue qu'il accorda au *Winnipeg Tribune,* en octobre 1922. A part deux petites fabriques de Saskatoon qui n'ont, pour ainsi dire, plus de stock, toute l'industrie de l'alcool (...) se trouve entre mes mains."

Il y avait tout de même une exception: la Regina Wine and Spirits Limited, administrée par un trio suffisamment bizarre pour faire paraître les Bronfman insignifiants. Il se composait de Meyer Chechik, un marchand de volailles en gros de Winnipeg, de Zisu Natanson, propriétaire d'un dépotoir de ferraille à Regina, et de Harry Rabinovitch qui s'était dérobé à la justice après avoir été remis en liberté sous caution dans le cas d'une affaire de meurtre où l'attaque à main armée d'un chargement d'alcool avait entraîné la mort d'un camionneur de Minneapolis. Leurs deux atouts étaient un permis d'exploitation pour un entrepôt de spiritueux en douane, à Regina, et le crédit renouvelable de cent cinquante mille dollars que détenait Chechik auprès de la firme Boivin et Wilson, à Montréal, qui était alors le plus gros importateur canadien de spiritueux en provenance de Grande-Bretagne.

Au début de 1921, au moment où l'interdiction d'importer de l'alcool de Saskatchewan était sur le point d'entrer en vigueur, Harry Bronfman réunit en un cartel tous les marchands de gnôle de Regina afin qu'ils mettent leurs stocks en commun dans une compagnie appelée Dominion Distributors. Ensemble, ils firent l'acquisition de l'édifice *Craftsman,* situé près de la gare du C.P.R., et se lancèrent dans la production et la vente massives de gnôle.

En octobre de cette même année, une crise financière interne éclata lorsque Chechik, arrivé à l'improviste de Winnipeg, fut avisé par deux employés, qui travaillaient pour lui dans la compagnie de Regina, que les choses étaient en train de se gâter. Voici comment Chechik rapporta sa conversation avec les deux hommes, lors de son témoignage devant la Commission royale d'enquête sur les douanes et l'accise:

"Ils me considéraient comme le financier de toute l'affaire. Je jouissais d'un très grand crédit dans l'Est avec les banques et c'était là que je me procurais tous les fonds. Ils m'ont dit:

— Monsieur Chechik, on doit aller en prison.

"Ce ne sont que des employés. Ils possèdent seulement une ou deux actions. Je leur ai dit:

— Je ne dirige pas une affaire pour que des gens aillent en prison. Qu'est-ce qui ne va pas?

"D'après ce qu'ils me racontent, Rabinovitch et Natanson siphonnent l'alcool des cuves à l'aide de pompes ou de tuyaux et le remplacent par de l'eau. Que le gouvernement découvre que je suis le président et que celui-ci, c'est le trésorier, et l'autre, le secrétaire, et presque tous les directeurs iront en prison. (...) Ils m'ont dit comment ils s'y prenaient. Ils enlèvent les gonds (des charnières des portes). La serrure du gouvernement est là. Ils ne touchent pas à la serrure ou aux scellés du gouvernement, mais ils enlèvent les gonds (ce qui leur permet) de (ouvrir) la porte.

"(Après ça) j'ai convoqué une réunion avec ces trois hommes et j'ai écrit une lettre au receveur de la douane, à Regina, pour qu'il ne soit plus possible d'emporter ces marchandises ou n'importe quelles autres qui auraient été entreposées. (J'ai) de l'argent à la Banque impériale pour acquitter les intérêts dus au gouvernement et ensuite j'intente des poursuites contre Rabinovitch, Natanson et Bronfman."

Les fûts d'alcool avaient effectivement été vidés par les associés imprudents de Chechik et ils devaient maintenant au gouvernement la jolie somme de trente-sept mille dollars en impôt indirect. Mais l'attitude adoptée par le marchand de volailles de Winnipeg, ses menaces de poursuivre ses associés et le fait qu'il avait pris contact avec les fonctionnaires pour tout leur révéler, ça, c'était impardonnable. Chechik témoigna devant la Commission d'enquête que Sam Bronfman avait réussi à le convaincre de laisser tomber ses poursuites en lui disant: "Cela vaudrait infiniment mieux, Meyer, si vous payiez ce qui est dû, au lieu de nous causer autant d'ennuis." Ce résumé de dix-neuf mots permettait difficilement de reconstituer le chapelet de menaces et d'injures proférées par Sam, à tel point que Chechik finit par signer un chèque pour payer la fameuse somme de trente-sept mille dollars.

Au début de l'hiver de 1922, les associés attirèrent l'attention de Cyril Knowles, ce fonctionnaire incorruptible qui ne s'était toujours pas remis de sa dernière rencontre avec les Bronfman. Son service avait entrepris de mettre le holà aux opérations de mouillage [27], et quand Knowles, accompagné de trois agents de la Gendarmerie royale, fit irruption, un beau jour, dans les locaux de Dominion Distributors, il ne trouva pas seulement tout le matériel nécessaire au mouillage, mais également bien d'autres éléments constituant une seconde infraction. Dans le dépotoir adjacent, il découvrit quinze mille timbres du fisc des Etats-Unis et des étiquettes portant les noms de whiskies et de rhums américains réputés, tous contrefaits [28]. Knowles pro-

---

27) Contrairement au coupage qui consiste à mélanger deux sortes de whisky ou de brandy, le mouillage désigne euphémiquement la dilution d'un alcool avec de l'eau et d'autres ingrédients.

28) Knowles emballa toutes les pièces à conviction dans une boîte, y apposa son sceau et, quand le tout fut prêt à partir pour le Service d'application de la loi, à Ottawa, il accepta l'offre de Harry Bronfman de se charger de l'expédition au lieu d'aller porter lui-même le colis au bureau du Canadian Pacific Express. A l'arrivée, la plupart des éléments de preuve avaient disparu du paquet.

céda à l'arrestation de Natanson pour avoir mouillé des alcools sans autorisation, en plus d'avoir conspiré pour contrefaire des documents du fisc américain; après quoi, il télégraphia à son service, demandant d'autres instructions. Il reçut l'ordre de ne rien entreprendre et de sauter dans le premier train en partance pour Ottawa où il devrait se présenter devant Jacques Bureau, ministre des Douanes.

Harry mit Sam et Allan au courant de la descente et les trois frères décidèrent de faire intervenir leurs amis libéraux pour obtenir sur-le-champ un rendez-vous avec Bureau. L'infortuné Knowles dut subir l'humiliation de voir passer avant lui Sam et Allan dans le cabinet de Bureau, tandis qu'on lui faisait faire antichambre. "J'ai simplement raconté au ministre ce qui s'était passé à l'édifice *Craftsman,* dira Allan, plus tard. Nous nous sommes plaint de la conduite passablement déplorable de l'inspecteur Knowles qui avait manifesté un total manque de respect pour la propriété privée. Nous ne demandâmes pas spécifiquement que des sanctions disciplinaires fussent prises, mais cela allait de soi."

Knowles était venu à Ottawa avec de nombreux documents prouvant que la descente avait été effectuée dans les règles [29]. Mais il n'eut pas la moindre chance de les présenter. Lorsqu'il fut enfin admis dans le cabinet de Bureau, le ministre ne lui posa qu'une seule et unique question: entretenait-il une rancune personnelle contre les Bronfman? "Je le niais, raconta Knowles, par la suite, sauf pour expliquer que Harry Bronfman avait déjà tenté de

---

29) Il possédait, entre autres, une lettre de A.B. Allard, un inspecteur de la G.R.C. en poste à Regina, précisant: "(les agents qui ont accompagné Knowles lors de la perquisition) certifient qu'il n'y a rien eu dans votre comportement ou vos actes dont on pourrait prendre prétexte pour..."

me soudoyer et que j'estimais que les frères Bronfman étaient de mèche avec les caïds du trafic clandestin de l'alcool aux Etats-Unis."

Toutes les charges retenues contre Dominion Distributors furent immédiatement abandonnées. Tout ce que Knowles retira de l'exécution de sa mission, ce fut la réception, le 7 février 1922, d'une sévère lettre de réprimande signée par le ministre adjoint, R.R. Farrow:

> *Ainsi qu'il vous l'a été signifié lors de votre récente comparution à Ottawa, le ministère se voit dans l'impossibilité, étant donné les circonstances, et en particulier celles provoquées par votre manque de discrétion et de discernement dans la récente affaire du fisc à Regina, de maintenir votre affection au Service des contributions directes.*

> *Vous êtes donc avisé, par la présente, que jusqu'à nouvel ordre, vous exercerez vos fonctions au Service douanier du port de Winnipeg, à l'exclusion de tout autre lieu, sous la direction et la supervision de M. W.F. Wilson, officier en charge, Service des douanes.*

> *Pour l'immédiat, le ministère ne peut vous autoriser à entreprendre des investigations relatives à des questions douanières hors du territoire desservi par le port de Winnipeg, à moins d'une autorisation spéciale de M. Wilson [30].*

Servis par la protection flagrante dont ils jouissaient à Ottawa, à la tête d'une entreprise en plein essor en Saskatchewan, les Bronfman passaient peu à peu du statut de petits affairistes à celui d'une famille d'entrepreneurs prospères. Sans contredit, le commerce de l'alcool

---

30) Cyril Knowles demeura à l'emploi du gouvernement, vissé à son bureau de Winnipeg, jusqu'à sa mort en 1932.

était devenu une affaire de famille [31]. Abe était parti vers l'Est pour préparer le terrain en vue d'un trafic avec les contrebandiers américains à partir des Maritimes; Harry Druxerman (le mari de Bess) dirigeait les activités de Vancouver; Frank Druxerman (son frère) était responsable de celles d'Edmonton; Barney Aaron (le mari de Laura) s'occupait du dépôt de Montréal; Paul Matoff (l'époux de Jean) supervisait l'entrepôt de Bienfait; Dave Gallaman (le beau-frère de Harry Bronfman) gérait la succursale d'Estevan, à proximité de la frontière.

Sam parcourait les Etats-Unis et le Canada en tous sens, exploitant le présent et préparant l'avenir. En dépit du fait qu'il était presque constamment sur la route et n'avait guère de temps à consacrer à une vie familiale [32], il courtisait sporadiquement Saidye Rosner dont le père, Samuel, un compatriote émigré lui aussi de Bessarabie, avait été un bref moment le maire de Plum Coulee, au Manitoba. Saidye, une ravissante brunette débordante de vie, avait été élue, à dix-huit ans, présidente des auxiliaires féminines du Jewish Orphans Home de Winnipeg et traînait derrière elle une cohorte d'admirateurs. Sam, qui abordait la trentaine, s'était gagné son coeur en lui expédiant, de Vancouver, un télégramme pour l'inviter à un bal. Ils se marièrent le 20 juin 1922. Deux jours plus tard, Rose, la soeur de Sam, épousa Maxwell Rady, un médecin de Winnipeg. Puis les deux couples partirent pour Ottawa, où ils assistèrent, le 28 juin, aux noces de Allan et de Lucy Bilsky.

---

31) C.W. Harvison, ancien commissaire de la G.R.C., remarqua, un jour: "En dehors de l'Ouest, on avait l'habitude de les appeler les frangins Bronfman. Sam était le cerveau, Harry, les muscles et Abe, le F.D.P. (fils de pute). Ils faisaient la pluie et le beau temps en Saskatchewan."

32) La maison familiale avait été vendue à la mort de leur père. Rose, Allan et Sam occupaient des suites distinctes à l'hôtel *Fort Garry*, de Winnipeg.

"Sam et Allan emmenèrent leurs épouses à Vancouver (...) en combinant voyage de noces et voyage d'affaires, écrivit Harry dans son journal, en ajoutant un postscriptum peu romantique: ils consacrèrent plusieurs jours à régler des questions qui avaient été soit négligées soit mal résolues avant leurs mariages respectifs."

A cause, dans une certaine mesure, de la montée spectaculaire des Bronfman, le climat politique était en train de se modifier en Saskatchewan. Un amendement apporté à la Loi sur la tempérance, dans cette province, entra en vigueur le 1er juin 1922; il limitait aux seules villes de dix mille habitants ou plus les firmes d'exportation de spiritueux. Mais cela ne changea pas grand chose à la situation. L'usine de transformation et de mise en bouteilles que possédaient les Bronfman à Regina continuait de fonctionner à plein rendement; même si les "boozoriums" de la frontière avaient été fermés, Harry expédiait tout simplement la gnôle par chemin de fer jusqu'aux gares situées à proximité des Etats-Unis où les trafiquants américains venaient récupérer leur stock [33].

Au début de l'année, le gouvernement de la Saskatchewan avait adopté une résolution déclarant que l'exportation des spiritueux était la source d'importants désordres et exhortant le Parlement fédéral de mettre fin à la situation. Néanmoins, il fallut attendre le 13 novembre pour connaître la réponse du gouvernement libéral de Mackenzie King: il fixait au 15 décembre la cessation du commerce d'exportation. Cela donnait aux Bronfman un mois pour liquider

---

33) Pour pouvoir satisfaire à la demande sans cesse croissante, Harry changea la composition de ses whiskies. Il réduisit la recette originale de Yorkton à quarante gallons d'eau, dix d'alcool pur, deux de whisky à base de malt, plus la dose habituelle de caramel et d'acide sulfurique.

leurs entreprises de Regina [34]. Si le gouvernement se hâta, finalement, d'ordonner la fermeture des compagnies exportatrices de spiritueux, ce fut à cause de l'assassinat de Paul Matoff, l'un des beaux-frères des Bronfman, survenu le 4 octobre 1922, dans le petit village frontalier de Bienfait.

34) Harry organisa un solde monstre, de telle sorte que, le jour de l'échéance, il ne restait plus dans l'entrepôt que le matériel de distillation et de mise en bouteilles. Il fut acheté par Zisu Natanson qui s'empressa de l'installer dans son sous-sol où il continua à fabriquer de la gnôle. Il fut arrêté en 1924 et se vit infliger une amende de cinq cents dollars et condamner à deux mois de prison. Après en avoir appelé de sa sentence, il écopa de six mois de travaux forcés supplémentaires.

Chapitre Six

Meurtre à "Beanfate"

Et, tout à coup, on voit passer cette carabine à canon tronçonné, de calibre 12, à travers la baie vitrée de la gare, et c'est Matoff qui prend tout le paquet.

Après avoir longé un pâté de maisons poussiéreuses, au sud de la grande route 18, la rue principale aboutit à un cul-de-sac, contre la voie ferrée du C.P.R.; s'il ne se dégage pas de cette petite ville une atmosphère d'espoir abandonné, c'est uniquement parce qu'il est impossible de s'imaginer qu'on ait jamais pu évoquer le moindre avenir prometteur ou enchanteur dans ce morne paysage lunaire. Assis devant d'innombrables tasses d'un café amer qu'ils laissent refroidir devant eux, des vieux aux bonnes figures sympathiques rougies par le vent passent des heures au *Kopper Kettle Café,* à échanger de ces petites réparties mordantes qui font oublier la crasse d'une vie mesquine. Les murs brun foncé semblent imprégnés d'un je ne sais quoi qui se serait échappé d'eux, le glas de la vie d'une petite ville aigrie.

Dehors, le vent sec et mugissant souffle sans relâche depuis les grandes plaines du Dakota du Nord, fouettant la grand-rue non pavée de Bienfait d'un perpétuel tourbillon de poussière. Ou bien, il descend en grondant du lac La Ronge, entraînant avec lui de lourds nuages de pluie qui transforment la ville en marécage. Les fermiers, venus en camions des campagnes avoisinantes, avancent d'un pas expert, penchés vers la droite pour atténuer l'effet du vent incessant qui soulève les pans de leurs vestes comme des focs et fait couler leur nez. Leurs épouses endimanchées avec leurs capotes des jours de sortie attendent impatiemment dans les camionnettes qu'ils aient fini leurs conversations entre hommes pour pouvoir enfin aller faire leurs emplettes à Estevan, ville située à neuf milles plus à l'ouest. Bienfait est une ville aux maisons basses, perdue dans un coin lugubre du sud-est de la Saskatchewan, à seulement dix milles au nord de la frontière internationale. Les seuls bâtiments qui se détachent sur l'horizon sont une grande église ukrainienne, l'hôtel *Plainsman,* les bureaux de la section locale de la Légion canadienne, deux cafés, un bazar et la gare du C.P.R., que garde un gros chat gris.

Une énorme locomotive noire à vapeur, patrouillée par des étourneaux qui ont élu domicile dans sa cabine, est absurdement stationnée au bout de la grand-rue, monument fantômatique à la mémoire des hommes qui travaillèrent dans les mines de houille toutes proches, dont l'exploitation intensive, au début du siècle, a laissé le paysage environnant boursouflé par les affreux monticules des morts-terrains abandonnés. Le second monument qui témoigne de l'époque sinistre où la ville vivait de l'extraction de la houille est la pierre tombale, dans le cimetière, devant la sépulture de trois jeunes mineurs tombés sous les balles de la police, à Estevan, le 29 septembre 1931. Ils faisaient partie d'une foule de trois cents mineurs en grève qui, après s'être regroupés à Bienfait, avaient pris la route d'Estevan en une marche de protestation qui s'était terminée dans un bain de sang, le premier événement violent des "Dirty Thirties" [1], dans les Prairies [2].

Ce nom de Bienfait aurait été attribué à la ville en 1895, d'après l'exclamation d'un poseur de rails canadien-français qui, paraît-il, aurait laissé tomber sa masse à cet endroit précis de la ligne du C.P.R. et se serait écrié: "*C'est vraiment bien fait!*" [*] En dépit des efforts soutenus d'Ottawa pour promouvoir le bilinguisme, on la connaît depuis lors sous le nom de "Beanfate".

Un peu moins d'une centaine de fermiers habitent à Bienfait même et dans les environs. Le peu de vie nocturne qui y existe se déroule essentiellement à la taverne de l'hôtel *Plainsman*, lequel affiche onze chambres dont les prix varient entre six et neuf dollars par nuit et qui ferme durant l'après-midi, tous les mercredis. Durant les années 20, quand il était le *King Edward*, plus communément appelé l'hôtel *White*, il était au coeur même du trafic de la gnôle et hébergeait tous les contrebandiers américains qui attendaient qu'au "boozorium" de Harry Bronfman, situé au coin de la rue, on ait fini de préparer leur chargement. Le séjour d'une semaine qu'y fit le plus célèbre client de Harry, Arthur Flegenheimer — mieux connu sous le pseudonyme de Dutch Schultz [3] —, fait partie de la légende qui entoure ces années de contrebande, telle que la racontent les vieux routiers.

---

1) Les sales années trente.

2) La pierre était décorée d'une étoile rouge et on y avait gravé l'inscription suivante: "Assassinés par la G.R.C." Depuis, l'étoile a été blanchie à la chaux et les initiales G.R.C. ont été supprimées.

* En français dans le texte.

3) Arthur Flegenheimer (qui préféra se faire appeler "Dutch Schultz" par-

Le grand homme de Bienfait — et sa principale source de revenus — était Paul Matoff, le mari de Jean, la seconde des quatre filles d'Ekiel et de Minnie Bronfman. Madame Gordon White, la veuve de l'ancien propriétaire de l'hôtel de Bienfait, pendant les années 20 [4], parle de Matoff comme d'un "homme de taille moyenne, aux cheveux brun foncé, qui portait des lunettes. Il s'habillait avec recherche et portait continuellement un superbe diamant monté sur une épingle à cravate et un énorme solitaire à son doigt. On ne le voyait à peu près jamais mettre le même complet deux jours de suite."

---

ce que cela faisait plus caïd) fut l'un des personnages les plus colorés et les plus dangereux de la prohibition. Ancien barman dans le Bronx, il se lança dans le trafic de la gnôle puis devint le propriétaire du très sélect *Embassy Club*, à New York. Il y tenait table ouverte presque tous les soirs, recevant divers gangsters, écoutant chanter Helen Morgan, accompagnée par les Yacht Club Boys. La clientèle huppée de Park Avenue qui fréquentait le luxueux bar clandestin éprouvait souvent l'impression excitante de changer de monde en dansant en compagnie de tueurs vêtus de complets flamboyants et au regard aussi froid que de l'acier inoxydable. Quand arrivèrent les années 30, Schultz avait noué d'amicales relations d'affaires avec des grands manitous comme Owney Madden et Frank Costello et était devenu le roi de la bière, à New York; mais il dut rapidement tenir compte de certains rivaux gênants, au cours de la guerre des gangs. Lorsque Vincent "Mad Dog" Coll (connu également sous le nom de "Mad Mick") enleva l'associé de Madden et commença à vouloir mettre son nez dans les cachettes où Schultz entreposait sa bière, Owney et Dutch décidèrent de le retirer de la circulation (il fut abattu à la mitraillette dans une cabine téléphonique). Après avoir arraisonné un chargement de cidre, Jack "Legs" Diamond (un tueur notoire dont le vrai nom était John T. Noland) fut retrouvé à Albany par les hommes du Dutchman et éliminé. (Seule sa veuve, Alice, assista à ses funérailles; deux ans plus tard, elle fut abattue dans Brooklyn). Schultz lui-même se fit descendre par surprise, le 23 octobre 1935, alors qu'il dînait au *Palace Bar,* un restaurant de Newark spécialisé dans les grillades. Deux bandits firent irruption en déchargeant leurs 38, tuèrent trois de ses gardes du corps (Lulu Rosenkrantz, Abbadabba Berman et Abe Landau) et arrosèrent si bien Dutch qu'il rendit l'âme, vingt-quatre heures plus tard. Ses derniers mots furent: "Le meilleur pari, c'est sa mère."

4) A la fin des années 70, le propriétaire de l'hôtel était Wilfrid Gardiner, ancien membre du cabinet en Saskatchewan et fils de Jimmy Gardiner qui fut Premier ministre de cette même province et détint longtemps le portefeuille de l'Agriculture, à Ottawa.

Jack Janpolski, qui était l'un des chauffeurs des Bronfman à l'époque, en a conservé un souvenir moins naïf. "Paul était surtout un m'as-tu-vu. Il avait l'habitude d'arriver à Regina avec de grosses sacoches remplies de fric et, planté sur le trottoir devant la Banque de Montréal, il s'amusait à nous faire deviner combien elles contenaient. Si on lui disait:

— Peut-être bien dix mille dollars.

"Il exécutait quelques petits pas de danse et hurlait:

— Non. C'est cent mille dollars!"

Harry Zellickson, qui travaillait pour Matoff, se rappelle que, en 1922, au plus fort du trafic de l'alcool, pour Bienfait du moins, le petit "boozorium" encaissait cinq cent mille dollars par mois.

Ken John [5] habitait, lui aussi, à l'hôtel *White* à ce moment-là. Il affirme se souvenir dans le moindre détail de ce qui s'est passé à Bienfait, dans la nuit du 4 octobre 1922:

"La plupart des trafiquants américains se montraient discrets sur la nature de leurs activités. Néanmoins, ils étaient tous armés et, à l'hôtel *White,* des gaines de revolver pendaient au pied d'à peu près tous les lits. Ils étaient pleins aux as. Je me souviens que pendant une partie de poker dans ma chambre, un type plongea un billet de dix dollars dans le verre de la lampe pour allumer son cigare. Ils jouaient au snooker [6] à mille dollars de la partie.

5) Ken John vit aujourd'hui dans une maison de retraite, à Estevan. Il habita Bienfait de 1920 à 1930 et occupa le poste de secrétaire-trésorier à la Western Dominion Coal Mines Ltd., filiale de la Great West Coal Co. Ltd. (dont le siège social était à Brandon et qui fut acquise en 1964-1966 par la famille Mannix, de Calgary). Plus tard, il fut, pendant dix ans, gérant de la Chambre de commerce d'Estevan.

6) Snooker: jeu de billard; se joue avec quinze billes rouges et six d'autres couleurs, qu'il s'agit de blouser en les visant avec la bille blanche. (N.D.L.T.)

"A cette époque, l'affluence était grande à Bienfait, à cause de tous les profonds gisements houillers qu'il y avait aux alentours. Mais il n'y avait pas de trottoirs, pas de reverbères, enfin rien de tout ça. Harry Bronfman ouvrit l'un de ses entrepôts de spiritueux — le "boozorium", comme nous l'appelions — et en confia la gérance à son beau-frère, Paul Matoff. Il importait sa gnôle du Québec et elle lui était livrée par l'express du C.P.R.; aussi Earl Goddar, le chef de gare, se remplissait bien les poches. C'était mon beau-frère; il aidait à décharger le whisky qui arrivait à bord du train qui faisait quotidiennement la navette entre Brandon et Estevan. Celui-ci entrait en gare vers vingt heures. Earl et Colin Rawcliffe, le télégraphiste, rentraient le stock dans le hangar et, vers minuit, Matoff venait le récupérer avec son camion.

"Les contrebandiers de spiritueux qui venaient des Etats-Unis arrivaient dans leurs grosses voitures équipées de réservoirs à l'épreuve des balles et restaient à l'hôtel *White* en attendant que Matoff vînt les prévenir qu'il était temps de charger. Pendant l'après-midi, ils se promenaient dans la ville, négociaient leurs achats de whisky, puis revenaient manger au *White*. Le maître d'hôtel était une armoire à glace qui s'appelait Frank "Fat" Earl. En ce temps-là, tout le monde se promenait avec des pièces en argent de cinquante sous et de un dollar, et quand l'addition dépassait deux ou trois dollars, Fat proposait à ses clients de la jouer à quitte ou double en lançant les pièces dans une fente du parquet. Le vieux Fat, lui, jouait à ça tout le temps, alors c'était généralement lui qui gagnait. Mais je me rappelle la fois où il se mesura à Dutch Schultz et où ils passèrent tout l'après-midi à jouer: Dutch n'arrivait plus à se relever et Fat ne pouvait plus se pencher.

"Quoi qu'il en soit, quand ces types revenaient au "boozorium", Matoff et ses deux adjoints les aidaient à envelopper les bouteilles, sorties des caisses de carton, dans des sacs de jute et à les placer soigneusement dans les bagnoles; après quoi, ils fonçaient en direction de la frontière en se faufilant par ce qu'ils appelaient "la Passe du whisky". Ce n'était pas tant les policiers ou les agents fédéraux américains qu'ils craignaient que les bandits qui risquaient de les attaquer, de l'autre côté.

"Ce soir-là, un demi-chargement était arrivé et Earl Goddard voulait le faire sortir de la gare le plus vite possible. Il téléphona à Matoff et lui dit:

— C'est prêt.

"Nous, pendant ce temps, nous jouions au poker. Un gars, qui avait été rendre visite à son amie près d'une mine voisine, entra et nous dit qu'il avait vu deux voitures bizarres, stationnées devant le silo, ce qu'il trouvait significatif et suspect, en tout cas. Il dit à Fat Earl:

— J'ai l'impression qu'il se mijote quelque chose. Est-ce qu'il y a du whisky, à la gare?

"Alors Fat décroche le téléphone pour tenter de rejoindre Earl Goddar. C'était un petit central de campagne — c'était même la mère de ma femme qui s'en occupait, à l'époque —, mais Earl est parti se coucher dans la chambre qu'il occupe en haut de la gare, et il ne répond pas. Fat essaye encore, mais en vain.

"Pendant ce temps-là, dans la grande salle d'attente de la gare, Matoff est en train de régler le coût de l'expédition pour le chargement au télégraphiste Colin Rawcliffe, et Jimmie LaCoste a commencé à charger la gnôle dans la Cadillac de Lee Dillage [7]. Et, tout d'un coup, on voit passer cette carabine à canon tronçonné, de calibre 12, à travers la baie vitrée de la gare, et c'est Matoff qui prend tout le paquet.

"Le vieux Lee file s'abriter dans la chambre de Goddard qui s'est, bien entendu, réveillé. Il regarde dehors en direction du quai et voit ce type qui se promène de long en large et qui lui crie:

— Rentre ta tête!

"ce que Earl fait sans demander son reste.

"Le type qui a descendu Matoff rentre dans la gare et récupère les six mille dollars de la transaction. Il pique même le solitaire de Paul. Jimmie LaCoste, qui était à l'intérieur pendant l'attentat, se précipite dehors, dit à Dillage de décamper et traverse la voie en courant pour aller prévenir Gordon White, assis sur le balcon de son hôtel, que Matoff vient d'être tué.

"Il s'est passé à peu près une demi-heure avant que quelqu'un ne prévienne la police, à Estevan. Dès leur arrivée, ils se présentent chez Jimmie La-Coste. Ils sont évidemment au courant à propos de Dillage, alors ils demandent à Jimmie de les conduire

---

7) Pour accélérer le processus, Matoff faisait parfois charger la marchandise directement du hangar du C.P.R. Lee Dillage était un contrebandier du Dakota du Nord qui venait se ravitailler surtout à Bienfait et qui possédait, à un moment donné, une Duesenberg, la plus grosse des voitures américaines. (Il commanditait également une équipe de base-ball bannie de la ligue et qui jouait dans les villes frontalières de la Saskatchewan. Deux des joueurs étaient Swede Risberg et Happy Felsch, deux des huit Black Sox, des White Sox de Chicago qui avaient été bannis du base-ball organisé, en 1920, pour avoir laissé gagner les Reds de Cincinnati qui étaient en train de perdre, pendant la Série mondiale de 1919.) Jimmie LaCoste travaillait comme mécanicien dans un garage et était le principal contact de Dillage à Bienfait.

à la cachette de whisky de Lee. Je crois bien que Jimmie possédait alors une Buick K45 — c'était la voiture la plus rapide, à l'époque. Après avoir fait tourner les policiers en rond pour laisser à Dillage le temps de traverser la frontière, il les sème entre ici et Lignite [8]. Les flics collèrent, en fin de compte, le meurtre sur le dos de Jimmie et de Dillage parce qu'ils les pensaient capables d'avoir tout manigancé, mais les deux furent acquittés... [9] C'est là toute l'histoire de l'assassinat de Matoff.

"En ce temps-là, nous étions tous de vraies têtes brûlées. Ainsi, un soir, une petite fête se tenait au "boozorium". Fat Earl et moi, on était furieux parce qu'on ne pouvait pas y aller. Alors nous avons décidé de leur coller un peu la frousse. J'ai attrapé un révolver par la crosse et me suis mis à cogner dans la porte, pendant que Fat hurlait:

— Sortez par devant et vous serez descendus! Essayez par en arrière et on vous tire dessus!

"Il y a eu un beau chahut. J'ai lâché deux ou trois pruneaux, bang, bang, et on a filé."

Ainsi prend fin le récit de Ken John.

8) La cachette de Lee Dillage fut découverte quelques jours plus tard, juste au nord de la frontière américaine. Elle renfermait dix-huit sacs de rye, quatre de cognac, un de porto et quarante caisses de gin. Lignite se trouve dans le Dakota du Nord, à vingt-cinq milles au sud-est de Bienfait.

9) Le meurtre n'a jamais été résolu. Bien des hypothèses ont été soulevées à propos du mobile, dont celle de Harry Bronfman qui affirmait qu'il s'agissait simplement d'un vol avec violence. D'autres soutinrent qu'il fallait y voir un brutal avertissement de la part des trafiquants américains pour amener les Bronfman à baptiser un peu moins leur whisky. Une autre interprétation, plus compliquée, considérait l'assassinat comme un geste de représailles parce que Matoff avait facilité l'arrestation de bandits américains qui avaient attaqué l'une des voitures des Bronfman, chargée de gnôle.

Chapitre Sept

A la barre des accusés

Se sentant enfin libéré du poids de son passé comme tra-
fiquant d'alcool, Harry Bronfman invita le jury qui
avait prononcé le verdict à venir fêter son élargissement
dans sa suite de l'hôtel Saskatchewan où il avait
fait remplir une baignoire de whisky.

Le début des années 20 vit le Canada devenir un pays
entièrement différent. L'automobile était le symbole de ce
changement, mais une transition beaucoup plus profonde
était en train de s'opérer. Un déplacement démographique
accéléré et une industrialisation catalysée par l'état de
guerre firent de la décennie une étape décisive dans l'urbanisation du pays. Après 1921, de plus en plus de Canadiens vinrent s'établir dans les villes et l'éthique de la
brousse qui avait animé les défricheurs ne fut qu'un souvenir nostalgique. Néanmoins, bon nombre de citoyens sous-
crivaient encore aux confortables vertus rurales, selon
lesquelles une vie simple, un travail acharné et la force
morale finissent toujours par triompher. Mais le rythme de
vie et l'anonymat des villes aidant, ils abandonnèrent leurs

centres d'intérêts et leurs valeurs au profit de concepts plus matérialistes et rigoureusement différents. Pendant que s'estompait l'individualisme fruste du colon, l'attitude de laisser-faire d'Ottawa cédait le pas à des formes atténuées de bien-être social. Le Premier ministre Mackenzie King, le nécromancien libéral dont le mandat couvrit la majeure partie des années 20, ne cherchait qu'à survivre politiquement, tâche qui monopolisait toutes ses énergies, et se contentait tout au plus de calmer la révolte paysanne, l'agitation ouvrière et le nationalisme canadien-français qui commençait à se montrer le bout du nez.

Ce fut une décennie de transition, une forme d'intérim entre ce nouveau monde que façonneraient les forces obscures de la dépression des années 30 et le Canada d'avant 1914, brave, plus simple, et qui ne reviendrait jamais plus.

Tout au long des années 20, le trafic de la gnôle de part et d'autre de la frontière américaine gagna à la fois en intensité et en quantité, et devint d'autant plus violent que les profits qu'il engendrait atteignaient de nouveaux sommets. Victimes d'un harcèlement incessant sur le plancher des vaches, les plus modernes des contrebandiers se tournèrent vers le ciel. Une flotte généreusement financée et dont le commandement fut confié à Russell ''Curly'' Hosler, un as de la Première Guerre mondiale, établit une liaison nocturne, à l'horaire souple, entre le sud de l'Ontario et divers petits aéroports du nord du Michigan. Pour aider les avions à se poser, les contrebandiers encerclaient avec leurs autos le champ qui avait été choisi et allumaient leurs phares au moment précis de l'atterrissage; puis ils chargeaient en vitesse et filaient sans plus attendre. Le frère de Al Capone, Ralph, mit sur pied une flotte du même type, qui comptait vingt appareils dont un monoplan trimoteur équipé d'une carlingue qui pouvait transporter cinquante caisses. Les importations canadiennes de spiritueux anglais montèrent en flèche et les villes québécoises qui jalonnaient la frontière américaine devinrent les bases avancées du trafic. "Avec une centaine de bouteilles de whisky, on pourrait saouler toute la population de Granby, au Québec, et les ventes quotidiennes qui s'élèvent déjà à six mille bouteilles ne cessent de grimper", put-on lire dans le *Ottawa Journal*.

Après que l'entrée en vigueur de la loi, en 1922, eut mis fin à ses activités d'entrepositaire en Saskatchewan, Harry Bronfman se retira quelque temps à Winnipeg. Il écrivit dans ses mémoires:

"Je m'efforçais de m'habituer à me détendre. La pression des affaires avait été un peu trop lourde pour moi et, du coup, le fait de rester inactif se solda par une dépression nerveuse. Pendant un an et demi, je ne m'occupai que de retrouver la santé. Sam et moi partîmes pour la côte, revînmes à Winnipeg (...) (puis) nous décidâmes d'aller à Louisville assister au derby. (...) Là, après en avoir discuté longuement avec des gens du métier, nous en arrivâmes à la conclusion qu'il serait avantageux, dans la mesure où cela concernait la famille Bronfman, d'établir une distillerie au Canada. Nous entreprîmes aussitôt des démarches en vue d'acheter la Greenbrier Distillery, qui se trouvait à quelques milles de Louisville, puis nous engageâmes un distillateur et un ingénieur spécialisé en ce domaine. Ceci fait, nous commençâmes à démonter le matériel et je rentrai à Montréal pour tâter le terrain et trouver un emplacement convenable où construire notre distillerie. Sam, Leslie B. Abbott, l'ingénieur, et un vieil ouvrier distillateur qui s'appelait Pop Knebelkamp, m'accompagnèrent pour m'aider dans mes recherches. Barney Aaron et mon frère Abe vivaient alors à Montréal. Barney venait tout juste de s'acheter une Chrysler flambant neuve qu'il eut l'amabilité de me prêter pour que je pusse explorer la ville et la banlieue. Quand j'eus enfin mis la main sur ce qu'il nous fallait (...) (à Ville La Salle), il y avait dix mille milles d'inscrits à l'odomètre."

La plus grande partie des sommes que la famille possédait dans un compte conjoint à la Banque de Montréal fut engloutie dans l'entreprise. La cérémonie de la première pelletée de terre se déroula sur le terrain situé en banlieue ouest de Montréal, là où la rivière Ottawa et le Saint-Laurent se jettent dans les rapides de Lachine, le 20 mai 1924. Moins d'un an plus tard, le 31 mars 1925, le corps du bâtiment [1] était terminé, et Harry put noter fièrement dans son journal que deux cent quatre-vingt-dix mille gallons de whisky s'entassaient dans l'entrepôt. "Tandis que je m'occupais de l'exploitation de la distillerie, Sam et Allan se chargèrent du financement (...) parce que, comme Allan était déjà allé en Ecosse et agissait comme courtier pour l'importation de leurs (...) produits au Canada, il y possédait de nombreuses relations. Nous étudiâmes à fond la situation et décidâmes, à la suggestion de Sam, que, puisque nous avions déjà installé un petit alambic Coffey pour fabriquer du Scotch Grains, nous pouvions nous affilier à la Distillers Company, de Londres. Sam et Allan quittèrent Montréal pour aller leur présenter notre demande."

---

1) Les Bronfman continuèrent d'agrandir l'usine de Ville La Salle; dès 1929, elle était devenue l'une des plus importantes distilleries au monde avec une capacité de production annuelle de trois millions de gallons. Pour stimuler le moral de ses employés, Harry organisa des pique-niques à leur intention durant les week-ends, et son fils Allan installa une cafétéria (où ceux qui apportaient leurs sandwiches pouvaient acheter des pommes de terre et de la sauce pour cinq sous) et engagea même un orchestre qui jouait durant les périodes de repos.

Depuis à peu près 1920, les Bronfman importaient d'imposantes quantités de scotch de la Distillers Company Limited (D.C.L.), de Londres et d'Edimbourg [2]. Quand ils s'embarquèrent pour Londres, Sam et Allan emportèrent avec eux un coffret contenant des échantillons de leur nouveau produit. Ils s'installèrent à l'hôtel *Savoy* et attendirent d'être reçus par les administrateurs de D.C.L. Trois

---

2) La D.C.L. est un regroupement de distilleries britanniques formé en 1877. Elle domine plus de la moitié du marché mondial du scotch et produit des marques aussi connues que Haig, Black & White, Dewar's, Johnnie Walker, Vat 69 et White Horse (celle-ci est mise en marché par Seagram aux Etats-Unis, mais par D.C.L. au Canada). Elle produit aussi des gins, entre autres, le Gordon (fabriqué et distribué par Seagram au Canada, mais par D.C.L. aux Etats-Unis) et le Tanqueray. Lord Haig, membre de la famille des distillateurs, fut fait comte en 1919. Sir Douglas Haig fut le commandant en chef des forces britanniques en France et en Belgique, de décembre 1915 à la fin de la Première Guerre mondiale. Sir Alexander Walker dirigeait la filiale de D.C.L. portant le nom de sa famille (on y employait la même bouteille carrée depuis 1820). Sir James Charles Calder était le président de Calders Ltd., une entreprise installée à Londres et à Edimbourg, spécialisée dans le commerce du bois, et qui avait été fondée en 1830. Lui-même et son frère aîné, John Joseph Calder, possédaient de gros intérêts dans la brasserie et la distillerie. Lord Forteviot et son jeune frère, Lord Dewar, étaient respectivement John Alexander Dewar et Thomas Robert Dewar. Lord Woolavington, qui se faisait appeler Jimmy dans les milieux hippiques, était James Buchanan; son cheval, Captain Cuttle, gagna le derby d'Epsom, en 1922, et un autre, Coronach, dont le nom fut donné à une ville frontalière de la Saskatchewan, remporta celui de 1926. Lord Dewar, connu sous le diminutif de Tommy, était également un éleveur de chevaux de course de premier ordre, mais ce ne fut qu'après sa mort, survenue en 1930, que l'un de ses chevaux remporta le derby; Cameronian triompha en 1931 sous les couleurs de John Arthur Dewar, neveu et héritier de Tommy Dewar, qui était le fils aîné de Charles Dewar. La fille de Woolavington, Catherine (dont le mari, Sir Reginald Macdonald-Buchanan, était également l'un des administrateurs de D.C.L.), gagna le derby, en 1941, avec Owen Tudor, à qui on avait donné le nom du grand-père de Henri VII. La petite-fille de Forteviot épousa le duc de Fife, arrière-petit-fils de Edouard VII. Les liens qu'avait avec la royauté feu John Arthur Dewar, par l'intermédiaire de son domaine situé près de East Grinstead, dans le Sussex, remontent beaucoup plus haut: son manoir, Dutton Homestall, avait été construit aux environs de 1370 pour servir de pavillon de chasse à John of Gaunt (1340-1399), duc de Lancastre et quatrième fils de Edouard III.

jours après leur arrivée, ils furent introduits dans la salle de conférence, lambrissée de chêne, de la compagnie. Après qu'on les eut goûtés, leurs échantillons furent remis, sans avoir soulevé le moindre commentaire, à des experts pour une analyse en profondeur. Sans laisser deviner le moindrement le manque d'assurance que même Sam dut éprouver en présence d'un tel aréopage — le comte-maréchal Haig, lord Dewar, lord Woolavington, Lord Forteviot, sir Alexander Walker, sir James Charles Calder, ainsi que d'autres administrateurs de D.C.L. —, le distillateur parvenu de Montréal exposa les raisons qui l'incitaient à vouloir devenir l'associé canadien du cartel écossais des spiritueux. "Sans aucun doute, cette offre était d'une extrême impudence, remarquait sir Ronald Cumming qui devint, plus tard, président du conseil d'administration de D.C.L. [3]. Mais Sam était un bon client depuis de nombreuses années et il avait toujours réglé ses comptes rubis sur l'ongle. Ce sont là des choses qui comptent." Sam voulait également que D.C.L. acquît, pour un million, la moitié des parts dans sa distillerie. Il proposa aussi aux aristocrates présents de lui vendre leurs whiskies à base de malt pour qu'il pût les mélanger avec son propre alcool de grain, ce qui lui aurait permis de vendre officiellement, sous le nom des prestigieuses marques de D.C.L., les bouteilles sorties de sa distillerie de Ville La Salle.

Les rusés Ecossais ne prirent aucune décision, mais six mois plus tard, Thomas Herd, l'un des administrateurs de D.C.L., s'installa à l'hôtel *Ritz-Carlton,* de Montréal,

---

3) Cumming, qui participa comme officier d'active aux deux guerres mondiales (dans les régiments des Grenadier Guards et des Seaforth Highlanders), fut, à une certaine époque, un joueur de rugby extrêmement coté en Ecosse. Son grand-père avait fondé la Cardow Distillery qui passa entre les mains de la John Walker & Sons Ltd. En 1924, il épousa Mary Hendrie, de Hamilton, en Ontario, dont la famille, qui était propriétaire d'une écurie de courses, était d'origine écossaise.

consacra quatre jours à se remettre des fatigues de la traversée transatlantique, puis entreprit d'étudier les Bronfman et d'inspecter leur distillerie coloniale. Comme Sam insistait pour connaître son opinion, Herd le remit à sa place en peu de mots: "Monsieur Bronfman, je ne suis pas venu ici pour traiter avec vous ou pour subir un interrogatoire quant à nos intentions."

Huit semaines plus tard, Sam et Allan furent convoqués à Londres où ils apprirent que leur proposition était acceptée, à la condition que D.C.L. obtint cinquante et un pour cent des parts de la distillerie des Bronfman, la Distillers Corporation Limited. Désappointé, mais encore plus inquiet de voir toute l'affaire lui échapper, Sam téléphona à Harry qui était resté à Montréal. Gerald Bronfman voit encore son père arpenter son bureau de long en large et hurler, par-delà l'océan, que leur distillerie était une affaire de famille et qu'il n'était absolument pas question de céder aux Ecossais plus de cinquante pour cent des parts. L'entente fut finalement conclue selon ces termes et Sam trouva même le moyen de faire rajouter une clause stipulant qu'il pourrait racheter les intérêts de D.C.L. à un prix fixé d'un commun accord [4].

---

4) Sam Bronfman l'ignorait à l'époque, mais, dans l'affaire D.C.L., il avait failli se faire couper l'herbe sous les pieds par Harry C. Hatch, distillateur torontois dont la carrière ressemblait, à bien des égards, à celle des Bronfman. Après avoir été directeur des ventes pour Corby's (la distillerie ontarienne que dominait sir Mortimer Davis), Hatch acheta pour un million et demi, en 1923, Gooderham & Worts, de Toronto, puis voulut continuer sur sa lancée en acquérant Hiram Walker's, fabricants du fameux rye Canadian Club. Hatch se trouvait à Londres au moment où Sam et Allan négociaient avec D.C.L., tentant de réunir la somme nécessaire pour fonder ce qu'il qualifiait de "plus grand monopole du whisky jamais créé", c'est-à-dire la fusion de ses entreprises canadiennes et du cartel écossais, une opération de deux cents millions de dollars.

Sam ne rencontra Harry Hatch qu'en de rares occasions et, quand celui-ci mourut en 1946, il se fit représenter aux funérailles par Maxwell Henderson,

Le contrat avec D.C.L., d'une importance cruciale pour l'avenir de la distillerie Bronfman, fut signé en 1926, l'année même où l'entreprise familiale Seagram devint une société publique en lançant sur le marché deux cent cinquante mille actions offertes à quinze dollars chacune. Joseph Emm Seagram avait fait de sa distillerie l'un des grands noms du rye au Canada, avec deux marques qui rapportaient gros, le Seagram's 83 et le V.O., créé en 1909 [5]. Aristocrate aux airs suffisants qui avait pris Edouard VII pour modèle, Seagram consacrait la majeure partie de son argent et de sa fortune à ses chevaux de course qui étaient devenus célèbres à travers tout le Canada et sur la côte est des Etats-Unis [6]. Après sa mort, survenue en 1919, l'entreprise fut partagée entre les membres de la famille Bronfman, et Edouard, le fils aîné, s'en vit confier symboliquement la direction.

Dès 1927, la D.C.L. avait la haute main sur la compagnie Seagram et elle installa dans le fauteuil du président

---

qui était, à l'époque, son secrétaire-trésorier. Quelques semaines plus tard, la famille Hatch reçut une offre, non négligeable, de rachat de ses parts majoritaires dans Hiram Walker-Gooderham & Worts, offre qui, pensa-t-on, devait venir des Bronfman. Elle fut froidement rejetée. Mais les membres de la génération actuelle qui dirigent les deux plus importantes distilleries canadiennes sont en de bien meilleurs termes. Quand Lorne Duguid, grâce à qui Hiram Walker vit grimper son chiffre de vente, prit sa retraite en 1975, ce fut Charles Bronfman qui présida le banquet officiel.

5) Joseph Seagram n'a jamais dévoilé ce qu'il voulait dire par les initiales V.O., mais, selon son petit-fils, J.E. Frowde Seagram, elles signifieraient Very Own (exclusif) et non pas Very Old (très vieux), comme on le croit généralement.

6) En 1891, les couleurs noir et or de Seagram remportèrent leur première victoire lors du plus grand championnat canadien qui, selon la personne qui occupe le trône d'Angleterre, s'appelle la Coupe du Roi ou la Coupe de la Reine. Depuis cette date, Seagram a été couronné vainqueur à dix-neuf reprises dans le cadre de ce concours, et l'écurie est toujours dans la course. (Ses couleurs sont également reproduites sur le ruban qui orne les bouteilles de V.O.)

Percy F. Chaplin, administrateur d'une distillerie britannique, Macdonald, Greenlees & Williams, qui s'était jointe à l'important groupe Distillers en 1925. Ce fut justement son intérêt prépondérant dans Seagram qui permit à D.C.L. de faire passer sous sa coupe la distillerie des Bronfman, la Distillers Corporation Limited, après le jumelage, en 1928,des deux entreprises sous la raison sociale Distillers Corporation-Seagram Limited. Aux termes du contrat, soixante-quinze pour cent des actions de D.C.-S.L. furent distribués aux détenteurs de titres de Distillers Corporation Limited, tandis que les vingt-cinq pour cent restant allaient aux actionnaires de Seagram [7].

La nouvelle société de gestion installa son siège social dans le château-fort financier des Bronfman, à Montréal, mais ce fut le président du conseil d'administration de D.C.L., à Edimbourg, W.H. Ross, qui en assura la présidence, tandis que Sam Bronfman était nommé vice-président et Allan, secrétaire. Le conseil d'administration ne comptait qu'un seul autre membre, W.B. Cleland, un Ecossais transplanté qui (tout comme Percy Chaplin) avait d'abord travaillé pour Macdonald, Greenlees avant de passer chez D.C.L. [8].

---

7) Le portefeuille de la nouvelle société se composait de un million deux cent cinquante mille actions de Distillers Corporation Limited et de deux cent cinquante mille autres de Seagram. Le seul paquet d'actions de trésorerie, émises par la suite, en compta deux cent quarante-deux mille six cent trente-neuf qui furent versées aux anciens propriétaires des deux premières distilleries américaines achetées au début des années 30, outre une affaire à primes de peu d'envergure où onze mille deux cent vingt-cinq actions furent remises à un mystérieux bénéficiaire, en 1942.

8) Cleland fit ses premières armes dans une distillerie, en Ecosse; peu de temps après son arrivée au Canada, en 1907, il devint directeur des ventes pour la Royal Distillery, à Hamilton, en Ontario. De 1916 à 1919, il agit comme superviseur des approvisionnements pour l'aéronautique dans le cadre de la Commission impériale sur les armements, après quoi il assuma la direction générale des Ontario Government Dispensaries — ce qui en fit le premier

Sous le nouveau régime, les distilleries Seagram et Bronfman devinrent des filiales gérées séparément. Ross avait également accaparé le poste de président à la Distillers Corporation Limited, et Sam avait été relégué à celui de vice-président. Mais c'était lui qui dirigeait l'entreprise familiale intégrée, avec Allan au siège social et Harry qui supervisait les opérations à Ville La Salle, tandis qu'Abe et Barney Aaron sillonnaient le pays en tant que représentants; et c'était du trafic de l'alcool organisé par les Bronfman que venait la majeure partie des profits nets — atteignant deux millions deux cent mille dollars — dont fit état D.C.-S.L. pour une période de dix-sept mois, se terminant en juillet 1929. Lors de sa première assemblée annuelle, en octobre de la même année, le vice-président Sam annonça, d'un ton assuré, que l'entreprise disposerait d'une réserve de quatre millions deux cent mille dollars pour financer son expansion sur le marché de l'exportation, qui était alors en plein essor.

Comme il devenait de plus en plus dangereux de traverser la frontière canado-américaine sur presque toute sa longueur et que le transport aérien s'avérait extrêmement coûteux, le trafic prit progressivement le chemin de la mer. Les Bronfman firent l'acquisition d'entrepôts en douane sur la côte est, à Saint-Jean et à Halifax, y entassèrent des produits britanniques et des flottilles de goélettes, qui attendaient la nuit tombée pour lever l'ancre, en assurèrent l'expédition. Pour chaque cargaison, il fallait verser un cautionnement équivalant au double de sa valeur. En outre, il fallait remplir, pour la douane canadienne toujours, un document compliqué en y indiquant la valeur marchande

commissaire aux spiritueux de cette province. Il démissionna après deux ans pour diriger les activités, au Canada, de Macdonald, Greenlees, avant de devenir, finalement, le grand patron de la filiale canadienne de D.C.L., dès sa fondation en 1927.

du fret, le nom du consignataire et le point de destination. L'exportateur devait ensuite obtenir un certificat de débarquement du supposé port d'arrivée pour pouvoir se faire rembourser le cautionnement [9]. Cet ingénieux système visait à empêcher le retour subreptice de l'alcool au Canada, mais, tout comme dans le cas de la plupart des autres règlements contre les spiritueux, c'était un jeu d'enfant que de passer outre. Dans les faits, la marchandise était chargée sur les goélettes qui cinglaient ensuite vers des destinations chimériques comme Cuba, le Honduras, Nassau et Lima, la capitale du Pérou, qui n'est même pas un port de mer. Entre temps, les certificats de débarquement étaient postés à des douaniers de l'endroit, bien rodés (et grassement rémunérés) qui les couvraient de cachets à l'allure exotique — confirmant ainsi avoir bien reçu des cargaisons dont ils n'avaient même pas vu la couleur — et qu'ils renvoyaient au Canada où l'exportateur récupérait, en toute quiétude, les droits déjà acquittés [10].

Les Bronfman se spécialisèrent dans le commerce avec Cuba sans rencontrer le moindre obstacle, jusqu'au

---

9) Les principaux documents utilisés pour la contrebande de l'alcool étaient des dollars ou des cartes à jouer. Le vendeur canadien remettait la moitié d'un billet au patron du bateau et envoyait la seconde à l'acheteur américain dont le représentant montait à bord et, sortant le morceau qui lui avait été remis, vérifiait s'il correspondait bien à celui que détenait le marin.

10) Ce trafic s'effectuait essentiellement par l'intermédiaire de deux filiales des Bronfman, Atlantic Import et Atlas Shipping, qui, selon la Commission royale d'enquête sur les douanes, acheminaient "d'énormes quantités de spiritueux prises en entrepôt depuis (...) Halifax vers La Havane, à Cuba, ainsi que divers pays d'Amérique centrale. (...) Sur présentation de prétendus certificats de débarquement, les cautionnements pour ces envois étaient annulés, mais il ressort de la preuve qui nous a été soumise que bon nombre des bâtiments transportant ces marchandises ne les ont jamais débarquées dans les ports mentionnés sur la déclaration d'entrée et étaient plutôt dirigés vers d'autres destinations, surtout aux Etats-Unis, est-on en droit de croire, ce qui nous amène à conclure que les certificats de débarquement n'étaient pas authentiques."

jour où le bienveillant douanier en poste à La Havane fut révoqué pour corruption. Peu soucieux de voir modifier, si peu que ce fût, son lucratif contrat, il omit complaisamment d'informer ses employeurs canadiens de son renvoi et continua à signer les certificats de débarquement. Mais un contrebandier de Boston, Hannibal L. Hamlin [11], finit par se faire coincer et fit la déclaration suivante aux agents du gouvernement américain:

"Le ou vers le 30 août 1922, j'ai rencontré un certain monsieur Aaron qui, j'ai tout lieu de le croire, est lié à titre d'associé avec la Canadian Distributing Company qui possède un bureau à Saint-Jean, au Nouveau-Brunswick; et, au cours d'une conversation avec ledit Aaron, laquelle eut lieu dans le hall de l'hôtel *Royal,* il m'informa qu'il pouvait me vendre du whisky écossais exempt de droits ou non. Quelque peu surpris par l'expression "exempt de droits ou non", je lui demandai ce qu'il entendait par là, et il me répondit:

— Nous disposons d'un moyen pour faire sortir les marchandises sans payer de droits, ce qui nous permet de vendre à un prix inférieur celles qui sont expédiées de cette façon.

"Je lui demandai ensuite vers quel port un bateau chargé d'alcool devrait appareiller depuis Saint-Jean et il me dit que La Havane, à Cuba, était le plus indiqué. Je répliquai:

— Devoir passer par La Havane, à Cuba, uniquement pour ne pas payer la douane, ça me semble une façon assez alambiquée de faire des affaires.

---

11) Il y avait déjà eu un autre Hannibal Hamlin qui, représentant du Maine au Congrès, sénateur et gouverneur, fut vice-président durant le premier mandat de Abraham Lincoln à la Maison Blanche.

"Sa réponse fut la suivante:

— Vous n'avez pas besoin de vous rendre à la Havane avec la cargaison. Nous y avons un agent à qui nous envoyons le certificat et qui le remet à un douanier du port; après l'avoir dûment complété, celui-ci le renvoie à Saint-Jean par courrier depuis La Havane et la cargaison couverte par ce certificat peut être débarquée en tout temps à n'importe quel endroit de la côte américaine."

Interrogé par la Commission royale d'enquête à propos de cette curieuse affaire, Barney Aaron répondit dans un jargon invraisemblable qui laissa son auditoire abasourdi et fit que son propre avocat y perdit son latin:

L'avocat: Vous n'avez jamais tenu une telle conversation?

Aaron: Je connais pas cet homme. Y a pas eu d'conversation comm'ça devant moi.

L'avocat: Vous n'avez jamais été mis au courant que la validité de vos certificats de débarquement à La Havane pouvait être contestée?

Aaron: Ce que j'ai entendu dire, c'est ça, que les certificats et tout ça, c'est correct à cent pour cent et comme tout ça, c'est correct, je faisais des affaires honnêtes et si quelque chose avait pas été correct, je l'aurais pas fait. (...) Je veux demander à Votre Seigneurerie qu'on me pose plus de questions qui seraient pas en ma faveur et moi, j'affirme que j'ai fait les choses correctement et j'ai fait un tas d'affaires.

Le président du tribunal: Ne vous préoccupez pas de ce que l'avocat vous demande. Il n'est tout de même pas censé vous appuyer. Vous affirmez que votre position est solide à cent pour cent et, du moment que vous vous en tenez à ça, tout va très bien.

Aaron: J'pense comme ça. Autrement, pourquoi j'sortirais pas dans la rue pour crier que j'suis correct à cent pour cent, mais devant cette commission que tout le monde a les yeux fixés dessus et puis ça sort ensuite avec de gros titres que j'agis mal, alors je dois montrer que je suis correct.

Le président du tribunal: Votre propre avocat plaidera pour vous.

Aaron: Il peut oublier et rien dire du tout.

Le président du tribunal: Autrement dit, vous n'avez pas confiance en votre avocat. Vous devriez, parce que vous aurez besoin de lui.

Vers le milieu des années 20, le gros du trafic des spiritueux destinés aux Etats-Unis se faisait par la rivière Détroit, depuis la ville de Windsor, en Ontario. Il avait donné naissance à toute une flotte de petites embarcations (de même qu'à un pipe-line temporaire et à un complexe système de câbles qui permettait de haler un traîneau sous-marin jusqu'à une maison flottante amarrée du côté américain) qui transportaient la gnôle. James Doran, commissaire à la prohibition, des Etats-Unis, témoigna devant une commission du Sénat, en 1929, qu'on pouvait évaluer à au moins cent millions de dollars la quantité d'alcool canadien entré illégalement par Détroit. [12]. Washington l'ayant pressé d'agir, Ottawa se contenta, comme d'habitude, d'une demi-mesure. Il ordonna aussitôt la fermeture immédiate de trente des soixante docks installés à Windsor et réservés aux exportations.

---

12) Même en 1929, les distilleries canadiennes continuaient de faire de bonnes affaires. Cette année-là, la taxe sur les spiritueux et l'impôt indirect rapportèrent soixante millions de dollars au gouvernement fédéral — soit exactement le double de ce que payèrent les citoyens en impôts sur le revenu.

Comme aussi bien la tactique du bras tordu mise en oeuvre par Washington que les pressions exercées par son opposition conservatrice se faisaient de plus en plus fortes, Mackenzie King résolut finalement, le 4 mars 1930, de présenter un projet de loi aux Communes afin d'amender la Loi canadienne sur les exportations et d'imposer un embargo total sur les expéditions de spiritueux depuis des ports canadiens vers des pays soumis à la prohibition [13]. Avec l'entrée en vigueur, le 1er juillet, de cette nouvelle loi, les perspectives d'avenir des Bronfman semblaient, une fois de plus, réduites à néant.

Les petites îles de Saint-Pierre-et-Miquelon sont tapies à quinze milles de Terre-Neuve, au sud de la baie Fortune, au point même où l'Atlantique dévie de sa route pour pénétrer dans le golfe du Saint-Laurent, par son bras sud toujours noyé dans le brouillard. Occupés par la France à peu près sans interruption depuis 1635 et territoire français depuis le traité de Gand de 1814, ces îles aux rochers dénudés ont traditionnellement servi de *pied-à-terre* [14] aux pêcheurs basques et bretons. Dépourvue de toute activité économique — à cause du vent incessant, la végétation se résume à de la mousse et du lichen —, à l'abri des lois canadiennes, Saint-Pierre-et-Miquelon connurent un certain développement en servant de bases de transbordement pour les spiritueux d'origines canadienne et britannique destinés à l'insatiable marché clandestin des Etats-Unis.

---

13) Le seul député libéral qui vota contre cette mesure fut C.G. "Chubby" Power, représentant la circonscription de Québec-Sud; il la qualifia de "fumisterie, de tartuferie et d'hypocrisie". Le *Mail and Empire*, de Toronto, écrivit sarcastiquement dans un éditorial: "Après avoir soutenu pendant huit ans la contrebande de l'alcool, le Premier ministre Mackenzie King vient enfin de se rendre compte que des bandes de criminels trempent dans ce même trafic."

14) En français dans le texte.

Les Bronfman devinrent rapidement les plus importants commerçants du territoire avec Atlas Shipping et une nouvelle société parapluie, la Northern Export Company. Les modestes bassins du minuscule port de Saint-Pierre se retrouvèrent ensevelis sous une avalanche de marchandises dégageant une forte odeur d'alcool de qualité. Celle-ci devint finalement si puissante que, certaines nuits, à la marée montante, le brouillard qui enveloppait les rues en pente de Saint-Pierre traînait avec lui le parfum caractéristique du whisky écossais. Enchantés de cette aubaine inespérée, les insulaires ne tardèrent pas à imposer une taxe de quatre sous par bouteille sur les importations, taxe qui fut utilisée pour désensabler l'arrière-port afin de permettre aux gros cargos des distilleries britanniques de décharger directement dans les docks.

Le fret était ensuite embarqué sur les goélettes qui partaient en convoi pour suivre le "couloir de la gnôle", ainsi qu'on finit par appeler la portion de l'Atlantique qui couvrait un rayon de trois milles [15] entre Boston et Atlantic City. Là, l'alcool était transféré sur des canots automobiles qui l'apportaient jusqu'à la rive où attendaient des files de camions. Les patrons des bars clandestins n'étaient que trop heureux de payer le prix fort pour de la gnôle "à peine débarquée" [16]. Car les contrebandiers ne devaient pas seulement franchir le blocus des garde-côtes améri-

---

15) Le 22 mai 1924, cette distance fut officiellement qualifiée de "une heure de marche à la vapeur" — et équivalait en gros à douze milles.

16) Ce fait n'avait pas échappé aux distillateurs clandestins des collines du Kentucky, qui plongeaient les bouteilles pleines d'alcool dans des baquets d'eau salée et les enveloppaient dans de la jute pour leur donner un "cachet d'authentique produit de contrebande". Un autre truc fort apprécié consistait à ajouter un peu d'iode au mélange de whisky pour que le client, qui ne se méfiait de rien, eût vraiment l'impression de respirer une bouffée de fumée de ce feu de tourbe qui chauffait les alambics dans les vallées écossaises.

cains [17]; le danger venait tout autant des bandes d'"écumeurs", comme on les surnommait, qui sévissaient au large de la côte, depuis le détroit de Block Island, à la hauteur du Rhode Island, la pointe de Montauk et le bec de Sandy jusqu'au cap May, au sud d'Atlantic City. Armés de mitrailleuses Thompson, ils n'hésitaient pas à abattre tout équipage qui refusait de leur abandonner sa cargaison de gnôle [18].

---

17) De tous les engagements auxquels prirent part les garde-côtes américains, le plus grave fut celui qui se solda par le sabordage du *I'm Alone,* coulé à coups de canon, le 22 mars 1929. Battant pavillon canadien, la goélette de Lunenburg, qui faisait route vers Belize, au Honduras britannique, avec un chargement de spiritueux embarqué à Saint-Pierre, sombra dans le golfe du Mexique. Le seul membre d'équipage qui périt noyé fut un Français, de Saint-Pierre; il y eut huit survivants, dont le capitaine John Thomas Randell. Le 11 septembre 1929, la défense côtière américaine coula le canot automobile canadien, le *Shawnee,* au large du port de New York; il n'y eut, cette fois, aucune perte de vie.

18) William McCoy fut le plus coloré de tous les patrons de bateau qui participèrent à ce commerce périlleux; le teint hâlé, mesurant six pieds deux, c'était un ancien matelot de la marine marchande qui ne prenait jamais une goutte d'alcool; il gagna et perdit plusieurs fortunes à bord de sa goélette de pêche, le *Henry L. Marshall,* et, plus tard, de l'*Arethusa,* un bateau de plus fort tonnage qui fut rebaptisé le *Tomoka* et immatriculé en Grande-Bretagne. Le *Marshall* pouvait embarquer quinze mille caisses de scotch, enveloppées dans des sacs de jute. Lors de sa première traversée de Nassau, aux Bahamas, à Savannah, en février 1921, il rapporta à son propriétaire la somme de quinze mille dollars. Le *Tomoka* leva l'ancre pour la première fois en direction de la pointe de Montauk et croisa au large de New York dans l'attente des clients; ce fut lui qui détermina ce qui serait désormais connu sous le nom de "couloir de la gnôle". Chacun de ses voyages rapportait plus de cinquante mille dollars. Néanmoins, vers 1922, McCoy était presque à bout de ressources et il reprit la route du Couloir avec le *Tomoka,* après avoir investi tout ce qui lui restait dans un millier de caisses d'alcool. Ne pouvant s'en défaire à New York, il mit le cap vers Highland, au New Jersey, où un ami lui proposa de lui envoyer des clients qui exigeaient le meilleur, "le vrai McCoy". En 1923, il était devenu le plus fameux contrebandier de tout le pays. En novembre de la même année, le cotre *Seneca,* de la défense côtière américaine, arraisonna le *Tomoka* et McCoy, convaincu de contrebande, fut envoyé à l'ombre pour une période de neuf mois. A la prison du New Jersey, un gardien sympathisant fit tout pour lui faciliter la vie et l'amena même à New York assister à un match de boxe. Libéré, McCoy s'installa en Floride, à Miami, et réussit dans l'immobilier grâce à des place-

Ce furent leurs entreprises de Saint-Pierre-et-Miquelon qui valurent finalement aux frères Bronfman de se retrouver devant un tribunal montréalais, non sans que certaines de leurs combines en Saskatchewan, qui avaient été retenues contre eux, eussent d'abord expédié Harry en prison. Ce fut, en partie du moins, le contexte politique de l'époque qui détermina les circonstances de leurs démêlés avec la justice — en fait, ils ne furent reconnus coupables d'aucun crime que ce fût.

On aurait dit que les politiciens canadiens ne demandaient pas mieux que de fermer les yeux sur la violation pure et simple, au point d'en paraître cyniques, de leurs règlements antialcooliques et qu'ils étaient enchantés de laisser leur pays devenir la plaque tournante de la contrebande mondiale. Mais quand on apprit que des ministres libéraux et des hauts-fonctionnaires retiraient des bénéfices personnels de cet appétissant marché, l'Opposition conservatrice décida qu'il était grand temps d'y mettre le holà. L'imbroglio qui en résulta engendra une sérieuse crise constitutionnelle et Mackenzie King faillit y laisser toute son autorité.

Quand arriva le printemps de 1924, King dut faire face à des délégations d'hommes d'affaires canadiens dont la colère ne cessait de monter et qui en avaient plus qu'assez de cette contrebande qui se pratiquait sur une grande échelle au-delà du quarante-neuvième parallèle. Leur fureur était moins le fait de principes hautement moraux que de la découverte, beaucoup plus terre à terre, que les contrebandiers gagnaient sur toute la ligne puisqu'ils repassaient la frontière en direction du nord, chargés de marchandises exemptes de droits. Le magazine *Saturday Night*

---

ments fructueux. Il mourut à soixante et onze ans, en 1946, après avoir affirmé que "si frauder, de nos jours, était seulement à moitié aussi marrant que tout ce que j'ai vécu dans le passé, je rempilerais dès demain".

évalua à quelque cinquante millions de dollars les biens *entrés* illégalement au pays et qui mettaient en péril la marge de profit des manufacturiers canadiens [19].

Les hommes d'affaires se regroupèrent au sein de la Commercial Protective Association afin d'étudier la situation et de faire des pressions auprès d'Ottawa. Toujours fidèle à lui-même, King commença d'abord par ne rien faire, puis il revint légèrement sur sa position et prêta au groupe un enquêteur du ministère des Finances, Walter Duncan. Duncan choisit comme première cible Joseph Edgar Alfred Bisaillon, qui était à la tête des services douaniers à Montréal et que Ralph Allen décrit, dans *Ordeal By Fire* [20], comme "l'une des cibles les plus incroyablement faciles à atteindre de toutes les annales de la malversation".

Duncan découvrit que Bisaillon avait déjà été impliqué dans une affaire de contrebande de narcotiques et reconstitua toute l'histoire de sa participation dans l'aventure de la remontée épique du Saint-Laurent par le chaland *Tremblay*. En novembre 1924, la Commission des alcools du Québec avait été avertie de guetter le *Tremblay* qui, parti de Saint-Pierre, se trouvait en amont, quelque part sur le fleuve. Deux des représentants de la Commission arraisonnèrent l'embarcation qui avait déjà dépassé Québec et avait, en outre, déchargé sa cargaison de seize mille gallons d'alcool pur dans une anse, près de Saint-Sulpice. Aucun droit n'ayant été acquitté, les officiers mirent l'équipage en état d'arrestation, ainsi que deux contrebandiers américains (Benny "Chicago" Stewart et Joe "Gorilla" Campbell) qui reconnurent être les propriétaires de la cargaison

19) Ceux qui avaient le plus de succès étaient des complets provenant des prisons américaines et qui étaient vendus à une fraction du prix de ceux qui étaient faits au Canada.

20) *Ordeal by Fire: Canada 1910-1945,* Toronto, Doubleday Canada, 1961.

de spiritueux. Dès l'arrivée du bateau à Montréal, Bisaillon monta à bord et, en vertu de son ancienneté et de son statut de fonctionnaire fédéral, il ordonna aux deux représentants de la Commission des alcools du Québec de descendre à terre. Puis il relâcha les Américains et confisqua le *Tremblay* au nom de la Couronne. L'accusation de conspiration en vue de se livrer à la contrebande fut abandonnée, faute de preuves, mais Bisaillon trouva quand même le moyen d'empocher au bas mot soixante-neuf mille dollars dans cette affaire. On découvrit simultanément que ce fonctionnaire, pour le moins polyvalent, possédait des maisons des deux côtés de la frontière qui sépare le Québec du Vermont, entre autres, à Rock Island, endroit reconnu comme repaire de contrebandiers, et qu'il les mettait à la disposition de ces derniers.

L'enquête menée par Duncan incita R.P. Sparks, un manufacturier en vêtements d'Ottawa qui fut le président de la Commercial Protective Association de 1921 à 1928, à informer Mackenzie King et Jacques Bureau, le ministre des Douanes, que "si le ministère adoptait une attitude énergique, le niveau actuel de la contrebande diminuerait d'au moins la moitié en moins d'un mois". Pour toute réponse, Mackenzie King se cantonna dans un silence bienveillant. Puis, le 15 août 1925, il convoqua des élections générales pour le 29 octobre et mit un terme à la controverse dont était l'objet son ministre des Douanes en le nommant au Sénat [21]. Au cours de la dernière réunion du cabinet qui marqua la fin de la session, Ernest Lapointe, le lieutenant québécois de King, fit remarquer que c'était comme "assister à ses propres funérailles".

---

21) Plus tard, Bureau devait honorer de sa présence le conseil d'administration de la Dominion Distillers Consolidated Limited of Montreal.

La campagne électorale se termina par la défaite de King dans sa propre circonscription et par la perte de quinze sièges pour son parti, celui-ci n'en ayant conservé que cent un. C'était maintenant le chef du parti conservateur, Arthur Meighen (avec cent seize députés) qui détenait la majorité aux Communes, mais la constitution autorisait King à réunir le Parlement et à décider qui gouvernerait. Lord Byng, le gouverneur général, approuva la requête que King lui avait présentée à cette fin et le chef libéral entreprit immédiatement de courtiser les vingt-cinq membres du parti progressiste qui représentaient les Prairies, en s'engageant à établir un régime de prêts agricoles et à présenter un projet de loi sur les pensions de vieillesse. Entre-temps, l'indifférence dont King continuait de faire preuve face à la corruption qui régnait au ministère des Douanes avait incité Sparks, un Libéral de longue date, à remettre les dossiers montés par Walter Duncan à Harry Stevens, un ancien épicier de Vancouver qui était devenu un député Tory influent et favorable aux réformes. Le 2 février 1926, Stevens fit enfin exploser sa bombe à retardement. Orateur de grande classe et ancien titulaire du portefeuille de l'Industrie et du Commerce durant le bref gouvernement Meighen en 1921, Stevens accapara l'attention des parlementaires en leur énumérant, pendant un discours marathon de quatre heures, tous les péchés des Libéraux. Il démontra, avec des détails accablants, comment la section québécoise des douanes s'était muée en une organisation de soutien aux divers réseaux de contrebandiers qui faisaient entrer au Canada des vêtements, des narcotiques et des automobiles volées, tandis que d'importantes quantités de spiritueux traversaient la frontière en sens inverse, en toute impunité. Dans l'une de ses attaques les moins virulentes, il décrivait Bisaillon comme "le pire des escrocs, (...) l'intime des ministres, l'enfant chéri de ce gouvernement. Alors qu'il ne touche qu'un salaire moyen, il nage dans la richesse et dans l'opulence, c'est l'exemple typique du fonctionnaire corrompu et corrupteur." Il accusa également Jacques Bureau, l'ancien ministre des Douanes, d'avoir détruit neuf classeurs contenant des documents incriminants, et son successeur, George Boivin [22], d'avoir fraudé le Trésor public d'au moins deux cent mille dollars [23].

"J'accuse le gouvernement,(...) y compris le Premier ministre, le ministre de la Justice, le ministre de la Marine, l'ex-ministre des Douanes (...) d'avoir été au courant depuis un an ou presque, d'avoir été formellement informé, et avec une abondance de preuves, que les lois douanières

---

22) Dans son ouvrage sur Mackenzie King (*The Incredible Canadian*, Toronto, Longmans, Green, 1952), Bruce Hutchison raconte que Boivin, en essayant de "réparer les dégâts laissés par Bureau (...) se tua littéralement au travail, avant la fin de l'été". Boivin mourut d'une crise d'appendicite,le 7 août, pendant la campagne électorale de 1926, alors qu'il assistait à un congrès des Chevaliers de Colomb, à Philadelphie. Il était âgé de quarante-trois ans.

23) En succédant à Bureau au ministère des Douanes, Boivin se retrouvait coincé avec le problème des seize mille gallons d'alcool saisis à bord du *Tremblay* et dont il fallait bien se débarrasser. Il autorisa un marchand de fourrage de Québec, W.J. Hushion, qui était un ami intime, à acheter la cargaison de la Couronne au prix de trente-six sous par gallon, en certifiant qu'il s'agissait uniquement d'"alcool à friction" qui ne pouvait être vendu qu'aux hôpitaux. L'achat conclu, il fit changer officiellement le nom de la marchandise pour de l'"alcool dénaturé", ce qui permettait à Hushion de la revendre aux contrebandiers américains à un taux infiniment supérieur à ce qu'il lui en avait coûté. Il fut prouvé, par la suite, qu'il s'agissait, en réalité, d'un alcool d'un type spécial qui pouvait se diluer dans les spiritueux. Le nom de Hushion fut cité dans les conclusions de la Commission royale d'enquête sur les douanes. On découvrit ainsi que son commerce de fourrage était essentiel à son trafic. Dans une lettre adressée à son avocat, Aimé Geoffrion, et qui avait été confisquée par la Commission, Hushion demandait à celui-ci comment s'y prendre pour éviter la saisie, par la Commission des alcools du Québec, de ses chargements de "fourrage" destinés aux Etats-Unis: "Nous voudrions bien, si la chose était possible, utiliser ce moyen, étant donné que nous avons, à New York, des clients qui importent chaque semaine, de Montréal, de pleines charretées de fourrage et qui seraient heureux de recevoir, avec cette livraison, deux ou trois cents caisses de spiritueux."

de ce pays étaient l'objet des violations les plus scandaleuses", conclut Stevens. Il réclama ensuite la formation d'une commission parlementaire qui serait chargée d'enquêter sur les accusations qu'il venait de porter et, après un délai de trois jours, les Libéraux se rendirent à sa requête. La commission de neuf membres fit plus que confirmer les délits reprochés à Bisaillon, Bureau et Boivin: elle mit au jour l'existence d'un réseau de corruption beaucoup plus étendu parmi les services gouvernementaux.

Le 29 juin 1926, les Communes adoptèrent à l'unanimité une résolution stipulant que, "comme l'enquête parlementaire démontre que les méfaits de la contrebande sont à ce point considérables et leurs ramifications tellement profondes qu'une fraction seulement de ces pratiques illégales a pu être dévoilée, le Parlement recommande la création d'une Commission judiciaire [24] dotée des pleins pouvoirs pour poursuivre et mener à terme l'enquête sur le ministère des Douanes et de l'Accise, et pour intenter une action contre tous les contrevenants (...)".

Tout au long de l'année qui suivit les élections du 14 septembre 1926, la Commission royale d'enquête parcourut le pays en tous sens et écouta des témoignages totalisant approximativement quinze millions de mots [25]. Quand elle tint une audience à Winnipeg, l'inspecteur Cyril Knowles

---

24) Le président de la Commission était James Thomas Brown, juge en chef de la Cour du Banc de la Reine, en Saskatchewan; ses adjoints étaient William Henry Wright, juge de la Cour suprême de l'Ontario, et Ernest Roy, juge de la Cour supérieure du Québec. N.W. Rowell était engagé comme conseiller principal; ses honoraires étaient de deux cents dollars par jour, plus une indemnité journalière de vingt dollars.

25) Peu après le début des audiences de la Commission, Sam comprit que son rapport serait loin de le blanchir; aussi, les frères Bronfman s'empressèrent-ils de réunir et de brûler tous leurs documents personnels et ceux de leurs compagnies qui concernaient les dix années précédentes.

put enfin rendre publique la tentative de corruption exercée à son endroit par Harry Bronfman à Gainsborough, en Saskatchewan, six ans et deux mois auparavant. Il déposa également à propos d'une autre affaire et, à la suite de son témoignage, Harry fut accusé d'avoir tenté d'entraver le cours de la justice en subornant des témoins.

Au début de 1922, Knowles avait appris que la Southern Exports Limited, une filiale des Bronfman installée à Moose Jaw et dirigée par David Gallaman, le beau-frère de Harry, ne se contentait pas d'expédier de la gnôle au sud de la frontière, mais qu'elle vendait également une proportion anormalement élevée de sa marchandise sur le marché local. Knowles convainquit la Commission des alcools de la Saskatchewan de faire une perquisition. L'un des hommes qui aida à préparer la descente était William Saint John Denton qui, à l'époque, était l'un des agents chargés de faire respecter les règlements de la Commission; par la suite, il rejoignit Zisu Natanson dans la contrebande des spiritueux et, plus tard encore, il retourna sa veste et le dénonça à la police. Le raid lui-même fut exécuté par deux "agents spéciaux" de la régie provinciale, Herbert Clements et Douglas Readman, qui avaient été recrutés directement parmi la petite pègre de Saskatoon. Ils n'eurent aucun mal à persuader Gallaman de leur vendre quatre bouteilles de gnôle. L'inspecteur de la Commission des alcools de la Saskatchewan chargé de toute l'opération prit une chambre dans un hôtel de Moose Jaw, pendant que ses hommes étaient à l'oeuvre, et ne tarda pas à s'endormir. Il fut réveillé deux heures plus tard par ses collègues passablement éméchés qui avouèrent, d'un air penaud, avoir consommé la plus grande partie de la preuve. Nullement ébranlé par la tournure des événements, il se précipita aux bureaux de la Southern Export, arrêta Gallaman et saisit toute la marchandise liquide, d'une valeur de trente mille dollars, qu'il avait en entrepôt. Dès qu'une accusation de contrebande fut officiellement portée contre Gallaman, Bronfman contre-attaqua devant les tribunaux pour récupérer le stock confisqué.

Ici, comme dans le cas de toutes les autres procédures intentées contre les Bronfman, on se retrouve devant plusieurs versions. Selon un témoignage postérieur de Denton (nié par Harry), Bronfman lui aurait versé mille cinq cents dollars en échange de la promesse de retenir Clements et Readman en dehors de la province pendant toute la durée du procès. Denton aurait alors, paraît-il, entraîné les deux personnages dans une joyeuse beuverie à travers l'Ouest et pendant laquelle ils séjournèrent deux semaines dans chacun des hôtels que possédaient les Bronfman à Winnipeg, ainsi qu'au *Mariaggi,* à Port-Arthur. Etant donné leur absence au procès, la cause contre Gallaman fut abandonnée et Harry récupéra sa gnôle.

Au début de 1928, la Commission royale d'enquête sur les douanes recommanda, dans son rapport intérimaire, que des poursuites fussent immédiatement intentées contre Harry Bronfman pour tentative de corruption. Mais il ne se passa rien. Ernest Lapointe, le ministre de la Justice dans le cabinet Mackenzie King, expliqua, devant une opposition conservatrice frustrée, que certains des témoins à charge étaient malades et que, de toute façon, toute l'affaire était du ressort du ministre de la Justice de la Saskatchewan. T.C. Davis, le titulaire libéral du poste, se révéla rapidement un partenaire compréhensif dans cette partie de tennis judiciaire: il classa le dossier en prétextant maladroitement qu'il "relevait de la juridiction fédérale".

A cette époque, le climat politique de la Saskatchewan virait en faveur des Conservateurs et devenait de plus en plus antisémite. La contrebande de l'alcool était alors l'industrie la plus lucrative de la province. Des légions de

"Drys" frustrés eurent tôt fait de profiter de la situation — encore aggravée par la place prédominante qu'occupaient les Bronfman dans ce commerce — pour provoquer un violent ressentiment contre "les Juifs". Déjà, lors du plébiscite de 1920 sur la règlementation des spiritueux, l'archidiacre G.E. Lloyd, un "Dry" anglican qui devint évêque de la Saskatchewan en 1922, avait fait ressortir le déséquilibre, au niveau de la représentation ethnique, qui prévalait dans le commerce de la gnôle [26]. "Sur les quarante-six maisons d'exportation de spiritueux qu'il y a en Saskatchewan, avait-il calculé, les Juifs en possèdent et en dirigent seize. Quand on s'aperçoit, compte tenu du fait qu'ils ne forment qu'un demi pour cent de la population, que les Juifs possèdent seize des quarante-six compagnies d'exportation, il devient alors grand temps de leur faire comprendre que, puisqu'ils ont été accueillis dans ce pays et y jouissent des mêmes droits que les autres Blancs, ils ne doivent pas le souiller en mettant sur pied des activités dégradantes."
Ebranlée par l'assassinat de Paul Matoff et par l'action du Ku Klux Klan dont les divagations sur la suprématie aryenne avaient commencé à se répandre de l'autre côté de la frontière, la petite communauté juive de la Saskatchewan — et plus particulièrement les Bronfman — s'aperçut qu'elle devenait le bouc émissaire pour la plupart des problèmes socio-économiques que connaissait la province.

---

26) L'évêque Lloyd (1861-1940) prit part avec le régiment des Queen's Own Rifles à la bataille de Cut Knife Hill, durant la rébellion soulevée par Riel, en 1885; il fut ordonné la même année. En 1903, il devint l'aumônier des colons recrutés en Angleterre par le révérend I.M. Barr — groupe qui porta le nom de Colonie Barr. Il réorganisa la colonisation, et la ville de Lloydminster, située sur la frontière entre l'Alberta et la Saskatchewan, fut ainsi nommée en son honneur. De 1908 à 1916, il dirigea l'école de théologie anglicane, en Saskatchewan, participa activement au mouvement en faveur de la tempérance et dénonça l'arrivée massive, dans l'Ouest canadien, d'immigrants qui n'étaient pas d'origine anglo-saxonne. Il fut évêque de la Saskatchewan de 1922 à 1931.

"On peut affirmer, à juste titre, écrivit Larry Zolf, réalisateur au réseau anglais de Radio-Canada, que, pendant les années 20, la contrebande de l'alcool dirigée par les Bronfman fut un facteur déterminant de la fusion entre l'antisémitisme latent des United Grain Growers, de madame Nellie McClung [27] et de la Woman's Christian Temperance et celui, nettement ouvert, du Ku Klux Klan, ce qui permit l'élection du gouvernement Tory d'Anderson, en 1929."

J.T.M. Anderson, un ancien instituteur ontarien, n'avait remporté que trois sièges lors de l'élection de 1925. Mais en regroupant délibérément sous la bannière de son parti tous les électeurs mécontents, devenus de plus en plus nombreux sous les gouvernements libéraux de Charles Dunning et de Jimmy Gardiner, il sut rallier autour de l'étiquette conservatrice une proportion significative de partisans. Le fait devint manifeste lors de l'élection partielle de Arm River, qui eut lieu en octobre 1928 et pendant laquelle le candidat Tory, J.F. Bryant, déclara que "depuis le tout début, le parti libéral a partie liée avec les trafiquants d'alcool. En conséquence de quoi, la Saskatchewan est maintenant le paradis des contrebandiers, dont le roi est Harry Bronfman, un multimillionnaire. C'est lui qui fixe les prix et dicte aux magistrats comment rendre la justice. Bronfman est soupçonné d'avoir offert à l'inspecteur Knowles un pot-de-vin de trois mille dollars par mois. Combien, croyez-vous, a-t-il versé à la caisse électorale des Libéraux pour ne faire l'objet d'aucune poursuite pour tout le temps où il a poursuivi ses activités en Saskatchewan et y a amas-

---

27) Nellie McClung (1873-1951), qui milita pour les droits de la femme et la tempérance, était une institutrice du Manitoba qui devint plus tard romancière. En 1921, elle fut élue à l'Assemblée albertaine. Née Nellie Mooney et originaire de l'Ontario, elle épousa, en 1896, Robert Wesley McClung, un pharmacien manitobain.

sé ses millions?'' En réponse à cette allégation, Davis, le ministre libéral de la Justice, s'engagea personnellement à faire en sorte que des poursuites fussent intentées contre Bronfman, promesse qui aida le candidat de Gardiner à remporter la victoire par une faible majorité dans un comté qui, jusque-là, avait toujours été un bastion libéral.

Quand la tenue d'élections générales fut annoncée pour le 6 juin, le *Regina Daily Star* lança une campagne, dans ses colonnes, pour obtenir que Harry Bronfman fût traduit en justice. L'article se terminait par cette tirade au ton relativement modéré:

> *Six mois et vingt-trois jours se sont écoulés depuis que le ministre de la Justice, T.C. Davis, a donné sa parole aux électeurs de Arm River, dans l'Hôtel de Ville de Craik, que, conformément aux recommandations de la Commission royale d'enquête sur les scandales au ministère des Douanes, des poursuites seraient "intentées et menées à leur terme" contre Harry Bronfman, le prospère contrebandier de spiritueux de Regina. C'est sur la foi de cette promesse que les électeurs ont accordé la majorité de leurs votes au candidat libéral.*
>
> *Comment expliquer cette trahison? Est-il vrai que le gouvernement Gardiner n'ose pas entamer une action dans ce cas, par peur des conséquences pour lui-même? La machine du parti tiendrait-elle la magistrature à la gorge, en Saskatchewan?*

Les Tories d'Anderson remportèrent vingt-quatre sièges — suffisamment, avec l'appui des cinq Progressistes et des six indépendants, pour pouvoir former le gouvernement, mettant ainsi fin à vingt-cinq ans d'administration libérale. Murdo MacPherson, le nouveau ministre de la Justice, dressa, sans perdre de temps, la liste des accusations retenues contre Bronfman. Le 28 novembre 1929, deux officiers de la G.R.C. arrêtèrent Harry à sa résidence de Montréal. Sans lui laisser le temps de téléphoner à Sam ou à Lazarus Phillips, ils le conduisirent sur-le-champ devant un tribunal de Regina où il fut formellement accusé de tentative de corruption et de subornation de témoins. Interrogé à propos de la précipitation inhabituelle dont il avait été fait preuve lors de l'arrestation de Bronfman, MacPherson répondit aux parlementaires de la Saskatchewan: "Quelle importance? Nous avions dit que nous l'aurions. Eh bien! nous le tenons!"

Libéré contre un cautionnement de cinquante mille dollars, Harry rassembla une équipe formée des meilleurs avocats que comptait le pays [28], loua une suite à l'hôtel *Saskatchewan* et observa anxieusement ses défenseurs qui étudiaient les tactiques susceptibles de lui éviter une possible condamnation à onze ans de prison. Leur premier stratagème, à propos de la tentative de corruption à l'endroit de Knowles, non seulement ne fit pas long feu, mais renvoya Bronfman derrière les barreaux. Alex McGillivray, qui avait mis au point la stratégie de la défense, avait décidé que la poursuite avait mal formulé les charges et que la seule façon de s'en sortir était de soumettre une requête en habeas corpus [29]. Cela permettrait de soustraire le dossier de la juridiction de la Saskatchewan (où

---

28) Il y avait, entre autres, Alex McGillivray et Sam Helman, de Calgary, Mark Shinbane et A.J. Andrews, de Winnipeg, P.M. Anderson, de Regina, et Lazarus Phillips, de Montréal.

29) Bronfman était accusé en vertu du Code criminel qui imposait des peines plus dures que celles prévues pour des infractions à la Loi sur les douanes et l'accise. L'argument de McGillivray et de ses collègues était à l'effet que des lois spécifiques primaient sur une loi générale. Cela aurait entraîné l'acquittement de leur client, parce que la Loi sur les douanes exigeait que les accusations fussent portées dans les trois ans suivant la perpétration du prétendu délit.

Bronfman, estimaient ses avocats, ne pourrait avoir un procès impartial) et d'amener la Cour suprême du Canada (qui, dès lors, possèderait la compétence pour faire exécuter l'habeas corpus) à statuer sur le cas. McGillivray se présenta devant le juge Lyman Duff, à Ottawa, remplit sa pétition, et prescrivit à Bronfman de renoncer à son cautionnement — étant donné que, dans le cas d'un habeas corpus, le requérant doit se trouver incarcéré pour que le juge puisse déterminer s'il existe un motif valable ou non de le maintenir en prison.

Après avoir soigneusement préparé cette manoeuvre compliquée et s'être assurés que Harry était bien à l'abri dans une prison de Regina, McGillivray et ses collègues comparurent, le 17 décembre, devant le juge Duff. Ils pensaient bien l'avoir convaincu, mais le magistrat de la Cour suprême décida, pour des raisons techniques, de remettre son verdict au lendemain. Or, Duff se lança dans une de ses virées périodiques et ne revint siéger que deux semaines plus tard, laissant, dans l'intervalle, Bronfman arpenter sa cellule. A son retour, il avait changé d'avis et il rejeta la demande. Harry dut obtenir un autre cautionnement, traita ses avocats de tous les noms et retourna à sa suite de l'hôtel *Saskatchewan* pour y attendre son procès qui eut finalement lieu à Estevan.

Mais les avocats de Harry demeuraient convaincus que le climat politique qui prévalait en Saskatchewan l'empêcherait d'être jugé impartialement et ils conçurent un stratagème d'un style particulier pour récuser les jurés qui se présenteraient devant le shérif d'Estevan, bien connu pour son adhésion aux idées du parti conservateur. Mark Shinbane, l'un des avocats de Winnipeg, fit venir des stagiaires de son cabinet et les habilla en vendeurs de tracteurs. Ceux-ci rendirent visite à la plupart des éventuels jurés avec qui ils firent semblant d'échanger des potins locaux. L'un d'entre eux se souvient d'une conversation type: "J'allais frapper à la porte du fermier et lui demandais s'il se passait quelque chose en ville — tout semblait bien paisible.

— Oh, pas pour longtemps, me répondait-on, généralement. Z'en avez pas entendu parler? Y aura un gros procès. Harry Bronfman.

— Et de quoi s'agit-il?

— C'est le gros trafiquant d'alcool. Un maudit escroc.

— Ah? Et qu'est-ce qui va se passer?

— C'qui va s'passer? Y va écoper de la plus longue sentence que j's'rai foutument capable d'y faire avoir. C'est ça qui va s'passer!"

La liste du jury ayant été constituée, McGillivray demandait à chaque candidat s'il connaissait quelque chose à propos du cas ou s'il avait des idées préconçues sur la culpabilité de l'accusé. Après avoir avoué sa totale ignorance et de l'homme et du verdict possible, le juré se trouvait confronté avec le "vendeur de tracteur" qui donnait lecture d'un affidavit rendant compte de leur conversation. De nombreux jurés furent rapidement récusés, mais la ruse s'avéra finalement inutile lorsque les supérieurs de Cyril Knowles, venus d'Ottawa, se présentèrent à la barre des témoins et nièrent que l'officier des douanes leur eût jamais fait part de la tentative de corruption. Le jury n'eut besoin de délibérer que pendant quatre heures pour acquitter un Harry tout souriant.

Pour faire tomber l'accusation de subornation de témoins, il fallut tout de même un peu plus de temps. Un premier jury n'ayant pu, en février 1930, se mettre d'accord sur le verdict, un second procès fut fixé pour le mois de septembre, à Régina. William Denton devait être le principal témoin à charge. Afin de le discréditer en tant que témoin digne de foi, les avocats de Bronfman mirent au point un piège qui constitue probablement le premier exemple d'emploi d'un appareil pour écouter aux portes dans toute l'histoire de la justice canadienne. Ils firent appel à une relation de Denton, William Saier, pour qu'il servît d'appât et organisèrent une rencontre entre les deux hommes dans une chambre spécialement aménagée de l'hôtel *Wascana*, à Regina. Fred Hand, un greffier du tribunal et deux témoins indépendants équipés d'un dictaphone rudimentaire se dissimulèrent dans un placard ventilé. Voici la transcription de la conversation, telle qu'on pouvait la lire dans le procès-verbal du tribunal:

Saier: Quelle preuve peux-tu apporter, en rapport avec l'affaire?

Denton: Je n'ai pas l'intention de la dévoiler ici. Je ne te dirai rien de ce que je sais, à moins qu'on n'en vienne à certains accords.

Saier: Cela signifie-t-il que tu ne me raconteras rien tant qu'il ne t'aura pas refilé de l'argent?

Denton: Oui. Je pourrais réussir le coup pour eux, mais je ne le ferai pas s'ils ne traitent pas avec moi.

Saier: Tout se passera bien si tu peux me...

Denton: Tu n'obtiendras rien de moi tant que je n'aurai pas eu ce que je veux.

Saier: Si je leur dis ce que tu veux, tu me raconteras toute l'affaire?

Denton: Ouais, je te raconterai tout s'ils collaborent avec moi, je ne laisserai pas tomber Harry.

Saier: Dis-moi maintenant ce que tu sais.

Denton: Si je te le disais, ils ne me donneraient pas un foutu sou.

Saier: Ils vont vouloir savoir ce que tu as en tête pour blanchir Harry.

Denton: Tu reviens avec le fric et je te le dis.

Saier: Tu veux combien? A peu près trente mille?

Denton: Pour l'amour du ciel, ne mentionne pas ça. Ça ira.

Saier: C'est le fric de Bronfman et il estime qu'on devrait avoir quelque chose de précis.

Denton: Ils l'auront dès que tu m'auras remis l'argent.

Saier: Tu le leur diras quand tu auras été payé?

Denton: Ouais, je viderai mon sac et leur donnerai l'information qu'ils demandent. J'aurais pu le faire lors du premier procès.

Saier: Accepterais-tu deux mille tout de suite et le reste après le procès?

Denton: Non. Je veux tout, tout de suite. Harry Bronfman, il sait foutument bien que je pourrais l'envoyer en taule. S'il y a quelque chose qu'il sait, c'est que je peux me retourner et lui sauver la mise.

La conversation fut plus que suffisante pour convaincre le tribunal de la valeur discutable du témoignage de Denton et de l'innocence de l'accusé. Se sentant enfin libéré du poids de son passé comme trafiquant d'alcool, Harry Bronfman invita le jury qui avait prononcé le verdict à venir fêter son élargissement dans sa suite de l'hôtel *Saskatchewan* où il avait fait remplir une baignoire de whisky.

Au cours de l'automne de 1930, les Bronfman commencèrent à ressentir les contrecoups de la dépression. Les profits de la D.C.-S.L. diminuèrent et la compagnie dut remettre à plus tard l'émission de ses actions, tandis que les Bronfman et la D.C.L. se voyaient forcés d'emprunter quatre millions de dollars pour les injecter dans l'entreprise. Sur la côte ouest, toutefois, les Bronfman s'allièrent aux deux principaux exportateurs de spiritueux de Vancouver, Consolidated Exporters et Pacific Forwarding, cette dernière compagnie appartenant à la famille Reifel [30], pour mettre sur pied une dernière et importante opération de contrebande. Afin de mieux dominer le commerce maritime de la côte ouest, un groupe d'hôteliers et de brasseurs canadiens s'étaient regroupés, en 1922, au sein de Consolidated Exporters et leur quartier général était un entrepôt situé rue Hamilton, à Vancouver. L'un de leurs principaux atouts était Charles Hudson, un ancien fermier qui avait fait faillite au Manitoba avant de venir s'installer sur la côte [31] où, au bout de quelque temps, il avait pris le commandement d'un trois-mâts goélette, le *Coal Harbour,* un ravitailleur qui pouvait transporter dix mille caisses de spiritueux. Au cours d'un voyage, alors qu'il se trouvait en sécurité à l'extérieur de la limite de douze milles à la hauteur de San-Francisco, le bateau fut arraisonné par un cotre des garde-côtes américains. Hudson apprit qu'une bande rivale avait offert vingt-cinq mille dollars au capitaine du cotre pour qu'il certifiât que le *Coal Harbour* croisait plus

---

30) Né en Allemagne en 1869, Henry Reifel arriva en Colombie-Britannique en 1888 et entreprit, avec ses frères, de fonder des brasseries à Vancouver et sur l'île du même nom. Ses fils Harry et George s'étant joints à lui, ils achetèrent B.C. Distillery Co. Ltd. et en construisirent une autre à Amherstburg, en Ontario, près de Détroit. En 1926, ils formèrent une société de gestion pour leurs deux distilleries et leurs quatre brasseries, Brewers and Distillers of Vancouver Ltd.

31) Originaire du Yorkshire, Hudson s'était embarqué pour la première fois à quatorze ans et s'était mérité la Distinguished Service Cross and Bar, durant la guerre de 1914-1918, pour ses états de service comme capitaine d'un bateau-piège — un petit navire marchand dont l'armement était camouflé et qui servait de leurre pour obliger les sous-marins à se battre en surface. Après avoir rédigé son examen au cours d'une permission, il reçut son brevet de capitaine en 1916 et émigra au Canada après la guerre.

près de la côte; toutefois, le marin décida de soutenir la version de Hudson après s'être vu remettre la même somme par des avocats qui représentaient les exportateurs de Vancouver. Le *Coal Harbour* put reprendre la mer avec sa cargaison intacte.

Le plus gros fournisseur de Vancouver à s'être associé avec Consolidated Exporters était United Distillers Limited [32]. Afin d'écouler la production de la B.C. Distillery, les Reifel dirigeaient leur propre maison d'exportation qui, tout comme Consolidated Exporters, opérait à partir de Tahiti pour ravitailler les contrebandiers américains; ce fut vers cette époque que les deux entreprises s'unirent aux Bronfman pour fonder un comptoir, en vertu d'un accord qui fut signé le 5 avril 1933 [33]. Le capital de cette nouvelle factorerie qui s'installerait à Papeete, la capitale de Tahiti où elle serait soumise aux lois de ce territoire français, était de dix mille actions qui devaient être réparties entre les trois associés au prorata de leur contribution en spiritueux. Le délégué installé à Tahiti était John J. Murphy qui, par la suite, entra à l'emploi de Corby comme vendeur et s'installa à Vancouver. Les stocks énumérés dans l'entente couvraient toute la gamme des whiskies et des gins canadiens aussi bien qu'écossais, des bourbons américains et des liqueurs et champagnes européens, pour un total, en

---

32) Au milieu des années 30, les administrateurs (et cadres) de United Distillers of Canada Ltd., la société publique propriétaire de U.D.L., étaient Russel Whitelaw, George W. Norgan, Isador J. "Hickey" Klein, Albert L. "Big Al" McLennan et Nathan Bell. Sam Bronfman se joignit à eux, plus tard.

33) Le triumvirat se composait de Franco Pacific Trading Co. Ltd., une firme tahitienne représentée par Consolidated Exporters et correspondant aux intérêts de U.D.L. et de ses filiales; de la Société des entrepôts généraux du Sud, une société tahitienne représentée par Pacific Forwarding Co. Ltd. et qui, elle-même, représentait les entreprises des Reifel; et de Frank Reitman et Benjamin Silver, fondés de pouvoir de Joseph E. Seagram & Sons Ltd., de Distillers Corporation Ltd. et de Atlantic Distilling Co. Ltd., de Saint-Jean.

distillerie, d'une valeur de $1 230 396.45. Les cargaisons expédiées de Vancouver et d'Europe devaient être entreposées à Papeete d'où elles seraient transférées sur l'un des ravitailleurs, le *Malahat,* une goélette pourvue de cinq mâts, ou le vapeur *Lillehorn,* qui serviraient de base d'approvisionnement flottante au large de la Californie ou de la côte ouest du Mexique. En principe, l'accord devait durer un an, mais, avec l'adoption du "Repeal Amendment" [34], "l'affaire tomba à l'eau", se rappelle l'un des distillateurs.

La prohibition prit fin le 5 décembre 1933, donnant, du même coup, le signal du départ à des poursuites judiciaires qui se révélèrent interminables. Les distillateurs canadiens durent, d'une part, faire face, dans leur pays, à des accusations de contrebande et, d'autre part, régler leurs comptes avec le gouvernement américain qui, pendant la prohibition, avait imposé une taxe sur les ventes de spiritueux en provenance du Canada. Sur la côte ouest, ce fut la famille Reifel qui fut la plus touchée, et de beaucoup, par ces mesures. On découvrit, plus tard, que Harry Sokol, le représentant des Bronfman à Vancouver, y était pour quelque chose. Quand Henry Reifel et son fils George se rendirent aux Etats-Unis, en juillet 1934, ils furent discrètement appréhendés par les douaniers de Seattle; en outre, avant même qu'ils eussent pu quitter la ville, ayant recouvré leur liberté contre des cautionnements de cent mille dollars chacun, des accusations de contrebande furent portées contre eux. L'affaire finit, toutefois, par se régler hors cour. En juillet 1935, les Reifel se mirent d'accord avec les autorités américaines pour une somme de cinq cent mille dollars en liquide et de deux cent mille en obligations perdues par défaut. Lors de la comparution des Reifel devant

---

34) Surnom donné à l'amendement supprimant la prohibition. (N.D.L.T.)

un juge, à Seattle, leur avocat soutint que "ces arresta-tions sont le fait d'une rancune personnelle", avis partagé par d'anciennes relations de Sokol. Elles racontent que Sokol, qui touchait un dollar pour chaque caisse de spiri-tueux vendue, était furieux contre les Reifel qui avaient livré ce qu'il qualifiait de sale tord-boyaux à l'un de ses clients; de plus, il n'avait jamais oublié qu'un de leurs représentants l'avait traité de "maudit Juif", quand il avait protesté.

Un léger fait qui tient quelque peu de la preuve indi-recte vient étayer cette hypothèse. Le 29 décembre 1934, c'était un samedi, Harry Sokol offrit un grand dîner dans le salon ovale de l'hôtel *Vancouver* qui a appartenu au C.P.R. Les serveurs portaient des costumes russes, en hommage au pays natal de Sokol. Parmi les invités, il y avait Jim Cole-man, son ami du *Royal Alexandra* qui travaillait à Vancou-ver à ce moment-là, ainsi que Rose Soskin, l'épouse de l'avocat de Sokol; celle-ci murmura à un ami: "J'ai bien l'impression que c'est nous qui faisons les frais de tout ça." (Elle avait raison. Sokol ne régla pas les honoraires qu'il devait à son mari, Morris.) Le dîner était donné en l'hon-neur de R.P. Bonham, Chester A. Emerick, Joseph L. Green et Sam E. Whitaker. Bonham était un officier des douanes américaines, Emerick et Green faisaient partie du même service et Whitaker appartenait, lui, au ministère de la Justice des Etats-Unis — ils avaient été les principaux acteurs de l'arrestation des Reifel à Seattle, en juillet [35].

---

35) Sokol occupa à diverses reprises l'ancien appartement de Norma Talmadge qui fut, à un moment donné, la reine du muet à Hollywood; à Vancouver, installé dans sa Cadillac, il vendit des articles en nylon à la sau-vette; et, à New York, il se fit impresario pour une troupe de danseurs de fla-menco. Lors de la grande inondation de 1950, il réapparut à Winnipeg à bord d'un avion chargé de pompes, provenant de surplus de guerre, pour sa ville natale. Elles ne lui avaient pas coûté un sou, se souvient l'un de ses vieux copains qui ajouta: "Ça, c'était Harry tout craché."

Convaincus que tous les détails sordides de leurs premières années dans les Prairies étaient enfin enterrés, les Bronfman s'installèrent dans leur nouvelle vie de millionnaires montréalais, contribuant à toutes les oeuvres de charité dont ils approuvaient les objectifs, organisant de temps en temps des réceptions au Palais du Belvédère, sondant avec précaution la "réceptivité" sociale des bastions WASP de Westmount. L'entreprise de Ville La Salle était devenue l'une des distilleries les plus prospères du globe et, au lieu d'avoir nui à leurs affaires, la fin de la prohibition aux Etats-Unis les avait catapultés sur le marché américain, immensément lucratif. Mais, tout comme les fluctuations du climat politique en Saskatchewan avaient valu à Harry de se retrouver dans de mauvais draps pour de prétendues infractions passées, les changements qui se produisaient sur la scène politique fédérale étaient sur le point d'entraîner le clan Bronfman tout entier dans la plus importante bataille judiciaire de leur vie.

Le fatal leadership de Arthur Meighen avait pris fin avec l'élection, en octobre 1927, de son successeur à la tête du parti conservateur, Richard Bedford Bennett. Celui-ci, un avocat millionnaire de Calgary, semblait la solution rêvée aux frustrations régionales des Tories: né au Nouveau-Brunswick, il possédait de solides racines politiques dans l'Ouest et n'avait joué aucun rôle dans la crise de la conscription, au Québec. C'était un homme grand, d'allure autoritaire, avec un ventre rebondi, résultat de nombreuses années de bonne chère, et qu'on ne voyait qu'en grande tenue: huit-reflets, frac, pantalon rayé et des souliers qui brillaient tellement qu'ils retenaient presque le regard; dépourvu du plus petit sens de l'humour, il croyait naïvement, en bon conservateur, que tout homme qui ne pouvait gagner sa vie décemment était paresseux ou stupide. Pareille philosophie ne pouvait que se révéler dangereuse pour un politicien qui était arrivé au pouvoir durant la grande dépression. Mais jamais Bennett ne démordit de sa conviction que le pays devait se plier à un régime austère, que le dollar devait rester stable et les prix élevés, et que, ainsi qu'il le déclara devant un groupe d'étudiants de l'université de Toronto, "l'un des plus grands atouts dont un homme ou une femme puisse disposer au moment de se lancer dans la bataille pour la vie, c'est la pauvreté". Il se conduisait comme un directeur de contentieux dont rien n'aurait pu ébranler l'assurance et qui aurait pris le gouvernement comme client pour une période de cinq ans, exposait ses vues avec un aplomb incommensurable et, comme l'exprima un témoin de l'époque, "lâchait ses mots comme des coups de massue".

Quand il dirigeait l'Opposition, Bennett n'avait cessé d'accabler Mackenzie King de reproches parce qu'il n'avait pas donné suite aux recommandations de la Commission royale d'enquête sur les douanes et tout mis en oeuvre pour traîner les Bronfman en justice. Toutes les charges ayant été abandonnées après les procès de Harry, en Saskatchewan, l'une des premières décisions adoptées par Bennett après sa victoire contre King, lors de l'élection de 1930, fut d'instituer une enquête gouvernementale sur l'industrie de la contrebande de spiritueux qui ne cessait de se développer à partir des îles de Saint-Pierre-et-Miquelon. Quoiqu'il fût tout à fait légal d'exporter aux Etats-Unis depuis les îles françaises, on ne tarda pas à constater qu'une certaine quantité de la gnôle destinée à l'étranger se retrouvait sur le marché canadien sans que frais de douane ni impôts indirects eussent été acquittés. Simultanément, les fortunes gagnées à Saint-Pierre et qui, théoriquement, revenaient aux négociants français légitimes glissaient, en réalité, dans les poches des distillateurs canadiens, grâce à un complexe tour de passe-passe financier effectué par l'intermédiaire d'une succursale de la Banque canadienne de commerce.

Le 10 septembre 1934, Lazarus Phillips téléphona à son ami Sam pour le prévenir que des gens bien placés, à Ottawa, lui avaient confirmé la prochaine inculpation des quatre frères Bronfman et de Barney Aaron, dans le cadre du plus grand procès jamais intenté au Canada pour une affaire de contrebande. Le 12 décembre, le *Montreal Star* annonça que "hier soir, dans cinq provinces du Dominion et aux Etats-Unis, la G.R.C. a procédé à l'arrestation de soixante et un Canadiens qui sont sous le coup d'un mandat d'amener et contre qui pèse une charge de conspiration en vue de priver le trésor public d'une somme de plus de cinq millions en droits de douane pour des spiritueux passés en fraude. Les quatre frères Bronfman et leur beau-frère Barney Aaron font partie de la liste des accusés." [36]. Le surintendant F.J. Mead, directeur de la section québécoise de la Police montée, convoqua la première conférence de presse de sa carrière pour annoncer que "cette affaire s'annonce comme le plus gros coup de filet de toute l'histoire de la Gendarmerie royale du Canada. Il ressort de notre enquête que ses ramifications s'étendent de l'Ile-du-Prince-Edouard à la Colombie-Britannique."

Six jours plus tard, les frères Bronfman et Barney Aaron furent arrêtés [37] et amenés aux quartiers généraux de la G.R.C. où l'inspecteur F.W. Zaneth les photographia

---

36) Le même jour, la *Gazette* de Montréal publia une dépêche en provenance d'Ottawa, laissant entendre que "rien n'a été laissé au hasard pour obtenir l'abandon des procédures. Les avocats des accusés ont passé beaucoup de temps ici, mais l'émission des mandats, hier soir, démontre l'inutilité de leurs démarches."

37) Des années après, les concurrents de Seagram distribuaient des photographies montrant les "frangins Bronfman" quittant les bureaux de la rue Peel.

et prit leurs empreintes digitales; ils furent ensuite conduits, dans plusieurs voitures de police, à la salle d'audience de la Cour du Banc de la Reine de Montréal où ils se virent accorder des cautionnements [38]. De retour dans leurs résidences de Westmount, ils attendirent le début de l'enquête préliminaire et ne tardèrent pas à ressentir les effets de la situation. Des rumeurs circulaient à Ottawa, selon lesquelles la poursuite intentée par le gouvernement pour récupérer les droits de douanes évalués à cinq millions de dollars n'était que la première de toute une série de procédures et qu'une seconde accusation serait bientôt portée, cette fois pour le non-paiement de soixante-dix millions de dollars en impôts indirects. Dun & Bradstreet annulèrent leur cote de crédit. Price Waterhouse and Company, les vérificateurs de Seagram, vécurent l'extraordinaire expérience d'avoir à préparer leurs rapports dans les quartiers généraux de la G.R.C. où étaient conservés les livres comptables confisqués.

Pour assurer leur défense, les Bronfman engagèrent ce que Mark Shinbane, l'un des avocats de Winnipeg qui en faisait partie, appela "un mini-congrès du barreau"; il s'agissait d'Aimé Geoffrion [39], Lazarus Phillips, Lucien Gendron, Lionel A. Forsyth, Philippe Brais, John Kearney et L.A. Sperber. Le procès débuta le 11 janvier 1935 en la présence des soixante et un accusés. Ceux-ci occupaient la totalité des bancs réservés au public, d'un côté de la salle d'audience. Les deux procureurs de la Couronne (James Crankshaw et J.J. Penverne), assistés de leurs adjoints de

---

38) Les cautionnements furent fixés à cent mille dollars pour chacun des Bronfman, mais celui de Barney Aaron fut de quinze mille dollars seulement. Celui-ci ne se remit jamais totalement de cet affront.

39) Cet éminent avocat montréalais avait la réputation de plaider à une vitesse telle qu'on disait de lui "qu'il parlait plus rapidement que le juge n'écoutait".

la G.R.C. en uniforme rouge, prirent les bureaux habituellement réservés à la défense et celle-ci (qui se composa, en fin de compte, de douze avocats, plus un treizième chargé exclusivement de veiller aux intérêts de la Banque de Montréal) envahit le "coin des journalistes", de telle sorte que les reporters qui assuraient le compte rendu du procès se retrouvèrent sur les bancs du jury. Le président du tribunal était le juge Jules Desmarais, ancien président du *Club de Réforme,* lieu de ralliement des Libéraux de Montréal.

Les Bronfman furent les premiers à comparaître. L'audition de la cause commença par la déposition de Dudley Oliver, gérant de la succursale de la Banque de Montréal, située à l'angle des rues Drummond et Sainte-Catherine. Celui-ci avait rempli trente documents à propos de la comptabilité de l'Atlas Shipping Company, dont le siège social se trouvait simultanément à Saint-Pierre-et-Miquelon, aux Bermudes, à Saint-Jean (Nouveau-Brunswick) et à Belize, au Honduras britannique. Les opérations de banque de la Brintcan Investments, la société de gestion de la famille Bronfman, furent également déposées en preuve. Les documents bancaires révélèrent que, au cours des douze derniers mois, Atlas Shipping, de Saint-Pierre, avait fait virer trois millions cinquante-cinq mille cent soixante-six dollars au compte de Brintcan.

La Couronne accusa les Bronfman d'avoir "conspiré pour violer les règlements d'un pays ami", ce qui, en jargon juridique, signifie faire de la contrebande. "Ce serait tout de même assez fantastique, répliqua Geoffrion, si les tribunaux de la province de Québec devaient appliquer les lois des Etats-Unis. La poursuite ferait mieux de parler un peu moins de contrebande et de prouver ce qu'elle avance. (...) Nous ne sommes nullement disposés à voir faire de ce tribunal une commission royale d'enquête sur l'ensemble de nos affaires, ni à permettre (...) (à la poursuite) de pêcher au hasard parmi les pièces à conviction et de présenter n'importe quel fait au public, comme bon lui semble."

Puis, passant à la question des documents bancaires, Geoffrion mit la Couronne au défi de prouver qu'il y avait effectivement eu conspiration pour se livrer à la contrebande:

"Une enquête générale de la police, laquelle a pu être menée à titre privé, est rapportée ici dans le seul but de nous porter préjudice, sans égard à la façon dont elle a été menée et, s'il se dégage de la preuve que nous-mêmes, ou d'autres personnes, sommes coupables d'avoir fait de la contrebande au Canada, cela ne soutient en aucune façon les accusations de s'être livré à la contrebande aux Etats-Unis, et vice versa. (...) Je ne vois pas comment la Couronne peut prétendre que le fait de conspirer pour commettre un crime aux Etats-Unis est un délit en regard des lois canadiennes. Il serait étrange qu'une conspiration pour commettre un crime à Berlin devienne ici un délit passible d'une peine..."

Crankshaw, qui occupait pour la poursuite, répondit qu'il était nécessaire de déposer en preuve les documents bancaires afin de démontrer que le transfert, par l'Atlas Shipping Company, de ces importantes sommes n'avait d'autre raison d'être que de financer le retour en fraude, au Canada, des spiritueux:

"J'admets qu'une partie de ces sommes a pu servir également à financer la contrebande de spiritueux aux Etats-Unis. Nous ne pouvons préciser dans quelle proportion — ces activités étaient d'une telle ampleur qu'il est impossible d'établir une distinction. Certaines de ces opérations concernaient des expéditions à l'extérieur du Canada et leur retour au Canada, le tout étant directement financé par ces personnes. En fait, certaines pouvaient même s'effectuer le même jour, une cargaison quittant le port d'exportation à la fois pour le Canada et pour les Etats-Unis."

Suivit cet échange entre le juge et les avocats des deux parties:

Le juge: Pouvez-vous prouver qu'il y a eu contrebande au Canada?

Crankshaw: Oui.

Geoffrion: Alors, faites-le.

Crankshaw: Afin d'établir qu'il y a eu conspiration entre madame Carline [40] et les Bronfman, il nous faut procéder ainsi. Si, en une année, on lui expédiait trois millions de dollars pour qu'elle les répartisse, puis que la somme repartait de Halifax pour revenir ici, nous ne pouvons affirmer qu'un million était destiné aux Etats-Unis et les deux autres au Canada, ou vice versa, mais nous pouvons vous assurer qu'une forte proportion allait et à l'un et à l'autre. (...) Et lorsqu'on en arrive au cas de la compagnie Atlas qui appartient en totalité à quatre des accusés — elle possède un bureau à Halifax et c'était de ce bureau de Halifax, dirigé par un autre accusé, que tout partait —, ils affrétaient vingt, trente ou quarante bateaux, et c'était dans ces bateaux nolisés par la compagnie Atlas, de même qu'à l'aide de leurs équipages, qui étaient tous payés par (la) compagnie Atlas, que les marchandises entraient en fraude au Canada et aux Etats-Unis."

_____

40) Evely Carline était la trésorière d'Atlas Shipping et possédait une action de la compagnie; les Bronfman et Aaron détenaient toutes les autres.

On constata rapidement la pauvreté du dossier établi par la poursuite; il ne pouvait en être autrement parce que, quand la G.R.C. avait perquisitionné au siège social de Seagram pour y saisir les livres d'Atlas Shipping et de Brintcan, la société de gestion de la famille Bronfman, elle n'avait strictement rien trouvé. H.G. Norman, le gérant pour Montréal de Price Waterhouse, qui avait effectué la dernière vérification des comptes des deux compagnies, au 1430 Peel, se souvenait vaguement d'y avoir vu des entrées comme "Maude Thornhill — mille quatre cent soixante-douze dollars" (et il en avait déduit qu'il devait s'agir d'un bateau plutôt que d'une dame), mais il ne put apporter aucun éclaircissement sur l'endroit où auraient pu se trouver les dossiers des sociétés, sinon qu'ils avaient été confiés à David Costley, le secrétaire-trésorier de Brintcan.

On fouilla la cave de Costley, mais en vain [41]. Les avocats de la poursuite se retrouvèrent dans une situation pénible, les défenseurs des Bronfman mettant en doute chacun des points qu'ils tentaient de soulever et se moquant d'eux en leur demandant de produire les chiffres qui auraient confirmé leurs allégations — et qui, tous, se trou-

---

41) Ancien gérant de la succursale de la Banque de Montréal à Regina, David Costley demeure l'un des personnages mystérieux de la saga des Bronfman. C'était un homme de forte carrure qui se comportait toujours comme s'il avait été dans les secrets des dieux; il se mit à boire après les procès de 1935 et souffrit d'une grave commotion cérébrale après qu'une voiture eut heurté l'autobus à bord duquel il voyageait, mais il n'en continua pas moins de travailler pour les Bronfman. Son épouse, née Margaret Morrison et originaire de Whitewood, en Saskatchewan (ville voisine de Wapella où s'installèrent les Bronfman en arrivant au Canada), raconta que son mari quitta la maison, le 8 septembre 1942, pour aller assister à une partie de base-ball. Elle ne devait plus jamais le revoir. Le lendemain, on repêcha son cadavre dans le Saint-Laurent; les langues marchèrent bon train, tout le monde se demandant s'il était tombé du pont Victoria ou si on l'avait poussé. On ne lui permit pas de voir le corps, même pas pour l'identifier, et elle confia plus tard à un ami: "La surveillance était très étroite, et je continue de croire que cela avait un lien avec les papiers que David avait brûlé dans le sous-sol."

vaient dans les livres disparus. Les esprits s'échauffèrent tellement qu'à un moment donné Clifford Harvison, alors caporal de la G.R.C. et qui avait travaillé pendant deux ans sur l'affaire, décocha à Philippe Brais: "Vous devriez vous trouver à Hollywood!" L'avocat des Bronfman répliqua, du tac au tac: "Va te faire pendre, Harvison!"

Ce fut à ce moment-là que la poursuite demanda à un témoin surprise de s'avancer et de déposer. Louis Minsk, qui travaillait comme chauffeur pour les Bronfman, témoigna qu'au cours d'un après-midi d'août 1934 il dut faire une course pour David Costley: "Il me dit de prendre des trucs qu'il avait dans son bureau et d'aller les porter chez lui, au 3423 avenue Oxford, dans N.D.G." Minsk précisa qu'il s'agissait de six sacs de jute, que Costley l'avait accompagné dans son camion, qu'il avait déchargé le tout devant la porte de la cave de la maison située dans le quartier Notre-Dame-de-Grâce, à Montréal, et que c'était Costley qui s'était occupé de tout rentrer. Pouvait-il dire au tribunal ce que contenaient les sacs? Minsk regarda l'assistance qui retenait son souffle et répondit: "Je ne sais pas au juste, mais j'ai eu l'impression que ce pouvait être des liasses de papier."

Ce fut Harvison qui fit comparaître le témoin le plus coloré de tout le procès, le capitaine Alfred J. "Big Fred" Lévesque, un ancien contrebandier qui fit le récit de ses nombreuses remontées du golfe du Saint-Laurent, avec ses cargaisons de gnôle pour les Bronfman. Une fois qu'il se rendait de Saint-Pierre à Rivière-du-Loup, à bord du *Tremblay,* il constata que mille des huit mille gallons d'alcool qu'il transportait avaient été attaqués par la rouille des barils en fer.

Le juge: Est-ce que les droits de régie avaient été acquittés?

Lévesque: Pas par moi.

Le juge: Comment avez-vous été remboursé pour l'alcool gâté par la rouille?

Lévesque: Abe Bronfman m'a dit de le filtrer dans une miche de pain.

Malgré cette déposition qui reliait les Bronfman à la contrebande qui s'effectuait, depuis Saint-Pierre, aussi bien en direction du Canada que des Etats-Unis, quand le juge Desmarais rendit son verdict, le 15 juin 1935, il débouta la poursuite [42].

Lazarus Phillips, qui avait mis au point la stratégie utilisée par la défense, reçut, en reconnaissance de ses services, mille actions libres de Seagram. Le comportement du juge Desmarais avait éveillé de tels soupçons parmi les membres de la G.R.C. qu'ils obtinrent un mandat pour examiner ses documents bancaires et son coffre-fort. Mais ils ne découvrirent aucune pièce susceptible de l'incriminer. Par la suite, le juge fut nommé président de la Commission des alcools du Québec.

---

42) Extrait du jugement: "La Couronne soutient que les accusés ont installé des comptoirs à Terre-Neuve et à Saint-Pierre-et-Miquelon dans le seul et unique but de se livrer à la contrebande et que les ventes ainsi faites aux Canadiens constituent la preuve d'une conspiration illégale, en dépit du fait que les accusés aient eu parfaitement le droit d'ouvrir ces succursales pour la bonne marche de leurs affaires. Il est de notoriété publique que, à cette époque, un grand nombre de distilleries canadiennes avaient pris des dispositions pour pouvoir vendre, à l'extérieur du Canada, la plus grande quantité possible de leurs produits. Dans la mesure où le Canada est concerné, ce type d'activité n'a certainement rien d'illégal. (...) Les comptoirs vendaient de l'alcool à ceux qui voulaient en acheter, et ces opérations étaient légales dans les pays où ils étaient installés. Rien ne les obligeait à vérifier la destination des marchandises vendues ni à demander aux acheteurs ce qu'ils avaient l'intention d'en faire. Car les marchandises, une fois vendues, devenaient la propriété de l'acheteur et les accusés ne pouvaient plus assurer aucun contrôle. (...) Rien, dans les dépositions, ne permet de croire que les accusés aient fait quoi que ce soit pour faciliter l'importation de spiritueux au Canada et il n'a pas été démontré qu'ils aient perpétré un acte criminel. Je suis donc d'avis qu'il n'y a pas, *prima facie*, de preuve établissant la conspiration contenue dans l'accusation, en conséquence de quoi les accusés sont acquittés."

Chapitre huit

Ah! Etre un Bronfman!

Maintenant qu'ils avaient émergé des zones grises de la société où ils s'étaient confinés en ravitaillant les contrebandiers et leurs partenaires de la mafia, les quatre frères éprouvaient, pour la première fois, l'effet libérateur de l'absence de culpabilité. Ils se sentaient, enfin, solides, fiers et prêts.

Le procès de Montréal était désormais de l'histoire ancienne et les Bronfman purent se lancer dans d'innombrables opérations. On aurait dit que la lumière avait soudain jailli du ciel, les libérant enfin des contraintes de leur passé obsédant, illuminant de nouveaux champs d'action, de nouvelles possibilités, aussi bien sur le plan personnel que professionnel. Puisqu'ils n'avaient plus à craindre de voir leur progression entravée par quelque obscure révélation, ils engagèrent Seagram dans la voie d'une croissance exponentielle qui, en l'espace de vingt ans, devait faire de la petite distillerie canadienne une puissante multinationale.

On pourrait décrire leurs débuts comme une série d'incidents heureux où chaque expérience était née directement de la précédente dans un ricochet dont la trajectoire (ou, dans le cas des Bronfman, la nature du tout dernier changement apporté par le gouvernement à sa législation contre les spiritueux) avait déterminé la direction adoptée lors de telle ou telle nouvelle aventure. Mais, désormais, tout ça appartenait au passé. Maintenant qu'ils avaient émergé des zones grises de la société où ils s'étaient confinés en ravitaillant les contrebandiers et leurs partenaires de la Mafia, les quatre frères éprouvaient, pour la première fois, l'effet libérateur de l'absence de culpabilité. Ils se sentaient, enfin, solides, fiers et prêts.

A l'aube de 1933, nul ne pouvait plus douter que la prohibition américaine, qui, de toute façon, était en passe de devenir une fiction juridique, était sur le point de prendre fin. Au cours de ses voyages de reconnaissance, au sud de la frontière, pour voir comment il pourrait s'emparer de la plus grande part du marché, une fois que la vente des spiritueux serait redevenue légale, Sam Bronfman avait été séduit par un distillateur américain, Lew Rosenstiel [1]. Celui-ci, qui était le plus gros actionnaire de Schenley et son patron incontesté, avait, durant tout le temps de la prohibition, fait de la contrebande depuis Saint-Pierre et les Bermudes vers Cincinnati [2], sa ville natale. Pendant ses

---

1) De la même façon que Sam Bronfman avait rendu célèbre dans le monde entier le nom d'une distillerie ontarienne, Lewis Rosenstiel avait emprunté celui d'une petite ville, siège d'une distillerie, soit Schenley en Pennsylvanie, pour en faire une marque jouissant d'une réputation nationale. Schenley est un village situé au confluent des rivières Allegheny et Conemaugh, à une trentaine de milles au nord-est de Pittsburgh. Il avait été ainsi nommé en souvenir de l'épouse du capitaine Edward Wyndham Harrington Schenley, vétéran de la bataille de Waterloo et ami du poète Shelley, qui, en 1842, s'était enfui avec Mary Elizabeth Croghan, le plus beau parti de tout Pittsburgh.

2) Renommée pour son whisky depuis l'époque du régime colonial, c'était cette région de l'Ouest de la Pennsylvannie qui avait vu éclater en 1791, aux premiers jours de la république américaine, "l'insurrection du whisky". Considérant que la taxe imposée sur le whisky, cette année-là, portait atteinte à

fréquents séjours à Montréal, Rosenstiel avait mis au point un projet d'association avec Sam, qui aurait allié sa connaissance du marché américain à la puissance financière des Bronfman (ainsi qu'à leurs stocks de whisky en train de vieillir [3]), le tout couronné par le prestige des distilleries écossaises de D.C.L. Entre-temps, les Bronfman avaient acquis vingt pour cent des stocks de Schenley, producteur, entre autres marques, du fameux rye Golden Wedding [4].

Vers la fin de 1933, Sam et Allan traversèrent l'océan pour aller discuter avec les administrateurs de D.C.L. de leur projet de fusion avec Schenley et des derniers préparatifs avant de se lancer ensemble à l'assaut du marché américain. Mais l'accueil que leur réservèrent les Ecossais fut loin de répondre à leur attente. Après l'exposé de Sam sur ces perspectives prometteuses, William Henry Ross rejeta froidement, au nom du conseil d'administration, tou-

---

leurs droits, fermiers et petits distillateurs avaient refusé de l'acquitter. La rébellion avait été étouffée en 1794, lorsque ses chefs avaient pris la fuite devant les milices venues de quatre Etats. Les troupes avaient été mobilisées par le président George Washington, lui-même un distillateur, quoique de second plan.

3) Sentant venir la fin de la prohibition, Sam avait prévu, dès 1928, au moment de la fusion de Seagram avec les entreprises Bronfman, que, lorsque les Américains auraient apaisé leur soif, ils exigeraient des whiskies de qualité, convenablement vieillis. Il avait donc réduit les ventes destinées au Canada et laissé mûrir la production dans les fûts, en attendant la réouverture du marché américain. Et quand la prohibition fut annulée, ce fut lui qui disposa de la plus importante quantité de spiritueux soigneusement vieillis.

4) Le Golden Wedding était fabriqué par Jos S. Finch & Co., une distillerie de l'Ouest de la Pennsylvanie dont Schenley avait fait l'acquisition en1924. Durant toutes les années de la prohibition, ce nom se retrouva sur les listes de prix des contrebandiers comme un produit vendu dans des contenants métalliques scellés. Dans un rapport financier publié en 1928, on pouvait lire à propos de Distillers Corporation, filiale de Distillers Corporation-Seagram, que celle-ci était propriétaire "des marques réputées Old Log Cabin Bourbon et Golden Wedding American Rye Whiskey qui, toutes deux, atteignent un chiffre de ventes élevé". Après avoir été modifiée à deux reprises depuis 1920, la raison sociale Schenley est, depuis 1949, Schenley Industries Inc.

te hypothèse voulant que la puissante D.C.L. eût besoin d'un associé pour avoir accès à ce riche butin que représentait la réouverture du marché américain. "En outre, ajouta Ross, vous devriez savoir que, en aucune circonstance, nous n'accepterons de nous joindre à monsieur Rosenstiel."

Rappelant les vrais motifs du refus des distillateurs écossais, fondé essentiellement sur le fait que leur association avec les Bronfman aurait pu leur valoir certains ennuis aux Etats-Unis, Maxwell Henderson remarqua, plus tard, que " la pire erreur professionnelle jamais commise par les distillateurs d'Edimbourg fut de ne pas pénétrer sur le marché américain avec Sam. Ils s'imaginaient tout savoir mieux que tout le monde et considéraient que si leur association avec des types du genre Bronfman était bien assez bonne pour un pays comme le Canada, il n'en allait pas de même quand il s'agissait de frapper un gros coup."

Les frères Bronfman revinrent au Canada, trouvèrent quatre millions de dollars pour racheter la part de D.C.L. dans Distillers Corporation-Seagram et s'attaquèrent, sans plus attendre, au marché américain. Sam apprit que la Rossville Union Distillery, à Lawrenceburg, dans l'Indiana, était à vendre. Dès le mois de novembre, il en prenait possession — ainsi que de deux millions trois cent quatre-vingt-dix-neuf mille dollars en liquide — contre cent soixante-douze mille six cent vingt-trois actions du trésor de D.C.-S.L., et il en confia la gestion à Joseph E. Seagram and Sons Incorporated. Rosenstiel avait proposé une association moitié-moitié pour le marché américain, mais toute idée de fusion s'effaça après une visite que fit Bronfman à l'usine Schenley et qui lui permit de découvrir que le Golden Wedding était mis en bouteille "à chaud", directement des alambics, sans vieillir. Ce procédé aurait été *de rigueur* [5] à la distillerie de Yorkton, en Saskatchewan, mais Sam jouait désormais dans une autre ligue. La rupture entre Rosenstiel et Bronfman se concrétisa au cours d'un affrontement mémorable, agrémenté de vociférations, l'un et l'autre se jurant de dominer le marché américain, après quoi ils se séparèrent définitivement [6].

L'assemblée annuelle que devait tenir la compagnie canadienne en 1933 fut reportée au 31 janvier 1934 parce que "les projets définis par votre compagnie en fonction du marché américain ont obligé vos administrateurs à s'absenter." La démission de Ross et l'élection de Samuel Bronfman à la présidence de D.C.-S.L. furent annoncées au cours de cette assemblée, et il ne resta plus comme témoin de l'ancienne entente avec D.C.L. que Billy Cleland. Sam se vit accorder des droits sur plusieurs de leurs marques distribuées au Canada. Cleland [7] occupa divers

---

5) En français dans le texte.

6) Schenley prit d'abord la tête jusqu'en 1937, se laissa distancer par Seagram au cours des sept années suivantes, se hissa de nouveau au premier rang pendant une courte période, soit jusqu'en 1947, et tire de l'arrière depuis ce temps. L'entreprise est maintenant entre les mains de Meshulam Riklis, un immigrant venu d'Israël qui dirige un puissant conglomérat, Kenton Corp. L'une de ses firmes, la Rapid-American Corp., fut un moment l'une des favorites de Wall Street, au cours des années 60; elle réglait ses nombreux achats avec ce que Riklis qualifiait ironiquement de "roubles" et ses titres avec des "pesos de Castro". Toutefois, quand il s'agissait de ses propres appointements, l'argent n'était plus un problème. Ainsi, pour l'exercice financier 1977, le conseil d'administration de Rapid-American — composé majoritairement de parents et de cadres de la firme — accorda à Riklis une indemnité de neuf cent quinze mille dollars et des boni totalisant cinq cent cinquante mille dollars.

7) Cleland était un homme de petite taille qui avait une passion pour les chevaux. Il possédait une ferme de quatre cents acres à Troy, près de Hamilton, où il élevait des chevaux de chasse, des poneys pour le polo et des pursang, ainsi qu'un troupeau de vaches jersiaises. Ce fut lui qui commanda la massive horloge de bronze qui orne la Maison de Seagram, rue Bay, à Toronto; les courtiers avaient l'habitude de parier sur les petits jockeys qui couraient pour indiquer les heures. Cleland se maria trois fois et son second mariage avec l'Américaine Penny Bancroft, un soprano en herbe, se solda par un divorce. Tout comme W.C. Fields, il avait ouvert des comptes bancaires dans plusieurs

postes de direction chez Seagram durant les dix-sept années où il siégea au conseil d'administration de D.C.-S.L. et, vers la fin des années 30, il céda aux Bronfman cinquante pour cent de son entreprise des Vins Jordan. (Après sa mort, en 1946, Sam mit la main sur la part qu'il avait conservée dans les Vins Jordan.)

Installés dans l'édifice Chrysler, à New York, dont ils avaient fait leur nouveau siège social américain, les Bronfman conclurent des accords interbancaires avec la Manufacturers Trust Company [8] et achetèrent, en 1934, la distillerie Calvert, de Relay, au Maryland, pour soixante-dix mille seize actions du Trésor [9]. Sam fit venir du Canada des stocks de spiritueux vieillis dans les caves de Seagram afin de les mélanger avec ses nouveaux produits américains, puis il lança ses whiskies sous les noms de Five Crown et de Seven Crown. Au cours de l'automne de 1934, une affiche publicitaire de Seagram proclamait: "Merci un million de fois! Les ventes de Seagram battent tous les records!" Deux ans plus tard, une campagne de

---

villes et sous différents noms, mais, selon un de ses copains, il n'en avait pas laissé de liste lorsqu'il mourut. Cette omission donna lieu à une séance de creusage autour de la piscine, dans sa ferme, quelqu'un ayant eu l'idée qu'il aurait pu enterrer là son argent ou ses carnets de banque.

8) Elle fusionna avec la Hanover Ban, en 1961, et devint la Manufacturers Hanover Trust Company.

9) La firme Calvert était dirigée par Emil Schwarzhaupt qui fut peut-être le plus expérimenté de tous les négociants en whisky des Etats-Unis. Il raconta, plus tard, que Sam "était l'un des hommes les plus subtils avec qui j'ai jamais traité. J'aurais voulu lui vendre Calvert en lui soutirant le maximum possible, mais il me renvoya la balle en me déclarant:

— Vous fixez le prix et l'entente sera conclue, quel qu'il soit."

Schwarzhaupt n'eut d'autre choix que de décider d'un montant que Sam ne pourrait refuser et celui-ci l'accepta, du reste, sans discuter. Par la suite, Schwarzhaupt — qui était devenu le second plus gros actionnaire de Schenley après avoir vendu la Bernheim Distilling Company, de Louisville, (le bourbon I.W. Harper), à la firme de Rosenstiel — regretta toujours d'avoir cédé Calvert.

publicité de deux millions et demi de dollars marqua l'entrée sur le marché des produits Calvert. Mais le projet qui exigea l'investissement le plus considérable fut la construction, au coût de cinq millions de dollars, d'une nouvelle distillerie à Louisville, dans le Kentucky, distillerie qui serait le présentoir de l'entreprise tout entière et qui fut inaugurée en 1937, durant la Semaine du derby. Quand les Bronfman célébrèrent le quatrième anniversaire de leur entrée sur le marché américain, quelque soixante millions de gallons de whisky vieillissaient dans des fûts, dans chacune de leurs trois distilleries des Etats-Unis.

L'essor que connurent les entreprises des Bronfman reposait essentiellement sur la conception, maintenant très différente, qu'avait Sam de la fabrication et de la mise en marché de ses produits. Au lieu de mettre en vente des spiritueux fraîchement distillés et non mélangés, comme du bourbon ou du simple rye, les produits Bronfman étaient longuement vieillis et soigneusement coupés [10]. Cela leur donnait une "légèreté" qui charma si rapidement le palais des buveurs américains que, dès la fin de 1934, Five

---

10) Le coupage devint le signe distinctif de Seagram. Sam employait, pour parler du procédé, une formule descriptive: "C'est l'art de mélanger fructueusement un grand nombre de whiskies de grande qualité, bien vieillis et méticuleusement sélectionnés, possédant chacun un arôme précis et les caractéristiques voulues, et ce, avec un discernement et une adresse tels que le tout sera meilleur que la somme de ses parties et que chacune de celles-ci contribuera de façon significative au produit fini, mais sans qu'aucune, si bonne soit-elle, ne prédomine sur les autres.", une courte définition: "La distillation est une science; le coupage est un art." et une explication claire et nette! "Voyez-vous, quand un type va s'acheter une bouteille de Coca-Cola, il s'attend à avoir, aujourd'hui, la même chose que demain. C'est également ce qui se passe avec le "ginger ale" de Canada Dry ou la gomme Wrigley. Les grands produits ne changent pas. Eh bien, sapristi, nos produits ne changeront pas non plus." Seagram a monté, dans ses bureaux de New York, de Montréal et de Paisley, près de Glasgow, des "bibliothèques sur le coupage". En effet, on y catalogue et vérifie constamment des échantillons des mille deux cents sortes de whisky "nature" qui vieillissent simultanément dans les divers entrepôts.

Crown était devenu le whisky le plus vendu dans tout le pays. En même temps, les Bronfman entreprirent de révolutionner les méthodes de mise en marché des spiritueux. Contrairement à la plupart des distillateurs américains qui, en vendant leur production en baril à des représentants locaux qui se chargeaient de la rectification, renonçaient à tout contrôle sur le résultat final, Seagram adopta la façon de faire des Ecossais: les clients achetaient leurs whiskies, déjà mis en bouteilles, par l'intermédiaire d'un réseau de distributeurs. Cet usage permit de maintenir ce type de qualité qui fait que le consommateur finit par s'attacher à une marque particulière.

L'une des relations importantes que Sam se fit à New York (sur les conseils de Lazarus Phillips) fut J.M. Hartfield, l'un des associés du cabinet d'avocats White et Case. Ce fut Hartfield qui lui recommanda, pour assumer la direction de la nouvelle distillerie, un administrateur newyorkais, James Friel, qui jouissait d'une solide expérience dans les domaines de l'entreposage et du camionnage. Jim Friel entra chez Seagram en 1934 comme trésorier et, quand il fut nommé à la tête de la principale filiale américaine, il fut remplacé à son poste par son fils Joe qui avait, lui aussi, débuté chez Seagram en 1934.

Le second personnage qui joua un rôle de premier plan dans la conquête du marché américain par Seagram était un nouveau venu dans le monde de la distillerie. Frank Schwengel, qui détenait le grade de général de brigade dans l'armée de réserve des Etats-Unis, travaillait à Chicago comme publicitaire lorsqu'il vint rencontrer Sam pour tenter d'obtenir la publicité de Seagram. Les deux hommes se plurent au premier coup d'oeil et le général se retrouva en charge du nouveau service des ventes de la distillerie pour les Etats-Unis.

Sam s'était fixé comme objectif, pour 1934, cinq millions de caisses (soit environ quinze pour cent de tout le marché) et Schwengel mit à profit son expérience militaire pour organiser, en un temps record, un réseau de distribution à l'échelle nationale. Juste avant le lancement des marques Crown, il réunit dans la salle de bal de l'hôtel *Waldorf-Astoria* les cent soixante-quinze distributeurs qu'il avait recrutés et leur déclara: ''Nous allons commencer avec deux whiskies coupés et nous en ferons les premières marques de tout le pays!''

Des années plus tard, Schwengel raconta: ''C'était le désordre le plus total après la prohibition. Le whisky se vendait comme une simple denrée. N'importe qui pouvait décider de son prix. Pour notre part, nous procédions en fixant un prix au détail qui nous paraissait acceptable. A partir de là, nous calculions la part de bénéfice du propriétaire du magasin et du grossiste, et ce qui restait était pour nous. Nous redoutions d'avoir à vendre soit directement, soit aux grands magasins, dans n'importe quelles conditions. Nous voulions plutôt nous servir des petites boutiques de quartier pour asseoir la réputation de notre produit. Sinon, nous aurions perdu le contrôle de la situation. Dès le tout début, nous eûmes comme politique de convenir avec les grossistes d'une franchise qui leur garantissait une marge bénéficiaire convenable. Bien entendu, cela revenait en quelque sorte à fixer les prix.''

Comme Seagram ne pouvait maintenir sa stratégie commerciale qu'en respectant rigoureusement sa ligne de conduite en matière de prix, un détaillant de Chicago finit par la poursuivre en justice. Au grand étonnement de ses concurrents, ce fut Seagram qui l'emporta et le jugement qui autorisait Bronfman à fixer les prix fut, plus tard, confirmé par la Cour suprême des Etats-Unis. Tout cela fit que Seven Crown devint l'un des plus rentables de tous les produits jamais vendus aux Etats-Unis, sa marge de profit se comparant à celle de Coca-Cola et des lames de rasoir Gillette.

Lancés durant l'été de 1934 dans un déploiement de campagnes publicitaires à gros budget, Five Crown et Seven Crown se vendaient à un tel rythme, dès la fin d'octobre, que Sam décida de diffuser une série d'annonces soi-disant conçues pour réduire la consommation. "Nous qui fabriquons le whisky vous disons: buvez modérément", tel était le titre qui coiffait une annonce d'une pleine page, publiée en petits caractères dans cent cinquante journaux américains et qui donnait subtilement à entendre que quiconque avait envie de boire se devait de déguster les produits Seagram: "Seul celui qui boit du bon whisky et en boit modérément peut pleinement savourer tout ce que le whisky ajoute d'agréable aux plaisirs de la vie. La Maison de Seagram ne veut pas d'un seul dollar qui aurait dû servir pour des objets de première nécessité." A la suite de ce qui se révéla le plus astucieux slogan de toute l'époque [11], le siège social de Seagram reçut, aussi bien des "Drys" que des "Wets", quelque cent cinquante mille lettres et télégrammes de félicitations. A la fin de l'exercice financier de 1936, les ventes de Seagram atteignirent, grâce à l'administration énergique du général Schwengel, un chiffre de soixante millions. Quant aux ventes canadiennes, elles s'élevaient à dix millions.

Même si Harry continuait de jouer un rôle important au niveau de la construction et de la supervision des distille-

---

11) Dans le cadre d'une campagne publicitaire prolongée ayant pour thème les "hommes de bon goût", certains de ces messieurs acceptèrent de se faire photographier pendant qu'ils dégustaient du whisky Lord Calvert. Ils touchaient pour cela des honoraires de mille dollars qui, en principe, étaient versés en leur nom à l'oeuvre de bienfaisance de leur choix. La seule exception fut le président d'une aciérie du Minnesota qui maintint dur comme fer que son oeuvre préférée était le compte en banque de son gendre.

ries établies aux Etats-Unis, Sam semblait bien être devenu le grand patron de toute l'affaire. Allan n'était plus qu'un attaché de direction, affecté au bureau de son frère, tandis qu'Abe, progressivement écarté de l'administration comme telle, se voyait confier épisodiquement la négociation de contrats dans le domaine immobilier, à Montréal.

Quand survint la guerre, les restrictions imposées sur la production d'alcool de grain ne ralentirent en rien l'essor de la compagnie, pas même de façon temporaire. En 1948, les ventes grimpèrent à quatre cent trente-huit millions de dollars, ce qui laissa, une fois les impôts payés, un bénéfice net de cinquante-trois millions sept cent mille dollars. Et Seagram entreprit de s'étendre en achetant à peu près tout ce qui était à vendre [12].

L'un des gestes les plus lourds de conséquences que posa Monsieur Sam fut de s'associer avec Franz Sichel, ce qui marqua l'entrée en lice de Seagram dans l'industrie viticole. Les deux hommes s'étaient connus en Allemagne au cours du voyage que firent Sam et Saidye, en 1932, à l'occasion de leur dixième anniversaire de mariage. Après avoir échappé aux sbires de Hitler en 1942, Sichel s'était retrouvé à Montréal, sans aucune possibilité de reprendre son métier de négociant en vins. Bronfman l'envoya en Californie pour voir s'il n'y aurait pas une petite entreprise viticole à vendre. C'est là que le réfugié ren-

_____

12) Après avoir fait l'acquisition, en 1937, de la distillerie Carstairs, Sam acheta de nombreuses entreprises, dont Browne-Vintners Co., William Jameson and Co., Wilson Distilling Co., Hunter Baltimore Rye Distillery Inc., H. McKenna Inc., Dant and Dant, B.C. Distillery Co., Amherst Distillers Ltd., Old Lewis Hunter Distillery Co., Gallagher & Burton Inc., Bedford Distilling Co., Blair Distilling Co. et les importantes Frankfort Distilleries Inc, de Louisville au Kentucky, pour lesquelles il paya quarante-deux millions de dollars, en coupant l'herbe sous les pieds à Schenley et à National Distillers, parce qu'il tenait à mettre la main sur les vingt millions de gallons de whisky qui vieillissaient dans leurs entrepôts.

contra Alfred Fromm, qui avait déjà dirigé un établissement vinicole à Bingen, en Allemagne; celui-ci s'était uni aux Christian Brothers, une secte religieuse internationalement respectée et dont les membres californiens produisaient de très bons vins du cru. Bronfman accepta de trouver des débouchés pour leurs produits et acheta, pour Fromm et Sichel, une petite entreprise viticole appelée Mont Tivey. Il leur recommanda de bien voir à ce qu'une montagne fût représentée sur les étiquettes des bouteilles. Mais quand Sichel lui déclara que les vignobles de Tivey étaient tous situés dans une vallée, Monsieur Sam lui ordonna d'"acheter une foutue montagne". Ce qui fut fait par l'acquisition, pour Seagram, des réputés vignobles Paul-Masson à Santa Cruz, près de Saratoga, au sud-ouest de San José. Depuis, la vente des vins locaux constitue une partie non négligeable du chiffre d'affaires de Seagram.

Les restrictions qui frappèrent la fabrication d'alcool pur durant la Seconde Guerre mondiale incitèrent Monsieur Sam à chercher outre-mer des sources d'approvisionnement. Il commença tranquillement par importer du rhum de Porto-Rico ainsi que de la Jamaïque où il acheta le domaine de Long Pond afin d'avoir ainsi sa propre canne à sucre. Maxwell Henderson se vit confier la responsabilité du financement lors de l'acquisition de plusieurs distilleries antillaises et l'éventail des produits Seagram s'enrichit de marques connues comme Captain Morgan, Myers, Woods et Trelawny. Un peu plus tard, Henderson aida à trouver les fonds nécessaires à l'achat de l'épicerie Chivas Brothers, à Aberdeen. La firme détenait un brevet de fournisseur royal que Monsieur Sam espérait bien pouvoir utiliser pour l'excellent scotch, vieux de douze ans, produit par ses deux petites distilleries. En traitant avec un impresario d'opéra en faillite qui avait vainement tenté de remonter la pente en les exploitant, Seagram réussit à enlever toute l'affaire pour seulement quatre-vingt mille livres sterling. Une publicité avisée et un contrôle sérieux de la qualité ont fait du Chivas Regal le scotch de luxe le plus vendu à travers le monde.

Quintin Peter Jermy Gwyn, diplômé du Balliol College d'Oxford, qui fut vice-président de la Seagram Overseas Corporation, raconte comment le Chivas en vint à occuper le premier rang:

"Quelques années après la fin de la Seconde Guerre mondiale, Seagram devint propriétaire de Chivas Brothers pour une modeste somme. Monsieur Sam avait la ferme intention de faire du Chivas Regal le plus grand nom dans le monde du scotch, ce qui voulait dire qu'il faudrait prévoir de nombreux bâtiments tels des entrepôts, des distilleries, des bureaux, etc., mais surtout qu'il faudrait attendre au moins douze ans que l'alcool ait suffisamment vieilli avant de pouvoir le mettre en vente. Je me souviens d'une rencontre historique avec Monsieur Sam, alors que nous discutions des possibilités du Chivas Regal face au marché mondial. Je lui fis part de mes modestes prévisions qu'il rejeta aussitôt comme étant inadéquates, puis il exposa les siennes qui étaient beaucoup plus élevées. Mais les ventes dépassèrent même ses propres données. Ce n'était pas seulement un homme en train de lancer un nouveau produit — c'était un artiste préparant son *chef-d'oeuvre* [13]. C'était cette façon de tout prendre à coeur qui caractérisait son travail, qui expliquait ses tensions et ses frustrations — et aussi ses succès."

---

13) En français dans le texte.

Les acquisitions outre-mer se poursuivirent. En France, Seagram prit la direction des champagnes Mumm (dont les caves s'étendent sur douze milles); des champagnes Perrier-Fouët (marque favorite de la reine Victoria et de Napoléon, et fournisseur attitré du Vatican); de Barton et Guestier, l'une des plus grosses compagnies exportatrices de vins au monde; et de la société Augier Frères.

Tandis que son empire s'édifiait, Monsieur Sam faisait en sorte d'être domicilié officiellement à la fois au Canada et aux Etats-Unis. En vertu des lois fiscales qui étaient alors en vigueur, s'il passait six mois et un jour aux Etats-Unis à l'intérieur d'une même année, il devenait assujetti à l'impôt américain.

"Sam s'était arrangé pour gagner sur les deux tableaux, rappelle Max Henderson. Presque chaque soir de la semaine, il faisait la navette entre Montréal et New York, à bord des trains *D & H* qui partaient de la gare *Windsor,* à Montréal. Allan et lui gardaient comme deux entités totalement distinctes les branches canadienne et américaine de leur compagnie et étaient les seuls à connaître la ligne de démarcation, de telle sorte qu'aucune preuve ne pouvait être retenue contre eux. Quand des problèmes surgissaient aux Etats-Unis, ils devenaient exclusivement Canadiens, et vice versa. Je me souviens fort bien de cette délégation de l'U.S. Internal Revenue Alcohol Tax [14] qui était venue à Montréal pour se plaindre de la concurrence déloyale des distillateurs canadiens envers leurs collègues américains. Cette fois-là, Monsieur Sam passa deux mois entiers à Westmount, en authentique Canadien. Puis quand le vent tourna, ils se retrouvè-

---

14) Service américain des recettes fiscales provenant des taxes sur l'alcool. (N.D.L.T.)

rent tous à Washington, soutenant le contraire. Ah! ils étaient vraiment fantastiques!''

De toutes les entreprises acquises durant cette décennie stimulante qui suivit la guerre, l'une des préférées de Monsieur Sam était United Distillers Limited, une compagnie de Colombie-Britannique dont les possessions incluaient l'hôtel *Harrison Hot Springs* (que Seagram vendit en 1974 à Ben Wosk, de Vancouver) et un voilier de la Marine royale canadienne, réaménagé en un luxueux yacht de croisière, le *Harwood*. Peu avant l'acquisition de U.D.L., par Seagram, en 1953, le yacht avait été vendu à George et Harry Reifel, membres d'un autre groupe de distillateurs, et rebaptisé le *Casa Mia*. Néanmoins, Monsieur Sam aimait faire état d'un incident impliquant le *Harwood* pour démontrer le bien-fondé de son aversion envers tout ce qui flottait. Il s'agissait d'un accident survenu à la fin des années 40, alors que le *Harwood* croisait au large des côtes de la Colombie-Britannique: le feu avait éclaté dans les conduits d'aération, sans toutefois faire courir de risques sérieux à Charles et à son oncle Allan qui étaient parmi les passagers. Un an après l'achat d'U.D.L., Edgar perdit l'équilibre en faisant du ski nautique sur le lac Saranac et eut la cuisse coupée par l'hélice de l'embarcation. Pour Monsieur Sam, la question était réglée. "Plus de bateaux, déclara-t-il. De deux choses l'une: ou ils prennent feu ou ils vous découpent en rondelles. Alors, les bateaux, c'est fini.''

A partir de ce moment-là, il se tint loin de tous les moyens de transport par eau jusqu'au jour où il fut invité à bord du yacht particulier de la famille Goddard, à la Barbade, à l'occasion de son soixante-dix-neuvième anniversaire. Toujours aussi inébranlable dans son refus de s'aventurer sur l'eau, il était monté à bord du ketch de trente-sept pieds pour inciter les autres invités à faire le tour de l'île en bateau durant la journée, lorsque le capitaine leva l'ancre sans prévenir. "Mais qu'est-ce qui se passe, bon sang? demanda Sam. Pourquoi ne sommes-nous plus amarrés au quai?"

On arriva finalement à le convaincre que, puisque la saison des ouragans était passée depuis longtemps, rien ne risquaït de perturber l'excursion et il accepta de rester. Quand ils furent à cinq milles de la côte, un orage tropical éclata subitement et des trombes d'eau et d'embruns salés s'abattirent sur le voilier. "Ah! merde! grommela Monsieur Sam à la cantonnade. J'étais certain que ces foutus abrutis m'entraîneraient dans une histoire de ce genre. Maudit bateau!"

Après avoir enfilé deux cirés, il se réfugia dans le fond du cockpit et se métamorphosa en une sorte de tente indienne imperméable d'où il n'émergea que lorsque le bateau fut solidement amarré au quai de Bridgetown. Le seul signe de vie manifesté par l'étrange vision était, de temps en temps, l'apparition d'un verre vide au bout d'une main tremblante et le son d'une voix demandant "encore un peu de V.O. et de soda".

Chapitre neuf

La mort d'un titan

Parfois, quand il se sentait particulièrement seul, Sam se plantait devant l'autoportrait de Rembrandt que lui avait offert Saidye et murmurait au tableau: "Espèce de vieux malpropre, ça fait longtemps que tu n'as pas pris de bain."

Sam Bronfman aimait s'imaginer qu'il était un acteur shakespearien et qu'il jouait dans une pièce, faisant partie d'une autre, où il tenait le rôle principal sur lequel reposait toute l'intrigue. Mais, durant les dix dernières années chargées de tristesse de sa longue vie, il devint évident, même aux yeux de ses fidèles amis et admirateurs qui se faisaient de moins en moins nombreux, que, bien qu'il parût toujours animé d'une force intérieure qui pouvait encore terroriser quiconque osait lui tenir tête, il ne possédait pas cette grandeur d'âme qui aurait paré sa mort de cette splendeur poétique qui marque la fin d'un grand homme. Las des voyages et du tumulte, fatigué de toutes ces tractations, des sourires forcés et des poignées de main trop chaleureuses, il semblait s'être réfugié en lui-même, n'ayant plus trop confiance en personne, se cloîtrant dans son bien-aimé Palais du Belvédère, au sommet de Westmount, où il ressassait son impressionnante réussite et ses minces récompenses.

A le voir fureter ainsi autour de sa demeure, silhouette courbée dans le crépuscule de sa vie, on avait du mal à se représenter le Sam Bronfman d'il y a cinquante ans — le maigre et perspicace marchand de whisky venu de Winnipeg qui tirait encore plaisir de ses réalisations, faisait des rêves de grandeur et était convaincu qu'il aurait, un jour, suffisamment d'argent pour s'acheter cette respectabilité que, même à cette époque, il désespérait tellement d'obtenir. Parfois, quand il se sentait particulièrement seul, Sam se plantait devant l'autoportrait de Rembrandt que lui avait offert Saidye et murmurait au tableau: "Espèce de vieux malpropre, ça fait longtemps que tu n'as pas pris de bain."

Tout, chez lui, aurait fait l'orgueil d'un musée. Il ne s'y trouvait pas un seul objet que son propriétaire aurait pu acquérir dans sa jeunesse, rien qui pût lui rappeler les débuts orageux de sa carrière, aucun instantané, aucun souvenir datant de l'époque de la contrebande ou de l'hôtellerie, ni même des années passées à lutter pour faire de cette distillerie chancelante qu'était Seagram un empire commercial. Le passé était entièrement absent, comme s'il n'avait jamais existé, comme si Sam avait toujours vécu dans le luxe, comme s'il y avait toujours eu un Monet, un Chagall, un Degas et un Rembrandt accrochés dans le salon. Il errait au milieu de tout ça, caressant les meubles superbes et les objets précieux, jetant un coup d'oeil vers le vieux mur de pierres qui séparait le clan Bronfman de la ville dont les lumières brillaient plus bas.

Pourtant, malgré tous ses efforts pour feindre le contraire, Sam Bronfman demeurait un exilé. Un jour, l'un de

234

ses fidèles employés lui apporta les épreuves de l'histoire officielle de Seagram, telle qu'elle serait publiée dans le rapport annuel de 1970, et il laissa froidement tomber: "Tout ça, c'est des salades. Si, moi, je racontais la vérité, j'en vendrais dix millions d'exemplaires."

Il avait consacré énormément de temps à étudier la vie de Napoléon et pouvait raconter dans le moindre détail les grandes manoeuvres de Bonaparte, surtout à Marengo. De tous les objets historiques qu'il possédait, celui auquel il tenait comme à la prunelle de ses yeux était une serviette qui avait appartenu à l'empereur français et que lui avait offerte Joseph Davies, l'ancien ambassadeur des Etats-Unis en Union soviétique.

Ayant lui-même coupé tout contact avec la plupart de ses anciens associés, Bronfman menait une vie sociale restreinte. Néanmoins, comme son activité philanthropique ne s'était pas ralentie, il continuait d'attirer, à la façon d'un aimant, tous ceux qui se trouvaient dans l'embarras. Ainsi, un jour, une femme s'était fait mordre par un lion échappé du parc d'amusement Belmont, au nord de Montréal; Sam, qui ignorait tout de l'incident, décrocha le téléphone, chez lui, pour s'entendre raconter cette étrange histoire:

"C'est au sujet de la femme qui a été mordue par le lion...

— Quel lion? Ici, à Montréal?

— Je viens du Kenya et j'ai aussi été mordue par un lion...

— Deux lions, maintenant? Mais enfin, il y en a combien, de ces maudits lions? Et que fait Jean Drapeau à propos de tout ça?

— Les médecins m'ont mal soignée et maintenant je suis infirme.

— Des lions dans les rues de Montréal? continuait de

demander Sam. Subitement, une idée terrifiante lui traversa l'esprit: *Y en a-t-il dans Westmount?*

— J'ai téléphoné à l'Hôpital général juif, mais ils ne veulent rien entendre.

— Madame, dans la mesure où je suis concerné, il s'agit là d'une affaire à régler entre vous et les lions. Au revoir."

Clic.

Néanmoins, Sam, qui continuait d'avoir la haute main sur le Congrès juif du Canada et toutes ses activités, réservait un accueil plus chaleureux à la plupart des nombreux appels à l'aide qu'il recevait. Il se montra particulièrement actif durant la Guerre des Six Jours, alors qu'il convoqua les dirigeants juifs du Canada au club *Montefiore*, à Montréal, où, après une discussion stimulante, ils fixèrent à vingt millions de dollars l'objectif de leurs campagnes conjointes — une somme incroyable qui fut rapidement dépassée. Il se dépensa sans compter pour coordonner toutes les initiatives d'un bout à l'autre du pays et s'envola, à un moment donné, pour Ottawa en compagnie de son vieil ami Sol Kanee, de Winnipeg, qui avait été élu président du Congrès pour 1967, afin de convaincre le Premier ministre Lester Pearson d'accorder, aux Nations Unies, l'appui du Canada à Israël.

"Sam paraissait totalement épuisé, ce jour-là, raconte Kanee. Nous avions pris un taxi pour nous rendre au bureau du Premier ministre quand, subitement, il perdit connaissance. Je me penchai sur lui, mais ne pus entendre son souffle. Rien du tout. Je demandai alors au chauffeur de rejoindre une voiture de police qui était stationnée près de là pour que les policiers fassent venir une ambulance. En même temps, je ne cessai de penser: Oh! Sam, tu ne peux pas me faire ça. Que vais-je dire à Saidye? A ce moment-là, je l'entendis renifler et le vis revenir à lui. Quand l'ambulance arriva, il refusa d'y monter et fit tellement d'histoires, me qualifiant, entre autres choses, de foutu bon à rien, de fils de pute, que nous partîmes finalement vers l'hôpital de Riverside avec moi allongé sur la civière, à l'arrière, et lui assis devant, à côté du chauffeur. Une fois à l'hôpital, il envoya l'ambulancier acheter une bouteille de Chivas que nous vidâmes, tous les trois, en moins de temps qu'il n'en faut pour le dire. Puis, Abe Mayman, son médecin, qui avait sauté dans un avion à Montréal vint nous rejoindre, mais Sam était trop occupé à engueuler tout le monde, et moi plus que les autres, pour ce qui s'était passé et il n'en fit aucun cas.

"Ce soir-là après notre rencontre avec Mike Pearson, nous repartîmes pour Montréal et je passai la nuit au Belvédère parce que je devais m'envoler pour Moscou, le lendemain matin. Quand je voulus filer à l'anglaise sans lui dire au revoir, Saidye m'arrêta en chemin.

"Tu ne vas pas dire au revoir à Sam?

— Non. Qu'il aille au diable. Jamais plus, je ne lui dirai au revoir.

— Oh! dit-elle, vous êtes de si vieux camarades.

— Je m'en fiche complètement. Surtout après tout ce qu'il m'a fait, hier.

— Fais-le pour moi.

— Bon, mais c'est bien pour toi.

" Je montai l'escalier et me plantai devant la porte de sa chambre, sans dire un mot. Sam était assis dans son lit, en train de lire un journal. Il ne leva pas les yeux, mais me dit tranquillement:

"Nous sommes des amis depuis si longtemps, Sol.

— C'est ce que je croyais.

— Eh bien, nous le sommes toujours.

— D'accord, mais la prochaine fois que tu me traiteras de fils de pute sera la dernière où tu auras eu le privilège de me traiter de quoi que ce soit.

— Personne ne peut se dire mon ami si, moi, je ne peux pas l'appeler fils de pute...

"Que voulez-vous, conclut affectueusement Kanee, comment aurais-je pu rester en colère contre un foutu vieux bougre comme lui?"

L'un des rares voyages à l'étranger que fit Sam vers la fin de sa vie fut un bref séjour en Irlande. C'était Saidye qui, la première, avait abordé le sujet avec Michael McCormick durant un match des Expos, au parc Jarry.

"Mike, vous connaissez bien l'Irlande, non?

— Un peu, oui. J'y suis allé à quelques reprises.

— Moi, jamais, et je veux y aller. Alors, vous entreprenez Sammy Boy, j'en ferai autant de mon côté et ainsi nous y irons tous ensemble.

— Ecoutez, madame Bronfman, cela fait des années que j'ai appris à ne jamais dire à votre mari quoi faire ni où aller. Alors, vous essayez de le convaincre et si vous y arrivez, tout sera parfait et nous partirons tous pour l'Irlande."

Le lendemain matin, Sam téléphona à McCormick, à la première heure: "Qu'est-ce que c'est que tout ce bordel à propos de l'Irlande? Pourquoi essayes-tu de persuader ma femme de faire ce voyage?

— Mais je n'y suis pour rien.

— Alors, qui est-ce? Elle veut y aller.

— Ah, je comprends.

— Ouais? Eh bien, pas question d'y aller. Nous n'avons aucune entreprise en Irlande et c'est un foutu bon dieu d'endroit. Compris?"

Mais, le jour suivant, ce fut un Sam tout penaud qui aborda de nouveau la question:

"Mike, si nous allons en Irlande, combien de temps devrons-nous y rester?"

Finalement, il fut décidé que le voyage aurait lieu, qu'ils prendraient le grand jet privé de Seagram et que McCormick et Jack Clifford les accompagneraient. "Mais, insista Sam, arrangez-vous pour que cette foutue hôtesse ne soit pas à bord." [1]

Le groupe s'arrêta d'abord à Dublin pour visiter la distillerie Jameson. Le directeur administratif leur fit faire le tour des entrepôts dans une grande Rolls-Royce; à un moment donné, comme ils remontaient dans la limousine, Sam demanda:

"Pourquoi reprenons-nous la voiture?

— Mais parce que je vais vous montrer d'autres entrepôts.

— Comment? Mais vous avez laissé les lumières allumées dans celui-là. Retournez-y et éteignez-les.

— Monsieur Bronfman, répliqua le directeur abasourdi, auriez-vous acquis des intérêts dans la compagnie ou

---

1) L'aversion de Sam envers l'hôtesse de la compagnie remontait à un soir de 1962, alors qu'il revenait de New York à Montréal à bord d'un avion de Seagram. Il avait refusé de lui remettre son manteau et son chapeau lorsqu'elle les lui avait demandés et avait exigé de se servir lui-même à boire. Durant tout le vol, il ne cessa de la regarder par-dessus son journal et finit par lui demander: "Dites-moi, mademoiselle, êtes-vous une femme pilote?" Après qu'elle lui eut répondu qu'elle était l'hôtesse, il voulut savoir en quoi consistait son travail; l'avion n'avait pas plus tôt atterri qu'il saisissait son manteau et se précipitait vers un téléphone public de l'aéroport pour passer un savon à Edgar parce qu'il gaspillait l'argent de la compagnie en employant des gens pour faire un travail aussi inutile. Lors du voyage en Irlande, comme on lui avait assuré que, de toute façon, Seagram payerait l'hôtesse, qu'elle fût ou non à bord de l'avion, Sam accepta à contrecoeur de l'emmener. "Mais, dit-il, je ne veux pas la voir et je ne veux pas non plus avoir à la payer pour qu'elle reste assise sur son derrière dans je ne sais trop quel hôtel irlandais."

vous en seriez-vous emparé pendant que j'avais le dos tourné?

— Pas du tout. Je n'en possède pas une seule foutue action mais ce n'est pas une raison pour gaspiller l'électricité. Et maintenant, allez éteindre ces lumières.''

Tout en secouant la tête, à la foix furieux et dépassé par cet étrange milliardaire canadien qui se montrait si radin, le directeur retourna sur ses pas.

Sam donna de nouveau libre cours à ses instincts de grippe-sous lors de la visite du lieu de tournage de *Ryan's Daughter* que David Lean tourna près de Killarney. Comme, à l'époque, Edgar tentait de mettre la main sur la Metro-Goldwyn-Mayer qui produisait le film, Sam et ses compagnons se virent accorder une autorisation spéciale. La tension commença à gagner tout le monde quand Sam apprit qu'il n'y aurait pas de prises de vues parce que la marée ne montait pas suffisamment pour effacer les empreintes laissées dans le sable par l'héroïne (Sarah Miles). Après s'être rendu sur la plage, il lança un coup d'oeil vers l'équipe désoeuvrée et laissa tomber: "Je vais vous en faire, moi, des foutues empreintes!" Un peu plus tard, pendant qu'il visitait la reconstitution d'une école de village datant de 1917, dont l'instituteur était la vedette masculine (Robert Mitchum), il se mit à lire les noms des élèves: "Malone, O'Toole, McKee, O'Flaherty... il n'y a donc pas un seul Juif? C'était peut-être l'instituteur. Il leur fallait pourtant bien quelqu'un pour leur enseigner les choses de la vie, à ces satanés Irlandais.''

La scène la plus dramatique du film se passait au moment où l'IRA devait décharger une cargaison d'armes entrées en contrebande, tandis qu'un terrible orage balayait toute cette région de la sauvage côte irlandaise. Mais il n'y avait pas le plus petit nuage à l'horizon et la météo ne prévoyait aucune tempête. En attendant, la M-G-M continuait de payer tout son monde. C'était plus que Sam n'en pouvait supporter. Il prit finalement David Lean à part: "Vous vous souvenez m'avoir dit que vous pouviez filmer des scènes de nuit durant le jour en installant des filtres sur les caméras? Eh bien, pourquoi ne remplaceriez-vous pas votre orage par une scène de nuit? Allez à Glasgow et louez l'un de ces gros cargos qui attendent dans le port; ramenez-le ici, faites-le manoeuvrer jusqu'à un ou deux milles de la côte et vous aurez toutes les foutues vagues dont vous avez besoin." Lean fut suffisamment impressionné par cette ingénieuse suggestion pour envoyer quelqu'un négocier la location d'un bateau, mais, en fin de compte, toute l'équipe de tournage partit pour le Kenya.

Alors que la limousine louée les ramenait vers Dublin, Sam annonça son intention de s'arrêter à Tralee, mais il s'endormit juste un peu avant [2]. Quand il se réveilla et découvrit qu'ils avaient dépassé la pittoresque petite ville côtière, il ordonna à McCormick de faire demi-tour, descendit de voiture sur la grand-place et, de sa voix de baryton, chanta en faussant les trois premiers couplets de la *Rose de Tralee*.

De tous les événements qui jalonnèrent cette dernière et somptueuse étape de la carrière de Sam Bronfman, les plus importants furent ses anniversaires. Ils étaient célébrés par tout Seagram et par sa famille comme des cérémonies d'Etat, demandaient autant de préparatifs qu'un couronnement et se déroulaient avec le même faste.

---

2) Comme Sam ne permettait pas à Saidye de fumer, elle avait mis au point un système de son cru, avec la complicité de Jack Clifford. Dès que son mari piquait du nez, elle tapotait l'épaule de Jack qui allumait une cigarette et la lui passait. "J'étais certain que si jamais Monsieur Sam s'était réveillé pendant que je lui passais une cigarette, se souvient Clifford, nous aurions eu droit sur-le-champ à une réunion du comité de la caisse de retraite."

Pour son soixantième anniversaire, Seagram avait loué l'hôtel *Windsor* de Montréal au grand complet et Sam se vit offrir un parchemin enluminé portant un message d'affection, empreint de toute la solennité exigée par les circonstances [3]. A l'occasion de ses soixante-quinze ans, les invités se regroupèrent dans trois salles de bal de l'hôtel *Americana*, à New York, et Martin Steinhardt, un vendeur de Four Roses, lut un poème qui se terminait par ce quatrain aux rimes inégales :

Dans son bureau il pénétra,
L'ascenseur se referma comme une huître,
Et beaucoup se souviendront de lui
Simplement comme de Monsieur Sam.

---

3) *Nous, ses associés, ses admirateurs, ses amis, venus de tous les coins de cet immense continent pour lui rendre hommage en ce jour beau comme un diamant qui brillerait de toutes les facettes de ses multiples talents, lui apportons les voeux de la Maison de Seagram, l'amitié de Calvert, le salut fraternel de Frankfort, et les souhaits de tous ceux qui, en ce pays, appartiennent à notre vaste communauté, le saluons et l'acclamons comme notre leader et notre chef.*

A Samuel Bronfman,

parce qu'il est un meneur d'hommes, un sage, un être accompli, audacieux dans ses projets et ses réalisations; un grand artisan de la réussite, qui a remporté succès après succès et dont les actions sont une bénédiction pour tous ceux qui l'entourent;

parce que, animé de l'ardeur du pionnier et doué d'un regard pénétrant qui porte au-delà de l'horizon, il n'oeuvre que pour le bien-être de la nation, sa grandeur et sa gloire — et sa propre carrière est un exemple pour les Américains, leur montrant quels sommets la valeur permet d'atteindre;

parce que sa grandeur d'âme et son courage ont fait de lui le patron des arts, le défenseur de toutes les bonnes causes, l'ami et le protecteur de tous ceux qui sont dans l'affliction; oui, et parce que, malgré l'ampleur de ses accomplissements, il demeure sincère dans son affection, fraternel, ami fidèle et bon compagnon.

Qu'il voie en ce parchemin enluminé un témoignage de notre estime et de notre affection.

Nous lui souhaitons bonheur et prospérité et que sa force et son pouvoir ne cessent de s'étendre; nous prions Dieu qui, déjà, lui a accordé toutes ces choses, de lui en accorder bien plus encore;

et que lui, qui a déjà vécu trois fois vingt ans, demeure parmi nous pendant autant d'années encore.

Sam feignait toujours la plus totale indifférence devant ces préparatifs. Au début, il demandait à ses subordonnés de prévoir quelque chose de très simple — après quoi, il supervisait tout dans le moindre détail [4]. L'unique exception se produisit à l'occasion de son soixante-dix-neuvième anniversaire, alors que Saidye et lui-même étaient en vacances à la Barbade et que seul McCormick les avait accompagnés. Selon toute vraisemblance il ne serait pas possible d'organiser une réception à tout casser dans le style habituel. Mais c'était là ne pas compter avec McCormick; celui-ci mit tranquillement à contribution la famille Goddard qui occupait une place prédominante dans le commerce de l'île et possédait une distillerie pour l'achat de laquelle Sam avait entamé de vagues pourparlers. Il réserva l'hôtel *Marine* et envoya discrètement cinq cents invitations au gratin de la société locale, y compris le Gouverneur général, Sir Winston Scott, le Premier ministre Errol Barrow, et le Procureur général, le sénateur Frederick ''Sleepy'' Smith. Grâce aux Goddard qui géraient les cuisines de l'aéroport, il put recruter six chefs, engager deux orchestres et remplir six bars. Quand le grand soir arriva, McCormick invita Sam et Saidye au *Marine* pour ce qu'il qualifia de ''petit dîner intime''. Au moment où ils s'approchèrent de la piscine, Sam fut soudainement entouré de cinq cents invités en robes du soir et smoking qui, tous, arboraient de gros macarons portant l'inscription "**Bon anniversaire, Monsieur Sam**". Pour la première fois de sa vie, peut-être, il resta sans voix. Mais cette défaillance fut de courte durée. Il monta sur le plongeoir et entreprit de raconter à ses

---

4) Pour son quatre-vingtième anniversaire, il avait été prévu que Lorne Green lirait un autre de ces obséquieux ''serments d'allégeance'' au nom du personnel de Seagram. Mais quand Sam découvrit que l'acteur voulait un cachet de quatre mille dollars, il demanda à Jack Clifford de lire lui-même le texte.

invités imprévus comment il avait courtisé Saidye et que leur chanson préférée était *Baby Face*. Puis, dans la nuit de la Barbade, éclairé par les pâles rayons de la lune et accompagné par le murmure des vagues, il entonna:

Ton visage de chérubin,

Nulle n'a un visage aussi adorable.

Jamais une autre ne pourra prendre ta place.

Visage de chérubin,

Mon pauvre coeur tressaute,

Tu as sûrement éveillé quelque chose.

Visage de chérubin,

Je suis au septième ciel quand nous nous enlaçons tendrement.

C'est sans le moindre effort

Que je suis tombé amoureux

De ton mignon visage de chérubin.

En chantant pour Saidye, ce soir-là, juché sur le plongeoir de l'hôtel *Marine*, Sam lui disait une fois encore toute son adoration, et ce témoignage, s'il avait rarement lieu en public, n'en était pas pour autant exceptionnel. En dépit des tensions et des fréquentes absences de Sam, leur union demeura jusqu'à la fin une grande histoire d'amour. En 1943, pendant que Saidye et les enfants passaient l'été dans les Laurentides, David Sim, qui, à l'époque, était Commissaire à l'impôt indirect pour le ministère du Revenu national, confia à Sam que son épouse était sur le point d'être faite officier de l'Ordre de l'Empire britannique en reconnaissance de son travail auprès de la Croix-Rouge, à Montréal, pendant la guerre. Quand Sam téléphona à Saidye pour lui dire de revenir en ville, il le fit en ces termes mystérieux: "Il se passe quelque chose de vraiment merveilleux." Et lorsqu'elle arriva au Palais du Belvédère, il plia courtoisement le genou devant elle avant de lui annoncer: "George VI te tient en aussi haute estime que moi-même."

Quand Sam se trouvait à son bureau de la rue Peel, Saidye lui téléphonait parfois pour lui demander de rentrer déjeuner à la maison. Il commençait par refuser, prétextant un rendez-vous avec un banquier ou un associé, mais elle balayait son objection du revers de la main et affirmait qu'il lui était moins attaché qu'à la banque. Sur quoi, il se déclarait prêt à annuler son rendez-vous sur-le-champ pour la rejoindre. Ce n'était pas la peine, répliquait-elle d'un ton léger, parce qu'elle devait rencontrer "les dames" pour telle ou telle oeuvre philanthropique juive. C'était alors au tour de Sam de lui reprocher: "Tu me préfères *tes dames.*" Finalement, ils supprimaient tous les deux leurs rendez-vous et déjeunaient en tête à tête, heureux, au Palais du Belvédère.

Après son retour de la Barbade, Sam se rendit compte qu'il était gravement malade. Pendant que Abe Mayman, son médecin, l'examinait, il lui dit que Saidye et lui-même étaient incapables d'envisager la vie l'un sans l'autre. "Quand l'heure sonnera pour l'un de nous deux, nous grimperons au sommet d'une haute montagne et sauterons ensemble, la main dans la main."

Bien que Sam eût déjà fait des adieux officieux au personnel de la rue Peel lors du précédent Noël [5], ses fidèles

---

5) Chez Seagram, on fêtait toujours en une seule fois Noël et l'anniversaire d'Allan Bronfman qui était né un 21 décembre. Selon une tradition bien établie, toutes les secrétaires du bureau lui donnaient un baiser et recevaient une rose en échange. Mais, en 1970, Allan n'était pas là pour Noël et Sam, qui devait être hospitalisé le même jour pour subir une seconde fois une opération de la cataracte, décida de le remplacer. Après avoir chanté quelques airs et échangé des plaisanteries, il annonça qu'il se substituerait à son frère absent et demanda aux secrétaires de se mettre en ligne pour venir l'embrasser. Les deux premières étaient jeunes et jolies, et Sam leur offrit sans retenue ses meilleurs voeux. La suivante était une secrétaire qui avait vieilli au service de Seagram et il se contenta de l'effleurer de son oreille droite. "On ne peut pas dire que vous

adjoints de Seagram étaient résolus à se surpasser pour son quatre-vingtième anniversaire qui serait célébré le 4 mars 1971. Ils réservèrent la salle de bal du *Château Champlain* [6], à Montréal, et le qualifièrent, dans le programme officiel, de "Notre Monsieur Sam, le Président des présidents, le Chef des chefs". Le menu [7] fut l'un des plus élaborés qui aient jamais été composés au Canada.

Une semaine plus tard, toute l'élite de l'industrie des spiritueux se retrouva dans la grande salle de bal de l'hôtel *Château Laurier,* à Ottawa, pour lui rendre hommage. Sir Ronald Cumming, président à la retraite de Distillers Company, de Grande-Bretagne, et qui vivait à Rothes, en Ecosse, avait traversé l'Atlantique pour l'occasion. Quatre ministres du Cabinet fédéral étaient présents [8] et David Sim, l'ancien ministre adjoint du Revenu national, joua de l'accordéon pendant que les distillateurs entonnaient *Joyeux*

---

lui avez donné un long baiser", remarqua l'un des vice-présidents. "Voyons, répliqua Sam, je suis peut-être en train de perdre la vue, mais j'ai encore toute ma tête."

6) Le point saillant de cette fête fut, pour les habitués de Seagram, le spectacle de Sam plongé dans une conversation animée avec Lazarus Phillips. Les deux hommes s'étaient réconciliés peu après le décès de Rosalie, l'épouse de Phillips, alors que Michael McCormick avait insisté pour que Sam présentât lui-même ses condoléances.

7) L'oxtail clair fine champagne
Les paillettes dorées
La crêpe farcie forestière
La double poitrine de volaille farcie renaissance
Le fenouil à la milanaise
Les carottes nouvelles aux fines herbes
La pomme brioche
La salade verte aux tomates
Le soufflé glacé au sabra
Les madeleines et le café

8) Il s'agissait du ministre du Travail, Bryce Mackasey, de Paul Martin, président du Sénat, du ministre des Postes, Jean-Pierre Côté et du ministre des Finances, Edgar Benson.

anniversaire. Parmi ceux qui proclamèrent publiquement ses mérites, il y eut Max Henderson, (alors Auditeur général du Canada), le général de brigade George Kitching (Commissaire en chef du Liquor Control Board of Ontario) et H. Clifford Hatch (président de Hiram Walker-Gooderham & Worts). Les directeurs administratifs des cinq plus grandes distilleries du monde offrirent à Sam un décanteur monté sur une base sculptée dans le chêne blanc utilisé pour les douves des tonneaux de whisky et qui contenait un mélange symbolique de leurs meilleurs produits.

A cette époque, il avait été définitivement établi que Sam souffrait d'un cancer de la prostate et son inaltérable vitalité commença à l'abandonner. Au cours d'une des dernières visites qu'il fit au docteur Mayman, il lui dit qu'il lui aurait fallu tenir le coup pendant encore au moins vingt ans pour pouvoir terminer tout ce qu'il s'était fixé; il lui raconta également qu'il avait l'intention d'entreprendre une nouvelle carrière dans la prospection pétrolière et qu'il voulait lancer Seagram dane une multitude de directions: "J'ai escaladé les Rocheuses et j'ai conquis les Alpes. D'ici les vingt prochaines années, je veux dominer le monde."

Ces bouffées d'optimisme se firent de plus en plus rares, tandis que la maladie commençait à ravager son organisme. Il restait chez lui à faire des patiences ou recevait quelques vieux amis, sans cesser de maugréer contre sa santé. Billy Gittes, qui lui rendit fréquemment visite les derniers temps, se souvient du rituel élaboré qu'ils avaient mis au point pour tenter de soulager un tant soit peu les souffrances de Sam: "J'arrivais chez lui, à sa résidence du Belvédère, vers quinze heures et nous faisions quelques parties de gin. Puis, vers dix-sept heures moins le quart, il sonnait son infirmière et lui disait:

— C'est l'heure du coktail. Il y a déjà un moment que le soleil est au-dessus de la vergue. S'il vous plaît, apportez-nous du scotch et un peu de soda pour monsieur Gittes, du V.O., une carafe d'eau et le lait que je devrais boire.

"Elle revenait avec tout ce qu'il avait demandé et me priait de faire le service. Je me servais un peu de Chivas, y ajoutais du soda et de la glace; puis je lui préparais un peu de rye avec de l'eau, exactement comme il l'aimait. Dès qu'il avait son verre en main, il me disait:

— Ça va, Billy; maintenant, donne ce verre de lait à l'infirmière.

"Et, tous les deux, nous riions de bon coeur."

Sam mourut le 10 juillet 1971: Seagram se lança dans des préparatifs invraisemblables pour faire de ses funérailles le plus grand de tous les hommages. Tout fut prévu et pesé dans le moindre détail, à tel point que Leo Kolber fit acheter des imperméables qu'on pouvait jeter après usage pour chacune des personnes qui suivraient le cortège, au cas où il pleuvrait. Selon la tradition juive, la mort est l'occasion d'une dernière rencontre avec le défunt et l'exposition de la dépouille mortelle est très mal vue. Néanmoins, Monsieur Sam fut exposé, enveloppé d'un linceul, dans un cercueil qui fut installé dans la rotonde du siège social montréalais du Congrès juif du Canada, auquel on a donné son nom. La tradition fut de nouveau laissée de côté durant le service funèbre qui eut lieu à la synagogue *Shaar Hashomayim* (les Portes du Ciel), et, après le rabbin, deux personnes prononcèrent son éloge. Saul Hayes déclara: "Il avait tout donné de lui-même. Il est irremplaçable." Nahum Goldmann, le président du Congrès juif mondial, qui était arrivé un peu après, proclama que la mort de Sam était "pleurée par la maison d'Israël tout entière". Mais ce fut Lazarus Phillips qui prononça le discours le plus émouvant, rendant ainsi un dernier hommage à celui qui, à un moment donné, avait été son rival dans la course au Sénat.

Tandis que le cortège se formait selon un ordre strict pour le bref trajet jusqu'au cimetière du Mont-Royal — avec les superbes limousines qui manoeuvraient pour se placer et les policiers impatients qui faisaient gronder leurs motos pour se donner de l'importance —, les participants commencèrent à se rendre compte de l'importance de l'événement. Le dernier WASP du Canada était venu d'Ottawa; c'était le général Charles Mills Drury qui, à l'époque, était le président du Conseil du Trésor. Il y avait également le ministre de la Justice, John Turner, qu'accompagnaient quatre autres ministres de moindre importance. De Toronto, étaient venus les présidents de la Banque de Nouvelle-Ecosse (William Nicks), de la Banque Toronto-Dominion (Allen Lambert) et de la Banque du Commerce (J.P.R. Wadsworth), l'ancien Premier ministre de l'Ontario, Leslie Frost, David Kinnear, président de Eaton, et le colonel Allan Burton, président de Simpsons. Quant à l'élite de Montréal qui avait délégué un groupe important, elle était représentée, entre autres, par les présidents de la Banque royale (Earle McLaughlin), de la Banque de Montréal (Arnold Hart) et du C.P.R. (N.R. " Buck " Crump), le docteur Robert Bell, recteur de McGill et le sénateur Hartland de Montarville Molson.

Sam Bronfman avait enfin rallié l'Establishment.

Les héritiers

Chapitre Dix

Grandir au Palais du Belvédère

Les anniversaires des enfants constituaient les principaux événements sociaux. Charles se souvient encore des vagues de gosses, invités pour la circonstance, qui couraient d'un bout à l'autre du Palais du Belvédère, comptant les salles de bain et chuchotant entre eux d'un ton craintif.

Les fils et les filles des nantis sont élevés dans un écosystème à nul autre pareil. Protégés contre les vicissitudes du quotidien, isolés et couvés, ils mûrissent à l'intérieur du cocon étanche de leurs familles. Les genoux égratignés, les crises de colère, les escapades en compagnie de chiens indéfinissables ou d'oiseaux blessés, les prises de bec avec des voisins malveillants, l'apprentissage brutal de la valeur de l'argent et, par-dessus tout, l'angoisse de pouvoir se réaliser — toutes ces difficultés qui accompagnent normalement la croissance sont réduites au minimum par un bataillon de gouvernantes attentionnées, de servantes aux formes rebondies et de chauffeurs jouant les bons oncles. Quand, en outre, c'est la famille elle-même qui tient à vivre en vase clos, l'isolement des enfants par rapport à la réalité est deux fois plus prononcé et ils arrivent à l'âge adulte semblables, à tous les égards, à des fleurs exotiques qui auraient poussé dans des serres chaudes, sous un éclairage fluorescent.

C'est de cette façon que furent élevés les quatre enfants [1] de Samuel Bronfman ainsi que leurs cousins, Edward, Peter et Mona, dont le père, Allan, avait acheté, à deux pas de l'impressionnant domaine acquis par son frère à la fin des années 20, une demeure presque aussi imposante. Entre les deux résidences s'élevait la maison de la famille Coristine [2], que Sam et Allan achetèrent pour la démolir et sur l'emplacement de laquelle ils firent aménager un sentier pour les bicyclettes et un terrain de base-ball pour les enfants; une grande piscine vint, plus tard, compléter ce terrain de jeux. L'escalade des ruines de la maison Coristine en compagnie de Charles constitue l'un des tout premiers souvenirs d'enfance de Peter Bronfman: "En enfonçant un levier au bon endroit, on pouvait faire dégringoler un pan de mur entier." Lorne Webster n'a pas oublié comment, avec d'autres enfants du voisinage, ils s'excitaient mutuellement à traverser le terrain, mais ils ne furent jamais autorisés à jouer avec les petits Bronfman.

---

1) Ils naquirent à intervalles réguliers en l'espace de six ans: Minda en 1925, Phyllis en 1927, Edgar en 1929 et Charles en 1931.

2) Le précédent occupant de la maison de Sam, chemin du Belvédère, avait été S.J. Hungerford, qui fut président du Canadien National, mais, à l'époque, il en était le vice-président. Hungerford louait la demeure de la succession de George Sumner, l'un des associés d'une maison de tissus en gros, Hodgson, Sumner & Co. (qui fusionna en 1933 pour devenir Greenshields, Hodgson & Racine Ltd.; l'entreprise fit faillite en 1978 après avoir existé pendant cent quarante-cinq ans). La maison d'Allan avait appartenue à Napoléon Tétrault, un fabricant de souliers. Quant à la demeure qui les séparait, le propriétaire en était Charles Coristine, président de James Coristine & Co. Ltd., un commerce de fourrures qui avait vu le jour aux environs de 1850.

S'il est vrai que les enfants de Westmount ne pouvaient s'approcher du clan Bronfman, au sommet de la montagne, il est également vrai que les héritiers des deux familles vivaient dans un isolement auquel les traditions juives donnaient une dimension spéciale. Les jeunes Bronfman allaient à l'école dans les limousines familiales et Saidye répétait fréquemment à Minda que c'était à elle de faire les premiers pas parce que les autres enfants pouvaient ne pas oser: "Nous avons grandi presque exclusivement au sein de notre famille immédiate", remarquait Phyllis.

Les anniversaires des enfants constituaient les principaux événements sociaux. Charles se souvient encore des vagues de gosses, invités pour la circonstance, qui couraient d'un bout à l'autre du Palais du Belvédère, comptant les salles de bain et chuchotant entre eux d'un ton craintif. Peggy Mackenzie, qui est allée en classe avec les filles Bronfman au Study, une école privée de Westmount, avait été invitée, en même temps que trente autres de ses compagnes, à fêter le dixième anniversaire de Minda. "Nous étions assises dans une immense salle à manger et, bien qu'il n'y ait pas eu un maître d'hôtel ou un valet de pied debout derrière chaque chaise, il n'en demeure pas moins qu'ils étaient étonnamment nombreux. Nous étions perdues au fond de nos chaises aux hauts dossiers de chêne et nous eûmes toutes droit à un cadeau. Je reçus, pour ma part, un exemplaire relié des oeuvres de Conan Doyle, dans une édition qui semblait coûter les yeux de la tête, surtout au milieu de la dépression, et les autres cadeaux étaient tout aussi luxueux. Le clou de la fête fut la projection d'un film dans la salle de jeux, au sous-sol, le premier qu'il fut donné de voir à la plupart d'entre nous parce que, au Québec, en ce temps-là, il fallait avoir seize ans pour pouvoir aller au cinéma. Ce fut vraiment une journée extraordinaire."

Mais ce qui frappa surtout Peggy Mackenzie, tout comme les autres visiteurs du Palais du Belvédère, c'était la décoration. Au lieu de s'en tenir à un style ou même à une époque, Sam avait voulu, selon son habitude, les réunir tous. "Vous entriez dans une pièce, c'était une forme d'art nouveau, raconte Peggy. Le salon était peut-être du Louis XV et la salle à manger était, je crois bien, du Tudor. Il n'y avait aucune cohésion entre les styles ou les tendances, pas la moindre uniformité, mais chaque pièce était proprement renversante." [3]

À cette époque, la domesticité de la maison de Samuel Bronfman se composait de huit personnes engagées à plein temps pour faire la cuisine, s'occuper du jardin et entretenir les quelque vingt pièces [4]. "Nous avions un maître d'hôtel très réservé, très austère, un Danois qui s'appelait Jenson, raconte Saidye. Nous l'avions surnommé "le prince du Belvédère" et les enfants du voisinage en avaient une peur bleue. Souvent, quand elles rentraient de l'école, les filles me demandaient pourquoi je ne cuisinais jamais de tartes. Incapable de comprendre d'où leur venait cette envie désespérée de pâtisseries, je priais la femme de charge de leur en

---

3) Le premier Belvédère digne de mention était une annexe du Vatican. Le plus connu est le pavillon crème et or, de style baroque, construit à Vienne entre 1714 et 1722 pour Eugène, prince de Savoie, ou Prinz Eugen en allemand. Celui-ci contribua à repousser, en 1683, les Turcs qui se trouvaient aux portes de Vienne; commandant de l'armée autrichienne, il combattit, outre les détachements du sultan, les Français, les Hongrois et les Bavarois. Ce fut au Belvédère du prince Eugène que la cour donna une grande fête en l'honneur de Marie-Antoinette avant son mariage avec Louis XVI; ce fut également de ce pavillon, dont il avait fait sa résidence, que l'archiduc François-Ferdinand partit, en juin 1914, pour un voyage officiel dont l'issue fatale, à Sarajevo, fut directement à l'origine de la Première Guerre mondiale.

4) Au moment du décès de Sam Bronfman en 1971, le personnel permanent comprenait, sous la direction de Martha Oberhuber, la femme de charge, sept domestiques en plus de Vera Polai, une cuisinière occasionnelle dont les gages étaient versés par Cemp.

donner. Mais ce n'était pas ce qu'elles voulaient. Elles continuaient de me demander pourquoi je ne préparais jamais de friandises, moi-même. Des années plus tard, j'appris que, presque tous les jours, l'une ou l'autre de leurs camarades de classe annonçait :

— Maman m'a fait un bon gâteau, hier.

"Pour Minda et Phyllis, il était incompréhensible que *leur* maman n'en fît pas autant. Elles avaient l'impression, dans une certaine mesure, que je n'étais pas à la hauteur. Pour des enfants arrivées à un âge aussi sensible, cela ajoutait encore au fait qu'elles se sentaient différentes de leurs amis, mais le pourquoi de la situation leur échappait complètement. J'ai bien tenté de le leur expliquer, mais il aurait vraiment fallu que ce fût leur père qui s'en chargeât."

Pendant que ses enfants grandissaient, Sam voyageait si souvent qu'il avait réservé en permanence un compartiment-couchette dans l'express Montréal-New York, ce qui lui permettait de le prendre n'importe quel soir. Accaparé par la direction de Seagram, Sam passait à peine douze jours par mois chez lui et sa participation à l'éducation de ses enfants se limitait à les réunir dans le solarium pour d'épisodiques sermons émaillés de paraboles qu'il se plaisait à appeler "des leçons de la vie".

Chaque soir, il téléphonait de sa suite d'hôtel, à New York, habituellement à l'heure du bain des enfants. Saidye se souvient d'un soir où les cris des jeunes en train de jouer l'empêchèrent de comprendre le moindre mot de ce que lui racontait son mari.

"Mais qu'est-ce que c'est que tout ce bordel, demanda Sam, on se croirait dans une maison de fous.

— Pas du tout. Ce n'est qu'une maison tout à fait ordinaire. Du reste, pourquoi faut-il toujours que tu téléphones quand les enfants prennent leur bain?

— Leur bain? A cette heure-ci? Mais ils ne peuvent donc pas le prendre le matin comme tout le monde?''

La fois suivante, Sam téléphona après vingt-deux heures et, ayant demandé à parler aux enfants, il tomba des nues en entendant Saidye lui dire qu'ils dormaient déjà depuis un bon moment.

De plus en plus conscients de l'écart qui les séparait de la réalité et incapables de communiquer avec un père qui semblait toujours au loin même lorsqu'il était à la maison, les enfants réagirent de façon différente. A huit ans, Edgar décida de partir. Un matin, après l'avoir obligé, comme punition, à rester tranquillement assis dans sa chambre pendant deux heures, sa gouvernante fit irruption dans le petit salon de Saidye pour lui montrer une note qu'Edgar avait laissée sur son oreiller: "Chère Cutie, je n'avais pas mérité la punition que tu m'as infligée hier et je m'en vais. Edgar." Lorsque le petit revint de l'école en fin de journée, Saidye le prit à part et lui expliqua qu'il devrait l'avertir la prochaine fois qu'il aurait l'intention de partir, afin qu'elle pût lui donner suffisamment d'argent pour s'acheter à manger et trouver où loger. "Cela me coupa net l'envie de ficher le camp", se souvient Edgar.

Un an plus tard, Edgar commença à manifester un sens aigu des affaires au cours d'une conversation avec Julius Kessler, un distillateur américain relativement âgé qui venait chez eux de temps à autre. Le visiteur avait montré aux enfants une jolie montre musicale, délicatement ornée, qu'il gardait dans la poche de son gilet et, voyant qu'Edgar n'arrêtait pas de l'admirer, il promit de la lui offrir pour son Bar-Mitzvah [5]. Edgar réfléchit un moment, puis répondit en

---

5) Cérémonie de confirmation des garçons qui ont atteint l'âge de treize ans, dans la religion hébraïque. (N.D.L.T.)

hochant la tête: "Merci beaucoup. Mais vous êtes déjà un vieil homme et il est fort possible que vous ne soyez plus là pour mon *Bar-Mitzvah.*" Kessler haussa les épaules et lui tendit la montre dans un même geste.

Tout au long des années 30, la grande inquiétude de la famille Bronfman fut sa vulnérabilité face aux enlèvements, un crime qui était alors très à la mode. D'ailleurs, on sait qu'au moins une bande de malfaiteurs, ayant à sa tête Michael "Big Irish" McCardell, vint à Montréal, en 1931, dans le but d'enlever un Bronfman [6]. Après s'être inscrits à l'hôtel *Royal,* ils surveillèrent la famille pendant trois jours, au bout desquels ils décidèrent finalement de s'attaquer à Sam lui-même; ils avaient l'intention d'intercepter sa voiture lorsqu'il suivrait le Boulevard, à Westmount, pour se rendre à son bureau, de s'emparer de lui et de le retenir prisonnier dans une cachette, au Vermont, jusqu'à ce qu'ils eussent touché la rançon, fixée à cinq cent mille dollars.

La veille du jour J, ils passèrent la soirée dans leur suite d'hôtel à boire du champagne en se régalant à l'idée du supplice qu'ils feraient subir à Sam Bronfman et en se racontant comment ils dépenseraient chacun leur part de la rançon. A un certain moment, Vinnie Massetti quitta le groupe pour expédier un télégramme chiffré aux bandits

---

6) Aucun, parmi la bande, n'était capable de tirer correctement, mais la seule mention de leurs noms aurait donné la chair de poule à n'importe quelle victime. Le bras droit du chef était un bandit de Chicago qui s'appelait Abraham "Three Fingers Abe" Loew et ses gardes du corps étaient, semble-t-il, Vincent "Vinnie" Massetti, de Détroit, et Dave Meisner, un joueur doublé d'un bookmaker, originaire de Covington, une petite ville située en face de Cincinnati, de l'autre côté de la rivière, dans le Kentucky. Il y avait aussi Albert Pegram et un drôle de type nommé Mario "the Throatman" Berchello qui avait une curieuse spécialité: il étranglait les gens avec un boyau de poisson lesté à une extrémité d'un crucifix et à l'autre d'une médaille de saint Christophe, probablement pour donner à ses victimes une sorte de bénédiction définitive, sinon d'absolution.

responsables de la cachette du Vermont. Tandis qu'il traversait le hall de l'hôtel pour regagner sa chambre, il repéra une femme séduisante et décida de la suivre. C'était une blonde imposante, à la chevelure abondante, et dotée d'une poitrine qui promettait des plaisirs hautement pneumatiques: en outre, elle semblait sensible à l'attention qu'il lui témoignait. Quand elle prit l'ascenseur, il en fit autant et engagea la conversation. Il releva le numéro de sa chambre et s'en fut rejoindre le groupe qui continuait de sabler le champagne. Après quelques tournées, Massetti se rendit à la chambre de la blonde, frappa à la porte et, lorsqu'elle lui ouvrit, se précipita à l'intérieur en la bousculant et en lui annonçant qu'il faisait partie de la brigade des moeurs. Après une violente discussion accompagnée d'une bagarre, Massetti viola la jeune femme qui le dénonça sans attendre au détective de l'hôtel. McCardell était prêt à punir Massetti pour avoir failli tout faire rater et à l'emmener faire une promenade sans espoir de retour vers les quais du Saint-Laurent, lorsque trois policiers enfoncèrent la porte et procédèrent à l'arrestation du présumé violeur. Ils avertirent ses complices plutôt nerveux de ne pas quitter la ville au cas où on aurait besoin de leur témoignage; néanmoins, ils ignoraient tout de la raison qui avait amené la bande à Montréal. Craignant que Massetti ne se mît à table, la bande fila sans demander son reste et l'enlèvement de Bronfman n'eut donc jamais lieu [7].

---

7) Une partie de la bande revint au Canada, en août 1934, pour enlever John Sackville Labatt, le brasseur de London, en Ontario. La rançon s'élevait à cent cinquante mille dollars (McCardell signa la demande de son pseudonyme, "Three Fingers Abe"), mais Labatt fut relâché sain et sauf après avoir été gardé pendant trois jours dans une bicoque de Muskoka. Les bandits négligèrent toute prudence quand ils allèrent chercher l'argent qui, de tous les endroits discrets possibles, devait en principe leur être remis dans le hall de l'hôtel *Royal York,* à Toronto, à la suite de quoi trois d'entre eux furent envoyés en prison pour l'enlèvement raté. Meisner fut condamné à quinze ans, mais il fut libéré

Inconscients du complot avorté, les Bronfman continuaient de mener une vie paisible au Palais du Belvédère. Après avoir terminé leurs études au Study, les filles se séparèrent. Minda s'inscrivit au Smith College, tandis que Phyllis, qui manifestait certains dons artistiques, partit étudier à Cornell et à Vassar. Edgar et Charles, qui fréquentaient une école privée de Montréal, Selwyn House, furent envoyés au Trinity College School, à Port Hope, en Ontario. A cette époque, ils étaient les deux seuls Juifs de l'institution et l'expérience s'avéra désastreuse: "Souvent, au dortoir, se souvient Charles, juste avant le coucher, les gosses se mettaient à me seriner sans arrêt *King Item, King Edgar,* ce qui, si on prend les quatre premières lettres, donne "Kike" [8]. Une fois que je protestais, l'un deux me dit de garder mon grand nez de Juif en dehors de tout ça. Je lui suis rentré dedans, aussi sec." Pour sa part, Edgar fut moins affecté par ces manifestations d'antisémitisme que par le règlement rigide de l'école: "Ce qui m'a le plus irrité, à Trinity, ce fut cette espèce de règlement sans queue ni tête qui obligeait tous les nouveaux à boutonner les trois boutons de leur veston. Avec ça, tous mes complets furent fichus."

Charles se heurta à des réactions racistes du même type quand il s'inscrivit à McGill, en 1948: "Je me rappelle un type qui vint me trouver pour me raconter qu'ils avaient eu une discussion mouvementée parmi les membres de son association parce que certains voulaient me voir me joindre à eux, mais ils n'avaient encore jamais accepté de

---

après un second procès au cours duquel McCardell déclara qu'il n'avait rien à voir avec le rapt, pas plus qu'un second suspect, Kingdom "Piccolo Pete" Murray. McCardell fut envoyé derrière les barreaux pour douze ans, tandis que Russell Knowles et Jack Bannon écopaient de quinze ans chacun. Pegram resta introuvable.

8) Equivalent de "youpin". (N.D.L.T.)

Juif auparavant. L'incident m'indigna parce que, de toute façon, je n'aurais pas adhéré à leur association. C'est à ce moment-là que j'ai traversé une crise assez sérieuse à cause de mes origines. Cela correspondait avec la naissance de l'Etat d'Israël et je ne cessai de me demander ce qui arriverait si la guerre était déclarée entre le Canada et Israël. Mais tout rentra finalement dans l'ordre. Dans le fait d'être Juif, il y a cette identité de ceux que j'appellerais nos frères, où qu'ils se trouvent, avec Israël qui leur sert de point d'attache. Mais si j'appartiens au peuple juif, je suis également canadien et j'en éprouve énormément de fierté. Depuis, je ne me suis plus jamais senti préoccupé par cette question de fidélité envers l'un ou l'autre, et tout ce bazar.''

L'expérience de Charles à McGill fut démoralisante, abrutissante et de courte durée. Ses cours à la Faculté des arts l'ennuyaient copieusement: ''J'étais capable de rédiger un exposé. Du moment qu'il s'agissait plus ou moins de trucs sans aucune importance, ça allait. Mais, aux examens, je paniquais complètement.'' Charles abandonna au milieu de sa troisième année que, de toute façon, il aurait ratée, confiant à son père déçu qu'il avait l'impression de sortir de prison. Le 12 mars 1951, il commença à travailler à temps plein pour Seagram.

Entre-temps, Edgar s'était inscrit à Williams, un petit collège du nord-ouest du Massachusetts.Si ses camarades ne l'ont pas oublié, c'est surtout à cause de ses jouets: des voitures rapides et de ravissantes étudiantes. A la suite d'un exploit particulièrement audacieux, il se retrouva, en compagnie d'une brunette légèrement contusionnée, du mauvais côté d'une haie, égratigné mais mort de rire, auprès des restes fumants d'une motocyclette toute neuve. Lorsque Edgar fut menacé d'expulsion, Sam demanda à James Linen (qui, à l'époque, était propriétaire du *Time* et un ancien de Williams) d'intercéder en faveur de son fils. Son intervention évita à Edgar d'être officiellement mis à la porte, mais il préféra, après cet incident, s'inscrire en histoire à McGill où il obtint son diplôme après avoir rédigé une thèse sur l'incident du Banc de Dogger [9]. Souffrant d'insécurité, à la recherche de lui-même, il songea un moment à devenir rabbin [10], pensa se diriger vers le droit et envisagea la profession de conseiller en placements. Il consacra ses étés d'étudiant à acquérir quelques notions sur les valeurs et à apprendre énormément de choses à propos de l'argent [11]. "Quand on demandait de l'argent à Père, il fallait lui dire pourquoi. Mais si on le gagnait soi-même, il n'y avait rien à expliquer." Au cours de l'automne de 1951, Edgar rejoignit son frère Charles à la cour royale de Seagram.

---

9) Bref épisode de la guerre russo-japonaise (1904-1905) au cours duquel des bâtiments de guerre russes, cinglant vers l'Atlantique, firent feu au large des côtes danoises sur une flottille de chalutiers anglais qu'ils avaient pris pour des sous-marins camouflés.

10) La tentation ne dura pas. A un moment donné, durant sa crise mystique, il se demanda s'il ne devrait pas remplacer son second prénom, Miles, par Moïse pour donner un plus grand poids moral à sa vocation.

11) Alors qu'Edgar n'était encore qu'un adolescent, Sam lui donna, pendant trois étés consécutifs, cinq mille dollars pour lui permettre d'apprendre le fonctionnement de la Bourse. Edgar se fit un joli bénéfice sur papier en achetant des actions de Royalite (une compagnie pétrolière albertaine acquise par Samoet Allan qui la gardèrent quelque temps); quand Charles (qui possédait mille huit cents dollars en obligations d'épargne de la Défense nationale) demanda à son père s'il ne devrait pas en acheter également, son aîné l'assura qu'il était encore possible de gagner rapidement une somme rondelette. Charles suivit donc son conseil, mais Edgar vendit ses titres et acheta plutôt des actions de Seagram, ce qui lui permit de s'en tirer avec un profit encore accru quand celles-ci montèrent, tandis que celles de Royalite subirent une baisse.

Chapitre Onze

Phyllis

*Ses pensées ressemblent aux drapeaux régimentaires de
l'armée mexicaine, avec leurs couleurs resplendissantes
et leurs formes disparates.*

Décrite par ses proches comme "une excentrique qui ne
manque pas de talent", Phyllis, la seconde fille de Sam, est
la plus intéressante de tous les Bronfman actuels. Elle est la
seule de sa génération à posséder ce magnétisme dément
qui attirait si fortement les gens vers son père: cette violence
séduisante propre à ceux qui vivent continuellement à la
frontière de l'exil.

Divorcée, extrêmement jolie avec des traits qui évo-
quent la beauté langoureuse d'un dessin de Picasso, elle est
presque toujours vêtue d'une salopette de poseur de rails
enfilée sur une chemise d'homme, avec trois grosses arachides en plastique épinglées à sa bretelle. Phyllis, qui est
d'une intelligence supérieure et aussi vulnérable qu'un
oiseau migrateur qui aurait un millier de milles à parcourir,
est parvenue à un état de grâce que n'a pu encore atteindre

aucun autre Bronfman — elle a accompli sa propre sauve-
garde en se réfugiant dans l'imagination.

Elle s'exprime à coups de phrases à l'emporte-pièce
qui alternent entre l'art et la politique: "Assez étrangement, Diefenbaker aussi bien que Trudeau sont nos anti-
héros, et peut-être les auteurs de la démocratie à la Jeffer-
son. L'erreur ou la trahison fondamentale qu'a commise
Trudeau, c'est la centralisation que non seulement l'étendue du pays ne justifie pas, mais qui, pour cette raison
même, est inefficace. Il semblerait que son modèle ne soit ni
Kennedy, ni de Gaulle, mais Louis XIV. Après tout, il est
français... Une visite à l'étage de la peinture canadienne, à
la Galerie nationale, éclaircit les idées. Les tableaux de
l'école canadienne-française du dix-huitième siècle et du
milieu du vingtième sont parfaitement construits, clairement définis. Ceux des Anglais reflètent le paisible frisson
intérieur de la vie quotidienne et du parc Algonquin. Après
la Première Guerre mondiale, les Américains n'ont plus
peint de paysages idylliques. Nous n'avons jamais eu de
théorie relative au gouvernement. Nous avons besoin d'une
nouvelle constitution reposant sur un concept et non sur un
symbole sexuel. Je ne crois pas du tout que Trudeau soit
l'unique solution. Mais, tout comme dans le cas d'une
aventure amoureuse, le nouvel amant ne fait jamais son entrée avant que l'ancien n'ait été définitivement éliminé."

Ses pensées ressemblent aux drapeaux régimentaires
de l'armée mexicaine, avec leurs couleurs resplendissantes
et leurs formes disparates. Mais ce qui impressionne surtout ses quelques rares visiteurs, c'est la qualité de ses silences. Ils semblent vivants, en contrepoint du feu d'artifice de
son esprit, semblables aux ombres d'un bloc de pierre qui
inspirent le sculpteur tandis qu'il le taille.

Il y a bien longtemps, le jour même des noces de Phyllis au Palais du Belvédère, Sam avait décidé de décorer tou-

te la maison de guirlandes faites de quinze mille grappes de lilas, qu'une pépinière de Windsor, en Ontario, avait expédiées à Montréal dans un avion spécialement affrété. La cérémonie se déroula sous deux grands lilas transplantés et disposés de façon à encadrer le jeune couple. Une vie entière semble à peine suffisante pour permettre à une jeune fille, sujette à l'introspection, de s'en remettre.

Elle suit l'évolution du Québec contemporain et s'interroge avec sensibilité sur l'avenir du Canada français: "Le Canada français a son propre mythe et il ne pourra parvenir à une maturité économique que s'il est capable de réaliser ce mythe. Après tout, c'est Duplessis qui a amené ici l'industrie américaine, sur le dos des travailleurs québécois, dans le but de renforcer la présence française. En fait, les dirigeants du Québec ont toujours *trahi les masses* pour imposer leur image... Avant Duplessis, c'était le clergé qui détenait les rênes du pouvoir... La rébellion des Patriotes de 1837 a été réprimée par l'Establishment ecclésiastique, désireux de maintenir et son pouvoir et la présence française — un schéma qui date de 1815 et s'est prolongé jusqu'à l'entrée en scène de Trudeau, à Asbestos [1]... Je crois qu'il est impossible qu'une semblable *trahison des masses* puisse jamais se répéter."

Après la violente sortie de son frère Charles contre le Parti québécois, juste avant les élections, Phyllis en éprouva une telle colère que, pendant deux mois, elle fit tout pour l'éviter, de peur de ne pouvoir garder son sang-froid. "Je n'identifie absolument pas tel ou tel comportement particulier avec les Bronfman, déclare-t-elle. C'est assez difficile de

---

1) Asbestos est l'un des deux principaux centres québécois de l'amiante, dans les Cantons de l'Est — l'autre étant Thetford-Mines —, où, en 1949, quatre mille six cents mineurs entreprirent une grève de cinq mois. Le conflit dressa les éléments réformistes québécois (dont Pierre Trudeau) contre le gouvernement provincial du Premier ministre Maurice Duplessis.

tracer un tableau monolithique de la façon dont vit Charles, vous savez. C'est très différent du mode de vie qu'ont choisi d'autres individus qui s'appellent Bronfman, et si je pouvais, en définitive, ne pas être une Bronfman... A vrai dire, le fait d'avoir changé de nom me permet de ne pas être une Bronfman à Montréal. Je ne suis revenue vivre ici que lorsque j'ai été en mesure de le faire à mes propres conditions.''

La première fois que Phyllis Bronfman quitta Montréal, ce fut pour aller étudier à Cornell qu'elle quitta au bout d'un an pour Vassar où elle obtint son diplôme du premier cycle en 1948. Elle avait choisi l'histoire moderne et, comme sujet de thèse, le conflit moral vécu par Henry James lorsqu'il décida de quitter l'Amérique: "James semblait être un auteur extrêmement difficile; c'est pourquoi j'ai jugé bon d'essayer de le comprendre. En outre, le fait qu'il lui avait fallu s'expatrier pour pouvoir comprendre sa propre culture m'intéressait d'autant plus que j'étais en mesure d'en apprécier toute la portée.'' Ce fut durant sa dernière année à l'université que Phyllis fit la connaissance de Jean Lambert, un Européen classique, grand, brun et égocentrique, avec le physique agréable d'un jeune premier français et les inflexions gutturales d'un excellent pasticheur de Las Vegas qui aurait imité Charles Boyer dans le rôle d'un chef de la Résistance prêt à mourir pour la plus grande gloire de la France. Né à Sarrebruck [2] en 1920, Lambert avait fui l'occupation nazie, après l'invasion de la France [3], et avait émigré aux Etats-Unis où vivait l'une de

---

2) Capitale de la Sarre; région administrée par la Société des Nations après le Traité de Versailles, en 1919. A la suite d'un plébiscite, elle fut rendue à l'Allemagne en 1935. En 1945, elle fut rattachée à la zone d'occupation française et ne redevint allemande que le 1er janvier 1957.

3) Ce ne fut pas chose aisée. Il quitta Paris le jour même où les Allemands y firent leur entrée et tenta de gagner Londres par Tanger que venaient d'occu-

ses soeurs. Tout le temps que dura la guerre, il travailla comme commis dans le bureau d'André Istel qui était le représentant financier de Charles de Gaulle, à Washington.

Par la suite, Lambert affecta un air mystérieux, comme s'il avait joué un rôle prépondérant dans la marche de l'histoire. Chaque fois que, durant les séances du conseil, il y avait une pause, il s'arrangeait invariablement pour orienter la conversation de telle sorte qu'il pouvait — de manière allusive et avec toute la déférence qui s'imposait — revenir sur l'action qu'il avait exercée dans les coulisses, lors de la Conférence de Bretton Woods, tenue en 1944 et qui avait défini la politique monétaire d'après-guerre. En réalité, il avait été le moins important des membres de la délégation française; il avait obtenu ce poste grâce à Pierre Mendès-France, alors commissaire aux Finances pour le gouvernement français en exil, qui avait remarqué son nom dans une liste d'éventuels traducteurs. Celui-ci avait été intrigué par la présence d'un vrai "Jean Lambert" parmi les Français de Washington, parce que, après son évasion des prisons françaises de Vichy, c'était "Jean Lambert" qu'il avait choisi comme nom de guerre au moment de rejoindre la Résistance.

En 1945, Lambert opta pour la carrière de conseiller en placements afin de mettre à profit les contacts qu'il avait établis pendant la guerre. Après l'avoir courtisée pendant

per les troupes espagnoles. Comme l'avion qui établissait la liaison entre Lisbonne (le Portugal était neutre) et Londres faisait escale à Madrid (qui était du côté des Allemands), Lambert remit au consul français en poste à Tanger une somme suffisante pour que celui-ci pût téléphoner à son correspondant espagnol s'il n'arrivait pas sain et sauf à Lisbonne. Le hasard voulut que Lambert atterrit à Madrid le jour où Heinrich Himmler, le chef de la Gestapo, s'y trouvait en visite; un commando faisant la chasse aux étrangers le fit descendre de l'avion et il fut jeté dans une cellule, dans les caves du quartier général de la police. Le consul de Tanger ayant pensé à téléphoner au représentant français à Madrid, l'intervention de ce dernier permit à Lambert de recouvrer sa liberté.

un an, il épousa Phyllis Bronfman, le 17 mai 1949. Sam ne fut pas particulièrement enchanté de cette union avec le jovial banquier, mais, en guise de cadeau de noce, il se chargea entièrement de l'ameublement et de la décoration de l'appartement, comportant six chambres à coucher, que le jeune couple avait loué dans le très chic immeuble de *Sutton Place,* à New York.

Afin de persuader Phyllis de placer des fonds dans son affaire, Lambert s'assura le concours d'Allen Dulles (qui faisait partie, à l'époque, du cabinet juridique Sullivan & Cromwell, de Wall Street, et devint plus tard l'inamovible potentat de la Central Intelligence Agency). Phyllis lui versa un million de dollars, ce qui fit d'elle l'associée en second de Lambert and Company, et son mari utilisa la somme pour pouvoir participer, à un niveau mineur, aux transactions menées par André Meyer, le légendaire directeur de Lazard Frères, de New York. Pour ses premières armes au Canada, il acheta Calvan Consolidated Oil and Gas [4], à Calgary, puis acquit la Consolidated Toronto Development Corporation qui avait été mise sur pied par Home Smith [5], un entrepreneur écossais bourru, et dont les immeubles qui enjambent la rivière Humber, dans l'ouest de la ville, étaient évalués à quelque cinq millions de dollars. Lambert engagea David B. Mansur pour prendre la direction de ses opérations canadiennes; Mansur était un éminent fonctionnaire qui, de 1946 à 1954, fut l'âme dirigeante de la Société centrale d'hypothèques et de logement. Il occupa ce poste

---

4) Calvan Consolidated, qui succéda en 1951 à Calvan Petroleums, fut annexée par une filiale de Canadian Petrofina, laquelle devint, en 1968, Petrofina Canada.

5) Ses états de service, durant la guerre, auprès de la Commission de contrôle des devises étrangères et du Comité des finances de la défense nationale lui valurent d'être fait Commandeur de l'Ordre de l'Empire britannique (C.B.E.).

jusqu'en 1960, date à laquelle Lambert regroupa toutes ses activités canadiennes au sein d'une société de gestion, la Great Northern Capital Corporation, et acheta l'Atlantic Acceptance Corporation qui était, à ce moment-là, une petite compagnie de prêts située à Hamilton, en Ontario. N'ayant pris aucune part aux manoeuvres frauduleuses qui entraînèrent Atlantic dans une faillite de soixante-quinze millions de dollars, Jean Lambert réussit à convaincre certains des investisseurs les plus avertis de Wall Street (dont la Fondation Ford, le Fonds de retraite de Carnegie et U.S. Steel, et la Fondation Harvard) de racheter une quantité considérable de certificats, obligations et effets sans garantie détenus par Atlantic. La Commission royale de l'Ontario conclut en ces termes son enquête sur cette dramatique faillite: "Il est évident que les associés de Lambert ont été sérieusement et incontestablement impliqués dans l'aventure d'Atlantic Acceptance."

Le mariage de Phyllis Bronfman et de Jean Lambert fut dissous en 1954, dix ans avant la débâcle financière d'Atlantic: "Le mariage n'avait été rien d'autre qu'un moyen de conquérir ma liberté; il semble à peine concevable qu'il ait fait partie de ma vie. Nous n'avions aucun point en commun." Durant l'été de 1952, Phyllis s'enferma dans un studio de la Rive gauche, à Paris, pour se consacrer à la peinture et à la sculpture, et pour échapper à cette malédiction spécifiquement nord-américaine: être une Bronfman. Deux ans plus tard, Sam envisagea de quitter l'édifice *Chrysler,* à New York, qui abritait les bureaux de Seagram pour les Etats-Unis et de faire construire son propre siège social sur un terrain qu'il avait acheté au 375, Park Avenue. Il envoya à Phyllis une ébauche du futur édifice qui n'avait absolument rien d'excitant. Celle-ci en fit une critique qui s'étalait sur seize pages et où elle mettait en relief certains critères relativement au nouvel immeuble. ("Essentiellement, j'ai essayé de découvrir le message le plus significatif qui devrait ressortir de l'édifice. Contrairement à un tableau qu'on peut ne pas regarder ou à un livre dont on ne lirait pas une seule ligne, il est impossible d'ignorer un édifice. Il s'impose à nous parce que nous devons nous en approcher, circuler à l'intérieur et que nous nous laissons envelopper par lui. C'est à l'architecte qu'incombe la responsabilité de concevoir des plans d'une qualité supérieure et de soigner tous les détails afin que les éléments spatiaux intangibles de l'immeuble soient un plaisir aussi bien pour l'oeil que pour l'esprit. Dès l'instant où des hommes d'affaires décident de construire, ils prennent moralement position; et c'est du choix de l'architecte que dépendra la qualité de leur message.'') Sam fut tellement impressionné par ses commentaires qu'il lui confia la préparation du projet.

''J'ai maintenant un véritable travail, écrivit Phyllis à Eve Borsook, une camarade de Vassar. Il n'y a sûrement aucun employé de Seagram qui pourrait (s'en charger) à titre, justement, d'employé. Une fille qui se préoccupe de voir à ce que son père construise un édifice qui soit beau semble s'attirer la sympathie de tous. Et maintenant, je dois dire mes prières chaque soir. C'est là, pour moi, une chance unique!'' Phyllis rencontra, par l'entremise de Marie Alexander, une autre diplômée de Vassar, Philip Cortelyou Johnson qui était, alors, à la tête des départements conjoints d'architecture et d'esthétique industrielle au Musée d'art moderne de New York; celui-ci reconnut la qualité de son instinct et lui donna une lettre d'introduction pour les plus grands architectes du monde. Elle entreprit de visiter, l'une après l'autre, leurs salles de dessin, examina leurs maquettes, étudia leurs philosophies et se retrouva, un beau jour, en présence du maître Ludwig Mies van der Rohe. ''Les plus jeunes, ceux de la seconde génération, ne jurent que par Mies ou le désavouent complètement, écrivit-elle à son père. Ils parlent de formes nouvelles — conçoivent le revêtement ou la façade d'un édifice de façon à obtenir un jeu d'ombres et de lumière. Mais Mies a dit:

— La forme n'est pas le but de notre travail; elle n'en est que le résultat."

Sam approuva le choix de Phyllis et l'engagea comme directrice de la planification pour le nouvel édifice Seagram, à un salaire annuel de vingt mille dollars [6]. Sam Bronfman ne donna que deux directives à Mies van der Rohe, ancien directeur du *Bauhaus* et qui, maintenant, à l'âge de soixante-huit ans, dirigeait le département d'architecture de l'Institut de technologie de l'Illinois: "faire de cet édifice l'oeuvre suprême de votre vie et de la mienne" et y prévoir un demi-million de pieds carrés pour des locaux à louer.

Trois ans plus tard, la tour de bronze, qui avait coûté quarante et un millions de dollars, recevait ses premiers occupants; elle fut aussitôt proclamée l'une des merveilles du

---

6) Une difficulté inattendue surgit quand on découvrit que Mies, un autodidacte, n'était pas autorisé à exercer la profession d'architecte à New York, qu'il ne pouvait l'être parce qu'il n'avait jamais fait d'études secondaires et que, enfin, il refusait catégoriquement de passer l'examen prescrit. L'engagement de Philip Johnson à titre de collaborateur de Mies permit de résoudre le problème. Coauteur de *The International Style: Architecture since 1922*, ouvrage paru en 1932 et qui mettait en lumière plusieurs des concepts relatifs aux gratte-ciel modernes, Johnson se retirait chaque week-end dans l'une des plus célèbres résidences du vingtième siècle: la Maison de Verre qu'il avait fait bâtir pour son usage personnel à New Canaan, dans le Connecticut, en 1949. A soixante-douze ans, il demeure l'un des architectes les plus novateurs. Son plus récent projet concerne la construction, dans sa propriété du Connecticut, d'une nouvelle maison autour de laquelle s'enroulera un escalier circulaire et qui ne comportera qu'une seule pièce, rappelant une demeure seigneuriale écossaise et complétée par d'autres pièces en surplomb où seront installées la cuisine, une bibliothèque et une chambre à coucher. Les murs intérieurs seront peints par Andy Warhol à partir de photos prises au Polaroïd par Johnson dans son jardin où abondent les fleurs. Un second projet sera le gratte-ciel de AT&T qui s'élèvera à l'angle de la 55e avenue et de Madison, avec un toit de style néo-Chippendale.

monde architectural [7]. "Il est possible de décrire en quelques mots, brefs mais précis, le nouvel édifice Seagram, s'extasia le *New Yorker*. Il est tout ce que la plupart des autres immeubles à bureaux construits ces dernières années ne sont pas. A peu près n'importe quel chef-d'oeuvre de sobriété, si dépouillé soit-il, verrait sa valeur accrue par un tel contraste, et l'édifice Seagram, qui est loin d'être modeste, est peut-être, de tous les immeubles de la ville, celui dont l'ostentation est la plus discrète. (...) Il se dresse comme une Rolls-Royce qu'escorteraient des motocyclettes pour lui assurer espace et vitesse. En sacrifiant délibérément une proportion importante de la superficie louable, Mies van der Rohe a créé dans cette seule structure un effet d'espace et de lumière qu'on n'obtient habituellement qu'en réunissant un groupe d'édifices sur un terrain plus grand qu'un pâté de maisons."

---

7) Phyllis se prit d'une telle passion pour l'architecture qu'elle s'inscrivit à la Faculté d'architecture de Yale. Elle y passa un an puis préféra poursuivre ses études à l'Institut de technologie de l'Illinois où elle obtint son diplôme avec distinction: "L'intellect n'est pas l'intelligence. A Yale, les étudiants qui détenaient un bac en sciences ou en art s'interrogeaient: qu'est-ce qu'un mur veut être? Le vedettariat était à la base de tout le système, alors que, officiellement, il s'agissait d'une école. Il n'y avait qu'une seule façon d'y accéder: manifester des dons indéniables pour le dessin; quant à ceux qui étaient moins doués, ils étaient simplement écrasés à coups de talon. Les professeurs conseillaient aux étudiants (traduire par "vedettes") de cacher leurs esquisses pour que nul ne pût les copier, exactement comme dans certains ateliers de General Motors, chez Seagram ou dans la *haute couture,* (en français dans le texte) à Paris, au mois de juillet. L'atmosphère était beaucoup plus respirable à l'Institut de technologie de l'Illinois. Des gosses boutonneux à cause d'un régime mal équilibré venaient à l'école en autobus ou en métro. Pas de théories creuses. Tout le monde pouvait étudier les dessins des autres pour voir s'ils se tenaient." Phyllis remporta, plus tard, la médaille Massey, la plus haute récompense attribuée au Canada dans le domaine de l'architecture, pour sa maquette du centre culturel Saidye-Bronfman intégré au YM-YWCA du quartier Snowdon, à Montréal. Inauguré en 1967, le centre comporte un théâtre de deux cent cinquante places et des plateaux de répétition, des ateliers pour les arts et l'artisanat, ainsi que des salles réservées à l'Institut d'études juives et à l'éducation permanente.

S'élevant derrière une place ornée de deux fontaines en marbre et en granit rose qui lui sert de piédestal, la tour couleur de bronze, haute de trente-huit étages, est devenue l'illustre symbole de la prédominance de Seagram dans l'univers de la distillerie. Quoique peu d'immeubles à bureaux aient entraîné des dépenses aussi considérables, il s'en dégage une atmosphère de riche sobriété plutôt que d'ostentation. Les quatorze ascenseurs (dont les tympans et les meneaux de bronze sont astiqués à la main) s'ouvrent sur un magnifique hall aux murs de travertin et au sol en terrazo. Au rez-de-chaussée, se trouve, entre autres, le *Four Seasons*, l'un des plus luxueux restaurants de New York, dont le mur principal s'orne d'un rideau de théâtre créé par Picasso en 1919 et qui mesure vingt-cinq pieds de haut [8].

Les bureaux de la direction sont lambrissés de chêne rouvre, et les visiteurs qui attendent d'être reçus par Edgar peuvent s'asseoir dans les chaises de cuir tressé que Mies van der Rohe créa pour la Foire du bâtiment qui se tint à Berlin en 1931. Au quatrième étage, on a aménagé un musée du vin, où la température est constamment maintenue à soixante-cinq degrés Farenheit et où les directeurs, réunis autour de trois tables en bois de style médiéval, peuvent goûter à un Bernkasteler Doktor 1904, à un Cordon Rouge 1928 de Mumm, à un Château Léoville Barton 1924 et à d'autres grands crus d'une valeur inestimable: "Cet édifice, affirme Edgar, est notre meilleur atout publicitaire. Il nous a fait connaître, dans le monde entier et de façon définitive, comme des gens solides et qui ont le souci de la qualité."

Phyllis vit maintenant, heureuse, dans une ancienne manufacture d'arachides de trois étages, située dans

---

8) Edgar Bronfman mange rarement au *Four Seasons:* "J'ai ma propre cuisine, dit-il. Le *Four Seasons* n'est pas mal, mais leur cuisinier ne peut se comparer au mien."

le Vieux Montréal et qui a été réaménagée. Elle s'est installée dans le grenier, loue une partie du rez-de-chaussée et travaille dans un grand atelier blanchi à la chaux et encombré de livres, de sculptures, de sa collection d'autos miniatures et de macarons portant l'inscription **"Non à la chasse aux phoques"**. C'est une personne très secrète, quoiqu'elle soit loin de vivre en recluse. Elle a renoncé à la peinture et à la sculpture: "C'était trop personnel; les problèmes sociaux m'intéressent davantage." En compagnie de ses huit assistants, elle établit des catalogues, s'efforçant de préserver et de restaurer les trésors architecturaux du *Vieux Montréal* [9]. Ses efforts ont été reconnus et récompensés aussi bien par la ville que par la province, par l'intermédiaire de subventions et de publications officielles [10].

---

9) En français dans le texte.

10) Elle a récemment acheté l'ancienne demeure Shaughnessy, boulevard Dorchester, pour empêcher qu'elle ne soit démolie et utilise les parts qu'elle possède dans Cemp, la société de fiducie de la famille Bronfman, pour financer la rénovation d'entrepôts vieux de quelque cent vingt ans, rue Saint-Sulpice. L'aménagement de ce futur immeuble en copropriété, qui portera le nom de Cours Le Royer, sera réalisé en cinq phases, et les derniers des deux cents appartements seront prêts vers 1980. L'un des premiers acheteurs a été le Premier ministre du Québec, René Lévesque.

Phyllis poursuit ses activités comme architecte, aux Etats-Unis, grâce à la société qu'elle a formée avec l'architecte américain Gene R. Summers qui, ayant travaillé pendant seize ans aux côtés de Mies van der Rohe, s'est vu attribuer, par les Bronfman, le contrat du Toronto-Dominion Centre. Leur société, Ridgway Ltd., fondée en 1973 à Newport Beach, en Californie, est propriétaire d'un édifice commercial et à bureaux de onze millions de dollars, dans la localité du lac Forest, dans le comté d'Orange, et d'une manufacture de lampes évaluée à quatre millions cent mille dollars, dans le comté de Los Angeles. En 1976, Ridgway a fait l'acquisition du *Biltmore*, à Los Angeles, qui avait été déclaré le plus grand hôtel à l'ouest de Chicago lors de son inauguration en 1923 et que le Los Angeles Cultural Heritage Board a désigné comme édifice culturel, en 1969. Quand le programme de rénovation de trente millions de dollars, entrepris par Ridgway, sera terminé en 1979, l'hôtel comportera deux étages réservés pour des bureaux et mille soixante-douze chambres (tarifs en 1978: entre quarante-huit et soixante-cinq dollars pour une chambre à un lit, de cinquante-huit à soixante-quinze dollars pour une chambre à deux lits et cent

Elle est un constant catalyseur dans la dispute qui oppose l'Establishment culturel montréalais, dont les dirigeants voudraient que le Vieux Montréal demeure un *objet d'art* surtout pour les touristes, et les urbanistes qui préféreraient voir s'accroître l'utilisation des constructions de tout âge qui se retrouvent dans le quartier. Phyllis, qui est devenue l'avocate la plus avertie du dernier groupe, a concentré son tir verbal sur la Commission Viger, l'organisme consultatif responsable du développement du quartier: "Ses membres appartiennent à cette époque où deux barons pouvaient diriger le monde, accuse-t-elle, en qualifiant le groupe de réactionnaire et d'élitiste; cet organisme qui n'a aucune responsabilité publique a été créé à un moment où c'était surtout pour les antiquités qu'on s'intéressait à la conservation."

---

dollars et plus pour une suite). L'artisan italien Giovanni B. Smeraldi, qui avait conçu les murales de la gare *Grand Central,* à New York, est chargé de la rénovation des plafonds et des murs selon le plus pur style Renaissance, tandis que l'ameublement et la décoration ont été confiés à l'artiste américain Jim Dine, l'un des chefs du mouvement pop au cours des années 60, qui a préparé vingt-six maquettes. Enfin, c'est le modéliste Bill Jobe qui a dessiné les uniformes des six cents employés du *Biltmore* où, durant les années 30 et 40, avait lieu la remise des Oscar.

Sa toute dernière réalisation est *Court House: A Photographic Document* (Horizon Press, trente-cinq dollars aux Etats-Unis et quarante-cinq au Canada), paru en 1978. Conçu et dirigé par Phyllis, le projet avait nécessité l'engagement de vingt-quatre photographes réputés qui prirent huit mille photos d'un tiers des trois mille quarante-trois palais de justice qui existent aux Etats-Unis. Wolf Von Eckardt, qui en fit un compte rendu pour le *Washington Post,* a écrit: "Il y a environ vingt ans, Lambert convainquit son père d'engager Mies van der Rohe pour la construction de l'édifice Seagram de Park Avenue, à New York. Ce fut là un événement historique pour l'architecture américaine. J'estime que le projet sur les palais de justice est tout aussi important. Peut-être même plus. L'édifice Seagram a fait connaître au public américain ce qu'il y avait de mieux dans ce qu'il est convenu d'appeler le style international en architecture. Le projet des palais de justice nous fait découvrir la richesse et l'ingéniosité de notre propre culture indigène. Même ceux d'entre nous qui s'intéressent depuis longtemps à l'histoire du bâtiment resteront sans voix devant son abondance et son authenticité."

277

Rollande Pager, qui est vice-présidente de la Commission Viger, ne s'est pas gênée pour l'envoyer au diable. "Que veut dire Phyllis Lambert quand elle nous traite d'élitistes?" Et elle ajoute: "Si seulement j'avais ses millions. C'est toujours l'élite qui dirige. Croyez-vous que je laisserais mon laitier siéger à la Commission Viger? *C'est toujours la crème* [11]."

---

11) En français dans le texte.

Chapitre Douze

Minda

Cela fait si longtemps que la baronne a quitté le milieu où bouillonnaient les névroses familiales qu'elle n'a plus rien d'une vraie Bronfman. Il lui manque cette lassitude morale, cette autosatisfaction incisive qui sont la marque des autres Bronfman, plus typiques.

Minda est l'aristocrate de la lignée Bronfman. Devenue la baronne Alain François de Gunzburg, elle mène une vie d'une élégance discrète au sein de ce cercle fermé qu'est la haute société française où il est de bon ton de dîner chez *Ledoyen*, à la *Tour d'Argent* ou chez *Lasserre* et de n'acheter que des modèles griffés avec ce calme regard appréciateur que seules les Parisiennes authentiques possèdent à force de fréquenter les cours intérieures pavées du Faubourg Saint-Honoré. Toujours *soignée* [1], élégante, consciente de la valeur de l'argent, opiniâtre, elle enveloppe d'un même mépris les célébrités européennes qui s'agitent frénétiquement dans tous les endroits à la mode et la bourgeoisie imbue de ses

---

1) En français dans le texte.

obligations. Elle a la réputation d'être l'une des meilleures hôtesses de Paris, elle s'est fait la protectrice des arts et c'est à bord du somptueux yacht d'Alain, sur la Méditerranée, qu'elle passe les longs étés mornes.

Elle a un esprit équilibré; elle est immensément riche; elle mène une vie de rêve.

Mais cela fait si longtemps que la baronne a quitté le milieu où bouillonnaient les névroses familiales qu'elle n'a plus rien d'une vraie Bronfman. Il lui manque cette lassitude morale, cette autosatisfaction incisive qui sont la marque des autres Bronfman, plus typiques.

Bien que, maintenant, elle se consacre surtout à l'ASDA, une fondation culturelle qui organise des conférences d'historiens de l'art au *Grand Palais* prêté, à cette fin, par le gouvernement français, c'était pourtant la philosophie que Minda avait choisie à l'université. Pour sa maîtrise, qu'elle obtint à la Faculté d'histoire de l'Université Columbia, elle avait choisi un sujet ésotérique: l'influence du darwinisme sur la pensée française, de 1841 à 1900. Après avoir fait partie d'un petit groupe d'étudiants américains particulièrement prometteurs qui s'étaient vu accorder des bourses pour suivre des cours d'été à Oxford, elle était entrée au *Time* comme recherchiste, à soixante dollars par semaine.

Passablement farouche, la jeune Minda avait continué de vivre avec ses parents qui habitaient à l'hôtel *Saint-Régis*, à New York, dans une suite de sept pièces. La fortune et la puissance des siens la mettaient mal à l'aise et elle confia un jour à sa mère: "Tu sais, je suis gênée d'inviter mes amis ici, c'est si grand et si luxueux. Je n'étais pas faite pour être la fille d'un homme riche."

Saidye lui répondit que si elle en était vraiment convaincue, elle devait renoncer à tout ce qui, à ses yeux, symbolisait la richesse, en particulier au manteau de fourrure que Sam venait de lui offrir, et s'acheter plutôt un manteau de drap avec un col chiffonné, à quarante-neuf dollars cinquante. Le lendemain matin, Minda avait changé d'avis et déclarait à sa mère: "Tu sais, cette fois-ci, tu as vraiment frappé en bas de la ceinture." [2]

Quand, en 1948, un article de *Fortune* ("Seagram et le fric") révéla l'ampleur de la fortune des Bronfman, Minda se vit subitement assiégée par une armée de prétendants; c'est d'ailleurs pourquoi elle n'a pas oublié le petit discours que lui tint Sam pour ses vingt et un ans. "Il avait pris sa *voix,* raconte-t-elle. Je croyais qu'il allait me parler de sexe, mais il fut seulement question d'argent." Ce soir-là, son père lui décrivit ce qu'était l'empire Seagram et lui expliqua comment les actions avaient été réparties entre les membres de la famille, de telle sorte que les seuls dividendes lui rapporteraient cent vingt mille dollars pour l'année en cours (1946). "Tu es une héritière, lui dit-il, et c'est une chose que tu ne dois jamais oublier. Bien des hommes auront l'air de s'intéresser à toi, mais, en réalité, c'est après ton argent qu'ils en auront. Si tu tombes amoureuse, prends bien garde que le type ne soit pas seulement un coureur de dot."

Minda aimait bien être courtisée, mais ce fut le baron Alain de Gunzburg, qui étudiait en sciences de l'administration à Harvard, qui gagna son coeur. Alain de Gunzburg descendait d'une des rares familles juives appartenant à l'aristocratie européenne et comptait parmi ses ancêtres des banquiers du tsar, bien que le titre de la famille ne lui

---

2) C'était la deuxième fois que Minda avait des histoires avec un manteau de fourrure. Quand ils habitaient encore le Palais du Belvédère, elle annonça, un matin, au petit déjeuner: "Oh! papa, j'ai une fantastique nouvelle pour toi. Je suis allergique au vison!" Ce à quoi Sam répondit simplement: "Et la zibeline?"

ait été octroyé qu'en 1830 par les Habsbourg qui régnaient sur l'Empire d'Autriche. Le père d'Alain s'était distingué à la tête de sa compagnie de la Légion étrangère, durant la Première Guerre mondiale, et le jeune garçon avait grandi (tout comme les enfants Bronfman) dans le monde protégé de la haute société parisienne. Il servit brièvement comme officier dans le régiment de chars des Forces françaises libres qui avaient Charles de Gaulle à leur tête, et participa à la libération de la France ainsi qu'à la défaite de l'Allemagne. Alors qu'un poste de directeur l'attendait dans la banque familiale, Alain s'était rendu compte que le commerce d'après-guerre serait dominé par la langue anglaise et par les méthodes de gestion américaines, et, pour faire d'une pierre deux coups, il s'inscrivit à l'Ecole d'administration de Harvard; ce fut à ce moment-là qu'il fit la connaissance de Minda, en 1947, au cours d'un rendez-vous surprise.

Le mariage fut célébré six ans plus tard dans la splendeur surannée de l'appartement que possédait la grand-mère du baron au Bois de Boulogne, dans le seizième *arrondissement* [3], et, peu de temps après, le couple emménagea dans une magnifique résidence de l'avenue Bugeaud.

Sam Bronfman était fier de son nouveau gendre qui avait tout pour lui, bonnes manières et bonne famille, ainsi qu'il sied à un Juif français dans les veines de qui coule le sang des Rothschild. Ce fut Gunzburg qui, en 1963, mena à bien les complexes transactions qui se soldèrent par l'entrée de la prestigieuse maison de champagnes G.H. Mumm & Cie dans l'empire Bronfman, et qui, plus tard, participa à l'acquisition de sa filiale, Champagne Perrier-Jouët [4].

---

3) En français dans le texte.

4) Le baron de Gunzburg est maintenant président de Mumm et touche des appointements de cent mille dollars par année. Il est membre du conseil de direction de Seagram et siège au conseil d'administration de Cemp.

Dans la cinquantaine, symbole parfait du calme aristocrate français, Alain de Gunzburg s'occupe activement des oeuvres philanthropiques juives et, plus particulièrement, de ramasser des fonds pour l'Institut Weizman. Il dîne souvent en compagnie du président Valéry Giscard d'Estaing et chasse plusieurs fois par saison, surtout le gibier à plume dans les régions sauvages du nord de l'Espagne.

De tous ses postes, le plus important est celui qu'il occupe comme administrateur délégué de la banque Louis-Dreyfus. Fondée par les Gunzburg en 1820 sous le nom de Louis Hirsch & Cie, la banque familiale avait fusionné en 1966, à l'initiative d'Alain, avec la branche française de la famille Seligman, pour s'unir, deux ans plus tard, avec la maison Louis Dreyfus. Installée dans un palais aux lignes sobres de la rue Rabelais, c'est la troisième banque d'affaires de France (après celle des Rothschild et la banque Worms), avec un actif de plus d'un milliard de dollars. Outre les placements qu'elle effectue dans toute l'Europe et dans le commerce international du grain, la maison Louis Dreyfus & Cie, qui est la principale propriétaire de la banque [5], vient d'acquérir, au Canada, un nombre considérable d'immeubles situés à Montréal et à Calgary, ainsi que Hazelton Lanes, dans le quartier de Yorkville à Toronto, qui est le plus luxueux mail commerçant de tout le pays [6]. Et l'homme qui a été placé à la direction des immeu-

---

5) Au cours de l'été de 1978, la banque Bruxelles-Lambert, qui est le second établissement bancaire de Belgique, a annoncé qu'elle avait acheté des propriétaires minoritaires, dont les Gunzburg, quarante pour cent du capital de la banque Louis Dreyfus. Elle a l'intention, dans une seconde étape, de souscrire davantage au capital de la banque française, ce qui la mettra dans une position majoritaire. La banque Bruxelles-Lambert est depuis fort longtemps reliée aux Rothschild.

6) On trouvera à l'annexe III la liste des sociétés de Dreyfus au Canada.

bles Dreyfus, en avril 1978 (et qui s'est empressé d'emménager dans l'un des appartements en copropriété de Hazelton Lanes), est J.A. Soden qui fut président de Trizec Corporation jusqu'au moment, en 1976, où celle-ci passa entre les mains de Peter et d'Edward, les cousins de Minda.

Dans la plupart des cas, le groupe Dreyfus opère de telle sorte qu'il devient presque impossible de savoir à qui appartient réellement telle ou telle entreprise. Ainsi, une compagnie, dont l'anonyme raison sociale est 368789 Ontario Limited (et dont vingt pour cent des actions sont détenues par Standard Life Assurance Company [7], de Montréal, tandis que le reste, soit quatre-vingts pour cent, appartient à Louis Dreyfus Holding Company, de New York), a récemment acheté une manufacture montréalaise, Garfield-Madar Enterprises, qui vend des vêtements féminins à Toronto.

C'est aux nombreux contacts européens des Gunzburg que les Bronfman doivent d'avoir connu une rapide expansion sur le marché européen des vins et spiritueux. Bien que les liens de parenté entre les Gunzburg et les Rothschild soient assez éloignés (la mère du baron Guy de Rothschild était la cousine germaine de la grand-mère paternelle d'Alain de Gunzburg), les deux familles sont étroitement associées dans bon nombre d'entreprises, par exemple à l'intérieur du groupe qui a la main haute sur le Club Méditerranée. Elles ont également financé ensemble Gazocéan qui gère la plus importante flotte française de butaniers et

---

7) En juillet 1978, Manufacturers Life Insurance Company, de Toronto, a annoncé qu'elle avait conclu une entente avec Standard Life Assurance en vue d'acquérir les intérêts de cette dernière au Canada. La transaction concernait un actif de un milliard et demi de dollars et faisait de Manulife la plus proche concurrente de la Sun Life Assurance Company of Canada, qui est la plus importante de tout le pays.

sont propriétaires de l'Union française immobilière, une société de développement immobilier.

En France, les Gunzburg sont considérés comme très proches du clan Rothschild. Le chef actuel de la dynastie bancaire est le baron Guy de Rothschild qui vit dans un domaine de neuf mille acres à Ferrières, à dix-neuf milles à l'est de Paris, et dont les parties de chasse, de même que la collection d'oeuvres d'art, jouissent d'une grande notoriété. Il élève des chevaux de course (son Exbury a déjà rapporté deux cent quarante mille dollars par année comme étalon) et dirige un impressionnant réseau de compagnies, entre autres, Penarroya qui est le premier producteur mondial de plomb et dont la filiale, Penarroya Canada, s'est lancée dans un vaste programme de recherches, au Québec, pour trouver du zinc et du cuivre. Sa principale entreprise, au Canada, est Amok Limited qui est propriétaire de l'important gisement d'uranium découvert au lac Cluff, dans le nord de la Saskatchewan, et qui a mis sur pied, avec d'autres compagnies, le cartel de l'uranium né en 1977 avec l'appui du gouvernement canadien. Guy de Rothschild possède conjointement avec trois cousins, Alain, Elie et Edmond, les célèbres vignobles de Château Lafite [8], près de Bordeaux, qui, selon la classification de 1855 toujours en vigueur, arrive en tête de liste des *premiers crus* [9].

Celui qui est le plus étroitement lié aux Bronfman, sur le plan professionnel, est le cousin Edmond qui dirige tou-

---

8) Les fameux vignobles Château Mouton-Rothschild appartiennent à Philippe, qui descend de la branche anglaise des Rothschild. Lors d'une vente de vins aux enchères qui s'est tenue aux Etats-Unis en 1978, le Château Lafite a remporté la palme. Un restaurateur de Memphis a payé dix-huit mille dollars pour un jéroboam datant de 1864 et qui est l'équivalent de quatre bouteilles; en 1976, un jéroboam de Mouton-Rothschild 1929 s'était vendu onze mille cinq cents dollars.

9) En français dans le texte.

tes ses opérations d'un immeuble sans prétention, situé au 45, rue du Faubourg Saint-Honoré: placements en Israël (pipe-line du Beersheba-Eilat et la luxueuse station balnéaire au bord du golfe de Caesarea), villages de bungalows à Majorque, participation dans la chaîne d'hôtels *Intercontinental* de la Pan American, projets domiciliaires à Paris, banques et usines au Brésil, une part importante de la station alpine de Megève et un placement considérable dans le Club Méditerranée.

Comme tous les Rothschild, les membres de la branche française ont une forte tendance à se marier entre eux, parce que entre autres raisons, cela s'avère profitable économiquement — les dots et les legs ne sortent pas de la famille. Lorsque la fille d'un des Rothschild italiens épousa un cousin français, les généalogistes confirmèrent qu'elle appartenait, par son père, à la quatrième génération, à la cinquième par sa mère, et qu'elle se mariait à l'intérieur de la troisième. "Ce n'est pas tellement que nous ayons l'esprit de clan, confia, un jour, une épouse Rothschild, c'est tout simplement que les mâles de la famille trouvent les femmes Rothschild irrésistibles."

La baronne Alain de Gunzburg n'est pas une Rothschild, mais elle sait fort bien se comporter comme si tel était le cas. Elle connut un moment de gloire, le jour de son mariage, lorsque Sam, resplendissant de fierté, voulut embrasser la mariée. "Mais père, lui reprocha-t-elle ironiquement, ne savez-vous donc pas que vous devez vous *incliner* devant une baronne?"

Chapitre treize

Edgar

Il y eut une phase durant laquelle la découverte de l'exercice des pleins pouvoirs s'accompagna d'une euphorie viscérale qui incita Edgar à agir comme si lui seul importait en ce bas monde.

Edgar Miles Bronfman est maintenant le seul maître à bord, chez Seagram. Il n'est pas Monsieur Sam, mais, profondément cachée sous son comportement détendu, gît une force animale — aussi furtive qu'un léopard rampant dans les hautes herbes de l'été — dont plus d'un cadre de Seagram a fait la découverte à ses dépens en se retrouvant dans la rue pour n'en avoir pas tenu compte. Une assurance tranquille se dégage de l'homme qui, de son bureau du cinquième étage (avec ses tapisseries de Miro et ses statues de Rodin[1]), regarde la rue où les simples New-Yorkais, vêtus de tricots en polyester, se hâtent avec toute la grâce de kangourous débauchés.

---

1) Dans son bureau, se trouvent deux des oeuvres les plus remarquables de Joan Miro, ainsi que la fameuse statue nue d'Honoré de Balzac, sculptée par

Il se tient là, devant l'une des dix fenêtres de son bureau, et il est beau, le corps souple et détendu, les ongles manucurés mais sans vernis, le visage embelli par un très léger hâle, portant un complet d'une sobre élégance et d'une coupe parfaite, fait sur mesure par le tailleur londonien Douglas Hayward. Il est beau et il connaît tous les trucs: comment éveiller l'attention en ralentissant volontairement l'ampleur de ses mouvements; quand laisser tomber l'un de ces gestes nonchalants si lourds de signification; comment, tout en scandant ses phrases de son poing droit (ce qui indique la conviction), en atténuer l'effet en saisissant de sa main gauche le coude de son interlocuteur (pour feindre une sincérité non équivoque). Le clignement d'un obturateur d'appareil photographique. Il est beau, mais c'est davantage son statut de célébrité que son physique qui fait de lui un homme à part. Il ressemble vaguement à un Joseph Cotten, en plus jeune, qui aurait du *chutzpah* [2]. Il paraît enveloppé de l'aura d'une notabilité de Hollywood au meilleur de sa forme, et, quoiqu'il soit certain de n'avoir pas besoin de feindre une indifférence voulue, il s'arrange quand même pour qu'on le reconnaisse à coup sûr.

Auguste Rodin; celle-ci, montée sur un piédestal taillé dans le marbre, domine une seconde sculpture, grandeur nature, représentant Balzac drapé dans un manteau. (Rodin exécuta ces statues en 1895, quarante-cinq ans après la mort de Balzac. Soucieux de respecter les mensurations de l'écrivain, il se les procura auprès d'un des anciens tailleurs de celui-ci et fit faire une robe de chambre selon ces données. Après en avoir disposé les plis, il les fixa avec du plâtre et fut ainsi en mesure de sculpter la statue qui orne maintenant le bureau d'Edgar. En 1893, Rodin termina le nu qui, selon le *Journal des Goncourt*, ressemble "à un demi-as de pique vu de profil". Ces sculptures de Balzac sont considérées comme les plus puissantes des oeuvres de Rodin.) Un bureau Chippendale, un télégramme, encadré, de la Western Union et signé par Jimmy Carter ainsi que, bien entendu, l'inévitable Riopelle complètent la décoration de la pièce.

2) Effronterie, cran, hardiesse ou encore culot, selon le cas. (N.D.L.T.)

Edgar est le chef de file de l'actuelle génération de Bronfman. Ses frères et soeurs, ses cousins, ses tantes et ses neveux, ses associés et ses ennemis, tous passent leur temps à essayer d'évaluer ses motifs, de deviner quelles sont ses positions, de prévoir ce qu'il va faire. S'il y a en lui quelque chose d'insaisissable, une sorte de naïveté subversive qui frustre tous ceux qui l'épient — et ils sont nombreux —, c'est parce que lui-même ne se retrouve pas dans son propre rôle. Sa vie est une suite d'incarnations différentes. Il y eut une phase durant laquelle la découverte de l'exercice des pleins pouvoirs s'accompagna d'une euphorie viscérale qui incita Edgar à agir comme si lui seul importait en ce bas monde. Ce fut là sa suprême complaisance. Pendant un certain temps, il donna l'impression de souffrir de cette maladie qui, si elle est rarement diagnostiquée, frappe pourtant si souvent les héritiers des puissants: un cas d'immaturité dans sa phase terminale.

Lors d'une réception qui avait lieu dans la salle de conférence de Seagram, à Montréal, le serveur se retrouva à court de V.O.; Edgar se dirigea vers Charles et gronda: "Je vais le virer.

— C'est vraiment dommage que tu ne puisses pas pardonner une erreur", répondit son cadet.

Edgar réfléchit un instant à cette possibilité. "Pourquoi le devrais-je?" demanda-t-il, et il tourna les talons.

La vie a imprimé quelques rides sur le visage d'Edgar Bronfman, qui, en dépit de ses quarante-neuf ans, affiche le doux regard d'enfant gâté d'un homme qui a tellement de choses qu'il s'imagine pouvoir tout posséder. Mais ses précédents rôles ont laissé leur marque et maintenant qu'il est parvenu à l'âge mur il se montre plus sage, davantage en paix avec lui-même, ayant compris que l'argent ne permettra jamais d'acheter une protection émotionnelle, que ce qui importe n'est pas la perfection mais le progrès, que le prix d'un amour véritable est particulièrement élevé. Et surtout, il sait désormais que l'ambition effrénée peut s'emparer du cerveau d'un homme à la façon d'une armée victorieuse, effaçant tout souvenir des plaisirs quotidiens. "Je n'ai pas l'intention de devenir esclave des affaires comme l'était mon père", déclara-t-il, un jour, à Saul Hayes. Il a, depuis, largement tenu parole. Le lendemain du jour où il laissa quelque dix millions de dollars sur le tapis après une tentative infructueuse pour s'approprier la Metro-Goldwyn-Mayer, Edgar s'envola vers l'Espagne en compagnie du baron Alain de Gunzburg pour aller chasser la perdrix rouge dans un domaine privé, laissant son père se lamenter. De temps en temps, il va abattre un buffle de Cafrerie en Afrique, ou encore chasser la caille en Caroline du Nord ou tirer quelques faisans à l'Ile aux Ruaux, sur le Saint-Laurent. Il se rendit même une fois à Istamboul avec David Brinkley, l'animateur de télévision (qui est presbytérien), pour célébrer le Yom Kippour; dans l'ensemble, il mène un train de vie que Sam n'aurait jamais pu se permettre à cause de sa conscience qui l'en aurait empêché.

Edgar possède plusieurs demeures somptueuses à New York, y compris un appartement-terrasse dans Fifth Avenue et un domaine de style Tudor, évalué à sept cent cinquante mille dollars et qui s'étend sur cent soixante-quatorze acres, à Yorktown Heights, dans le comté de Westchester (Averell Harriman est son voisin). "Nous avons une jolie maison, admet-il, mais elle a l'air beaucoup plus imposante qu'elle ne l'est en réalité. Elle comporte une grande chambre à coucher pour nous et une autre pour Adam; il y a aussi quelques chambres à l'étage supérieur pour les domestiques et le bébé. Et puis il y a également un pavillon pour les invités parce que je n'aurais pas de place si les autres enfants venaient faire un tour. Mais ce n'est vraiment rien qui vaille la peine qu'on tombe en extase devant."

En compagnie de sa troisième femme, Georgiana, Edgar évolue dans l'atmosphère raréfiée de cette poignée de privilégiés qui constituent le "beau monde" new-yorkais et dominent l'économie nationale. Il entretient des rapports distants avec l'Establishment américain [3], mais n'a jamais tenté d'en devenir membre. Les associations non juives dont il s'occupe (le Saratoga Performing Arts Center, le Salk Institute for Biological Studies, la National Urban League, l'American Technion Society, le New York Council of Boy Scouts) sont choisies davantage en fonction de leur intérêt que comme jalons dans son ascension sociale. C'est surtout aux oeuvres philanthropiques juives qu'il consacre la plupart de son temps, sur une base bénévole. Il est le président, pour l'Amérique du Nord, du Congrès mondial juif, recueille inlassablement des fonds pour le United Jewish Appeal et Israël lui a décerné, en octobre 1976, la médaille Weizmann qui est la plus haute forme de récompense internationale accordée par ce pays. "Je ne passe pas mon temps à réfléchir sur le fait d'être juif, reconnaît-il. Je ne suis pas sûr qu'il y ait un Dieu, et s'il y en a un, je ne sais pas s'Il s'en fiche ou non, ni pourquoi Il le devrait... Nous ne servons pas de porc à la maison. Je vais de temps à autre à la synagogue, en particulier pour le Yom Kippour. Alors, je ne m'en désintéresse pas, mais je

---

3) Il est à tu et à toi avec David Rockfeller; il compte également, au nombre de ses amis, J.-Paul Austin, président de Coca-Cola, et John L. Weinberg, l'un des plus brillants financiers de Wall Street, principal associé de Goldman, Sachs and Co., et administrateur de B.F. Goodrich, Kraft, Knight-Ridder Newspapers, Bulova Watch, Cluett, Peabody et M. Lowenstein & Sons Inc.

ne suis pas non plus un Juif qui pratique sur une base philo-
sophique. Par contre, dès qu'il s'agit de l'héritage juif, de
l'engagement juif et de l'Etat d'Israël, je suis intrinsèquement juif. Je me suis mis, récemment, à l'étude du Tal-
mud, une ou deux fois par semaine. Je trouve ça fascinant.''

Bien qu'il n'ait adhéré au Parti démocratique
qu'après que Jerry Ford ait accordé le pardon présidentiel
à Richard Nixon [4], Edgar s'occupait depuis longtemps de
politique et avait même songé, un moment, à tenter de
devenir ministre de la Santé, de l'Education et du Bien-Etre
dans le cabinet de Lyndon Johnson. En 1977, il ramassa
des fonds pour Mario Cuomo [5] qui se présentait à la mairie de New York et fut le premier grand homme d'affaires
de Manhattan à soutenir Carter quand celui-ci se porta
candidat à la présidence. ''Jimmy Carter était venu dîner
à la maison environ deux ans plus tôt, et quoique j'eusse
déjà rencontré tous les candidats, je compris que c'était ce
type qui allait gagner, raconte-t-il. Il ne me fallut pas longtemps pour découvrir que tout ce qu'il prétendait à propos
du vote des Noirs était vrai. Ils étaient avec lui. J'ai récolté

---

4) Comme la plupart des autres importantes compagnies américaines,
Seagram avait dû participer précipitamment au financement de la campagne
de Nixon, en 1972, en vue de sa réélection. Par la suite, la Securities and
Exchange Commission révéla, à Washington, que la compagnie avait été
impliquée dans des pratiques commerciales illégales, y compris des remises
spéciales, l'achat de billets, des contributions en liquide à des dîners-bénéfices
organisés par des partis politiques, etc. Tandis que la S.E.C. poursuivait son
enquête, les Bronfman remboursèrent à la trésorerie de Seagram, par l'intermédiaire de Cemp Investments Ltd., quatre cent trente-cinq mille dollars
dépensés pour ces activités, ainsi que cinquante mille dollars qui avaient été
versés à Nixon.

5) L'une des collaboratrices d'Edgar Bronfman était son amie Jacqueline
Kennedy Onassis. Au cours d'une conférence de presse de Cuomo, on lui
demanda pourquoi elle l'appuyait et elle répondit: ''C'est parce qu'il me rappelle mon mari.'' Un journaliste plus futé que les autres la laissa bouche bée en
demandant: ''Lequel?''

d'importantes sommes pour lui, surtout au sein de la communauté juive de New York. Mon argument était le suivant: "Voulez-vous qu'il soit pour nous ou contre nous, à la Maison Blanche? De toute façon, il y sera." De concert avec Henry Ford II et J.-Paul Austin, de Coca-Cola, il organisa, à New York, un déjeuner qui réunit cinquante-deux des plus éminents chefs d'entreprise américains et que, plus tard, Carter déclara avoir été le point tournant de sa campagne en aidant à rallier le monde des affaires autour de sa candidature [6]. Edgar n'assista pas à la cérémonie d'investiture du Président (ce week-end-là, il se trouvait à Dallas pour s'occuper de la branche pétrolière de Seagram), mais il est probablement l'un des très rares Américains à avoir décliner *six* invitations différentes à assister à l'événement. "Si j'ai besoin de rencontrer Jimmy Carter à propos d'un problème sérieux, dit-il, je n'ai qu'à décrocher le téléphone, à appeler Robert Lipshutz [7] et à fixer un rendez-vous."

---

6) Sur le plan idéologique, Edgar est un démocrate pragmatique qui estime que l'entreprise privée devrait prévenir ses propres abus. ("L'électorat se méfie de nous, les hommes d'affaires, lorsque nous nous contentons de protéger férocement notre culture menacée, en rejetant automatiquement la moindre initiative gouvernementale et en n'offrant à peu près rien en échange. Nous devons arrêter de tirer de l'arrière, de nous rebiffer et de protester contre le changement, qui est inévitable, et, au contraire, y participer activement et de façon constructive.") Il continue de s'intéresser à la politique canadienne et est convaincu que la question du Québec serait résolue si les deux parties consentaient à des compromis suffisants. ("Dans le cas d'une question aussi complexe que celle-ci, la meilleure solution serait que toutes les parties en cause acceptent moins que ce qu'elles demandent, mais plus que ce qu'elles ont. Les anglophones devraient bien se décider à reconnaître que ce sont les francophones de la province de Québec qui détiennent, fort probablement, l'avenir de leur pays entre leurs mains, parce que s'ils se séparent, ce pourrait être là le début d'une *démarche* (en français dans le texte) province après province. Pour sa part, le Canada français devrait comprendre que l'indépendance est bien plus une menace tactique qu'une solution.")

7) L'un des principaux conseillers de la Maison Blanche, qui fut le trésorier de la campagne de Jimmy Carter.

Edgar n'est pas du genre à adhérer à tous les clubs, associations et autres. Sa seule affiliation importante est le *Westchester County's Century Country Club* qui est tellement fermé que, jusqu'à tout récemment, ses membres se composaient presque entièrement de descendants des familles de banquiers judéo-allemands qui furent à l'origine de Wall Street, au début du siècle, et de "quelques symboliques Gimbels du commerce au détail", ainsi que les décrivit dédaigneusement un membre [8].

Vers la fin des années 60, Edgar et sa famille passaient la plupart de leurs vacances dans son domaine de quatre mille quatre cent quatre-vingts acres (judicieusement nommé le Ranch V.O.), en Floride, et, il y a peu encore, il utilisait son Grumman Gulfstream II [9] pour aller passer de longs week-ends à Acapulco. Depuis, il a vendu et le Grumman et la villa d'Acapulco; il est maintenant propriétaire d'un manoir en Virginie, région qui se consacre essentiellement à l'élevage des chevaux. Quelque temps auparavant, Edgar avait tellement aimé jouer au tennis avec Gabino Palafox, l'assistant pro du *Century,* qu'il le fit engager par la filiale mexicaine de Seagram. En janvier, son frère Charles vint le rejoindre à Acapulco pour participer à une réunion et Edgar lui proposa un tournoi de tennis.

---

8) Il est si difficile de franchir les portes du *Century* qu'il existe un autre club, le *Sunningdale,* dont les membres ne font rien d'autre que d'attendre d'être admis au *Century,* tandis que ceux du *Old Oaks Country Club,* qui sont surtout des Juifs de Westchester, essayent, eux, d'être acceptés au *Sunningdale.*

9) C'était le plus luxueux de tous les jets appartenant à des chefs d'entreprise. Avec un prix de vente fixé à quatre millions et demi de dollars, il en coûtera au moins un million supplémentaire pour l'équiper. Il pourra transporter dix-neuf passagers, filer à trois mille sept cents noeuds et atteindre une altitude de quarante-cinq mille pieds. Edgar, qui a appris à piloter, prend souvent son Beechcraft bimoteur personnel pour aller faire un tour.

"Volontiers, répondit Charles. Je vais faire venir John Heilmann, de notre bureau de New York, pour être mon partenaire. Et toi, qui sera le tien?

— Je n'en sais rien. Je trouverai bien quelqu'un.

— Bon, mais il faudra que ce soit un cadre de Seagram.

— Promis. Et si on jouait pour de l'argent? Dix dollars du set, par exemple.

— Trop cher. Pourquoi pas plutôt dix pesos?"

Bien entendu, Edgar choisit son ancien partenaire, Palafox, qui, entre-temps et sans que Charles pût s'en douter, était devenu le troisième meilleur joueur de tennis du Mexique. "Au bout de quelques sets, raconte volontiers Edgar, Charles en vint à la conclusion qu'il n'arriverait pas à nous battre... L'année suivante, nous allâmes tous lui rendre visite à sa résidence d'hiver de Half Moon Bay, en Jamaïque, et nous décidâmes de jouer la revanche. Comme partenaire, Charles voulut prendre un type qui s'appelait Richard Russell. Mais je savais que celui-ci était le meilleur des pros de Half Moon. Néanmoins, Charles insista pour le faire inscrire sur la liste de paye de Seagram pendant une semaine, à titre de conseiller. Alors, je lui déclarai: "Non, Charles. Non, non, non. Ce truc-là a déjà été employé..."

En dehors des courts de tennis, il n'existait à peu près pas de rivalité entre les deux frères. Ils avaient décidé de leurs rôles respectifs, alors qu'ils étaient tous deux de jeunes recrues du bureau de Monsieur Sam à Montréal, un soir d'été de 1952, sur la terrasse de la cuisine du Palais du Belvédère. Les souvenirs de Charles à propos de cette conversation décisive sont demeurés très précis. "Edgar aborda la question en me disant:

— Il y a quelque chose dont nous devrions bien parler, tous les deux.

— De quoi s'agit-il?

— Eh bien, j'aimerais aller à New York.

— Viens chez moi.

— Ecoute, tu sais ce que cela veut dire. Quatre-vingts pour cent de nos affaires se font aux Etats-Unis, avec, comme résultat, que je serais le Numéro Deux et toi, le Numéro Trois.

— Ouais; je comprends fort bien, mais je veux rester au Canada. D'autre part, l'idée d'être un dauphin ne me sourit pas tellement.

— A moi, si. De toute façon, que nous le voulions ou non, nous sommes tous deux des dauphins. Allons avertir Père que je me chargerai de New York, tandis que tu dirigeras Seagram et Cemp ici.

— Tope là!''

A cette époque, Edgar passait ses journées derrière une petite table, dans le bureau de Monsieur Sam, apprenant directement de la tête comment marchaient les affaires. "Je sentais que mon père m'aimait plus... non... aimer n'est pas le terme qui convient — *s'attendait* à davantage de ma part parce que j'étais son fils aîné. Au début, cela me faisait râler. Mais, dès que j'eus vingt ou vingt et un an, je commençai à y prendre vraiment goût.''

La première fois qu'il se vit confier des responsabilités importantes, ce fut à la suite d'un concours de circonstances: "Je travaillais avec Roy Martin, qui dirigeait les opérations de coupage à notre établissement de Ville La Salle, un génie qui m'a appris tout ce que je sais sur le sujet. Un jour que nous étions assis dans le laboratoire, je remarquai qu'il avait le teint jaune et me dis: ce type a attrapé la jaunisse, une hépatite ou quelque chose du genre. Quand je revins à la maison, ce soir-là, je demandai à Père s'il ne pourrait pas accorder un congé à Roy.

— Ouais, me répondit-il, c'est d'accord, mais qui va s'occuper du coupage?

"Je lui dis que j'allais essayer et me retrouvai, du même coup, engagé dans l'un des moments les plus terribles de toute mon existence.

"C'était en octobre et nous étions en train de préparer les commandes en prévision du grand congé quand je m'aperçus qu'il y avait tout un lot de V.O. — environ vingt-cinq mille caisses — qui ne correspondait pas aux normes. Je téléphonai à Père, à New York, mais il me dit que c'était à moi de me débrouiller. Alors, je fis fermer l'atelier de mise en bouteilles et m'attelai à la tâche sans un instant de répit de tout le week-end, jusqu'à ce que j'eusse découvert l'erreur dans le coupage. Elle fut corrigée juste à temps parce que j'étais sur le point de m'effondrer."

En décidant de fermer l'usine, Edgar avait manifesté un sang-froid remarquable pour un jeune de vingt-trois ans, même s'il était le fils du patron, et Sam fut si impressionné qu'il envisagea de doter son fils aîné d'une réelle autorité. Au cours de la même année, Edgar se rendit à New York y passer le week-end et Charles, qui devait sortir avec deux amies, insista pour qu'il fût le quatrième partenaire. C'était un rendez-vous surprise pour Edgar qui se souvient avoir pensé: "Si Charles m'a collé avec un laideron, ça va être une sacrée corvée, ce dîner." Mais la jeune fille qui lui était destinée était Ann Margaret Loeb, la fille de John Langeloth Loeb, principal associé de Loeb, Rhoades and Company, l'un des plus prestigieux établissements bancaires spécialisés dans les placements de tout

Wall Street [10]. Ann et Edgar se plurent immédiatement et ils se marièrent en 1953. Durant la réception qui suivit la cérémonie au cours de laquelle avait été scellée l'union de deux des plus puissantes dynasties juives du monde, une matrone à la toilette criarde s'approcha de Carl M. Loeb qui, né en Allemagne, était le fondateur de la banque new-yorkaise. Après s'être longuement extasiée sur ce mariage miraculeux, sur le merveilleux jeune couple si bien assorti, et le reste, elle mit fin à son discours en déclarant au patriarche que c'était sûrement là le plus beau jour de sa vie. Le vieux Loeb haussa les épaules presque en signe d'assentiment et eut cette réponse (que Sam, par la suite, adorait citer): "C'est très vrai, madame. Mais je ne suis pas certain, à mon âge, de pouvoir me faire à l'idée d'être un parent pauvre."

John Loeb fut nommé au conseil d'administration de Seagram et, en contrepartie, il invita les Bronfman à participer (par l'intermédiaire de Cemp) à la plupart des offres particulières de Loeb, Rhoades [11]. En décembre

---

10) Loeb, Rhoades — qui porte, à la suite d'une fusion survenue en 1977, le nom de Loeb Rhoades, Hornblower & Co. — gère approximativement six cent millions de dollars au nom, surtout, d'individus très riches. Avec ses trois mille cinq cents employés et ses soixante-quinze succursales (dont sept à l'étranger), c'est l'une des plus grosses banques d'affaires de Wall Street. John Loeb a pris sa retraite en 1977, ne conservant que son poste d'administrateur de Dome Petroleum Ltd. qui est dominé par sa famille. Il distribue annuellement trente pour cent de ses revenus à des oeuvres de charité, dont cinq millions de dollars qui vont à Harvard. Le manoir de quatorze pièces qu'habite la famille dans le secteur est et de Manhattan abrite des toiles de maître qui sont parmi les plus remarquables qu'on puisse trouver dans une collection privée, réunissant des oeuvres de Van Gogh, Manet, Pissarro, Degas, Cézanne, Renoir et Toulouse-Lautrec. A la place d'honneur est accrochée une caricature du *New Yorker* qui représente Loeb arrivant chez lui et qui, tout en tendant son manteau au maître d'hôtel, déclare à sa femme: "Non, je n'ai pas eu une dure journée au bureau. Mais tous les autres, à Loeb, Rhoades, si."

11) Loeb permit à Cemp, par cette association, de devenir un actionnaire important dans Cuban Atlantic Sugar, Curtis Publishing, Paramount et Pure Oil Co.

298

1955, Sam envoya Edgar à New York avec le titre de président du conseil de direction de Seagram. "Deux facteurs avaient décidé du moment de mon transfert, raconte Edgar. D'une part, j'étais maintenant assez vieux pour ne pas être appelé par les Etats-Unis pour faire mon service militaire et, d'autre part, mon père estimait avoir réellement besoin de moi à New York. De toute évidence, il avait davantage confiance en moi qu'il ne l'aurait dû, mais pas plus que je n'en avais moi-même à cet âge. Le secteur administratif de New York avait besoin d'être renforcé et il me demanda d'aller m'en occuper. De plus, je voulais me débrouiller tout seul, ce qui me serait plus facile à New York qu'à Montréal, parce que le nom des Bronfman y était tout de même beaucoup moins célèbre."

Edgar acquit pour sa jeune épouse, à Purchase, dans l'Etat de New York, un hôtel particulier de style géorgien, qui paraissait sortir tout droit d'un livre de contes, avec une piscine et un court de tennis. Il devint un adepte enthousiaste du noctambulisme new-yorkais et, dès qu'il eut rempli les conditions requises, il se fit naturaliser Américain. "Je me souviens du jour où j'ai prêté serment, dit-il. Mon père nous invita, le juge et moi, à le rejoindre à son bureau pour déjeuner. P'pa était assez ennuyé de voir que je n'éprouvais rien. Mais je ne trouvais pas que cela changeait quoi que ce fût de fondamental, d'un point de vue émotionnel. Pour moi, l'Amérique du Nord est un seul et même pays et je n'arrive toujours pas à m'habituer aux douanes quand je voyage de New York au Canada. La différence me semble beaucoup plus marquée quand je vais au Texas." [12]

---

12) Il est encore parfois considéré comme un Canadien. Quand Pierre Trudeau vint aux Etats-Unis, en mars 1978, pour prendre la parole devant l'*Economic Club* de New York, ce fut Edgar qui prit les mesures nécessaires

Dès l'arrivée d'Edgar à New York, une lutte pour le pouvoir s'engagea entre lui et Victor A. Fischel, un vétéran aux cheveux roux de Seagram, qui, dès 1928, s'était joint à l'entreprise comme vendeur au salaire hebdomadaire de trente-cinq dollars, et n'avait pas tardé à devenir le confident le plus intime de Monsieur Sam [13]. A l'époque de la prohibition, c'était lui qui se chargeait de conclure des accords avec les contrebandiers qui, de Saranac Lake, Plattsburgh, Rouses Point et autres villes du nord des Etats-Unis, venaient à Montréal pour remplir leurs Packard et leurs Pierce-Arrows de marchandises vendues par les Bronfman. Il passa de l'autre côté de la frontière dès que Sam eut décidé de pénétrer plus ouvertement le marché américain. Sa réputation de vendeur de whisky sociable et rapidement familier facilita grandement l'implantation du réseau de distributeurs et de détaillants qui allait permettre aux marques de la nouvelle compagnie de dominer rapidement ce même marché. Victor Fischel avait encore l'oreille de Monsieur Sam et il n'était pas question pour lui de laisser un quelconque jeunot contester son autorité et ses méthodes. Le conflit s'éternisa pendant sept ans, et ce fut l'éviction de Fischel par Edgar, contre le gré de Sam, qui marqua véritablement la passation des pouvoirs d'une génération de Bronfman à la suivante.

Edgar perdit le premier round lorsqu'il embaucha Robert Bragarnick qui venait de Revlon, une compagnie qui, de l'avis d'Edgar, possédait une technique publicitaire idéale. Le transfuge des cosmétiques ne resta en place que

---

pour qu'il pût nager quotidiennement au *Harmony Club* qui, situé dans le centre de Manhattan, n'accepte d'autres membres que des Juifs.

13) Ironie du sort, ce fut Fischel qui conduisit Saidye à l'hôpital où elle donna naissance à Edgar, le 20 juin 1929, parce que Sam était une fois de plus absent de la ville.

vingt mois. Son sort fut réglé au cours d'une réunion du service des ventes de Seagram, quand Monsieur Sam, flanqué d'un Victor Fischel narquois, toisa l'infortuné Bragarnick assis à la table de conférence et, se tournant vers Edgar, demanda : "Comment se fait-il que ce type soit encore avec la compagnie?"

C'était maintenant au tour d'Edgar de réaffirmer son autorité et, trois mois plus tard, en juin 1957, il mit Sam au pied du mur en lui annonçant que le temps était venu de le faire nommer président de Joseph E. Seagram & Sons Inc. Mais Bronfman ne voulut absolument pas en entendre parler et lui rétorqua qu'à vingt-huit ans et avec moins de deux ans d'expérience réelle il était loin d'être prêt. La discussion devint de plus en plus orageuse et, finalement, Edgar se leva, laissant volontairement croire qu'il était sur le point de sortir du bureau. "Si tu es en train de me dire que la compagnie n'est pas assez bonne pour moi, lança-t-il, alors je ne veux pas y travailler."

Sam se rappelait la détermination de son fils, cinq ans plus tôt,quand il avait fait fermer la distillerie de Ville La Salle et il comprit qu'Edgar était suffisamment têtu pour mettre sa menace à exécution; après avoir consulté Saidye, il capitula.

La première décision d'importance que prit Edgar en tant que président de la branche américaine de Seagram fut de ressusciter le Calvert Reserve, l'un des plus importants produits de la compagnie, qui était passé d'un taux annuel de vente de trois millions trois cent mille caisses en 1952 à un million deux cent mille. Au lieu de se contenter de rendre le Calvert un peu plus léger pour se conformer à la tendance du marché, Edgar décida plutôt de retirer d'un seul coup toutes les bouteilles de Calvert Reserve qui se trouvaient encore sur les étagères des magasins de spiritueux. C'était faire preuve d'une témérité invraisemblable parce qu'il s'en vendait encore plus d'un million de caisses par an. Mais Edgar remplaça la marque par une autre, toute nouvelle, qu'il appela Calvert Extra et qu'il lança sur le marché en organisant une campagne publicitaire de sept millions de dollars et en faisant lui-même une tournée de promotion qui l'amena d'un bout à l'autre des Etats-Unis. Son coup de dés réussit: en moins d'un an, il se vendait déjà deux millions de caisses de Calvert Extra. "C'était, à l'époque, notre plus gros problème de marketing, rappelle-t-il maintenant. Mais ce qui s'est passé m'a prouvé quelque chose à propos de moi-même et il est possible qu'il en soit allé de même pour mon père à son propre sujet."

Mais cela prouva également quelque chose à Victor Fischel. Dès 1962, Sam s'éloignait de lui, appuyant les décisions d'Edgar, élargissant les frontières de l'autonomie de son fils. Edgar finit par forcer Fischel à démissionner en lui proposant un arrangement qu'il fut impossible au vieux routier de refuser [14]. Le départ de Fischel sanctionna de façon définitive l'autorité d'Edgar. "Je suis devenu président *de jure* en 1957 et *de facto* en 1962", affirme-t-il.

Edgar ajouta à l'éventail des produits de l'entreprise de nouvelles marques de rhum (provenant de distilleries installées depuis peu à Hawaii, à Porto-Rico et en Jamaïque), de scotch (100 Pipers and Passport), des cocktails vendus tout préparés (Manhattan, daiquiri, whisky frappé et martini), et entreprit d'importer du vin sur une grande échelle — réalisant ce que la section financière du *Time* qualifia de "plus ambitieux programme de mise en marché

---

14) Seagram accepta de financer (dans une proportion de quatre-vingt-un pour cent du capital souscrit) une nouvelle entreprise de mise en marché qui appartiendrait à Fischel et se chargerait des ventes, sur le marché américain, du whisky Carstairs et de la vodka Wolfschmidt.

jamais entrepris par un distillateur". Il ouvrit des succursales en Europe et en Amérique du Sud, étendant partout ses ramifications, impressionnant sa suite de vice-présidents — qui changeaient tout le temps — avec des enquêtes prouvant la nécessité de chercher continuellement de nouveaux débouchés. Vers la fin de 1965, les Bronfman étaient présents dans cent dix-neuf pays et les ventes de Seagram avaient franchi le cap magique du milliard de dollars. Edgar donna un petit côté existentiel à sa tâche en se surmenant délibérément jusqu'à l'extrême limite de l'endurance, stupéfiant ses concurrents à chaque pas. "J'aime la compétition, déclarait-il. Sans elle, il est impossible de rester dans la course. On ferait aussi bien d'aller vivre au sommet d'une montagne et d'écrire de la poésie. Celui qui ne continue pas d'avancer ne peut que reculer. Et ça, ce n'est pas notre genre."

Au fur et à mesure que l'entreprise devenait de plus en plus grosse et complexe, l'opportunisme paternaliste de Sam cédait inéluctablement du terrain devant la foi d'Edgar dans les méthodes modernes de gestion. Les diplômés en administration de Harvard et les spécialistes de la vente massive firent leur apparition avec leurs tableaux d'avancement, leurs programmes d'exploitation à long terme et leurs projets de perfectionnement professionnel par rotation [15]. Edgar fit également entrer Seagram dans le cénacle

---

15) Ainsi, Richard Goeltz, un crack qui devint trésorier de Joseph E. Seagram & Sons à trente ans, transforma la façon relativement simple d'assurer les entrepôts abritant un magasin de spiritueux en ce qu'il appela un "contrôle des pertes". Chaque fois qu'on en prévoyait un nouveau, il se mettait à calculer s'il faudrait le construire en blocs de mâchefer et l'équiper d'un coûteux dispositif d'extincteur automatique, de telle sorte qu'il deviendrait pratiquement superflu de l'assurer. "Ma tâche consiste à déterminer la valeur réelle nette des variables quant aux mises de fonds supplémentaires afin de diminuer les primes d'assurance tout en maintenant un degré d'exposition aux pertes qui soit acceptable pour la direction, expliqua-t-il. Enfin, quelque chose comme ça."

publicitaire de Maddison Avenue [16]. Par exemple, afin de célébrer le vingt-cinquième anniversaire de l'accession du Seven Crown de Seagram au titre de whisky le plus vendu au monde (1947-1972), il invita tous les détaillants et tous les distributeurs à Montréal pour une fête à tout casser qui dura trois jours et dont le point culminant fut le numéro présenté par six filles en bikinis couleur chartreuse qui dansaient sur les mains [17].

Le plus important leg que fit Sam à Seagram durant les dix dernières de sa vie fut d'engager la distillerie dans l'industrie pétrolière. Au début des années 50, lui et son frère Allan avaient placé des fonds dans une compagnie pétrolière albertaine de moyenne importance, la Royalite, qu'ils finirent par vendre à Gulf. Plus tard, Sam acheta la Frankfort Oil Company, une petite société productrice de l'Oklahoma, et, en 1963, il acquit pour deux cent soixante-seize millions la Texas Pacific Coal and Oil Company, vieille de soixante-quinze ans [18]. À l'origine, celle-ci alimentait en charbon les machines à vapeur et était installée à

---

16) Centre des agences de publicité à New York, devenu le symbole même de la publicité. (N.D.L.T.)

17) Sam Friedman, un vendeur en gros de Chicago, fut tellement impressionné qu'à un moment particulièrement arrosé de la fête il se leva et, cherchant un éloge qui soit à la hauteur, étant donné l'océan de superlatifs qui coulait déjà, déclara: "Seven Crown, c'est ni plus ni moins la statue de la Liberté!"

18) Monsieur Sam avait réussi à acheter Texas Pacific avec une faible mise de fonds. En faisant état des revenus de Seagram (trente-quatre millions de dollars) et du capital d'exploitation (trois cent quatre-vingt-deux millions), il fit une série d'emprunts pour un total de cinquante millions de dollars et remit cette somme aux propriétaires de Texas Pacific comme versement initial. Il remboursa les deux cent vingt-six millions restant au cours des douze années qui suivirent, à partir d'un pourcentage sur les revenus réels rapportés par le pétrole. Mais, en même temps, il réclamait une allocation d'épuisement de vingt-deux pour cent. Selon Raoul Engel qui écrivait alors dans le *Financial Post.* "Ce marché est la chose la plus extraordinaire après la lévitation; c'est un peu comme le fait de s'élever dans les airs grâce à ses propres lacets de soulier."

Thurber, au Texas; elle commença à prendre de l'expansion après l'achat d'une participation majeure dans le champ pétrolifère Ranger et, lorsqu'elle devint la propriété de Sam, elle était le cinquième producteur indépendant de tous les Etats-Unis.

Vers la fin, Sam décida de s'inscrire sur la liste de paye de son fils comme conseiller, à un salaire annuel de cent mille dollars, mais son intérêt pour Seagram ne diminua pas pour autant. "Nous nous disputions, raconte Edgar, mais je n'ai jamais eu suffisamment de *chutzpah* pour lui dire: "C'est moi, le président et, par Dieu, nous ferons ce que je déciderai." C'était impossible de le tromper, de lui mentir. Quand on ignorait quelque chose, il valait beaucoup mieux le lui dire parce que, quand il nous prenait en défaut, ça pouvait chauffer drôlement." Le problème était toutefois plus profond, car, naturellement, Sam voyait en Edgar le symbole de sa propre mortalité et contredisait les directives de son fils pour prouver que son pouvoir n'avait pas diminué [19]. "L'ennui, commenta *Forbes,* la revue américaine du monde des affaires, c'est que Monsieur Sam vieillissait et perdait de plus en plus contact avec son entreprise. Comme bon nombre de bâtisseurs, il s'incrustait, soit qu'il ne voulût pas accepter l'inexorable vérité, soit que ses administrateurs n'eussent pas oser lui parler."

Ce que personne n'osait dire à Sam, c'était que la façon de boire des Nord-Américains était en train de chan-

---

19) Les deux hommes étaient très proches l'un de l'autre, mais au fur et à mesure que l'autorité passait entre les mains d'Edgar, le vieux Bronfman était obligé de réclamer un peu d'attention. "Je me souviens que, un week-end, Père me téléphona de chez lui, à Tarrytown:

— Pourquoi ne viendrais-tu pas pour un *schmooz?*

"Et je lui répondis:

— Ecoute, p'pa, si tu as des problèmes, je vais venir et on en parlera. Mais j'ai une famille."

ger radicalement, mais que Seagram ne tenait pas compte de cette réalité en établissant ses priorités au niveau de la production. Durant les dix dernières années de sa vie, l'ensemble des ventes de whiskies coupés passa de soixante à vingt pour cent du marché total, mais Sam ne cessa jamais de croire que l'unique vocation de sa distillerie était de mélanger des alcools [20]. Or, à cause de sa répugnance à admettre que la mode était désormais au gin et à la vodka, et à suivre le mouvement général de l'industrie en ce sens, la domination de Seagram sur le marché se trouva sérieusement menacée [21].

La compagnie continua donc de tout mettre en oeuvre pour s'approprier une plus large part du volume fléchissant des ventes dans le domaine des alcools coupés, laissant, par le fait même, toute latitude à ses concurrents pour s'instal-

---

20) Monsieur Sam ne reconnut qu'une seule fois qu'il s'était trompé. Vers la fin de sa vie, il visita l'Irlande dans un but uniquement sentimental; un jour qu'il se détendait au bar de son hôtel de Dublin, Michael McCormick, le principal vice-président de Seagram qui l'accompagnait, lui demanda si sa fabuleuse carrière n'avait jamais eu à souffrir de quelque erreur. "Comment ça, une foutue erreur? explosa Sam en faisant des yeux aussi ronds que des petits pois dans un *TV dinner* surgelé. Pourquoi me demandez-vous quelque chose d'aussi stupide?"

Après avoir lâché quelques autres invectives, il se calma et avoua: "Bon, alors, vous m'avez posé cette foutue question. Ouais, bien sûr que j'en ai fait, des erreurs. La plus grave, ç'a été cette histoire de vodka. Je n'ai jamais voulu croire que les gens voudraient acheter un truc qui n'avait aucun goût. J'ai passé ma vie entière à mélanger des saveurs."

21) En réalité, Seagram avait toujours vu augmenter ses revenus aussi bien que ses profits, parce que ses produits les mieux cotés — surtout Seven Crown, V.O., Chivas et Crown Royal — continuaient d'occuper une place sans cesse plus grande du marché déclinant. Cette tendance s'est poursuivie. Alors que la consommation américaine de whisky coupé diminuait de trente pour cent entre 1965 et 1977, Seven Crown connaissait une hausse de vingt-sept à quarante pour cent. "Pour ce qui est de la consommation par catégorie, se plaignit Edgar Bronfman dans son rapport de 1977 rédigé à l'intention des actionnaires, c'est comme si quelqu'un avait battu les étiquettes comme un paquet de cartes et les avait lancées du haut d'un escalier."

ler dans le marché en pleine expansion des "alcools blancs". Monsieur Sam fut ravi, le jour où Frank Schwengel, l'irritable directeur des ventes de Seagram, manifesta son mépris envers le nouveau produit en lançant ostensiblement une caisse de vodka dans la piscine, pendant un congrès de la Légion américaine.

Désappointé de voir que Sam ne se décidait toujours pas à partir et impatient de prendre vraiment les choses en main, Edgar Bronfman décida, vers la fin des années 60, de consacrer une partie de ses énergies à l'industrie cinématographique. Il avait toujours été fasciné par ce ferment vivifiant des affaires et excité par ses possibilités en tant qu'"industrie sans capital intensif avec une marge brute d'autofinancement positive". Cela faisait déjà des années que Cemp achetait des actions de Paramount, mais beaucoup trop de cartels financiers s'intéressaient aux studios d'Hollywood pour qu'il fût possible d'espérer dominer, un jour, ces derniers. En 1967, Edgar fit acheter par Cemp un paquet de huit cent vingt mille actions de la Metro-Goldwyn-Mayer. Malgré les objections de Sam, la famille engloutit quarante millions de dollars dans l'acquisition de quinze pour cent des actions en cours de la Metro, ce qui était suffisant pour pouvoir orienter le vote [22]. Edgar caressait l'idée de fusionner à plus ou moins long terme le studio avec Time Inc., qui, de son côté, était tranquillement en train d'acheter trois cent quinze mille actions (soit six pour cent) de M-G-M [23].

Sam ne voulait pas entendre parler de se lancer dans l'industrie du film en général et dans l'aventure de M-G-M

22) Edgar téléphona à Leo Kolber, à Montréal, pour lui demander: "Ecoute, Leo, tu n'aurais pas un peu d'argent? Je viens tout juste d'acheter pour quarante millions d'actions de M-G-M."

23) En 1970, le *Time* affirma que les pertes sur papier d'Edgar, pour ses placements dans M-G-M, atteignaient quatorze millions de dollars.

en particulier, et ce, pour des raisons qu'il aurait bien été en peine de formuler. Mais, un jour, il entra dans le bureau d'Edgar, referma soigneusement la porte, s'éclaircit la gorge et, avec une hésitation qui était loin de lui ressembler, posa en bafouillant la question essentielle: "Dis-moi, Edgar, ne serions-nous pas en train d'acheter toutes ces actions de M-G-M uniquement pour te permettre de te faire avoir?

— Oh! non, p'pa! répliqua Edgar dans une réponse restée célèbre, il n'en coûte pas quarante millions pour se faire posséder."

L'intérêt que portait Edgar à M-G-M prit encore plus d'ampleur lorsque, en mai 1969, son ascendant sur le conseil d'administration fut suffisamment fort pour lui permettre de remplacer Robert H. O'Brien comme président du studio [24]. Sa première grande décision fut de nommer directeur son ami Louis F. "Bo" Polk junior. Sa seconde, qu'il prit seulement trois mois plus tard, fut de remettre sa démission. En faisant secrètement des appels d'offre pour une valeur de cent millions de dollars, un bluffeur de Las Vegas, nommé Kirk Kerkorian, avait subitement réussi à accumuler vingt-cinq pour cent des actions de M-G-M — plus qu'il n'en fallait pour faire mordre la poussière aux Bronfman. "Bo et moi sommes à la porte, raconta Edgar à un ami, à l'époque. Les carottes sont cuites. Avec tout le fric qu'il a mis, ce Kerkorian va maintenant faire la loi. Et nous, nous ne pourrons que nous incliner." Edgar aurait voulu rendre la monnaie de sa pièce au parieur de Las Vegas en s'enfonçant encore plus avant dans M-G-M,

---

24) En même temps que Bronfman, furent nommés au conseil d'administration de M-G-M Leo Kolber, John L. Loeb junior et John Wanamaker, le directeur général de Cemp. M-G-M perdit vingt-cinq millions de dollars pendant l'année financière 1968.

mais, pour la première fois, les autres membres de sa famille lui tinrent tête. Quand Edgar parla de l'offre de Kerkorian à Sam, la seule réaction de celui-ci fut un long soupir de soulagement: "Je suis maudìtement content de voir qu'il y en a d'autres que toi qui semblent trouver ça intéressant."

On n'a jamais très bien su exactement combien les Bronfman ont perdu avec M-G-M, mais, selon des gens bien placés de Cemp, cela irait chercher dans les dix millions de dollars. Edgar conserva ses actions personnelles qui finirent par lui rapporter des bénéfices; mais ce qui lui aurait été le plus pénible dans toute l'affaire serait un incident survenu dans une boîte de nuit de Hollywood, juste après son éviction. Le comédien Don Rickles interrompit le spectacle pour l'accueillir par cette exclamation: "Eh! Mais c'est Edgar Bronfman! Il a été président de M-G-M pendant cinq bonnes minutes!" Néanmoins, l'expérience avec M-G-M n'affaiblit en rien l'amour d'Edgar pour le monde du spectacle. Il mit sur pied Sagittarius Production Incorporated, à New York, qui monta plusieurs pièces à succès à Broadway vers la fin des années 60 [25].

---

25) Le nom "Sagittarius" n'a rien à voir avec le signe astrologique d'Edgar; il est un gémeau.

Parmi les succès de la compagnie, il y a *The Apple Tree,* et *1776,* de Stuart Ostrow, ainsi que la comédie musicale qui a remporté un Obie, *The Me Nobody Knows*. Sagittarius produit maintenant des films, depuis le début des années 70. Les plus célèbres sont: *Jane Eyre,* une adaptation du roman de Charlotte Brontë, mettant en vedette George C. Scott et Susannah York; *Ash Wednesday,* avec Elizabeth Taylor; *Charlotte's Web,* inspiré des contes pour enfants de E.B. White; et *Joe Hill,* un film de Bo Widerberg, qui a remporté la palme au Festival de Cannes et qui relate la vie de ce dirigeant syndical de la première heure. C'est maintenant Edgar junior, le second fils d'Edgar, qui dirige la compagnie. Celui-ci avait produit un film avec Peter Sellers (*Block-house*) alors qu'il n'avait que dix-sept ans; il a récemment acheté les droits d'adaptation cinématographique de *Harlequin,* un roman de Morris West qui, fait assez ironique, raconte l'enlèvement du jeune héritier d'une puissante famille. Son tout dernier projet est un film intitulé *A Place to Come To,* mettant en vedette Robert

Compte tenu de son intérêt pour le cinéma, rien, sinon sa vie personnelle, n'éloigne Edgar de Seagram. Malgré les rapports chaleureux qu'il entretient avec ses cinq enfants — Sam II, Edgar junior, Holly, Matthew et Adam —, son mariage avec Ann Loeb commença à battre de l'aile dès le début des années 70 et ils décidèrent de se séparer. "A l'origine du divorce réclamé par Ann, écrivit le *Time*, laquelle, en tant qu'héritière des Loeb [26], possède une fortune personnelle, il y aurait le fait que Bronfman s'affichait souvent avec de jeunes mannequins et des demoiselles de bonne famille. Leur rupture a mis fin à ce qui a été l'un des cénacles les plus vivants de New York et réunissait des personnalités du théâtre, des milieux intellectuels et de la scène politique — comme Nelson Rockefeller et le sénateur Jacob Javits — qui aimaient rendre visite aux Bronfman, dans leur somptueux appartement de Park Avenue."

Edgar amorça une nouvelle idylle avec Lady Carolyn Townshend — quintessence de la beauté blonde, aristocratique et britannique, et descendante directe de l'homme qui, en imposant une taxe sur le thé dans les colonies anglaises, fut à l'origine de la révolution américaine. Ils s'étaient rencontrés pour la première fois au cours d'un séjour qu'Edgar avait fait à Londres, en 1968, mais ils commencèrent à sortir sérieusement qu'à partir de dé-

---

Redford, et qui sera distribué en 1979. Edgar possède également Centaur Publishing et Bowman Music Corp. — deux filiales de Sagittarius qui s'occupent de la mise en marché des musiques de ses films.

26) Les seuls fonds que possèdent encore les Bronfman dans Loeb Rhoades s'élèvent à cinq millions de dollars gérés par Tortuga Investments Inc., une compagnie de fiducie qui protège les intérêts des cinq enfants Loeb-Bronfman. Après le divorce d'Edgar, Seagram a transféré son compte de Wall Street chez Goldman, Sachs & Co. et, au début de 1978, a dissous le fonds Tortuga.

cembre 1972. Dans l'intervalle, la dynamique Lady Carolyn avait rencontré, épousé et quitté — en divorçant — Antonio Capellini, un aristocrate génois, qu'elle appelait "l'homme de mes rêves". Agée de vingt-huit ans, Lady Carolyn entra au service des relations publiques de Seagram à Londres, et ce fut au cours d'un de leurs séjours à Paris qu'Edgar lui demanda sa main.

Après son infortune conjugale, Edgar semblait complètement subjugué par la princesse WASP. Celle-ci, apparemment séduite par la demande en mariage, ne cessait pourtant pas de se plaindre de son "insécurité financière". Pour apaiser ses craintes et faire son bonheur, Edgar lui proposa un contrat de fiançailles d'une générosité sans précédent. Si elle acceptait de l'épouser, Lady Carolyn 1) recevrait un million de dollars en liquide; 2) deviendrait propriétaire en titre du domaine seigneurial que possédait Bronfman à Yorktown Heights [27]; 3) pourrait s'acheter pour cent quinze mille dollars de bijoux; 4) se verrait accorder, en plus de l'argent pour les dépenses du ménage, une allocation mensuelle de quatre mille dollars à titre d'argent de poche. Lors de l'action en justice qui, plus tard, fit annuler cet accord prénuptial, Edgar déclara que l'exigeante Lady Carolyn avait rejeté son offre magnanime, la trouvant insuffisante. "Elle me donna à entendre que, comme j'étais un homme fortuné, sa famille lui avait dit que un million était une somme insignifiante et que je devrais plutôt lui accorder cinq millions de dollars."

Le mariage fut célébré le 18 décembre 1973, à l'hôtel *Saint-Regis*, à New York. Mais il ne se passa strictement rien d'autre. Le soir de leurs noces, Lady Carolyn envoya

---

27) Edgar accepta également de vendre son appartement de Park Avenue avec sa salle à manger en marbre et sa magnifique perspective sur New York, pour que rien ne rappelât à sa nouvelle épouse le souvenir d'Ann Loeb.

sans ménagement Edgar dormir dans son appartement de Park Avenue [28] et repoussa ses avances durant toute leur lune de miel qu'ils passèrent à Acapulco. "J'ai dit à Edgar qu'il ne se montrait pas très affectueux envers moi", affirma-t-elle, par la suite. Elle maintint que le mariage avait été réellement consommé pendant la lune de miel, ce qu'Edgar nia avec véhémence, soutenant que, pour Lady Carolyn, "les relations sexuelles après le mariage étaient un vrai cauchemar" et ajoutant qu'il avait du mal à comprendre son attitude parce qu'elle n'avait jamais montré la moindre gêne pendant qu'il la courtisait.

Edgar eut gain de cause. Le mariage fut annulé en vertu d'un arrêt signé, le 16 décembre 1974, par Jacob Grumet, juge de la Cour suprême de New York. Lady Carolyn se vit forcée de rembourser la somme d'un million de dollars et de renoncer à tout droit sur la propriété de Yorktown; bien qu'elle pût garder les bijoux, elle n'eut droit qu'à une pension alimentaire relativement maigre de quarante mille dollars par année pendant onze ans. Et elle dut certifier qu'elle "renonçait, sur-le-champ et définitivement, à utiliser le nom de Bronfman pour s'identifier".

A première vue, ce bizarre épisode apparaissait comme une aberration, compte tenu du fait que, toute sa vie durant, Edgar avait cherché à se prouver qu'il était digne de la couronne des Bronfman; peu importait qu'il gagnât ou perdît, son image ne pouvait qu'être ternie par sa décision d'aborder, devant un tribunal, un sujet aussi délicat que sa vie sexuelle. Mais si l'on envisageait la question

---

28) Nels R. Johnson, un ami de la mariée, témoigna que le docteur Sheldon Glabman, un spécialiste new-yorkais en médecine interne, s'était vanté que Lady Carolyn avait passé avec lui presque toute sa nuit de noce. Il déclara également devant le tribunal que, deux mois plus tôt, elle lui avait dit, au cours d'un séjour en Suisse, qu'Edgar avait trompé beaucoup de monde et que "je serais drôlement contente de le taper sans qu'il m'en coûte quoi que ce soit".

sous un autre angle, sa volonté de gagner contre Lady Carolyn cadrait parfaitement avec son caractère. "C'était simplement une question de fierté. J'ai horreur de me faire avoir. Je savais que j'étais dans mon droit et j'étais déterminé à le prouver. Je suis allé en cour parce que cette bonne dame n'a pas accepté ce que je considérais comme une offre honnête de ma part. Je savais qu'il y aurait une publicité terrible autour de toute l'affaire et que j'y survivrais. Mais j'ai également pensé que la situation serait très difficile pour ma mère, alors je lui ai téléphoné juste avant de prendre irrévocablement ma décision et je lui ai demandé ce qu'elle en pensait. Je me souviens lui avoir dit:

— Avant de me répondre oui ou non, laisse-moi ajouter que, à mon avis, Père a travaillé un petit peu trop fort pour que son argent échoue entre les mains d'une pareille putain — j'avais employé un terme autrement plus raide — et ma mère m'a répondu:

— Tu as entièrement raison.

"La question était donc réglée."

L'épisode suivant dans la vie publique d'Edgar fut encore plus pénible. Le 8 août 1975, Samuel II [29], son fils aîné qui avait alors vingt-trois ans, quitta la maison familiale de Yorktown, après le dîner, dans sa BMW verte pour aller voir des amis. Deux heures plus tard, José Luis, le maître d'hôtel des Bronfman, répondit au téléphone pour s'entendre déclarer par le jeune Sam: "Appelez mon père. Je viens d'être enlevé!" Une demande de rançon pour un

_____

29) Le jeune Sam était sur le point de commencer à travailler comme stagiaire au service de la promotion de *Sports Illustrated*. Il était diplômé de Williams College où il s'était inscrit à un programme d'Etudes américaines avec diverses options. Un jour que ses camarades se plaignaient que le trottoir, devant le Bronfman Science Center, construit au coût de un million trois cent mille dollars (grâce à un don d'Edgar), était jonché d'ordures, Sam décida de tout nettoyer lui-même.

montant de quatre millions et demi de dollars en petites coupures fut envoyée à la famille, et l'enlèvement fit la première page des journaux. Vingt agents du F.B.I. envahirent la résidence des Bronfman, deux douzaines de lignes téléphoniques supplémentaires furent installées, de mystérieux messagers passèrent leur temps à arriver et à repartir, des hélicoptères de la police survolèrent les alentours, des hordes de journalistes se pressèrent contre les grilles. **"On craint pour la vie de l'héritier kidnappé"**, titrait sans retenue le *New York Post*. La difficulté ne fut pas tant de réunir la somme réclamée — c'était la plus grosse rançon dans toute l'histoire des enlèvements aux Etats-Unis —, mais bien de trouver un moyen de la livrer. Finalement, il fallut entasser dans quatorze valises de grandeur normale les quatre millions et demi en billets de vingt dollars.

Les porte-parole de la famille eurent beau proclamer qu'Edgar se plierait à toutes les directives des kidnappeurs, ce ne fut qu'au bout de quatre jours qu'ils reçurent un message dont l'authenticité ne faisait aucun doute, qui réduisait la rançon de moitié et expliquait en détail comment la verser. Le 16 août, en plein centre de New York, Edgar remit deux millions trois cent mille dollars emballés dans deux sacs à ordure en plastique, de format géant, à un étranger qui s'enfuit aussitôt en voiture. Le lendemain, la police délivra le jeune Sam qui se trouvait, ligoté et un bandeau sur les yeux, dans l'appartement de Mel Patrick Lynch, à Brooklyn; Lynch était un pompier new-yorkais et la police avait été guidée vers son logement par Dominic Byrne, chauffeur de limousine à l'aéroport, dont les nerfs avaient cédé et qui avait vendu la mèche.

Au cours du procès qui dura trente-cinq jours, Lynch affirma que lui et Sam étaient amants. Il déclara au tribunal que le jeune Bronfman l'avait obligé, sous la menace de chantage, à participer au faux enlèvement qui n'avait d'autre but que de lui permettre d'extorquer de l'argent à son père. Le jury accorda moins d'importance à la possibilité qu'une machination aussi compliquée ait pu prendre naissance dans l'esprit du jeune héritier qu'aux accessoires utilisés par les ravisseurs. Quand William Ling, l'un des jurés, prit la corde qui avait servi à ligoter le jeune Bronfman et tira sur ses extrémités qui se terminaient par des noeuds, elle se cassa en trois endroits. On ne pouvait demander au jury de croire qu'un tel lien avait retenu le fils Bronfman qui mesurait six pieds trois et pesait cent quatre-vingt-cinq livres. Celui-ci ne nia pas le fait que la corde ne valait rien, mais il soutint que ses ravisseurs l'auraient tué s'il avait tenté de se libérer. Mais la preuve la plus préjudiciable fut l'enregistrement de la conversation téléphonique entre Edgar et son fils, alors que Sam suppliait son père de payer la rançon; ensuite, on pouvait l'entendre déclarer à ses geôliers, en possession de tout son sang-froid: "Attendez, je vais recommencer."

Le jury acquitta Lynch et Byrne de l'accusation d'enlèvement mais les déclara coupables d'extorsion, charge tout de même moins grave. Dans un bureau du siège social de Seagram, le jeune Sam rejeta le verdict. "Je suis scandalisé et stupéfié, je suis furieux à l'idée que les gens puissent croire que je suis un homosexuel et un extorqueur. Tout ce dont j'ai pu avoir envie, je l'ai toujours obtenu [30]. Pourquoi, dans ce cas, me serais-je attaqué à mon père? (...) J'ai été précipité dans un monde nouveau, loin de Williams College, de Deerfield Academy et des corridors bruyants de l'édifice Seagram. J'ai pensé que ce que j'avais de mieux à faire pour rester en vie, c'était de me tenir coi et d'attendre

---

30) A cette époque, le jeune Sam recevait annuellement trente-deux mille dollars en argent de poche. Il doit hériter de cinq millions le jour de ses trente ans, et d'environ dix autres millions quand il en aura quarante.

que la rançon soit versée. Et que le jury aille au diable avec ses présomptions, j'ai joué le bon numéro. Je suis bien vivant, aujourd'hui, non?''

Edgar prit résolument la défense de son fils, affirmant que cet étrange incident avait simplement rapproché sa famille encore plus. "Ce fut un procès mené à la diable, dit-il. Il ne s'agit absolument pas de ce qu'ont pu penser l'officier de probation, le F.B.I. ou je ne sais trop qui. Je veux dire que personne, à l'exception du jury, n'a mis en doute le fait que, de toute évidence, Sam n'avait rien à voir avec tout ça. Cela m'a profondément insulté parce que, s'il avait été leur complice, ils auraient fait un bien meilleur travail. Ils n'auraient définitivement pas agi de façon aussi idiote. Mais, maintenant, tout ça, c'est fini.''

Le 20 août 1975, exactement trois jours après que la police eut délivré Sam, Edgar épousa Georgiana Eileen Webb, âgée de vingt-cinq ans et fille du propriétaire du *Ye Olde Nosebag*, une auberge située à Finchingfield, au nord-est de Londres, dans le comté d'Essex, et où elle travailla un bref moment comme barmaid. Elle mène maintenant une vie en harmonie avec celle de son mari, s'est convertie au judaïsme, est devenue l'une des hôtesses les plus en vue de New York et charme tous ceux qu'elle rencontre [31].

L'avalanche de publicité négative provoquée par son second divorce et par l'enlèvement n'entraîna aucun changement dans le style de gestion d'Edgar. Depuis le tout début, au lieu d'essayer de perpétuer la présence dictatoriale de son père, il avait opté pour une certaine

---

31) Georgiana embrassa la religion juive alors qu'elle était enceinte de son premier enfant, Sara. Comme, à cause de sa conversion, il fallait de nouveau célébrer le mariage, elle épousa Edgar une seconde fois dans une synagogue de Park Avenue, peu avant la naissance de l'enfant. Elle a fait transformer un studio de cinéma désaffecté, situé dans la 127e Rue, en un local où les adolescents défavorisés peuvent jouer au basket-ball.

désinvolture ("tout le monde, sans exception, m'appelle Edgar, et c'est ainsi que ce doit être."). C'est à lui qu'appartient le dernier mot, mais, dans le cas de décisions importantes, il tente d'obtenir un consensus parmi les principaux directeurs de Seagram. "Il règne entre moi-même et les types qui me secondent une certaine forme d'amitié et nous sommes capables de nous livrer. Quand on sort d'une réunion, il faut que chacun sente qu'il a pris part à la décision et y croie, mais si vous n'y êtes pas arrivé, vous risquez de vous faire dévorer par ces types. Au moins soixante-cinq pour cent de ma tâche s'assimile à la psychiatrie. Il s'agit de former des hommes et d'observer leurs progrès pour que ceux qui occupent des postes clés soient convenablement secondés."

Son équipe de collaborateurs immédiats réunit moins de douze directeurs, et il se montre très impatient envers ceux de ses subordonnés qui se laissent aller à des discussions incohérentes [32]. ("Il n'est pas question que quelqu'un entre dans mon bureau avec un problème pour lequel il n'aurait pas de solution.") De 1957 à 1976, son principal bras droit était un ingénieur chimique obstiné et sûr de lui, un ancien officier de marine, qui s'appelait Jack Yogman. Ce fut lui qui mena à bien la plupart des négociations complexes qui se traduisirent par l'expansion de l'empire Seagram en Amérique du Sud et en Europe occidentale. A un moment donné, il se retrouva en train de jongler avec quinze contrats différents. Yogman réussit à persuader les dix-sept plus grands producteurs de vin du Chili de vendre

---

32) Le principal handicap d'Edgar est son manque d'expérience dans l'industrie pétrolière qui est devenue l'une des principales sources de revenus de Seagram. Howard Hinson, directeur de Texas Pacific Oil, rencontre Edgar quatre fois par an et lui téléphone chaque semaine, mais le rôle de Bronfman se limite à prendre les décisions à caractère financier.

leurs produits par l'entremise de Seagram et il lança la compagnie à l'assaut du marché de la Nouvelle-Zélande. En 1965, il fut nommé vice-président administratif de Seagram et, trois ans plus tard, obtint en outre le titre de directeur général des exploitations. En août 1971, Yogman accéda au poste de président des opérations de Seagram aux Etats-Unis, et son salaire connut une hausse impressionnante [33]. Par exemple, alors qu'il gagnait deux cent cinquante mille dollars par année en 1975, il en touchait trois cent quatre-vingt-dix-huit mille, l'année suivante. Fait quelque peu incongru, son revenu annuel est supérieur de vingt-quatre mille dollars à ce que se verse Edgar; quant à Charles, il se contente d'un salaire, modeste par comparaison, de cent soixante-quinze mille dollars par année.

Il est certain que cette situation ne pouvait durer bien longtemps. Malheureusement pour Yogman, il avait imprudemment promis aux Bronfman que, grâce à son génie des affaires, Seagram toucherait des bénéfices record de cent millions de dollars à la fin de 1976. Mais les revenus de 1975 baissèrent de neuf pour cent (n'atteignant que soixante-quatorze millions de dollars) et la réduction aurait été encore plus prononcée, n'eût été des gains substantiels réalisés par la filiale pétrolière de Seagram. Les ventes de Seven Crown avaient diminué de six cent mille caisses; même le si populaire V.O. avait subi une perte de plus de trois cent mille caisses. Comme la situation ne semblait pas devoir s'améliorer de façon notable en 1976, les actions de Seagram commencèrent à perdre du terrain, et les investisseurs qui avaient, autrefois, été disposés à payer quinze fois

---

33) En plus de son salaire et d'un montant annuel de cent cinq mille neuf cent soixante-sept dollars en prestations de retraite, Yogman recevait également un million deux cent quarante-deux mille trois cent trente-sept dollars en prêts sans intérêts et en option d'achat d'actions.

les gains en vinrent à se demander s'il ne vaudrait pas mieux se contenter plus modestement de dix. "Subitement, on en était réduit aux conjectures, écrivit Amy Booth dans le *Financial Post*. Même si "les gars" étaient dans l'entreprise depuis leur adolescence, avaient-ils les reins suffisamment solides pour diriger une boîte aussi énorme et d'une telle envergure? (...) Quelques-uns, parmi ceux qui regardaient aller les Bronfman, attribuaient la baisse de profits de la compagnie à l'accession au pouvoir d'Edgar et de Charles après la mort de Monsieur Sam. "Les garçons n'arrivent pas à la cheville de leur père", disaient-ils. Mais il y a tout de même ici un aspect personnel et émotif qui n'a pas grand chose à voir avec les statistiques, parce que ceux qui s'imaginent être au courant ajoutent généralement: "Saidye doit avoir le coeur brisé devant les fumisteries d'Edgar."

Quand il accorda une entrevue à Amy Booth, Charles précisa les problèmes de la compagnie: "Cela faisait déjà un certain temps que je n'étais pas satisfait, mais les commandes entraient. Les stocks étaient trop lourds. Le contrôle n'était pas suffisamment rigoureux. Nous avions une multiplicité de marques et perdions de l'argent sur beaucoup trop d'entre elles. Nous ne travaillions pas assez fort. Le coeur n'y était plus."

L'empire Seagram était moribond. Edgar et Charles se retrouvèrent devant l'alternative désagréable de devenir des propriétaires symboliques ou de relever leurs manches et de remettre sur pied l'empire de leur père.

Ils décidèrent que la première chose à faire était d'injecter du sang neuf au conseil d'administration de Seagram. Quand Monsieur Sam était encore à la barre, les réunions du conseil étaient surtout une affaire de famille; il tenait rarement compte des opinions ou des suggestions des administrateurs. Un ancien directeur, J.J. McAvity, se souvient qu'il n'y avait jamais de période de discussion prévue à l'ordre du jour. John L. Loeb, qui était, à ce moment-là, le beau-père d'Edgar et avait été nommé au conseil en 1956, assista à une assemblée et n'y remit plus jamais les pieds après avoir vu comment Sam s'y prenait. Les assemblées annuelles des actionnaires étaient d'incestueuses réunions où se retrouvaient surtout des employés de la compagnie et quelques étrangers bien dressés à qui on remettait des feuilles de papier pour les cotes. Les administrateurs pariaient entre eux pour voir si les débats dureraient moins de temps que le record établi en 1961, alors que toute l'affaire n'avait pris que vingt-neuf minutes. Cette année-là, cent douze des cent dix-sept personnes qui s'étaient présentées à la réunion des actionnaires étaient des employés de Seagram.

A la fin de l'automne de 1975, un nouveau conseil d'administration fut désigné et les structures administratives de Seagram furent modifiées du tout au tout. (La raison sociale qui était Distillers Corporation-Seagrams Limited était devenue, en janvier, The Seagram Company Limited.) Quatre administrateurs parmi les plus anciens furent amenés à démissionner: Allan Bronfman, le sénateur Louis P. Gélinas, Loeb, et Joseph Edward Frowde Seagram [34]. Jack Yogman fut renvoyé sans autre forme de procès, en juin 1976, au cours d'une réunion du lundi matin qui se tint dans le bureau d'Edgar et à laquelle assistèrent les deux frères. "Charles me remercia en disant: "Vous avez fait du bon travail" raconta plus tard Yogman.

---

34) C'était le dernier membre de sa famille à siéger au conseil d'administration de Seagram. Il dirigeait Canbar Products Ltd. (anciennement Canada Barrels & Kegs Ltd.) qui était un important fournisseur de Seagram. Chasseur réputé, Frowde Seagram possède une imposante écurie de course qui porte les couleurs de sa famille et est membre de dix des clubs les plus fermés d'Amérique du Nord. Il a passé toute sa vie à Waterloo, en Ontario.

"Ils étaient des Bronfman et moi, pas, et ils voulaient reprendre leur compagnie en main." [35]

Le commandement suprême de l'empire Seagram fut attribué à un conseil de direction nouvellement formé (et qui se réunit tous les mois, alors que le conseil d'administration n'est convoqué qu'à chaque trimestre), ayant à sa tête Charles Bronfman et composé d'Edgar, de Leo Kilber et du baron Alain de Gunzburg, ainsi que de Bill Green [36], président de Clevepak Corporation et de Harold Fieldsteel, trésorier de Seagram [37]. Quatre des personnalités les plus importantes de l'oligarchie financière canadienne [38] furent invitées à se joindre aux membres permanents du comité pour former le conseil d'administration.

1) Paul Desmarais, président et directeur général de Power Corporation of Canada, le conglomérat le plus intéressant du pays et l'un de ses plus imposants, avec des atouts tels que le très rentable Investors Group (Great-

35) Les conditions de licenciement de Yogman sont parmi les plus généreuses jamais accordées dans l'entreprise privée: les Bronfman acceptèrent de lui verser deux cent cinquante mille dollars par année ainsi que la plupart de ses anciennes prestations, à la condition qu'il se tînt à l'écart des industries du pétrole et des spiritueux jusqu'en 1968. Au début, Yogman devint vice-président, à cent mille dollars par année, de Esquire Inc., la revue des éditeurs et des réalisateurs de films. En février 1978, il a été nommé directeur général de Ward Foods, fabricant des tablettes de chocolat O'Henry et de la crème glacée Dolly Madison.

36) Membre du conseil d'administration de Seagram depuis 1971, Green dirige une grosse compagnie de traitement du papier, qui est, entre autres choses, le premier fournisseur de mandrins pour les rouleaux de papiers hygiéniques des Etats-Unis.

37) Harold Fieldsteel touche un salaire annuel de deux cent vingt mille cent cinquante dollars, plus environ cent quatorze mille cent neuf dollars en prestations de retraite.

38) Pour plus de précisions sur ces quatre hommes, consulter: Peter C. Newman, *The Canadian Establishment*, vol. I, Toronto, McClelland and Stewart, 1975.

West Life et Montreal Trust) ainsi que Consolidated-Bathurst, la grande usine de papeterie.

2) Ian Sinclair, président et directeur général du Canadian Pacific qui, après n'avoir été qu'une simple entreprise ferroviaire, est devenu, grâce à ses ramifications dans tous les domaines, la plus influente des multinationales canadiennes.

3) Fred McNeil, président et directeur général de la Banque de Montréal, la troisième institution financière du Canada.

4) Ted Medland, président et directeur général de Wood Gundy, qui est la principale société de placements et de souscription du Canada.

Le nouveau conseil se composait également de Mel Griffin, le compétent directeur des opérations de Seagram au Canada; de Philip Vineberg, de Montréal, avocat de la famille Bronfman; et de John Weinberg, principal associé de la puissante banque en valeurs new-yorkaise, Goldman, Sachs. "Comme il regroupe surtout des membres de la famille, le comité de direction, explique Edgar, s'occupe essentiellement de points comme la rentabilité et le coefficient des dettes de capital, mais les politiques d'ensemble font l'objet de discussions auxquelles participe le conseil tout entier. Par exemple, quand il s'agit de financement, nous avons Ted Medland, John Weingerg, Fred McNeil et Paul Desmarais qui sont tous des types très brillants, des spécialistes. Aussi, chaque fois que nous voulons lancer une nouvelle émission, nous ne nous contentons pas de leur dire:

— C'est ça que nous voulons faire.

"Nous leur demandons plutôt:

— Voici ce à quoi nous avons pensé... Quelle est votre opinion?"

Le nouveau conseil a réussi à injecter un sang nouveau, dont le besoin s'était fait urgent, dans les délibérations de Seagram, mais on ne peut pas dire que ses membres sont des étrangers les uns pour les autres [39]. Les compagnies qu'ils représentent font toutes des affaires entre elles. En 1977, par exemple, Seagram a profité au maximum des nombreux services offerts par C.P.R. et a versé trois millions deux cent trente-sept mille quatre cent quinze dollars à la Banque de Montréal en commissions d'engagement et en frais d'intérêts. Elle a acheté la majeure partie de son verre (environ dix millions et demi de dollars en 1977) de Domglas Limited, qui est l'une des compagnies de Paul Desmarais. Philip Vineberg, toujours pour la même année, a présenté à Seagram des honoraires de cent cinquante-huit mille trois cent cinquante-huit dollars [40] (ce qui n'inclut pas les provisions que lui versent les autres membres de la famille Bronfman). Jusqu'à tout récemment, Clevepak Corporation, qui est dirigée par Bill Green, louait des bureaux dans l'édifice Seagram de New York; plusieurs branches de Seagram continuent de louer des bureaux de Cadillac Corporation qui appartient, dans une proportion de trente-sept pour cent, à Cemp, la société de fiducie des Bronfman qui, elle, est administrée par Leo Kilber [41]. Tou-

---

39) Durant la majeure partie des dix dernières années, Charles Bronfman a siégé aux conseils d'administration de Canadian Pacific Airlines et de la Banque de Montréal, dont les présidents respectifs, Ian Sinclair et Fred McNeil, sont administrateurs de Seagram.

40) De son côté, Vineberg possède, par l'intermédiaire d'une société de gestion personnelle, vingt-quatre mille actions publiques de Seagram.

41) Les directeurs de Cemp utilisent si souvent les avions à réaction appartenant aux Bronfman que, en 1977, un transfert interne de deux cent trente-trois mille trois cent quatre-vingts dollars a été inscrit dans les livres de Seagram, en acompte pour les vols effectués. Cemp, pour sa part, a des liens avec une autre des cinq grandes banques canadiennes. Elle est associée avec la Banque Toronto-Dominion dans plusieurs projets immobiliers d'envergure, notamment le Toronto-Dominion Centre, à Toronto, et le Pacific Centre, à

tes les émissions publiques de Seagram sont lancées par un syndicat financier ayant, à sa tête, trois directeurs: Medland, de Wood Gundy, John Weinberg, de Goldman, Sachs, et le baron Alain de Gunzburg, de la Banque Louis-Dreyfus. En 1977, la banque parisienne du baron a touché de Seagram deux cent huit mille trois cent trente-deux dollars en paiement sur les intérêts. Par l'entremise de GS Realty Incorporated, une compagnie qui leur appartient conjointement, Edgar et John Weinberg exploitent de concert de nouveaux vignobles en Californie. Tout bien considéré, le conseil d'administration de Seagram n'est finalement qu'un club intime d'hommes sensibilisés aux intérêts personnels des uns et des autres.

Dès le début, l'une des principales préoccupations du conseil avait été de trouver un excellent spécialiste de la mise en marché qui fût davantage intéressé à accroître les profits que les revenus et qui pourrait travailler efficacement dans l'atmosphère surcomprimée de la dynastie des Bronfman. Gerard R. Roche, de Heidrick and Struggles, une société new-yorkaise spécialisée dans la recherche de cadres, leur proposa un seul nom: Philip E. Beekman qui était, à ce moment-là, le président des opérations internationales de Colgate-Palmolive. Diplômé de Dartmouth, il avait gravi les divers échelons de la compagnie de savon jusqu'en 1975, alors qu'il s'était vu confier, en échange d'un salaire de cent cinquante mille dollars par année, la difficile tâche de diriger toutes les opérations de Colgate-Palmolive, en dehors des Etats-Unis.

Le 1er février 1977, Beekman entra chez Seagram où l'attendait l'un des plus généreux contrats de toute l'histoi-

---

Vancouver; Kolber est l'un des administrateurs de TD, tandis que le président de celle-ci, Dick Thomson, siège au conseil d'administration de Cadillac Fairview. (Pour plus de détails, voir le chapitre 14.)

re des sociétés nord-américaines. En plus de son salaire de base de trois cent cinquante mille dollars, de prestations annuelles de retraite de cent vingt-cinq mille dollars à l'âge de cinquante-cinq ans et d'une police d'assurance-vie gratuite de sept cent mille dollars, il se vit offrir une option pour l'achat de vingt mille actions du stock Seagram, et une limousine conduite par un chauffeur fut mise à sa disposition. Beekman se mit rapidement à l'oeuvre, sans faire de remous, réorganisant les méthodes de vente, augmentant le prix de la plupart des produits, doublant le budget publicité. Sa première année dans la compagnie se traduisit par un revenu net de quatre-vingt-sept millions de dollars pour des ventes de deux milliards deux cent millions de dollars — l'un et l'autre étant des montants record. Mais le plus significatif fut que, sous sa nouvelle administration, Seagram cessa d'être un débiteur pour devenir un générateur de fonds [42]. Le seul nouveau placement d'envergure de Seagram, pendant 1977, fut l'acquisition de la fameuse entreprise écossaise, Glenlivet Distillers Limited [43].

---

42) En 1975, la dette de la compagnie s'était accrue de cent soixante-douze millions de dollars; en 1977, elle diminua de cent quatre millions. Cette remarquable volte-face fut rendue possible par une réduction des stocks et par une augmentation des revenus du pétrole.

43) Seagram présenta une offre d'achat de cinq cent dix pence par action (soit neuf dollars soixante-quinze U.S.) pour un total approximatif de quatre-vingt-dix millions de dollars, ce qui lui permit de coiffer au poteau la distillerie japonaise Suntory. Jamais encore les Bronfman n'avaient négocié, en faisant cavaliers seuls, un contrat d'une telle ampleur. Dans la matinée du 7 novembre 1977, un membre de la société de placements britanniques Hambros téléphona à son contact chez Seagram pour l'avertir que Imperial Tobacco voulait se débarrasser de ses actions (vingt-cinq pour cent des actions) qu'il détenait dans Glenlivet. Sans perdre une minute, Charles convoqua le comité de direction à New York, pour le lendemain, et, le 12 novembre, Beekman et Dieldsteel s'envolèrent pour Londres afin d'enlever le contrat. Un paquet moins important (quatre cent soixante-dix mille quatre cent quatre-vingt-quatorze actions valant environ quatre millions cinq cent quatre-vingt mille dollars U.S.) fut vendu par la Compagnie de la baie d'Hudson, laquelle déclara, en 1978, que la

Beekman reste une bénédiction pour les Bronfman. "Il y a toujours une certaine euphorie quand quelqu'un commence, un peu comme le président qui s'offre une lune de miel avec le Congrès, et puis, ça disparaît, dit Edgar. Mais, avec Phil, ça ne cesse d'aller de mieux en mieux. Notre collaboration est parfaite." Néanmoins, aucun doute ne subsiste sur les vrais patrons de l'empire Seagram. Interrogé par un reporter de la *Gazette,* de Montréal, qui lui demandait, pendant une récente assemblée des actionnaires, qui détenait réellement les rênes de la compagnie, Edgar haussa les sourcils et répondit du tac au tac:"Mon frère Charles et moi sommes à la tête de cette entreprise et tant et aussi longtemps que nous serons d'accord, il en sera ainsi."

Edgar dirige maintenant Seagram avec l'assurance méticuleuse d'un homme qui a été mis à l'épreuve et s'en est sorti avec honneur. "Ma plus importante motivation, dit-il, c'est l'héritage familial. Mon père a fondé cette entreprise et il voulait qu'elle continue. J'aime bien le fait que nous soyons les plus grands et je veux que nous nous accroissions encore davantage. Justement, l'autre jour, nous parlions de l'avenir et quelqu'un m'a demandé:

— Que devrait être exactement, selon vous, votre part du marché?

"Je l'ai regardé sans sourciller et lui ai répondu:

— Compte tenu de la qualité que nous y apportons, *la totalité!*"

---

transaction lui avait rapporté un bénéfice net de un million huit cent mille livres sterling. La C.B.H., qui a été fondée en 1670, est associée avec Seagram dans Hudson's Bay Distillers.

Chapitre Quatorze

Leo

Quand il rencontre du monde, Leo s'amuse parfois à un jeu silencieux où il est son seul partenaire: il calcule combien de temps il faudra à son interlocuteur pour lui demander une faveur. Le record établi jusqu'à maintenant est de huit secondes.

Ernest Leo Kolber, c'est le non-Bronfman des Bronfman, c'est le cerveau. Depuis vingt ans, il gère — sans bruit et avantageusement — la fortune personnelle de la famille de Sam Bronfman. Il a si bien rempli sa tâche que Cemp Investments Limited, son principal outil fiscal, qui se contentait, au début, d'administrer quelques centres commerciaux de banlieue, constitue maintenant l'une des plus impressionnantes mises en commun de capitaux du monde occidental. Bien que rien de ce qui concerne les activités de Cemp ne traverse la barrière de cette timide discrétion qui caractérise Kolber, on peut facilement évaluer à quatre millions de dollars les actifs de la société de fiducie dont l'influence s'étend bien au-delà de sa base nord-américaine.

Cemp est probablement l'instrument le plus sophistiqué de la haute finance canadienne, étant donné qu'elle a essentiellement pour fonction de perpétuer la domination des Bronfman sur l'empire Seagram tout en évitant à ses bénéficiaires d'être soumis aux lois de l'impôt. La famille exerce son hégémonie par l'entremise d'une accumulation de sociétés de gestion (Econtech, Grandco, Rampart) dont le principal avoir est constitué de onze millions quatre cent vingt-deux mille cinq cent quarante actions du stock de la distillerie, dont la valeur atteint cinq cent vingt-cinq millions de dollars sur le marché ouvert. Le génie qui a conçu ce miracle du capitalisme était Lazarus Phillips, le principal conseiller juridique de Monsieur Sam; Leo Kolber, qui administre la société depuis 1958, est le fils d'un dentiste montréalais que rien ne semblait désigner pour une telle carrière et qui constitue maintenant la pierre angulaire de la dynastie des Bronfman.

L'ascension de Leo a été si rapide, l'expansion de son autorité si vertigineuse, que bien peu d'étrangers savent qu'il n'y a d'autre source à l'origine de son pouvoir que son amitié avec Charles, nouée à l'époque où, à dix-huit ans, il poursuivait ambitieusement ses études du premier cycle à l'Université McGill, à la fin des années 40. Moses, son père, était mort quand Leo avait seize ans et Luba, sa mère, augmentait ses maigres revenus en louant des appartements d'un petit immeuble qui leur appartenait. Les deux garçons n'avaient pas grand chose en commun, mais cela n'empêcha pas leur amitié de prendre la forme d'une interdépendance où l'éducation surprotégée de Charles trouvait son contrepoids dans la vivacité d'esprit de Leo, gamin des rues (et dont le principal souvenir d'enfance était de s'être fait chasser de l'école Bancroft, rue Saint-Urbain, par des gosses hurlant: "Rentre chez toi, sale Juif!"). Leo savait parfaitement ce qu'il attendait de la vie et il était convaincu qu'il l'obtiendrait. Ce fut probablement cette qualité qui séduisit Sam et il est possible que l'impétueux jeune visiteur du Palais du Belvédère lui ait rappelé un peu de sa propre jeunesse. Du reste, Sam s'éprit d'une telle affection pour Leo qu'il parlait ouvertement de lui comme d'"un membre de la famille". Quant à Leo, il l'adorait comme un père.

Kolber initia les deux jeunes Bronfman à de nombreux plaisirs dont ils ne soupçonnaient pas l'existence. Quand Edgar loua secrètement une garçonnière dans le centre de Montréal pour échapper un peu à ses parents, les trois garçons prirent l'habitude de passer les samedis après-midi, vêtus de T-shirts et de pantalons en velours côtelé, faisant le tour des boutiques de fripiers de l'avenue Berkley dans la Chrysler décapotable d'Edgar et achetant de vieux meubles d'occasion.

Leo n'avait pas encore terminé son droit lorsqu'il acheta un terrain vacant dans le nord de Montréal, avec l'intention d'y faire bâtir quelques maisons. Charles et Edgar ne demandaient pas mieux que de lui prêter les fonds nécessaires, mais Leo trouva que leurs conditions n'étaient pas suffisamment généreuses. Il décida plutôt de frapper à plusieurs portes, engagea lui-même ses fournisseurs, aida à verser le béton et cloua des bardeaux avant d'aller à ses cours et s'en tira finalement avec un léger bénéfice. En 1953, un an après être entré comme associé en second chez Mendelsohn, Rosentzveig et Shacter, Leo tomba par hasard sur un terrain de soixante mille pieds carrés, admirablement bien situé dans Westmount et en vente pour seulement trente-six mille dollars. Ses copains Bronfman lui prêtèrent l'argent et, six mois plus tard, il revendit le lot deux fois plus cher qu'il ne l'avait acheté, remettant quatre-vingts pour cent du produit de la vente à ses camarades, très fiers d'eux (ils touchèrent ainsi, chacun, quatorze mille quatre cents dollars). C'était la première fois que les fils Bronfman gagnaient eux-mêmes de l'argent et cette première transaction fut suivie de plusieurs autres du même type. En 1957, Sam décida de confier à Leo Kolber (qui avait alors vingt-huit ans) la direction de Cemp, la société de fiducie familiale qui dépérissait entre les mains d'une succession d'administrateurs trop prudents. Leo fut engagé au salaire de douze mille cinq cents dollars, plus dix pour cent des profits dont il serait responsable [1]. Une première expérience, le centre Maisonneuve à Montréal, se solda par un échec, mais, au cours des dix ans qui suivirent, Leo fit de Cemp la plus grande société immobilière du pays.

Cemp avait été fondée en 1951 pour remplacer Brintcan Investments, le premier instrument fiscal de la famille, qui remontait à 1924 [2]. Lazarus l'avait conçue [3] pour permettre à la succession Bronfman d'échapper au poids des droits successoraux [4], tout en conservant son emprise sur l'empire Seagram [5] (Charles et Edgar possèdent chacun

---

1) Cette entente fut rapidement renégociée, lui accordant cinquante mille dollars par année, plus cinq pour cent des bénéfices; depuis, elle a connu une augmentation substantielle.

2) Les deux sociétés Brintcan et Brosis (pour "brothers and sisters") étaient dominées par une société de gestion, Bromount, et se partageaient à elles deux cinquante-trois pour cent des actions en cours de Distillers-Corporation-Seagrams Ltd.

3) En 1966, la fortune personnelle de Samuel Bronfman et de ses enfants, *sans* les intérêts qu'ils détenaient dans des fonds de gestion, était évaluée par *Fortune* à quarante-six millions et demi de dollars. A cette époque, outre Cemp, les quatre portefeuilles se composaient également de titres canadiens et américains d'une valeur de dix-huit millions de dollars.

4) Quand James de Rothschild mourut en 1957, ses héritiers durent verser vingt millions de dollars au Trésor britannique.

5) La part dominante de la famille dans Seagram (33,1 pour cent des actions émises) se répartit en quatre portefeuilles inégaux:

| Charles | 3 676 437 actions |
| Edgar | 3 237 889 actions |

trente pour cent de Cemp, et Minda et Phyllis se partagent également les quarante pour cent qui restent.) Quelque temps auparavant, Sam et son jeune frère Allan avaient réuni leurs intérêts dans Seagram, ce qui avait eu pour effet d'isoler les portefeuilles de leurs aînés, Abe et Harry.

La particularité la plus inhabituelle de Cemp, c'est son immunité face à l'impôt. Jusqu'en 1972, les lois canadiennes stipulaient que les dividendes passant d'une entreprise à une autre (de Seagram à Cemp) étaient exempts d'impôt. Puis, quand cette disposition fut modifiée, ne reconnaissant ce droit qu'aux seules sociétés publiques, les dividendes versés par Seagram demeurèrent encore à l'abri de l'impôt, simplement parce qu'ils passent maintenant par une nouvelle filiale, la Seco-Cemp Limited. Celle-ci est inscrite aux Bourses de Montréal et de Toronto, bien que toutes ses actions ayant droit de votes soient détenues par Cemp et ses administrateurs: Charles, Kolber, Philip Vineberg et Lazarus Phillips. En comptabi-

---

| Phyllis | 2 450 884 actions |
| Minda | 2 057 330 actions |

Les quatre héritiers Bronfman ainsi que Lazarus Phillips, Philip Vineberg et Leo Kolber agissent comme fiduciaires. Le conseil d'administration de Cemp, qui ne se réunit que deux ou trois fois par an, se compose de Charles, Vineberg, Phillips, Kolber et le baron Alain de Gunzburg, le mari de Minda. Dès que l'aîné des enfants de l'un ou l'autre des titulaires a vingt et un ans, le portefeuille est divisé en deux et la moitié des revenus est distribuée entre les membres de la plus jeune génération. (Cela s'est déjà produit dans le cas d'Edgar et de Minda.) Puis quand l'aîné célèbre ses quarante ans, tous les avoirs lui sont transférés ainsi qu'à ses frères et soeurs.

Les réunions des fiduciaires ne sont pas toujours très pacifiques. En général, Charles et Edgar appuyent toutes les décisions de Leo, mais Phyllis ne cesse de le harceler pour être bien certaine que l'esthétisme le plus rigoureux sera respecté pour les immeubles dont la construction est envisagée et que les projets d'expansion tiendront compte de l'environnement sous tous ses aspects. C'est Minda qui se révèle la critique la plus acharnée et a parfois des accès de colère qui ne sont pas sans rappeler ceux de Monsieur Sam lui-même à ses frères et soeur.

lisant ses placements selon un prix fixe plutôt que selon la valeur du marché, Cemp se retrouve dans une situation particulièrement intéressante, vis-à-vis de l'impôt [6]. "Après déduction des baisses de placements et devises, écrivait Amy Booth dans le *Financial Post,* Cemp, qui domine la plus grosse distillerie du monde (et la plus rentable), a trouvé le moyen de déclarer une perte de deux millions quatre cent mille dollars (en 1975) et de prévoir que "à des fins d'impôt, les futurs revenus seront réductibles en vertu de pertes d'environ un million deux cent mille dollars inscrites dans les "déclarations de revenus" des années antérieures. C'est là une adaptation moderne du vieux proverbe: Qui gagne subit des pertes fiscales."

Leo Kolber dirige les activités de Cemp depuis un bureau grand comme un court de squash, situé au dernier des trente-deux étages de l'édifice CIL, dans le centre de Montréal, et dont l'ameublement rappelle celui de la salle de conférence d'une banque d'affaires londonienne [7]. Cemp ne compte que six cadres et c'est à Kolber qu'il appartient de mener à bien les négociations élaborées sur lesquelles il s'appuiera pour décider des placements à effectuer. "Je peux me montrer dur, dit-il, mais j'essaye toujours de laisser quelque chose sur la table pour l'autre type."

---

6) Dans les livres de Cemp, les 33,1 pour cent des actions de Seagram qu'elle possède sont inscrites à une valeur fixe de quatre-vingts millions de dollars, bien qu'elles aient été cotées à plus de trois cents millions au milieu de 1978 et qu'elles aient déjà atteint cinq cent vingt-cinq millions. Les actions ont connu un sommet de quarante-cinq dollars soixante-quinze en 1974. Cemp est capable de déclarer des pertes fiscales parce que les coûts d'exploitation sont déductibles et que son revenu est déjà à l'abri de toute imposition.

7) Il occupe un autre bureau, meublé de la même façon et orné d'une admirable tapisserie de Joyce Wieland, au cinquante-cinquième étage du Toronto-Dominion Centre, dans l'angle sud-est.

Depuis quelques années, la famille Bronfman concentre et son attention et ses fonds sur la région sud-ouest des États-Unis qui est en pleine expansion, mais le premier geste important de Cemp a été l'achat, en 1958, de Principal Investments, une agence immobilière fondée par trois frères de Toronto, menant une vie de reclus: Archie, Jacob et David Bennett. Ceux-ci avaient passé les années d'après-guerre à acheter tranquillement des terrains à vocation commerciale dans les centres des villes et en banlieue, d'un bout à l'autre du pays, accumulant, de ce fait, des biens pour une valeur approximative de cent cinquante millions de dollars [8]. Les activités des frères Bennett avaient pris une telle ampleur que Kolber put acheter les meilleurs de leurs emplacements commerciaux pour dix-huit millions de dollars [9], pour ensuite les intégrer à Fairview, la filiale immobilière de Cemp [10].

---

8) Les frères Bennett avaient horreur des cérémonies publiques. Ainsi, durant l'été de 1953, alors que la construction du Lawrence Plaza à Toronto était presque terminée, ils passèrent tellement de temps à discuter qui couperait le ruban, lors de l'inauguration, que le centre était déjà ouvert depuis un mois et qu'un autre attendait d'être inauguré, quand ils se décidèrent finalement à déléguer Archie.

9) A l'époque, Cemp était une entreprise dont on ne savait à peu près rien, à tel point que, quand Kolber demanda aux banques canadiennes sept millions de dollars pour pouvoir boucler la transaction, il essuya un refus parce que personne n'avait jamais vu de bilan de la société. Noah Torno, un négociant en vins de Toronto et qui était alors le principal représentant de Sam Bronfman dans cette ville, finit par conclure une entente avec la Banque de Nouvelle-Ecosse; elle accorderait le prêt si Price Waterhouse confirmait que la valeur nette de Cemp correspondait au moins au double de la somme demandée. Plus tard, le compte de Cemp fut transféré à la Banque Toronto-Dominion. "Je n'avais, raconte Torno, qu'à traverser la rue, entrer à la banque TD et dire: je voudrais trente millions de dollars, ou quelque chose comme ça. Ils me remettaient le chèque sans la moindre question et nous envoyaient le lendemain un formulaire à compléter." Kolber fut nommé directeur de la Banque Toronto-Dominion en 1972; Dick Thomson, qui en est l'actuel président, est l'un de ses meilleurs amis.

10) C'est à ce moment-là qu'on put le mieux juger de toute l'habileté de Leo. Juste avant sa fusion avec Cadillac, Fairview, dont Leo avait dirigé les

Depuis, Kolber a reporté les revenus de placements de Cemp (qu'on évalue à un montant annuel de vingt-cinq millions de dollars) dans un portefeuille d'une impressionnante diversité [11]. Au milieu de 1978, Cemp *était propriétaire* d'immeubles évalués à sept cent millions de dollars et *avait des parts majoritaires* dans d'autres dont la valeur totale dépasse deux milliards de dollars. La société avait débuté avec, comme avoir, 33,1 pour cent des actions de Seagram (ce qui lui permet de dominer effectivement la distillerie dont les actifs sont évalués à deux milliards); en outre, Kolber avait accumulé des placements valant cent millions de dollars et qui, à un moment ou à un autre, ont inclu ceux qui suivent [12]:

— Une participation importante (quatre cent dix-sept mille cinq cent soixante-huit actions) dans Allied Chemical Corporation

— La plus grande participation canadienne (cinq cent cinquante mille actions) dans British American Oil Company (le principal prédécesseur de Gulf Canada)

— Des actions majoritaires dans Bell Téléphone (devenu depuis Bell Canada), Pure Oil, Curtis Publishing, Paramount Pictures, Metro-Goldwyn-Mayer [13]

opérations immobilières depuis le premier jour, présenta un profit sur papier de cent millions de dollars.

11) A son tour, Cemp est administrée par une filiale qui porte le nom de Claridge Investments Ltd.

12) Ceux qui sont marqués d'une astérisque font encore partie du portefeuille de Cemp.

13) Leo Kolber continua de siéger au conseil d'administration de M-G-M pendant dix ans après la tentative avortée d'Edgar d'en devenir le patron; ce fut son vote qui départagea les voix quand il fut décidé de construire le *Grand Hotel*, à Las Vegas. Le *Grand* comporte un casino aussi vaste qu'un terrain de football, deux mille cent chambres et huit boîtes de nuit. Kolber a démissionné du conseil des studios d'Hollywood au cours de l'été de 1977.

— Une vaste plantation d'orangers de Jaffa en Israël *
— Une compagnie montréalaise spécialisée dans les jeux, Fairway Bowling Lanes *
— Plusieurs grands centres commerciaux en Allemagne *
— Une participation majoritaire dans Supersol, la plus grande chaîne de supermarchés d'Israël *
— Une participation de cinq et demi pour cent dans le Club Méditerranée [14] *
— Un champ pétrolifère au Texas *
— Une chaîne de trente-six restaurants dont le centre est à Montréal et appelée Host House Foods
— Intérêt majoritaire dans Warrington Products qui fabriquent des valises, des outils de jardinage, des réfrigérateurs, des appareils électriques, des barbecues, les bottes Kodiak, les mocassins Hush Puppies, les patins Bauer et les bottes de cowboy Acme*
— 3,8 pour cent des actions de Panarctic Oils *
— Un grand immeuble d'habitation à Palm Beach, en Floride, en association avec la famille Cummings *
— Intérêt majoritaire dans GM Resources (l'ancienne Giant Mascot Mines), propriétaire de l'ancienne

14) Le Club Méditerranée possède maintenant soixante-seize stations balnéaires réparties dans vingt-quatre pays, a un million de membres actifs et emploie onze mille animateurs au teint bronzé. Dernier-né des vacances préfabriquées, il a supprimé l'usage de l'argent; il n'y a même pas de pourboire. Tout est prévu à la maison (en français dans le texte), y compris des baignades entre nudistes, comme le laisse deviner le prospectus du club, imprimé sur papier glacé. Après avoir dépassé deux cents millions de dollars en chiffre de ventes, un peu partout à travers le monde en 1976, l'organisation connaît maintenant une croissance assez lente, peut-être à cause de l'ennui que traduit cette remarque d'un moniteur de voile du Club Med Caravelle, à la Guadeloupe, qui résumait ainsi tous les agréments de son travail en disant "devoir passer une autre journée de merde dans ce paradis".

mine d'or Nickel Plate, à Hedley, en Colombie-Britannique et de terrains miniers à Kootenay, toujours en Colombie-Britannique, et dans la région frontalière, ainsi que d'actions dans le gaz et le pétrole en Alberta*

— Des intérêts immobiliers croissants en Angleterre, en Hollande et en Allemagne*

— Intérêt majoritaire de Multiple Access [15] qui est propriétaire de la plus importante station de télévision privée de Montréal et de trois des stations radiophoniques de la ville (CFCF, CFQR et CFCX), ainsi que de quarante-cinq pour cent de Channel Seventy Nine Limited, à Toronto, de Champlain Productions, qui produit des films et des séries télévisées [16], et de AGT Data Systems, une compagnie d'entretien des données

— Une participation dans Ticketron, une agence new-yorkaise de vente de billets par ordinateur [17]

— Signal Companies, une société de gestion californienne possédant Mack Trucks, une concession pétrolière dans la mer du Nord, et Golden Broadcasters, une chaîne de stations radiophoniques dont

---

15) Durant l'été de 1978, la compagnie attendait que le Conseil de la radiodiffusion et des télécommunications canadiennes lui donne le feu vert pour la vente de cinquante-quatre pour cent de ses actions en cours au magnat torontois de la télévision, John Bassett, pour une somme d'environ dix millions de dollars. Le Conseil approuva en juillet une transaction connexe, soit la vente, pour trois millions, par Multiple Access de ses intérêts majoritaires dans la station torontoise CITY-TV à CHUM, la plus écoutée des stations de radio diffusant de la musique pop, à Montréal.

16) Entre autres, la série *Julie* présentée par CTV, *Excuse My French*, *Pol Martin's Cooking School* et *Kid Stuff*, ainsi que six tirages de Loto-Canada.

17) Quand Leo la vendit sans perte, en 1973, à Control Data Corporation, il réalisa le plus beau coup de sa carrière parce qu'il était d'ores et déjà établi que la compagnie était en perte de vitesse.

l'un des chanteurs vedettes était Gene Autry

— Un important paquet d'actions de Pan Ocean Oil qui, en six mois à peine, rapporta à Cemp des profits de dix millions de dollars

— Environ 12,6 pour cent de Bow Valley Industries[18]* et

— Jump for Joy, une petite affaire de trampolines rattachée à l'un des centres commerciaux que possède Cemp à Calgary.

Dès 1966, Cemp avait fait des Bronfman les plus grands propriétaires fonciers de tout le Canada et la valeur globale de leurs biens immobiliers atteignait, à l'époque, quelque cent soixante-cinq millions de dollars. Un coin du voile se leva sur la puissance financière de Cemp lorsque, en 1974, Kolber offrit soudain d'acheter Bantam, la plus grande maison d'édition en livres de poche des Etats-Unis, pour soixante-deux millions de dollars comptant [19].

La construction du Toronto-Dominion Centre, qui s'étala de 1964 à 1967, fut le plus grand projet de ce genre dont Cemp assura la réalisation. Il s'agissait de la première de cinq grandes tours bancaires qui devaient s'élever dans le centre de Toronto. TD, qui était la plus petite des cinq grandes banques canadiennes, se cherchait un nouveau siège social qui pourrait l'aider à redorer son image en plus de lui fournir des rentrées dont elle avait un urgent besoin. Pete Scott, décédé depuis, et Martin Wills, de Wood Gundy, présentèrent Kolber à Allen Lambert,

---

18) Bow Valley est une compagnie de gestion et d'exploitation installée à Calgary qui participe activement à tous les aspects de l'industrie pétrolière, en plus d'entreprendre des recherches dans la mer du Nord, au large des côtes de Norvège, à Abu Dhabi, en Indonésie, en Egypte et aux îles Maldives.

19) Il perdit aux mains de Giovanni Agnelli, de la famille Fiat, qui acheta Bantam pour soixante-quinze millions de dollars.

Empire
Cemp

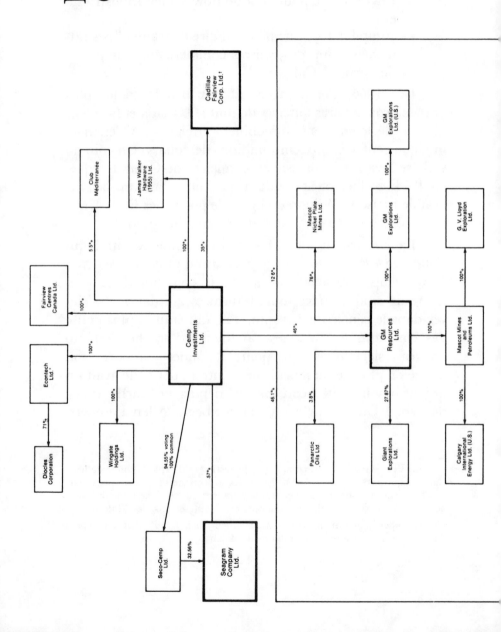

Fairview
Centres
Canada Ltd — 100%

Club
Méditerranée — 5.5%

James Walker
Hardware
(1955) Ltd. — 100%

Cadillac
Fairview
Corp. Ltd.¹ — 35%

Econtech
Ltd.¹ — 100%

Diocles
Corporation — 71%

Wingate
Holdings
Ltd. — 100%

Cemp
Investments
Ltd.

Seco-Cemp
Ltd. — 94.55% voting
100% common

Seagram
Company
Ltd. — 57% / 32.56%

Mascot
Nickel Plate
Mines Ltd. — 76%

GM
Explorations
Ltd. — 100%

GM
Explorations
Ltd. (U.S.) — 100%

G. V. Lloyd
Exploration
Ltd. — 100%

GM
Resources
Ltd. — 46% / 12.6%

Mascot Mines
and
Petroleums Ltd. — 100%

Panarctic
Oils Ltd — 3.8% / 46.1%

Giant
Explorations
Ltd. — 27.87%

Calgary
International
Energy Ltd. (U.S.) — 100%

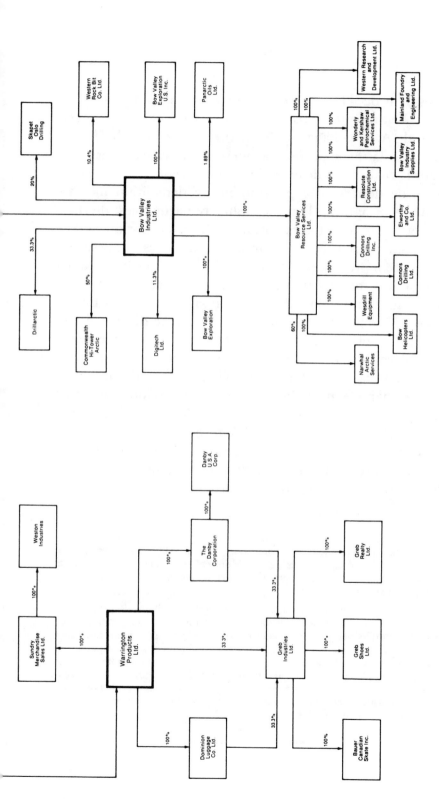

* La participation de Econtech dans Bow Valley Industries est incluse dans les actions de Cemp.

† Pour connaître les actions dans le secteur immobilier au Canada, voir l'annexe III.

président de TD, qui accepta de s'associer à parts égales dans l'entreprise [20]. Ils confièrent à Gordon Gray, président de A.E. LePage, la plus petite agence immobilière du Canada, la tâche ardue d'acquérir les terrains nécessaires pour la réalisation de ce projet de deux cent vingt-cinq millions de dollars. (Le programme de démolition incluait l'édifice Seagram, l'un des plus remarquables de Bay Street.) Les architectes torontois John C. Parkin et Sid Bregman agirent comme conseillers, mais les esquisses de base furent préparées par Ludwig Mies van der Rohe (alors âgé de soixante-dix-huit ans) au cours d'une visite de trois jours qu'il fit au Canada, à la demande de Phyllis Bronfman. Dominé par ses trois tours, le Centre dispose d'une superficie louable de trois millions trois cent mille pieds carrés, ce qui en fait le plus grand immeuble à loyers du pays. Par la suite, Eaton se joignit à l'association déjà formée par Cemp et la Banque Toronto-Dominion. Ces trois géants des affaires se lancèrent d'abord dans la construction du Pacific Centre, à Vancouver, qui coûta cent dix millions de dollars, puis poursuivirent avec celle du Eaton Centre, un édifice de deux cent cinquante millions qui s'élève dans le centre de Toronto [21].

---

20) Il s'agit de la transaction la plus compliquée dont Kolber eut à s'occuper. Durant cinquante-cinq vendredis de suite, lui et Philip Vineberg prirent l'avion de CPA de huit heures, reliant Montréal et Toronto; ils passaient la journée en réunion avec Lambert et ses collaborateurs, et revenaient à Montréal par le vol de dix-sept heures.

21) Selon les prévisions, la location de ses deux millions de pieds carrés pour des bureaux et boutiques devrait rapporter mensuellement un million de dollars en profits nets au Eaton Centre, dont vingt pour cent des actions sont détenues par la Banque TD, vingt pour cent par Eaton et soixante pour cent par les Bronfman. D'autres étapes restent à compléter qui entraîneront des déboursés supplémentaires de vingt millions. De l'avis de Barry Lyon, conseiller en planification, le Centre, avec ses cent cinquante restaurants et boutiques (il y en aura trois cents en 1979) est "probablement ce que le centre-ville de Toronto aura connu de plus déterminant".

De tous les coups de maître que réussit Leo Kolber, le plus génial fut la fusion de Fairview, propriété de Cemp, avec Cadillac Development Corporation et Canadian Equity and Development Company. Il s'agissait là de la plus importante transaction immobilière jamais conclue sur la place publique, en Amérique du Nord [22]. Amorcé en 1974 et complété le 29 février 1976, le compliqué transfert des séries d'actions donna à la famille Bronfman la haute main (avec trente-cinq pour cent) sur la nouvelle compagnie, Cadillac Fairview Corporation Limited. La direction en fut confiée à un ancien ingénieur en électricité, clairvoyant et éminemment respecté de tous, A.E. Diamond, celui-là même qui eut l'idée de réunir au sein de Cadillac, en 1964, vingt-neuf compagnies de moindre envergure qu'il administrait avec ses associés, Joseph Berman, Jack Daniels et Gordon Shear [23]. Le *Financial Post* écrivit que cet-

---

22) Cadillac et Fairview ont déjà détenu conjointement plus de soixante-dix pour cent des actions de Canadian Equity, une société fondée par E.P. Taylor pour administrer ses propriétés dans ce qui est maintenant Don Mills, en banlieue nord-est de Toronto. Son principal actif est le lotissement de Erin Mills, à l'est de Toronto, qui, une fois bâti, pourra recevoir cent soixante-dix mille personnes.

23) La transaction conclue, ceux-ci conservèrent d'importants paquets d'actions de la nouvelle compagnie. En juillet 1978, les intérêts des anciens dirigeants de Cadillac étaient ainsi répartis: Berman, un million deux cent quatre-vingt-un mille quatre cent soixante-huit actions (dix-huit millions cinq cent quatre-vingt-un mille dollars), Diamond, un million cent quatre-vingt-seize mille neuf cent dix (dix-sept millions trois cent cinquante-cinq mille dollars), Daniels, neuf cent cinquante-quatre mille quatre cent onze (treize millions huit cent trente-neuf mille dollars); et Shear, trois cent mille douze (quatre millions trois cent cinquante mille dollars). (Au cours du marché, chaque action valait alors quatorze dollars cinquante, d'autres paquets d'actions étaient détenus également soit par des membres de leurs familles, soit par des sociétés de fiducie familiales.) Pour sa part, Kolber possédait six cent soixante-dix-sept mille quatre cent soixante-seize actions, valant neuf millions huit cent vingt-sept mille dollars. Berman, qui a renoncé à exercer un rôle actif dans la compagnie, a créé un précédent sensationnel au sein de la communauté juive canadienne quand, à l'automne de 1976, il s'est engagé à remettre annuellement un million de dollars pendant dix ans au United Jewish Appeal.

te fusion, qui alliait la puissance de gestion de Cadillac avec le facile accès aux capitaux de Fairview, ferait de Cadillac Fairview "l'équivalent de IBM dans l'industrie immobilière canadienne"; toutefois, ajouta-t-il, il était assez caractéristique que ses dirigeants "résistent au besoin de faire des commentaires avec un zèle qui ferait passer Harpo Marx pour un bavard" [24].

Cadillac Fairview a installé son siège social dans un magnifique édifice de neuf millions de dollars, à la périphérie de Toronto, doté d'une cour centrale où poussent des palmiers dont la hauteur équivaut à quatre étages. Il possède, dans ce même édifice, plus de vingt-neuf millions de pieds carrés d'espace louable, ce qui en fait le plus important et le plus rentable des nombreux placements de Cemp; les loyers ont rapporté, en 1977, un revenu brut d'environ un million de dollars par jour ouvrable. Les trente-cinq centres commerciaux appartenant à Cadillac Fairview comprennent des géants comme le North Hill, à Calgary, Le Bonnie Doon, à Edmonton, le Centre Mall et l'Eastgage Square, à Hamilton, le Fairview Park Mall, à Kitchener, le Fairview Mall, à Pointe-Claire et le Carrefour, à Laval, qui sont tous deux dans la région montréalaise, le Polo Park, à Winnipeg, le Fairview Mall et neuf autres centres à Toronto. Cadillac possède également un centre commercial à Hickory, en Caroline du Nord; elle est en train d'en construire un second et a déjà acheté le terrain pour un troisième dans le même Etat.

---

24) Outre les dirigeants de Cadillac Fairview et les Bronfman — représentés par Charles, Kolber, Vineberg et Ivan Phillips (le fils de Lazarus Phillips) —, le conseil d'administration de la société se compose de Jack Moore, président de Brascan, l'un des plus gros consortiums canadiens, qui domine, entre autres, l'empire John Labatt Ltd. (bière et alimentation); de Dick Thomson, président de la Banque Toronto-Dominion; et de Eddie Goodman qui est le conseiller juridique de Diamond depuis 1953.

Dans l'Etat de New York, les Gallerie sont actuellement en construction, au coût de soixante-dix millions de dollars, dans le comté de Westchester où réside Edgar Bronfman. A Atlanta, en Georgie, c'est le Shannon Mall qui est en train de se construire; il aura une superficie totale de six cent soixante-sept mille pieds carrés. Une filiale américaine possède une participation de soixante-dix pour cent avec option sur un terrain de quatre-vingt-un acres prévu pour un centre commercial dans le Mississippi, et une participation équivalente pour un terrain situé dans le Connecticut [25]. Le portefeuille américain comprend, en outre, des parcs industriels à Los Angeles et dans les environs, une tour à bureaux dans le centre de Denver et une autre en construction à San Franscisco, ainsi que d'importants projets domiciliaires au Nevada, en Californie et en Floride [26].

Cadillac Fairview a prouvé son intention de s'installer en force sur le marché américain quand, en 1976-77, elle a présenté une offre d'achat pour un domaine de quatre-vingt mille acres, le Irvine Ranch, situé près de Santa Ana, au sud de Los Angeles. C'est cette région qui a été choisie pour le plus ambitieux projet d'urbanisation conçu, jusqu'à maintenant, aux Etats-Unis. Kolber et ses associés avaient offert deux cent quatre-vingt-six millions, mais ils durent s'incliner devant Taubman-Allen-Irvine, un syndicat financier dont fait partie Henry Ford II, et qui remporta la partie pour trois cent trente-sept millions quatre cent mille dollars.

---

25) En association avec Peter D. Leibowits, un entrepreneur new-yorkais.

26) En juillet 1978, Cadillac Fairview a fait l'acquisition, par l'intermédiaire d'une filiale américaine qui lui appartient en totalité, du capital-action de General Homes Consolidated Cos. Inc., de Houston, au Texas. Il lui en a coûté vingt-quatre millions de dollars. General Homes est une compagnie privée qui s'occupe de construction et de mise en valeur des terrains, et dont les activités s'étendent jusqu'au Mississippi et en Alabama.

Quand il s'agit des affaires, d'une complexité sans nom, de Cemp, Leo Kolber est moins secret (au sens d'essayer de dissimuler une information) que sincèrement embarrassé par l'idée qu'il pourrait en dire davantage sur lui-même ou ses multiples entreprises qu'il n'est tenu de le faire en vertu de la Loi sur les corporations commerciales canadiennes. En 1972, il a accordé une entrevue au *Globe and Mail* et estime qu'il en est désormais quitte avec le droit du public à l'information. Jamais il ne prononce de discours, n'est interviewé à la radio ou à la télévision. "Le placement de fonds, dit-il, est infiniment plus compliqué que ne se l'imaginent la plupart des gens. On croit toujours qu'il suffit de s'installer dans un gros bureau, avec un tapis épais comme ça et je ne sais trop combien de téléphones, de donner des ordres à tout le monde autour de soi, d'acheter ceci ou cela et de se frotter les mains tout en calculant les bénéfices. Cette image n'a strictement rien à voir avec la réalité. C'est un travail extrêmement dur et, si on veut agir en type responsable, il ne faut pas se limiter à ses seuls intérêts, mais penser également à ceux des actionnaires, des employés, du pays et de la société en général. Nous pourrions nous offrir des ristournes autrement plus élevées si nous cherchions uniquement à maximiser les profits. Mais telle n'est pas notre intention, bien que nous ayons eu la chance de faire quelques très bons placements.''

Kolber, qui est probablement l'un des plus beaux fleurons du système, croit en l'entreprise privée avec un je ne sais quoi qui tient de la ferveur religieuse. A son avis, le Canada souffre d'un manque d'esprit de grandeur. A l'encontre de la croyance populaire, il pense qu'il y a beaucoup trop peu de consortiums réunissant des capitaux privés au pays, d'autant plus que leur formation est loin d'être encouragée par la Loi sur l'examen de l'investissement étranger ainsi que par d'autres lois qui font obstacle à l'accumulation de capitaux canadiens.

"C'est très joli que le gouvernement veuille se lancer dans un grand programme de distribution générale, et un type comme moi est particulièrement mal placé pour dire que la population ne devrait pas avoir droit aux bénéfices, déclare-t-il. Je comprends que ça fasse mauvais effet.Mais je trouve, de la même façon, que le gouvernement ne semble pas avoir la moindre idée d'où peut bien provenir tout ce foutu argent. C'est bien joli de dire qu'ils vont instaurer un système de salaire garanti et de soins gratuits, gratuité par ci, gratuité par là, et en même temps il empêche la formation de groupes de capitaux. Alors, d'où ça sort, tout ça?

"C'est vraiment un sujet difficile à aborder parce que Dieu sait si j'en ai profité du système de la libre entreprise. J'ai débuté avec deux sous en poche, mais tout ce que j'ai je l'ai gagné moi-même. Et j'ai fait ma part — à mon avis du moins —, ah ça, oui! J'ai mis la main à la pâte. Il faut littéralement des centaines de types comme moi, qui sont prêts à travailler pendant de longues heures, les weekends, le soir, les jours de congé, et à pousser à la roue, parce que, justement, nous possédons de l'initiative et de l'ambition. Qu'on appelle cela de l'ego, une maladie ou de la névrose, peu importe. Mais il est indispensable de laisser ceux qui bâtissent ce monde vivre dans une atmosphère qui leur permette de réaliser leurs ambitions. C'est alors le pays tout entier qui en bénéficie. Regardez, nous avons un maudit système d'assistance sociale tel que, dans de nombreux, nombreux cas, les gens au bas de l'échelle ont parfaitement raison de rester chez eux à ne rien faire. Ce n'est pas bon pour la santé mentale. Je n'essaie pas de jouer au grand psychiatre en disant ça, mais ce n'est pas bon et, en outre, c'est désastreux pour les affaires."

Poussé par sa volonté de bâtir une société où le capitalisme effréné obligerait chacun à tirer le maximum de ses capacités, Kolber ne pouvait pas ne pas s'opposer aux aspirations socialisantes du Parti québécois de René Lévesque. "L'autre jour, déclare-t-il, je disais à un ministre que nous avons réellement une perception ridicule les uns des autres. Il y a, en fait, de nombreux terrains d'entente, sur des points essentiels, entre les politiciens et les hommes d'affaires comme, par exemple, le fait que si les premiers veulent instaurer un système d'assistance sociale ils ont absolument besoin des impôts qui leur viennent, justement, du travail acharné des seconds. Mais, pour ça, ils doivent mettre au point un programme stimulant qui incitera les hommes d'affaires à retrousser leurs manches et à travailler davantage. De plus, ils feraient mauditement bien de modifier leur attitude et d'arrêter de croire que c'est très laid d'empocher des bénéfices ou d'amasser une fortune.

"Quand j'ai tenté d'expliquer tout ça à mon ministre, il m'a simplement répondu:

— Ça vous est facile de parler, vous ne manquez de rien.

— Pire, lui ai-je dit, j'en ai même trop. Mais ça n'a rien à voir. Même si on prenait tous les millionnaires de ce pays et que, par un moyen ou par un autre, on ne leur laissait que cinquante mille dollars, personne ne s'en retrouverait tellement plus riche. Le seul endroit où on puisse encore faire quelque chose, c'est aux Etats-Unis où les politiciens continuent de croire que les hommes d'affaires contribuent au mieux-être de la société et ne les vouent pas à l'extinction en les surtaxant."

Il y a deux Leo Kolber

Quand il parle affaires, surtout quand il négocie un contrat, son regard est froid, son allure rébarbative. Il semble aussi inanimé que ces bonshommes de plastique dans les presse-papiers de verre, qu'on vend comme souvenir aux couples qui font leur voyage de noces aux chutes du Niagara. On secoue la boule, les flocons de neige artificielle tourbillonnent, mais les figurines glacées continuent de regarder au-delà de leur coquille protectrice, inaccessibles, intangibles, inconscientes du changement des saisons.

Au travail, Kolber se montre obsédé et acharné, cherchant constamment à organiser la vie autour de lui comme si les émotions humaines (les siennes aussi bien que celles de ceux avec qui il fait affaire) devaient être rayées de la liste des choses à accomplir durant la journée. Il n'est jamais consciemment cruel, mais il donne aux autres l'impression d'être toujours sur le point d'exploser — tentant vainement de dominer les forces qui s'agitent autour de lui, tâchant d'assurer l'avenir en essayant d'apaiser le présent. Sid Bregman, l'un des architectes qui travaillèrent avec lui à la construction du Toronto-Dominion Centre, se souvient de la façon dont Kolber le salua à neuf heures et demie, un lundi matin: "Et alors, qu'avez-vous fait aujourd'hui pour mériter votre dix pour cent?"

Le problème découle en partie du fait que, à cause de son rôle de conseiller financier chargé de gérer les milliards des Bronfman, Kolber est devenu une cible naturelle pour tout entrepreneur un tant soit peu ambitieux qui croise son chemin. "Ma femme Sandra m'a fort bien analysé, dit-il. Je suis constamment sur mes gardes. Même quand je vais simplement à un cocktail, il ne s'écoule jamais bien longtemps avant que je ne me retrouve assiégé par des gens quémandant quelque chose, et ça, c'est vraiment emmerdant." Quand il rencontre du monde, Leo s'amuse parfois à un jeu silencieux où il est son seul partenaire: il calcule combien de temps il faudra à son interlocuteur pour lui demander une faveur. Le record établi jusqu'à maintenant est de huit secondes. Il est tellement anxieux de ne jamais devoir quoi que ce soit à qui que ce soit, même sur le plan mondain, qu'il ne peut s'empêcher de s'emparer de l'addition au restaurant et fuit ces contacts sociaux qui occupent les fins d'après-midi de la plupart des hauts dirigeants.

Il a ses entrées chez la plupart des banquiers et des investisseurs qui font la loi sur les deux continents, il est constamment sollicité par bon nombre des plus puissants parmi les hommes d'affaires. Il jouit de la puissance de sa position, mais une importante partie de lui-même reste secrète, inviolable; tout ceci, à quoi viennent s'ajouter ses méthodes volontairement obscures et son comportement inflexible, a amplement contribué à faire de Leo Kolber l'énigme de la haute finance canadienne.

Leo se détend rarement. Il aime bien faire une partie de golf au *Elm Ridge Country Club,* à Sainte-Geneviève, et il lui est arrivé de jouer aux cartes (surtout au pinocle), mais c'est uniquement chez lui, entouré de sa famille et de ses meilleurs amis, qu'il consent à se laisser aller. Son aspect taciturne, inflexible, glisse comme un masque, révélant un bonhomme plein d'entrain, bourré de *chutzpah* qui se dissimulait derrière l'accablante timidité qui est la cause de son comportement en public. "Chez moi, dit-il, je suis un vrai chaton. Je m'amuse tellement que ma femme et les gosses [27] me prennent pour un bouffon. Mais ils savent très bien qu'au moindre problème je serai toujours là."

---

27) Sandra Kolber est un poète réputé et a travaillé comme scénariste pour la Société de développement de l'industrie cinématographique canadienne ainsi que, jusqu'à tout récemment, pour les productions Sagittarius qui appartiennent à Edgar Bronfman. Martha, l'aînée des Kolber, étudie à Vassar et semble vouée à une carrière prometteuse dans les arts du spectacle; son frère Jonathan est président de son école, la Herzliah High School, parle couramment l'hébreu et veut devenir Premier ministre d'Israël.

La maison qu'habitent les Kolber à Westmount est si vaste qu'elle inspira, un jour, la remarque suivante à un invité: "Si nous nous trouvions dans un quartier de banlieue, les gens seraient capables de croire qu'il s'agit d'une école élémentaire." [28] En plus d'inviter régulièrement au moins trois couples, le vendredi soir, les Kolber donnent de grandes réceptions en l'honneur de célébrités de passage comme Danny Kaye, Harry Belafonte et Frank Sinatra. "Mon épouse est, sans contredit, l'hôtesse numéro un de Montréal", souligne Kolber. Le 15 octobre 1976, ils reçurent Sinatra après le spectacle que celui-ci donna à guichet fermé au Forum de Montréal; la liste des invités comportait trente des couples les plus en vue de Montréal, dont Paul et Jacqueline Desmarais, de Power Corporation; Léon et Jacqueline Simard, de Simcor; John et Yolande Sylvain, de United Provinces Insurance; Brian et Mila Mulroney, de l'Iron Ore Company of Canada; Philip et Miriam Vineberg, Victor et Sehila Goldbloom, Neil et Sharon Phillips, ainsi que Charles, Barbara, Mitch, Edgar, Georgiana et Saidye Bronfman.

La soirée débuta dans le salon des Kolber, mais, après quelques verres, tout le monde émigra vers la chambre à coucher — qui est plus confortable, mais suffisamment grande pour recevoir, en plus des soixante invités, les trois musiciens que Leo avait engagé pour l'occasion.

Pour une raison dont aucun des invités n'est capable de se souvenir, ceux-ci décidèrent, à un moment donné en fin de soirée, que ce serait *eux,* et non Sinatra, qui chanteraient. Victor Goldbloom, qui serait pendant encore un mois ministre du gouvernement Bourassa, ouvrit le bal en

---

28) Kolber aurait déjà dit à un ami qu'il lui fallait gagner quarante-six mille dollars uniquement pour payer les taxes de sa demeure de Westmount.

entonnant un interminable répertoire d'airs d'opéra chantés en italien. Il fut suivi de Charles Bronfman qui improvisa sur *Take Me Out to the Ball Game* et de Brian Mulroney qui interpréta avec sa voix de ténor *When Irish Eyes Are Smiling*. Le tempo ralentit quelque peu quand Jacquie Desmarais, qui est contralto, chanta *Mon homme*, affectueusement dédiée à son mari, et que Robert Charlebois, le chanteur pop canadien-français, interpréta quelques ballades québécoises. Mais le clou de la soirée fut Leo Kolber qui dansa une *hora* entraînante, qui est une danse folklorique israélienne, aux accords de *Havanagela*.

Sept mois plus tard, le 2 mai 1977, Leo Kolber donna, pour la première fois, une preuve publique de l'étendue de son influence. Imprimée bien en vue sur le programme du concert spécial de l'Orchestre symphonique de Montréal — "Une soirée en compagnie de Danny Kaye" —, la liste des membres d'honneur ne comportait que quatre noms:

Pierre Elliott Trudeau
Premier ministre du Canada

René Lévesque
Premier ministre du Québec

Jean Drapeau
Maire de Montréal

E. Leo Kolber
Président

Quelques semaines auparavant, Kolber avait envoyé cent vingt lettres à ses relations d'affaires, les convoquant à son bureau pour organiser un concert dans le but d'éponger le déficit de deux cent mille dollars de l'Orchestre symphonique de Montréal; cent dix répondirent à sa convocation. Il leur demanda de vendre dix billets à cent dollars chacun, tandis que lui-même verserait trente-deux mille dollars pour des sièges à cinq cents dollars, qu'il se chargerait de distribuer. Le comité d'honneur se composait de cent Montréalais éminents, choisis parmi les trois principales élites de la ville. Les leaders de la communauté juive étaient présents en force (trois Bronfman, deux Cummings, deux Reitman, Lazarus Phillips, Arthur Pascal, Bill Kruger); il en allait de même pour les hommes d'affaires francophones (André Bisson, André Charron, Jean de Grandpré, Lucien Rolland, Bernard Tellier), ainsi que pour les ambassadeurs de l'enclave WASP (Lord Hardinge, Peter Kilburn, Drummond Birks, Peter Thomson, Bill Turner, Kenneth White, Guy Drummond, Bill Bennett, Lorne Webster).

Danny Kaye donna son habituel gala. Ce fut une soirée magique, un exceptionnel moment de calme et de plaisir dans une province qui était, à cette époque, déchirée par le dépôt du belliqueux projet de loi sur la langue, préparé par le Parti québécois.

Un peu plus tôt, assis entre Sandra et Leo dans la loge du président de l'immense salle de concert de la Place des Arts, René Lévesque regardait cette étonnante réunion des barons de l'industrie et de la finance qui avaient combattu en vain sa rapide accession au pouvoir. Il continua de les observer, comme s'il voulait lire dans leurs pensées, ne quittant pas des yeux ces hommes qui faisaient aimablement un brin de cour aux jolies femmes parées de leurs sourires et de leurs bijoux qu'elles portaient avec une assurance née d'une éducation séculaire.

A ce moment-là, dans la bousculade qui précéda le lever du rideau, juste avant que Danny Kaye ne fît son entrée en scène, le Premier ministre du Québec se tourna vers son hôte et lui dit: "Vous savez, il n'y a personne qui contribue autant à la vie culturelle de Montréal que les Juifs."

A cet instant précis, Leo Kolber, qui avait victorieusement franchi l'épuisant parcours qui l'avait conduit de la rue Saint-Urbain à cette loge de président, pour cette extraordinaire soirée, donna libre cours à ses vrais sentiments: "Ouais? rétorqua-t-il. Pourquoi, diable, les terrifiez-vous tellement, dans ce cas, qu'ils songent presque tous à faire leurs bagages?"

Chapitre Quinze

Gerald

"J'ai compris que mon séjour chez Seagram tirait à sa fin quand William Wendell Wachtel, qui était alors à la tête de la filiale Calvert, me présenta lors d'une réunion d'un conseil d'administration en disant:

— Et maintenant, laissons la parole à l'héritier présomptif.

"Mes deux oncles (Sam et Allan) étaient présents. J'ai immédiatement réalisé que mes jours étaient comptés. Je me vois encore traverser la pièce, ne sachant comment réagir, ne sachant ni que dire ni que faire."

Sam Bronfman ne faisait pas grande distinction de sexe, de race, de couleur, de croyance ou de personnalité. Il cherchait noise à tout le monde. Et surtout aux autres membres de sa famille. Dans la première version du texte *From Little Acorns,* bref historique assez édulcoré de la compagnie Seagram, publié (en version anglaise seulement) à titre de supplément spécial au rapport annuel de 1970, Sam omit complètement de parler de ses trois frères.[1] L'oubli était

---

1) Lazarus Phillips connut le même sort. Il avait été pourtant l'artisan de la prise de pouvoir de Sam et de son hégémonie sur l'empire alors naissant de

d'autant plus manifeste que le fascicule reprenait les noms de tous ceux qui même de loin avaient joué quelque rôle dans le développement de la compagnie (jusqu'au chef des cuisines de la cafétéria de la distillerie de Ville La Salle, parce qu'il préparait "le meilleur boeuf braisé du monde").

Michael McCormick, qui assistait Bronfman dans la mise au point de la publication, finit par avoir le courage de lui demander les raisons de ce silence. "Ce fut comme si ma question, se souvient-il, avait déclenché l'explosion simultanée des bombes d'Hiroshima et de Nagasaki. Monsieur Sam commença par hurler:

— Qu'est-ce qu'ils ont jamais fait, *ceux-là?*

"Je répondis qu'il devait quand même tenir compte de leurs familles et de leurs enfants.

"Le lendemain, son texte remanié comportait au passage certaines brèves allusions à ses frères. Harry y était décrit comme celui qui avait bâti quelques-unes des premières distilleries. Je fis alors remarquer que c'était en effet le moins qu'on pouvait dire... Sam explosa de nouveau:

— Quand cet enfant d'chienne d'Harry est descendu au Kentucky, je lui avais dit de construire tout en flambant neuf, quelque chose de beau!... et qu'est-ce qu'il a fait? A la place, il a acheté tout un lot de tuyaux usagés. Il les a installés dans nos cuves de fermentation, partout! Crisse!

Seagram. Lazarus avait été le principal aviseur légal de la compagnie depuis 1924. Mais les deux hommes s'étaient disputés à cause de leur candidature au Sénat canadien. Là où il aurait dû être fait état de son nom, le texte mentionne seulement: "Nous avons eu de la chance dans le choix de nos aviseurs légaux. Notre compagnie fut incorporée par feu l'Honorable J.L. Perron. Feu Aimé Geoffrion, un des plus brillants avocats canadiens et notre aviseur légal, a été pendant longtemps l'un de nos administrateurs. L'étude Phillips et Vineberg est notre avocat-conseil depuis plus de quarante ans et Philip Vineberg est devenu l'un des administrateurs de la compagnie."

Va-t-en savoir ce qu'il y a eu dans ces maudits tuyaux... J'ai dû tous les arracher. Cela m'a coûté les yeux de la tête."

Cette façon de voir était injuste, et surtout vis-à-vis d'Harry. Ce dernier n'avait pas seulement supervisé l'implantation des trois premières distilleries de la compagnie, mais c'est aussi son énergie et son sens des affaires qui avaient permis à l'entreprise de se hisser au premier rang au cours de cette période agitée de son histoire, en Saskatchewan. En fait, c'est grâce aux crédits qu'Harry avait réussi à obtenir de la Banque de Montréal, suite à ses négociations avec Sir Frederick Williams-Taylor qui en était l'austère président, que les Bronfman furent capables de financer leur grande migration vers l'Est au début des années 1920 et la construction de leurs premières installations à Ville La Salle.

Sam finissait par admettre, à contre-coeur bien sûr, qu'Harry et Abe, avec leur beau-frère Barney Aaron, avaient eu un rôle déterminant dans ses premiers succès. Mais dans l'univers moderne de grande entreprise où la compagnie évoluait maintenant, Sam les considérait visiblement comme des personnages profondément anachroniques et gênants. A l'exception d'Allan, dont les avis légaux sur certaines questions relativement complexes lui étaient précieux et à qui il lui arrivait même de demander parfois conseil, Sam traitait les autres membres de sa famille, pourtant ses partenaires, comme une sorte de passif qu'il était bien obligé de traîner avec lui. Depuis la fin des années 1930 jusqu'à leur mort, il les relégua discrètement dans leurs bureaux, au troisième étage des quartiers généraux de la Seagram à Montréal, et leur enleva toute espèce de responsabilité, à l'exception de la supervision de certaines oeuvres de charité de peu d'importance.[2] Un jour, un de ses

---

2) Le financement du pont couvert entre l'Institut neurologique de Mont-

administrateurs lui demanda un peu naïvement, à l'occasion d'un projet d'investissement de la plus haute importance, ce qu'en pensaient ses frères. Sam parut surpris et lui répondit: "Je ne me souviens pas leur avoir demandé leur avis."

Sur l'empire Seagram, il ne peut régner qu'un seul monarque. Cette simple assertion traduit parfaitement la conception qu'avait Monsieur Sam de la direction des affaires. S'il fût jamais possible d'en douter, cela devint parfaitement clair après l'important conseil de famille qu'il convoqua au Belvédère par un bel après-midi de l'hiver 1951.

Les Bronfman avaient créé une société[3] dans laquelle étaient regroupés leurs biens. Harry agissait comme président et Sam, sur papier tout au moins, occupait le second poste. Ce trust, où chacun avait le droit de vote, commença à se désintégrer quand Sam décida d'en prendre le contrôle et de transférer à Allan une partie des parts d'Harry et de Abe. "Si tu veux transférer quelque chose, s'objecta Harry au cours d'une violente discussion, c'est à moi que cela devrait revenir." On fit venir Lazarus Phillips pour ser-

---

réal et l'hôpital Royal Victoria est un des projets personnels d'Harry Bronfman.

3) Brintcan Investments Ltd. (pour Bronfman Interests Canada), incorporée en 1924, fut liquidée le 12 novembre 1951; une autre compagnie Brintcan, Brintcan Holdings Ltd., fut créée en 1938 et liquidée le 26 octobre 1950; une troisième, Brintcan Holdings (Canada) Ltd., dirigée par Harry Bronfman, chevauche la période d'activité de la compagnie soeur du même nom; elle fut incorporée le 8 septembre 1949 et garda sa charte jusqu'au 6 avril 1977, quatorze ans après la mort d'Harry. Après les divisions de la famille, en 1950-51, plusieurs Bronfman créèrent leur propre trust. Les capitaux de Sam furent placés dans Cemp et ceux d'Allan dans Edper (Cemp et Edper furent incorporés le 10 novembre 1951, deux jours avant la liquidation de Brintcan Investments). Harry plaça les siens dans Harborough Investments Ltd.; Abe dans Bramzors Investments Ltd. et Barney Aaron dans Barlamm Investments Ltd. La compagnie privée des enfants d'Harry portait le nom de Grahsom Holdings Ltd.

vir d'arbitre. Allan était d'accord avec Sam pour diminuer les parts d'Harry et de Abe.

Au moment où ils furent convoqués à ce conclave de 1951, dans le but précis de répartir la fortune familiale, les huit frères et soeurs savaient tous pertinemment qu'ils y assistaient à peu près pour la forme et que Sam détenait maintenant le véritable pouvoir financier.

En dehors des actions de la compagnie Seagram, la richesse des Bronfman s'élevait à l'époque à environ dix-neuf millions de dollars en liquidités, biens immobiliers et investissements. Sam exposa de façon claire et concise le partage qu'il avait prévu: il gardait trente-sept pour cent des actions de la Seagram et, en ce qui concernait les autres richesses de la famille, revendiquait une part de huit millions de dollars. Les parts allouées aux autres étaient beaucoup moins considérables. Allan recevait trois millions, Abe et Harry, deux millions chacun et les quatre soeurs, Laura, Jean, Bessie et Rose, recevaient un million chacune. Quand Abe objecta qu'Harry et lui avaient droit à au moins autant qu'Allan, un commentaire de Rose le fit taire. "Sam a été généreux envers nous tous. Moi, en tous cas, je suis très fière de lui."

Jusqu'au début des années 1940, les Bronfman avaient su maintenir une sorte de vie de clan. Ils célébraient ensemble les grandes fêtes juives au Belvédère et, toutes les semaines, Harry invitait chacun à prendre le traditionnel repas du sabbat, chez lui, dans sa demeure du Boulevard, au coeur de Westmount. Au début des années 1950, les frères se partageaient encore les dividendes de certains investissements conjoints comme ceux de leurs capitaux investis dans North Canadian Oil et Royalite. Mais petit à petit, les liens se firent plus lâches, si bien que certains de leurs descendants, dispersés maintenant à travers tout le continent nord-américain, sont devenus de parfaits étrangers les uns pour les autres. Des cinq filles de Abe, seule Mildred est restée à Montréal où elle joue un rôle influent au sein des activités de la communauté juive. Mellor, le fils de Barney Aaron, est mort à dix-neuf ans. Arnold, frère de Mellor, manufacture des tasses en plastique. Le fils de Rose, Ernest, s'occupe d'immobilier en Californie. La famille de Jean dirige la distribution des produits Seagram à Boston.[4] Bruce Druxerman, petit-fils de Bea, dirige une chaîne de six restaurants à service rapide, à Toronto.

Le second fils d'Harry Bronfman, Gerald, est le plus intéressant de tous les membres des branches mineures de la famille. Il fait penser à un lutin qui aurait un corps noueux de noyer et un visage de berger aux traits marqués mais doux. Gerald est un homme tâtillon qui apporte parfois sa propre boîte d'épices avec lui quand il va dîner au *Café de Paris* du *Ritz Carlton* ou dans d'autres restaurants.

Il travaille dans un immense bureau, doté de six fenêtres et de rideaux actionnés par un dispositif électronique, qui fait le coin d'un édifice de la rue Sherbrooke. Outre l'inévitable Riopelle, les murs sont décorés d'oeuvres de Jacques Reppen, Rita Letendre, Emily Carr, R. York Wilson, Stanley Cosgrove et William Kurelek. Gerald divise ses journées de travail en trois portions distinctes: quarante

---

4) Le 7 juillet 1978, à Dedham, Massachusetts, Earl Pat Groper, fils de la veuve de Paul Matoff, fut accusé de fraude et d'usage de faux dans l'achat d'une police d'assurance-vie, libellée au nom d'un de ses associés qui fut abattu un mois plus tard. Cet associé, George S. Hamilton, était président d'une compagnie de meubles qui connaissait des difficultés financières. Il fut assassiné le 25 avril 1976, à trois heures du matin, d'une balle tirée à travers la porte d'entrée de sa maison de Canton, Massachusetts, alors qu'il allait répondre au coup de sonnette. Groper faisait partie du groupe qui, en décembre 1977, tenta sans succès d'acheter les Red Sox de Boston, équipe de la Ligue américaine.

pour cent pour les affaires, quarante pour cent pour ses implications dans la communauté et vingt pour cent pour les questions personnelles (le règlement des comptes habituels de sa maison, par exemple, ou la gestion du portefeuille d'actions de ses enfants). "Bien que nous n'appartenions pas à la branche la plus spectaculaire des Bronfman et que nous ne comptions pas parmi ses représentants les plus riches, dit-il, nous formons un groupe intéressant."

Au contraire de la plupart des Bronfman, Gerald ne limite pas son action dans le milieu aux seules causes juives. Il a été un administrateur actif du Festival Shakespeare de Stratford, du Musée des Beaux-Arts et de l'Orchestre symphonique de Montréal, de la section québécoise des cadets de l'air et du Y.M.C.A. Il a déjà été président de la section québécoise de la Croix-Rouge. Il est membre de divers clubs: *Montefiore, Elm Ridge Country, Greystone Curling,* sans compter le club *Saint-Denis* qui n'a rien de juif. Il a écarté l'idée de demander son adhésion au club *Mont Royal.* Sa femme Marjorie possède un diplôme de travailleuse sociale. Elle est la fille de feu Jacob Schechter de New York et, de toutes les femmes du clan Bronfman, celle qui reçoit le plus.

Leurs quatre enfants ont connu des destins divers: Joni enseigne le chant folklorique à l'Université Brandeis; Judy travaille dans un centre de réhabilitation pour drogués dans l'Est de Montréal; Corinne,[5] après des cours d'artiste-photographe à Paris, exerce son métier dans la région de New York; Jeffrey, diplômé *cum laude* de Choate, admis à Yale et dans les universités d'Antioche et Oberlin, pré-

---

5) Corinne est la seule des Bronfman de la quatrième génération à avoir envisagé sérieusement de changer de nom, ou tout au moins d'utiliser un pseudonyme pour signer ses travaux artistiques. A la dernière minute, elle se ravisa.

fère fréquenter la Mission de la lumière divine du Gourou Maharaj Ji.

Bien que la famille possède plus de quarante millions de dollars, les dépenses y sont soigneusement budgetées. Judy refuse toute pension de ses parents; Joni et Corinne ont décliné les offres répétées de leur père qui leur proposait d'augmenter les leurs. Gerald lui-même vit d'une façon incroyablement chiche. Au cours d'un voyage en Israël, à l'automne 1977, alors qu'il visitait les hauteurs du Golan, un marchand ambulant s'approcha de lui. Le marchand vendait trois pommes pour six livres israéliennes (soixante cents). Gerald se mit à marchander et lui en proposa trois livres. L'autre lui tourna le dos. "J'aurais probablement pu les avoir à quatre livres, mais c'était trop tard, écrivit-il plus tard dans son journal de bord. Notre guide, Albert, en a acheté et m'en a offert une. Ce fut la pomme la plus délicieuse que j'ai jamais mangée [6]."

Cette horreur de dépenser de l'argent remonte à l'époque où Gerald était étudiant en commerce à l'Université McGill. C'était la crise. La plupart de ses camarades n'avaient pas un sou. "J'avais pris l'habitude de ne pas sortir de ma poche plus d'un billet de un dollar à la fois, se souvient-il; j'avais à justifier à mon père chaque cent que je dépensais."

A la différence de la plupart des autres Bronfman de la troisième génération, Gerald a, pendant un certain temps, occupé une fonction importante à la Seagram. Il coordonnait les ventes et la production à New York, et avait la res-

---

6) Gerald Bronfman, pendant ses voyages, rédige un journal de bord qu'il envoie à ses enfants pour remplacer les cartes postales. Ce jour-là, il passa trois quarts d'heure en compagnie de Menahem Begin ("Un homme courageux qui a rendu à Israël la confiance de pouvoir continuer d'exister dans la dignité"). Le même jour, il s'est rendu dans un restaurant nord-africain ("où j'ai mangé comme un vrai cochon — même si la nourriture était kosher!")

ponsabilité des services d'emballage et des cartons de Noël. L'idée de placer les bouteilles de Royal Crown dans un sac d'étoffe n'est pas de lui. Mais c'est lui qui proposa de choisir une flanelle de coton pourpre pour donner à l'emballage un air riche et suggérer aux acheteurs de s'en servir, une fois la bouteille vide, pour conserver leurs économies. Le plus beau coup de Gerald fut l'idée du ruban noir et or sur les bouteilles marquées du label V.O.

"Quand Seagram acheta de la famille Reinfeld la marque de whisky Wilson, ils décidèrent de donner à la bouteille une nouvelle forme qui évoquait les épaules d'un homme portant le poids du monde, se rappelle Gerald. Je vis la bouteille à un retour de voyage. Je fis tout de suite remarquer qu'on avait acheté Wilson comme whisky de bar: et donc, que la bouteille devait être simple et ronde de façon à ce qu'un barman puisse facilement la manipuler. Ils se rangèrent à mon opinion et Joe Reinfeld vint par la suite à mon bureau, me serra la main et me dit: merci."

Ce sont les anecdotes du genre qui font la légende Bronfman!

Jusque vers la fin de la trentaine, Gerald continua de grimper tranquillement dans la hiérarchie de Seagram. Plusieurs de ses collègues voyaient en lui le futur dauphin que choisirait Sam. Mais la réussite de Gerald fut aussi la cause de sa perte. "J'ai compris que mon séjour chez Seagram tirait à sa fin quand William Wendell Watchel, qui était alors à la tête de la filiale Calvert, me présenta lors d'une réunion d'un conseil d'administration en disant:

— Et maintenant, laissons la parole à l'héritier présomptif.

"Mes deux oncles (Sam et Allan) étaient présents. J'ai immédiatement réalisé que mes jours étaient comptés. Je me vois encore traverser la pièce, ne sachant comment réagir, ne sachant ni que dire ni que faire."

Il résolut la question en s'enrôlant dans l'armée de l'air. Il passa le plus clair de la Seconde Guerre mondiale à Washington où il travaillait au Service de coordination des achats pour l'armée canadienne. A l'époque, il n'était que simple lieutenant [7] et pourtant, même là, son nom le faisait remarquer. "Quand je téléphonais à un officier américain pour négocier l'achat de pièces d'avion ou d'autres équipements dont avait besoin le Canada, j'avais l'habitude de dire: Gerald Bronfman à l'appareil! D'habitude, la réponse ne se faisait pas attendre:

— A vos ordres, Général Bronfman!

"Un jour, le téléphone sonne. J'entends une voix cassante à l'autre bout du fil:

— Ici McIntire!

"Il voulait certaines informations que j'étais capable de retracer assez rapidement. Je répondis par écrit et j'expédiai ma lettre à ce McIntire qui s'avéra par la suite être amiral et médecin personnel de Franklin D. Roosevelt. Je signai ma lettre: Gerald Bronfman.

"Quelques jours plus tard, notre chef de mission, le vice-marshal George Walsh me convoque et me dit:

— Ne faites plus jamais cela! Un simple lieutenant ne doit jamais parler à un amiral.

"J'obtins certaines informations complémentaires et téléphonai à la Maison Blanche, en demandant, pour éviter les ennuis, de parler à l'adjoint de l'amiral McIntire.

"Quelqu'un me répondit:

— Sheldon à l'appareil!

---

7) Gerald s'enrôla en 1940 comme simple soldat et termina la guerre avec le grade de chef d'escadron, l'équivalent de major. Le gouvernement américain le décora de la Légion du Mérite.

"Je lui dis:

— Avant d'aller plus loin, quel est votre grade?

"Sa réponse fut:

— Je suis amiral.

"Je lui dis de laisser tomber et je raccrochai".

Après la guerre, Gerald revint à Montréal où son père lui demanda de l'aider à administrer les investissements de la famille. Harry Bronfman avait vers la fin des années 1940 retiré ses fonds personnels de Seagram et les avait placés dans la société Harborough Investments; les biens de ses enfants se trouvaient dans une compagnie appelée Grahsom (d'après les initiales de leurs prénoms: Gerald, Rona et Allan; après la mort d'Allan en 1944, sa femme — qui se remaria plus tard avec le Dr William Cohen — hérita de la part d'Allan). Le plus gros du portefeuille d'Harborough était constitué d'actions de la Dominion Dairies. Harry détenait vingt pour cent des actions de cette compagnie qui distribuait les produits Sealtest et Light n' Lively [8]. Harry était également propriétaire de trois petites usines de transformation de produits laitiers, situées au Québec et groupées en compagnie sous le nom de Kensington Industries. Gerald, plus tard, les vendit à Dominion et entra au conseil d'administration de cette firme. A un certain moment il essaya d'acheter la filiale canadienne de Kraft, mais le 3 janvier 1961, Kraft annonça qu'elle avait acquis 83,6 pour cent des parts de Dominion Dairies, à la suite d'une offre faite en décembre 1960; ce

---

8) Dominion Dairies, auparavant Eastern Dairies, fut créée à partir d'une série d'autres compagnies, et notamment: Acme Farmers Dairy et Moore's Model Dairy à Toronto, Producers Dairy et Hull Dairy dans la région d'Ottawa, Elmhurst Dairy et Standard Creamery à Montréal, et Crescent Creamery à Winnipeg.

qui fit de Gerald, toujours membre du conseil d'administration, l'actionnaire minoritaire le plus important, avec deux cent vingt-sept mille trois cent quatre-vingt-douze actions — 11,3 pour cent des parts émises.

Gerald continue tranquillement de vendre et d'acheter des actions, de monter un portefeuille impressionnant mais discret, concentré dans trois sociétés de holding: Gerin Limited, Gerbro Corporation et Roslyn Developments. Ses intérêts dans Seagram se limitent à six cent neuf mille neuf cents actions (valant à l'été 1978 environ dix-huit millions de dollars). Philip Vineberg, qui est son avocat-conseil et l'un des administrateurs de Gerin [9], constitue le seul lien qu'il lui reste avec les autres familles du clan.

Les fondements de la fortune de Gerald reposent d'une part sur une demi-douzaine d'investissements (qui totalisent plus de cinquante millions de dollars) [10] au nombre desquels figure Cook Bros. Milling qui, avec ses usines de Nesall, Centralia et Kirkton, en Ontario, est le second transformateur de fèves au Canada; et d'autre part, sur des valeurs immobilières comme l'édifice Chevron ou le Medical Arts Building à Calgary, ses immeubles de Toronto ou le Medical Arts Building de Montréal. Aux Etats-Unis, Gerald (conjointement avec son beau-frère Edward Schechter) possède la Stressteel Corporation [11],

---

9) Son principal aviseur légal est Richard A. Bethell, que les gens du monde des affaires de Montréal surnomment: "le Jack Cockwell de Gerald Bronfman", tandis que Cockwell lui-même est appelé le "Leo Kolber de Peter Bronfman".

10) Ils ont été administrés par Stephen Jarilowsky, conseiller en placements de Montréal, par le bureau montréalais de Wood Gundy, par J.R. Timmins and Co. de Montréal et par Brown Brothers Harriman and Co. de New York.

11) Parmi les projets auxquels a contribué Stressteel, il faut noter: l'Arche de la Liberté à Saint-Louis, des containers nucléaires pour plusieurs des plus importants réacteurs atomiques américains et un réseau surélevé de transport de grande vitesse dans la région de la Baie de San Francisco.

important fournisseur, pour l'industrie de la construction, de poutres d'acier capables de supporter les hautes tensions. Parmi les mauvais investissements de Gerald, il y a la fabrication d'une scie circulaire révolutionnaire (mais impossible à commercialiser), la tentative avortée de mise en marché de drogues biomédicales dans la région de Buffalo, N.Y., et l'échec de la Dale Chemical Company de Palm Springs, en Californie, qui devait fabriquer du sulfate de sodium pour l'industrie des pâtes et papiers.

Un des investissements les plus chers à Gerald se fit au début des années 1960. Gilbert E. Kaplan, jeune économiste qui travaillait alors pour la Securities and Exchange Commission à Washington, vint lui proposer l'idée de racheter l'*Institutional Investor* qui était à l'époque un vague bulletin de Wall Street dont l'éditeur venait de mourir. Bronfman accepta de financer la transaction. Depuis, Kaplan en a fait l'une des publications les plus respectées du monde des affaires. Elle tire à vingt mille exemplaires et l'abonnement annuel coûte soixante-cinq dollars. L'*Institutional Investor* organise également des conférences dans le monde entier (les frais d'inscription seuls s'élèvent à sept cent cinquante dollars) et publie, à l'usage des spécialistes et des initiés, la *Wall Street Letter* (prix de l'abonnement annuel: quatre cent cinquante dollars). Gerald fit un profit d'un million de dollars en 1971 en faisant du magazine une compagnie publique et en rachetant quarante pour cent des parts.

La vie de Gerald Bronfman coule doucement comme un rythme d'adagio; il se repose rarement, mais ne se donne jamais trop de mal. Ses succès et ses revers reflètent une sorte de dignité tranquille. Parmi les nombreux Bronfman, il est celui qui paraît le plus en accord avec lui-même. Il semble avoir voyagé jusqu'à son âme et y avoir trouvé peu de choses capables de le troubler.

S'il existe en lui la moindre autosatisfaction, elle est peut-être due à la transformation de Gerin en compagnie publique; ce qui lui permet de transférer dans Gerin sans payer de taxes les dividendes de ses actions de Seagram et Dominion Dairies. Gerin vaut actuellement vingt-cinq millions de dollars et paie un million deux cent mille dollars de dividendes par an. Avec Gerin Limited, Gerald a réalisé l'ultime prodige financier: en 1977, au lieu d'avoir à payer de l'impôt, la compagnie a reçu un remboursement de quatre mille huit cent quatre-vingt-neuf dollars.

Et ça, c'est de la manne céleste. Même pour un Bronfman.

Chapitre Seize

Mitch

C'est la faculté d'agir le mieux possible en fonction de ses propres intérêts qui semble faire défaut à Mitch. Même s'il est innocent des multiples accusations portées contre lui (mais dont on n'a jamais pu vraiment établir le bien-fondé), la question demeure de savoir si, dans son propre intérêt, il convient de laisser Mitchell Bronfman libre d'agir à sa guise.

Le décor ressemble aux premiers films de James Bond.

Le hall d'accueil du petit aérogare, situé dans les environs de Montréal, est tout en verre polarisé. Tendu de cuir élégant et discret, il baigne dans cette ambiance d'anonymat voulu qui crée délibérément l'impression qu'il s'y négocie en secret de fabuleuses transactions. A l'extérieur, un hangar de trois millions de dollars contient une douzaine d'avions. Ils brillent sous la lumière des projecteurs fixés au plafond. On dirait qu'ils viennent d'être astiqués à la main par quelque technicien maniaque qui souffrirait de la phobie des microbes. Deux chiens policiers tirent sur leurs chaînes et hurlent dans la nuit. Le garage souterrain abrite une Jaguar bleu horizon, une Lamborghini rouge pomme recouverte d'une bâche, une Pontiac décapotable dernier cri et une Ford brune équipée d'un système de détection des signaux radar et radio d'une portée de six milles. Le bureau du maître des lieux fait penser à la reconstitution hollywoodienne du repaire de l'agent 007. Il est doté de neuf téléphones (équipés de boutons, de circuits ouverts, de consoles cachées) et d'une quantité de gadgets dont une torche électrique qui émet des signaux d'alarme et un porte-plume-révolver en or.

Le patron de cette étrange installation est Arvin Mitchell Bronfman, président de Exécaire Aviation, la plus importante compagnie canadienne de location d'avions pour dirigeants d'entreprises. Mouton noir attitré de la famille, il a mené une existence tumultueuse, fertile en rebondissements; à quarante-six ans, il se sent troublé, blessé, amer. A un moment donné, Mitch a sans doute perdu de vue que chaque geste de la vie privée de chacun des Bronfman peut avoir des répercussions publiques et maintenant qu'il a été obligé de rendre compte de ses agissements, le cours de sa vie ne s'évalue plus selon l'échelle habituelle ni selon l'ordre normal des choses. Son cerveau est rempli d'images. Il imagine des centaines de cavaliers fantômes galopant dans un paysage crépusculaire sur leurs chevaux noirs. Ils portent tous l'uniforme de la G.R.C. et pointent leurs lances dans sa direction. Il est convaincu d'avoir été choisi, pour quelque raison qu'il s'explique mal, comme victime de la persécution des "tuniques rouges". Il ne croit plus en la possiblité de se racheter ou encore qu'il soit possible de passer l'éponge et de réparer les erreurs. Pour lui, la survie seule importe.

Chaque être humain a la main haute sur son potentiel personnel. Il revient à chacun (si l'on excepte l'intervention divine) de sauvegarder ce potentiel. C'est la faculté d'agir le mieux possible en fonction de ses propres intérêts qui semble faire défaut à Mitch. Même s'il est innocent des multiples accusations portées contre lui (mais dont on n'a jamais pu vraiment établir le bien-fondé), la question demeure de savoir si, dans son propre intérêt, il convient de laisser Mitchell Bronfman libre d'agir à sa guise.

Le bilan de sa vie paraît confus. Son existence semble dépourvue d'unité et se refuse à toute tentative d'analyse cohérente. La preuve n'en a pas encore été entièrement faite, mais dès à présent le moins qu'on puisse affirmer c'est que Mitch a lui-même provoqué la malédiction qui semble le poursuivre. Il fut un jour l'enfant chéri de la fortune, et surtout pendant les premières années où il vécut à London en Ontario. Il s'échappait alors de l'entreprise de son oncle pour piloter son avion dans les miroitements du soleil. La féérie s'est dissipée depuis longtemps. Rien d'aussi beau ne l'a jamais remplacée.

Mitchell Bronfman nie énergiquement que ses amitiés aient jamais pu avoir quelque implication vénale. La Commission d'enquête sur le crime organisé l'a pourtant accusé en 1977 d'entretenir des "relations quasiment fraternelles" avec Willie Obront, figure marquante du monde interlope de Montréal. La Commission poursuit son rapport en soulignant "les illégalités auxquelles l'un et l'autre, soit de concert, soit séparément, se sont adonnés". Le rapport insiste en outre "sur le caractère *particulier* des services qu'ils se rendaient et les avantages mutuels qu'ils en tiraient que ce soit dans le prêt usuraire, le jeu et le pari clandestin, la fraude fiscale ou la corruption". A ceux qui l'accusaient, Bronfman opposa un démenti catégorique: "C'était moi la victime du prêt à des taux usuraires. Si Obront est si mauvais qu'on le dit, je ne comprends pas qu'on ait pu le laisser agir librement".

"En mettant les choses au mieux, dit Ronald I. Cohen, ancien avocat-conseil auprès de la Commission d'enquête, le moins qu'on puisse dire c'est que Mitch fit preuve d'une incroyable insouciance devant la façon dont certains se servaient de son nom. Il a toujours fait cavalier seul par rapport au reste de la famille Bronfman. Il a dû tirer orgueil du fait qu'obligé de se débrouiller par lui-même, il y soit finalement parvenu — même si les autres n'approuvent pas sa façon d'agir. Au moins, il a su se tracer un chemin seul".

Mitch est le fils aîné de Allan Bronfman dont le père, Harry, était le frère de Sam et qui avait joué un rôle important dans les premiers succès de la compagnie Seagram. On plaça Allan à la tête de la distillerie de Ville La Salle mais il mourut inopinément, à l'âge de trente-sept ans, le 27 mai 1944. Il n'avait pas rédigé de testament. Conformément à la loi québécoise, un tiers de son héritage (d'une valeur globale d'environ quinze millions de dollars) [1] revint donc à sa veuve, née Freda Besner, tandis que Mitch et ses deux soeurs, Marion et Beverly, se partageaient le reste. Les fonds furent placés dans un trust qui leur versait des intérêts, mais qui ne leur permettait pas de toucher au capital. Pendant ses années de formation, Mitch, riche en principe, n'avait en pratique qu'un accès très restreint à son propre héritage. "Il est clair, dit-il, que porter le nom de Bronfman constituait un handicap. Les gens ne comprenaient pas pourquoi je ne me tournais pas tout simplement vers la famille pour lui demander de me signer un chèque".

Mitch fréquenta d'abord la Selwyn House de Montréal. On l'envoya ensuite au Riverdale Country School de

---

1) Harry avait légué quarante pour cent de ses biens à Allan, quarante pour cent à son autre fils Gerald et vingt pour cent à sa fille Rona.

New York et finalement à l'Institut Babson de Wellesley, en banlieue de Boston, d'où il sortit diplômé en marketing. Il commença par travailler pour son oncle Gerald à la Dominion Dairies de London, Ontario. Mais le pilotage restait sa grande passion. Après ses journées de travail, il partait très souvent piloter son avion privé dans la pénombre du crépuscule. Il passait de nombreuses fins de semaine à voler et finit par acheter l'école de pilotage locale. A vingt-quatre ans, Mitch fonda Exécaire à Montréal et obtint le permis requis pour exploiter une compagnie de nolisement d'avions pour chefs d'entreprises. Aucun de ses appareils ne portait les couleurs d'Exécaire. Et Mitch refuse de dévoiler le nom de ses clients.[2]

En dehors du pilotage, Mitch est particulièrement intéressé par la police et la Mafia. Il adore les compétitions de tir. Il élève des chiens policiers [3] dans sa ferme des Cantons de l'Est. Il a déjà possédé une Harley-Davidson d'un modèle identique à celles de la police. Il a déjà déclaré aux membres de son personnel que si un avion de la Exécaire s'écrasait, il mènerait lui-même "sa petite enquê-

---

2) A l'origine, Exécaire était propriétaire de ses avions. Mais la plupart de ses appareils appartiennent maintenant à de grandes compagnies; en les enregistrant chez Exécaire, ces compagnies peuvent les louer à d'autres firmes quand elles ne s'en servent pas. La flotte aérienne de Mitch comprend un Westwind 1124 (propriété de l'industriel montréalais Jean-Louis Lévesque), deux Falcon 20 (propriété de Seagram et de Télé-Direct, filiale du groupe Bell Canada qui s'occupe des Pages jaunes), deux Lear 25 (propriété de Labatt et Weston), sept HS-125 (qui appartiennent à Ford du Canada, à la Banque de Nouvelle-Ecosse, à la Banque Toronto-Dominion, à la Banque de Montréal, à la Compagnie de gaz de l'Alberta, à la compagnie Price et à Domtar) et enfin un Gulfstream I et un appareil Cessna.

3) Il y élève également d'autres chiens policiers qu'il donne aux aveugles et y dresse des chevaux. Une de ses bêtes faisait partie de l'équipe qui remporta la médaille d'or de dressage aux Jeux pan-américains de 1971 en Colombie; un autre cheval obtint la neuvième place aux jeux Olympiques de Munich en 1972.

te". Quand il était jeune, il traînait toujours aux alentours des postes de police, et surtout des locaux de la Gendarmerie Royale. Il y noua de solides amitiés, devint une sorte de membre de la famille et étudia leurs méthodes et leurs moyens. A défaut de pouvoir devenir policier lui-même, Mitch parvint à faire mieux en l'occurrence: il créa sa propre force de police. Connue sous la raison sociale de Securex Safeguard Consultant, son agence offrait bien plus que les services de sécurité habituels. Elles proposait également des "cours sur le climat politique et révolutionnaire (québécois), les attentats à la bombe et les enlèvements" ainsi qu'un "entraînement pratique à l'utilisation des tactiques de guerilla".[4]

De tous les policiers que rencontra Mitch, ce sont deux sous-officiers de la G.R.C., le sergent d'état-major Donald McCleery et le sergent Gilles Brunet, qui devinrent ses meilleurs amis. Ils travaillaient tous deux au service ultra-secret de sécurité de la Gendarmerie. Mitch était propriétaire du *Robin's Delicatessen,* restaurant situé près du Forum de Montréal où la femme de Brunet, Anita, travaillait comme serveuse. Elle présenta Bronfman aux policiers et les trois hommes devinrent de grands amis.

Leur relation avec Bronfman finit par provoquer leur renvoi de la G.R.C. Un premier rapport, daté du 6 juin 1972, se trouve dans les dossiers du Service national de renseignements sur la criminalité de la Gendarmerie. Il y est noté que les deux policiers mangent avec Bronfman au *Robin's,* et on y souligne en outre que le fournisseur de viande de ce restaurant n'est nul autre que Willie Obront. Leur supérieur hiérarchique, le surintendant en chef Larry

---

4) Marc-André Bédard, ministre de la Justice du Québec retira sa licence à Securex à l'été 1977 parce qu'un de ses agents travaillait sans permis.

Forest,leur conseilla de cesser de fréquenter Bronfman. Ils continuèrent néanmoins de le voir. "Avant de rencontrer Mitch, rappelle McCleery, nous fîmes une enquête minutieuse sur son compte. Nous découvrîmes qu'il n'y avait qu'une seule chose à son dossier: son comportement amical avec Willie Obront. J'ai lu les soupçons qui pesaient contre lui. C'était comme parcourir un livre de bandes dessinées, plein d'insinuations et d'hypothèses dénuées de tout fondement. A tel point que le 27 novembre 1973, le surintendant en chef Forest, mon supérieur, écrivit aux Quartiers Généraux: *Je suis d'avis que les soupçons devraient être mieux étayés qu'ils ne le sont si nous voulons éviter de graves problèmes et une situation très embarrassante.* Quoiqu'il en soit, Mitch était aussi une excellente source d'information pour la Gendarmerie. La G.R.C. s'en servait pour ouvrir certaines portes. En fait, c'est lui qui un jour nous apprit qu'Obront était au courant de la "safe house" [5] que nous utilisions à l'époque à la Plaza Alexis Nihon."

Le 9 novembre 1973, l'inspecteur Donald Wilson qui dirigeait alors le service des aviseurs légaux au sein de la Gendarmerie, rédigea un long mémo interne:

> *Les deux policiers portent au sein de la G.R.C. les germes de la corruption. Qu'il y ait eu effectivement corruption ou non est en fait accessoire. Le risque est tel que nous devons nous débarrasser de la racine du mal... Sans nier que le commissaire adjoint Gorman et le surintendant Marcoux n'ont pas ordonné de façon spécifique aux deux hommes de prendre leurs distances avec Bronfman (et je ne veux pas dire que c'était leur responsabilité de le faire), l'enquête aurait dû suffire à dissuader McCleery et Brunet de poursuivre tout contact ultérieur avec Bronfman. Or, tel ne fut pas le cas.*

---

5) Endroit muni d'un système d'écoute électronique, utilisé par la G.R.C. pour confondre les suspects.

Le 6 décembre 1973, totalisant à eux deux trente-huit années de carrière exemplaire, McCleery et Brunet durent rendre leurs armes et furent très rondement congédiés.[6] "Ils ont prétendu pour nous renvoyer, soutient McCleery, que nous avions reçu des ordres précis à l'effet de nous éloigner de Mitch et que nous y avions désobéi. En réalité, on s'est contenté de nous recommander de ne plus le fréquenter. Jamais un ordre en ce sens n'a été émis. Ils se tracassaient seulement de l'image de la Gendarmerie. On ne nous a jamais laissé la chance de nous expliquer".[7] Pour Bronfman, la véritable raison du congédiement de ses deux amis est ce qu'il appelle "la campagne de persécution entreprise par la G.R.C. contre moi; c'est un cercle vicieux, poursuit-il. Il faut qu'ils s'arrangent pour que leurs fantasmes deviennent des réalités. Ils ont renvoyé McCleery et Brunet à cause de leurs liens avec moi. Il faut mainte-

6) Ceci mit un terme à des carrières d'agents de la G.R.C. autrement exemplaires. La Gendarmerie avait chargé Donald McCleery de retrouver les membres du Front de Libération du Québec qui avaient enlevé l'attaché commercial britannique James Cross à Montréal, à l'automne 1970. Dans un rapport sur ses états de service, daté de 1972, dans les dossiers des quartiers généraux de la G.R.C., McCleery est décrit comme un homme faisant preuve d'"une force de caractère et d'un comportement qu'on ne peut qualifier que de remarquable. Il mène par l'exemple. Ses hommes acceptent les lourdes exigences qu'on leur impose parce qu'il exige encore plus de lui-même". Le rapport sur Brunet est tout aussi élogieux. Un rapport de conduite daté de la même année note qu'il est "un enquêteur très énergique et plein de ressources. Il a développé à un degré remarquable l'aptitude de découvrir les faits significatifs et ainsi d'entrer au coeur des problèmes et de pouvoir faire face facilement aux développements inattendus. En plus d'être parfaitement bilingue, il parle couramment le russe, ce qui est un atout sérieux dans sa position présente".
7) Les deux policiers ont depuis porté leur congédiement en appel. Aux auditions de la Commission Keable à Montréal, le 1 novembre 1977, le sergent Claude Brodeur de la G.R.C. affirma que Donald McCleery dirigea au printemps 1971 l'escouade mobile de spécialistes (connue sous le nom de G-4) qui entre autres incendia la grange à Ste-Anne-de-la-Rochelle où les membres du FLQ avaient projeté de rencontrer des représentants du groupe révolutionnaire américain des Black Panthers.

nant qu'ils s'arrangent pour faire croire qu'ils ont eu raison, sinon McCleery et Brunet auraient été renvoyés à tort et cela prouverait accessoirement que certaines personnes ne font pas bien leur travail..."

Le fait que les relations amicales des deux sergents avec Mitchel Bronfman aient suffi pour mettre un terme à leur carrière reflète l'inquiétude de la G.R.C. En effet, au cours d'une perquisition effectuée en 1962 dans les locaux de Salaison Alouette, commerce de viande de gros situé près du marché Atwater, les policiers ont découvert une reconnaissance de dette de dix-neuf mille quatre cents dollars signée par Mitchell Bronfman à William Obront. Obront, connu dans son entourage sous les noms de Willie ou Obie, a commencé à attirer l'attention des autorités policières après une descente de la Sûreté du Québec dans deux boîtes de nuit qu'il possédait, le café *Hi-Ho* (devenu plus tard le *Béret Bleu*) et le *Bal Tabarin*, repaires de certaines figures biens connues de la pègre montréalaise: Vincenzo (Vic) Cotroni, Nicola Di Iorio et Joe Cocoliccio. Vingt-deux perquisitions ont eu lieu. Les documents saisis établirent graduellement le rôle d'Obront dans le monde interlope. Il était le grand argentier de la pègre montréalaise. Ralph Salerno, ancien officier de police de New York, dans son livre *La Confédération du Crime*, a le mieux décrit la fonction de grand argentier et son caractère essentiel pour le progrès du crime organisé: "Le jeu, les prêts usuraires, le trafic de la drogue et les autres activités illégales produisent un afflux de plusieurs milliards de dollars. L'argentier résout un double problème: il fait fructifier cet argent et permet à ses vrais propriétaires de rester dans l'ombre."

Le rapport de la Commission d'enquête sur le crime organisé trace le portrait précis de l'impressionnant empire commercial qu'Obront dirigeait d'une main de fer et qui servait de couverture à des activités beaucoup moins licites. En 1976, Obront fut accusé de fraude fiscale, de mépris de cour, d'usage de faux, de contrefaçon et de conspiration. Il fut condamné à quatre ans de prison et à soixante-quinze mille dollars d'amende [8].

L'association de Mitch Bronfman avec Willie Obront remontait à 1959. Mitch tentait alors désespérément de rendre Exécaire rentable. Comme le trust familial immobilisait son héritage, Mitch dut trouver d'autres moyens de crédit que les sources habituelles. Il conclut alors ce qui pourrait bien être l'arrangement financier le plus étrange auquel on ait jamais eu recours pour maintenir une compagnie canadienne à flot. Entre 1962 et 1974, Mitch emprunta d'Obront un million quatre cent dix-sept mille deux cent cinquante dollars. En retour, il émit mille cent quatre-vingt-dix-neuf chèques totalisant deux millions quatre cent soixante-treize mille quatre cent seize dollars[9].Le taux d'intérêt est facile à calculer: il se chiffre tout près du cent pour cent. A la même époque, Bronfman s'associa avec Obront comme partenaire minoritaire dans un restaurant de Miami, le *North Pagoda,* que le FBI décrit comme le centre d'un réseau de pari clandestin dont les ramifications s'étendent à travers tout le continent et que finance depuis New York, une des branches de la Mafia, dite la famille "génoise".

---

8) Obront réussit presque à s'échapper. Angelo Lanzo, un des témoins clés dans son cas, fut trouvé mort alors qu'il essayait de se soustraire au sub poena de la Commission d'enquête. Obront partit pour la Floride en août 1974 et, un an plus tard environ, devint citoyen américain. Pour éviter les procédures d'extradition, il s'envola pour San José, à Costa Rica, à l'aube du 4 mai 1976. Expulsé seize jours plus tard, il revint à Montréal, menottes aux poings, entre deux agents de la G.R.C.

9) Le 31 décembre 1974, Bronfman devait encore à Obront deux cent mille dollars. Le ministère du Revenu de la Province de Québec saisit cette somme comme partie du million cinquante-huit mille dollars d'arriérés d'impôt que devait Obront.

L'amitié de Mitch pour Obront semble transcender toute considération financière. La Commission d'enquête sur le crime organisé en donne un exemple.

Aux environs de 1971, Obront demanda à Bronfman de lui rendre un service assez particulier. Mitchell Bronfman devait signer une lettre adressée à William Obront dans laquelle le signataire rappelait à Obront que ce dernier lui devait la somme de trois cent cinquante mille dollars. Cette dette était bien entendu complètement fictive. Par mesure de précaution, la lettre spécifiait qu'en cas de décès de Mitchell Bronfman, Obront pouvait considérer que sa dette était entièrement épongée. Ce n'est pas par hasard si Obront a fait cette proposition. Avec l'aval des activités financières de Bronfman et le prestige de son nom respecté dans le monde des affaires, on ne pouvait que croire à l'exactitude d'une lettre de lui.

Quant à l'aspect fictif de la dette, il suffit de rappeler qu'à ce moment-là les situations de Bronfman et d'Obront étaient exactement inversées. En effet, trois ans de suite, de 1970 à 1973, Bronfman a payé à Obront en remboursement de capital et d'intérêts la somme de huit cent quatre-vingt-dix-sept mille quatre cent quatre-vingt-huit dollars.

La CECO a fait comparaître Bronfman afin d'entendre pourquoi il avait été d'accord pour signer un tel document et surtout pour qu'il explique à la Commission ce qu'Obront comptait en faire. Selon la Commission, c'est la première question qu'aurait dû poser Bronfman à son ami Obront avant de signer. S'il faut en croire M. Bronfman, son geste était un pur gage d'amitié ou un témoignage de la confiance qu'il éprouvait à cette époque envers William Obront. Il ne se rappelle pas les raisons qu'avait Obront de lui demander ce service. Il ne lui est même pas venu à l'esprit qu'Obront aurait pu, par exemple, s'en servir pour prouver aux autorités du ministère du Revenu que sa fortune personnelle était beaucoup moins importante qu'on le pensait, puisqu'il avait cette dette de trois cent cinquante mille dollars à rembourser. En fait, les documents en possession du ministère du Revenu du Québec prouvent qu'en 1971, William Obront a présenté, en même temps que son rapport d'impôt, sur une feuille additionnelle, un bilan de ses revenus et dépenses préparé par son comptable, M. Larry Smith, lequel bilan fait état de la dette supposée qu'il devait à M. Mitchell Bronfman.

Par cet artifice, William Obront laisse croire aux responsables du ministère du Revenu que le faible montant qu'il déclare correspond à ses revenus réels. Ce truc a pour objectif de lever les soupçons qu'on aurait pu avoir sur l'étendue véritable de sa fortune. De 1964 à 1972, Obront a déclaré aux fins d'impôt des revenus annuels moyens de trente-deux mille deux cent quarante dollars. Cependant il a gagné dix-sept millions huit cent quarante mille soixante-quinze dollars et les a déposés dans divers comptes bancaires qu'il contrôle. Pendant la même période, il a payé une moyenne de dix mille huit cent soixante dollars d'impôts par an. Ceci ne constitue qu'un examen superficiel mais il montre comment un individu peut, sur une courte période, grâce à la complicité bienveillante d'un comparse peu scrupuleux, falsifier ses déclarations d'impôt et léser ainsi l'Etat de sommes considérables dont il a besoin pour fonctionner.

"Je savais ce que je faisais, insiste Mitch. Quand j'ai rencontré Obront pour la première fois, tout le monde le considérait comme quelqu'un de respectable. Les gens de la G.R.C. qui enquêtaient sur son compte ont trouvé mes chèques et se sont imaginé que je finançais la pègre. A leurs yeux, il était impensable que quelqu'un qui s'appelle Bronfman soit obligé d'emprunter. Mon association avec Obront était strictement amicale, à une époque où il n'était nullement question de ses activités louches. Emprunter, comme je l'ai fait, à un taux d'intérêt élevé, ne constitue pas un crime".

Entre 1966 et 1969, Bronfman put finalement toucher sa part d'héritage qui s'élevait à plus de deux millions deux cent mille dollars. Il se défit rapidement des parts qu'il détenait dans la Seagram. Cette injection d'argent neuf ne suffit pas.

Le second vendeur d'argent qui croisa le chemin de Mitch était un spéculateur boursier qui s'appelait Sydney Rosen. Rosen avait une manie vestimentaire: il voulait paraître toujours habillé de façon identique (il possédait une demi-douzaine de vestes sport brunes absolument pareilles qu'il portait à tour de rôle pour avoir toujours la même allure). Ancien tenancier de taverne à Windsor en Ontario, Rosen se fit connaître dans les années 60 à la Bourse de Toronto par une série de transactions qui firent grimper la valeur des actions de la Wee-Gee Uranium Mines de vingt-cinq cents à quatre dollars trente cents l'unité et par l'achat (pour une de ses compagnies, la Life Investors International) d'un terrain sur la Baie de Georgie un million huit cent mille dollars plus cher que le terrain en question n'avait été évalué quelques mois plus tôt. La différence allant à une agence qui appartenait également à Rosen. Quand la valeur des actions de la Life Investors chuta de quatre dollars quatorze cents à douze cents [10],

---

10) Rosen fut finalement accusé d'avoir conspiré pour frauder la Life

Rosen investit ses intérêts dans la Valutrend Management Services, une compagnie privée qui administrait cinquante-cinq firmes de moindre importance, dont certaines étaient inscrites à la Bourse de Montréal ainsi qu'à celle de Toronto. La plus importante de ces compagnies était le Groupe Milton [11], dont une filiale, Transmil Properties, contrôlait 50,1 pour cent des actions de Flemdon Ltée qui possédait dans ses caisses des liquidités de l'ordre de deux millions trois cent mille dollars.

Rosen persuada Mitch de payer un million de dollars pour acquérir trente-huit pour cent des parts de la Milton, de façon à ce que Bronfman puisse avoir accès à l'argent de la Flemdon dont il avait besoin pour Exécaire. La Corporate Bank and Trust Company de Freeport aux Bahamas prêta le million de dollars à Bronfman à un taux d'intérêt annuel de douze pour cent. Mitch nomma alors Rosen pour s'occuper des affaires de la Flemdon. Au cours des deux années suivantes, les deux millions trois cent mille dollars de la Flemdon prirent tranquillement le chemin de la même banque des Bahamas, dont le propriétaire s'avéra par la suite être nul autre que Sydney Rosen lui-même dans une de ses vestes sport de couleur brune.

En avril 1975, la Commission de surveillance du Québec accusa Rosen d'avoir détourné sept millions de dollars

---

Investors de deux millions deux cent cinquante mille dollars et fut trouvé coupable de frauder le public en mettant sur le marché des actions de la Somed Mines (obscure compagnie minière du Québec dont les gisements étaient abandonnés et dont les prospectus ne spécifiaient même pas quel type de minerai elle exploitait) à des prix variant de dix cents à deux dollars et quatre cents en versant secrètement des pots-de-vin à des courtiers pour en faire mousser la vente.

11) Milton Group était le nom que prit au milieu de 1972 un producteur de briques et de tuiles connu auparavant sous le nom de Milton Brick, et qui opère depuis 1889 sous diverses raisons sociales à Milton, à une trentaine de miles à l'ouest de Toronto.

des cinquante-cinq firmes qu'il administrait par l'intermédiaire de la Valutrend, au profit de la Corporate Bank and Trust Company et suspendit les opérations sur titres de toutes les compagnies impliquées. Seize mois plus tard, le juge Samuel H. Graham de la Cour suprême des Bahamas ordonna à la Corporate Bank de fermer boutique et Rosen fut accusé d'avoir conspiré pour frauder les actionnaires de la Flemdon. Le caporal Giuliano Zaccardelli, de la G.R.C., envoyé pour enquêter sur place, ne put retracer les sept millions de dollars manquants. Le bloc d'actions que détenait Mitchell Bronfman dans la Milton, et qu'il avait hypothéqué à la Corporate Bank, était placé en dépôt à la succursale de la Barclays Bank de Freeport [12].

En dépit de tous ces accidents de parcours, Exécaire a réussi à prospérer et possède maintenant des installations à Toronto et à Calgary, en plus de celles de Montréal. Mitch passe son temps à administrer sa compagnie d'aviation, à garder ses avocats occupés et à essayer d'oublier le passé. Il hante l'aéroport de Dorval, montrant à ses visiteurs les endroits d'où la G.R.C. avait l'habitude de le surveiller et leur expliquant comment de temps en temps, juste pour leur donner un peu de travail, il sau-

---

12) Vic Cotroni, Paolo Violi, John Papalia et Sheldon Swartz furent condamnés chacun à six ans de prison, à Toronto le 29 octobre 1976, après avoir été accusés de conspiration pour possession de trois cent mille dollars extorqués à Rosen et à un autre agent de Bay Street, Stanley Bader. Le juge qualifia les quatre hommes "de criminels d'habitude qui avaient réussi dans l'univers du crime" et le procureur décrivit Cotroni et Violi comme "des sortes de chefs non officiels... dans cette partie de la société où la loi ne règne pas." Violi était actionnaire de la compagnie d'empaquetage de viande, Reggio Food Inc. de Montréal, dirigée par Cotroni. Le 8 février 1977, Francesco, frère de Violi, fut abattu dans ses bureaux de Montréal. En mai 1977, la Cour d'appel de l'Ontario acquitta Cotroni et Paolo Violi. Le 22 janvier 1978, Violi fut à son tour abattu à Montréal dans une salle de billard lors d'une fusillade sanglante.

tait dans sa Lamborghini et les semait sur les petites routes du côté de Beaconsfield. Il connaît tous les agents de la Gendarmerie de l'aéroport par leur prénom. Il plaisante sur le peu de difficulté à faire passer une arme de l'autre côté du système de rayons X des services de sécurité — "il suffit de l'emballer et de la porter sur soi". Mitch lui-même porte toujours un automatique de même qu'un couteau fixé au mollet de sa jambe gauche.

Mitch ne considère plus le nom des Bronfman comme une malédiction; il est fier de la façon dont la famille est restée solidaire quand il a eu des problèmes. Il a été invité chez Charles pour le quatre-vingtième anniversaire de Saidye. Il a assisté à la réception Danny Kaye donnée par Leo Kolber de Cemp. Le trust de la famille Bronfman a cautionné auprès de la Banque de Montréal certains emprunts d'Exécaire.

Peut-être la sympathie des autres Bronfman envers Mitchell est-elle due au fait que leurs aspirations respectives ont le même fondement. "J'aurais pu essayer de me tourner vers la famille. J'aurais pu me contenter de ne rien faire", dit-il le regard perdu sur le décor de théâtre qui lui sert de bureau. Et puis, le voilà qui entonne le refrain préféré des Bronfman: "Tout ce que j'ai voulu, dit-il en haussant les épaules, c'est réussir quelque chose par moi-même."

Chapitre Dix-sept

Peter

Peter va son chemin seul. Dans quelque coin reculé de son âme, il a la certitude que ce qui peut transformer une existence à peine supportable en une série de miracles est de tenir bon et de devenir quelqu'un par soi-même, en permettant à l'enfant blessé en soi de prendre les commandes et de jeter l'anathème sur les contraintes de sa vie et de son éducation.

Son dégoût des cocktails et des réceptions avoisine l'obsession. Aux rares événements mondains auxquels il lui arrive d'assister, Peter Bronfman affiche un air vaguement absent et se tient debout, très digne, comme s'il assistait à quelque office religieux, sans parler beaucoup, sirotant son verre de "ginger ale" et souhaitant en lui-même que cela soit déjà terminé. Il confie en privé: "J'ai un seuil de tolérance aux futilités extrêmement bas".

Le plus secret des Bronfman, Peter, qui est le plus jeune fils d'Allan, frère de Sam, a une personnalité d'une sensibilité corrosive et pleine de chagrins anciens qui en fait un exilé, un être à part, même dans la galerie de portraits baroques de cet étrange clan. Il n'a rien de la jovialité décontractée de son cousin Edgar qui se déplace avec une sorte d'aisance et d'allure cordiale, ni de son cousin Charles dont le désarmant souci de vérité parvient à charmer tout le monde, même les cyniques les plus endurcis.

Peter va son chemin seul. Dans quelque coin reculé de son âme, il a la certitude que ce qui peut transformer une existence à peine supportable en une série de miracles est de tenir bon et de devenir quelqu'un par soi-même, en permettant à l'enfant blessé en soi de prendre les commandes et de jeter l'anathème sur les contraintes de sa vie et de son éducation.

Peter est si sensible qu'après l'incendie de la maison paternelle au cours de l'été 1977, il lui a fallu plus de six mois pour se remettre de ce que son docteur diagnostiqua comme des poussées de fièvre "de sympathie" — même s'il avait passé dans cet édifice froid de style victorien situé à côté du Palais du Belvédère de Sam certains des moments les plus malheureux de sa vie.

Le texte favori de Peter reflète exactement sa conception de la vie. C'est un extrait d'un essai rédigé par le journaliste new-yorkais Gay Talese, au milieu des années 1960, imprégné du courant nihiliste de l'époque:

> *Il faut s'efforcer de croire qu'on existe, parce qu'on n'en a pas d'autre preuve. On ne parvient plus à acquérir d'identité distincte dans sa profession, seulement dans son avancement personnel. Il n'y a plus de pièces de théâtre mais juste des scènes vides. Les marches pour la paix sont des mascarades. Selma était un troubadour. Les informations n'existent que pour les équipes de télévision. Les critiques dansent les yeux fermés. Il ne se passe rien. Nous vivons une période de l'histoire dépourvue de sens.*

Selon les croyances personnelles de Peter, la capacité de s'émerveiller devant la vie est un cadeau du ciel. Mais il trouve ce pouvoir d'émerveillement difficile à acquérir et encore plus difficile à partager. Il est un solitaire bourré de complexes. Son plus grand plaisir, il le prend à marcher seul dans la désolation des néons des rues de la ville, la nuit, à la pluie et à s'intéresser aux divers petits riens rencontrés en chemin. "Peter est assez peu sociable, dit Jacques Comtois, son avocat montréalais. Il apprécie la compagnie de quelques intimes, mais fuit les grandes réceptions et les réunions; il a une profonde répugnance des vestons et des cravates; il porte seulement des cravates noires. J'imagine qu'à l'instar d'autres gens riches, il a de bonnes raisons de trouver suspectes les motivations de certaines personnes qui l'approchent. Cela explique peut-être pourquoi il a toujours l'air sur la défensive".

Peter est très proche de ses enfants, mais pour le reste il se comporte en véritable ermite. En dépit de fréquentes invitations, il ne rend pas visite plus de deux fois l'an à son cousin Charles qui habite à cinq minutes de chez lui, un peu plus haut dans Westmount. En direction opposée, la maison de sa cousine Phyllis n'est pas distante de plus de vingt minutes. Pourtant, au cours des cinq dernières années, il ne l'a vue que trois fois. "Il faudrait sans doute que je sorte plus, que je sois un peu plus grégaire", admet Peter.

Ses façons solitaires lui jouent parfois des tours. Parmi les multiples possessions de l'empire de deux milliards de dollars qu'il dirige avec son frère Edward, se trouvait, jusqu'à il y a tout récemment, le club de hockey des Canadiens et le Forum de Montréal. Le 7 mai 1977, pendant une partie contre les Bruins, Bob Wilson, commentateur radiophonique de Boston, était perché avec ses techniciens dans la section du Forum réservée à la presse. Quelqu'un, que Wilson décrivit plus tard comme "un grand type maigre, vêtu de façon assez négligée, la chemise ouverte et portant des pantalons sport" vint s'installer au milieu de son équipe technique. "Le gars n'ouvrit pas la bouche. Il se contenta de s'asseoir et de suivre la partie calmement en faisant de temps en temps des gestes qui manifestaient sa satisfaction ou son dépit. Je cherchais un moyen de lui dire de s'en aller parce qu'il n'avait rien à faire dans l'espace qui nous était réservé, mais je suis resté constamment en ondes. Il s'en est allé vers la fin de la première période avant que j'aie pu lui dire un mot. J'ai demandé au placier s'il connaissait cet effronté qui se comportait comme s'il était maître des lieux."

Le garde apprit au commentateur confus que son visiteur n'était nul autre que Peter Bronfman et qu'il était effectivement propriétaire à la fois des lieux et de l'équipe. Peter revint pour suivre la seconde période. Il expliqua à Wilson que la seule manière pour lui de suivre avec calme une joute de hockey était de s'asseoir à côté d'un micro ouvert de façon à ne pouvoir hurler, même quand il en avait envie. Parfois l'émotion le submerge tellement qu'il est obligé de quitter son siège pour aller regarder la suite du match sur l'écran de la télévision couleur installée dans les locaux de la direction.

Parfois Peter oublie sa volonté de ne pas laisser paraître ses émotions. Il est capable d'être sardonique dans ses observations sur le comportement des autres. Ce trait de caractère apparaît clairement dans une description qu'il rédigea pour lui-même d'un voyage de retour d'Israël en septembre 1976.

J'étais assis en première classe dans un appareil d'El Al sur le point de décoller de Tel-Aviv pour New York. Une Israélienne d'une quarantaine d'années était assise à côté de moi. Elle m'expliqua qu'elle et son mari voyageaient gratuitement car il était employé de la compagnie. J'eus à peine le temps de me remettre de cette révélation qu'elle enchaîna:

— Mon mari est assis là-bas à côté de M. Eban.

Je la félicitai de la chance qu'il avait. J'appris du même coup qu'elle était bien contente de n'être pas à sa place, car il lui était impossible d'imaginer ce qu'elle aurait bien pu dire au "grand homme".

A ce moment-là, un steward d'El Al s'approcha et informa la dame que son mari et elle devraient malheureusement déménager en classe économique parce que deux passagers ayant acheté une place de première classe venaient de monter à bord. Il se tourna vers moi et me demanda si j'avais objection à aller m'asseoir à côté de M. Eban. Le steward ne voulait pas séparer le couple qui venait d'arriver. Je lui demandai s'il n'était pas possible de proposer plutôt à M. Eban de venir s'asseoir dans le siège libre à côté de moi. Il était installé tout près du bar, dans le vacarme et le va-et-vient en direction des toilettes. Le steward n'avait manifestement pas envie de demander à M. Eban de déménager. Je pris donc ma serviette et allai m'asseoir à côté de lui.

Je lui tendis la main et me présentai. Je pensais que mon nom lui rappellerait peut-être cette période de 1967, juste après la Guerre des Six jours où il passa quelques heures dans la maison de mes parents à Montréal, avant d'aller prononcer devant un vaste auditoire une conférence sur le conflit arabo-israélien. La question était alors chaudement débattue aux Nations-Unies. Cette fois-là il avait marmonné quelque chose en guise de réponse à ma tentative de lier conversation, le regard fixé à mi-chemin entre le plafond et le haut d'un petit Sisley accroché au mur. Je me rappelle avoir pensé alors que je n'aurais peut-être pas dû interrompre les pensées d'un homme sur qui le monde entier a le regard braqué. Tout cela me traversait l'esprit au moment où je lui tendis la main. Il me la serra

et grommela une phrase fort semblable dans son ton et son conte-
nu à celle que j'avais entendue neuf ans plus tôt. Le sourire
aussi était du même cru.

Je réalisai que M. Eban était sans aucun doute encore une
fois préoccupé par de graves questions — même si elles étaient
moins critiques qu'en 1967. Je décidai donc de le laisser parcou-
rir tranquillement la douzaine de journaux anglais et hébreux
qu'il avait sur les genoux. Quand on servit le petit déjeuner et,
quelques heures plus tard, le déjeuner, mes quelques commentai-
res sur la nourriture rencontrèrent le même sourire diplomati-
que qui semblait sa marque de commerce. Je présume que cette
manière stéréotypée de répondre aux manoeuvres d'approches de
la masse indistincte a pour objectif de décourager toute discus-
sion de façon à lui permettre de rester seul avec ses pensées et
"son peuple". Son système était sans contredit très efficace.
La seule autre fois où je le dérangeai, ce fut pour lui demander
quelques feuilles de papier. Il gardait toujours son carnet à
portée de la main et de temps en temps y griffonnait quelques
notes. C'est sur ces feuilles que j'ai décrit comment M. Eban et
moi, nous avons mangé ensemble [1].

---

1) Peter n'a publié aucun de ses écrits, mais il existe un petit volume poly-
copié intitulé simplement *Poèmes 1969-1970* et qui reflète bien ses attitudes et
sa façon de voir. Le texte intitulé *Cocktail* traduit sa haine des rencontres sociales futiles:

> *Salut! Le bar est là-bas!*
> *Au revoir! Vous partez déjà?*
> *Je suis malade, je rentre chez moi!*
> *Parfait! Portez-vous bien.*

Le texte titré *Poursuite* donne une idée des terreurs secrètes qui hantent Peter:

> *Il était debout devant ma voiture*
> *et ne voulait pas s'en aller*
> *Je suis sorti et l'ai poussé de côté*
> *et alors j'ai démarré*
> *et il s'est mis à courir à côté de moi*
> *et il a sauté*
> *il a essayé de s'agripper à la portière et à la vitre*

Bien que Peter soit un membre actif du conseil d'administration de l'Hôpital général juif de Montréal [2], il lui arrive fréquemment de s'opposer à la façon de penser de l'Establishment juif de Montréal. Arthur Pascal, doyen officieux de la communauté juive du Québec, l'accusa un jour d'ignorer les intérêts collectifs de la communauté. Peter explosa: "Ecoutez! j'ai entendu ce refrain toute ma vie. Cela ne veut rien dire. Des gens qui sont exposés à ces critiques à partir de vingt ans les prennent peut-être au sérieux; moi, je les ai entendues dès l'âge de cinq ans. Je ne me soucie pas de l'Establishment. Et je ne les laisserai pas me mettre cela sur le dos!"

La répugnance qu'éprouve Peter à faire partager sa vie privée lui vient probablement de son enfance solitaire. "J'ai grandi dans un château sur une montagne, sensible mais sans être réellement conscient de ce qui se passait. Je n'avais pas d'amis et pas de contact réel avec mes parents. J'ai eu une gouvernante depuis l'âge de cinq ans jusque vers dix ans. J'y étais tellement attaché que lorsque nous nous sommes revus en Irlande dix-huit ans plus tard, nous sommes tout simplement tombés dans les bras l'un de l'autre et nous nous sommes longuement, très longuement embrassés."

Peter se sépara de sa première femme, Diane Feldman, en 1973. Trois ans plus tard, il épousa Théodora

---

il est tombé
je l'ai regardé dans le rétroviseur
couché là qui me haïssait
et c'est alors que je suis tombé dans ce maudit ravin

2) Peter, Edward et Allan ont récemment fait un don de cinq cent mille dollars à cet hôpital pour permettre l'installation d'une unité de soins intensifs. L'hôpital comporte également une aile qui porte le nom de Allan et Lucy Bronfman en signe de reconnaissance pour les contributions nombreuses de la famille.

Reitsma, une Hollandaise blonde et vive au visage blême et émacié qui semble toujours sourire, tendue comme un tournesol vers le soleil. Ses enfants fréquentent les meilleures maisons d'enseignement [3], mais Peter vit de façon extrêmement modeste. Tout récemment, il déménagea dans un appartement du centre-ville de Montréal. Jusqu'alors il avait toujours habité une villa de quatre-vingt-dix mille dollars située Place Trafalgar, à soixante-quinze pieds des limites est de Westmount. Il conduit une Mercury brune. Son seul luxe véritable est une collection d'oeuvres d'art qui comprend des tableaux de Chagall, Lawren Harris et Alfred Pellan et certaines très belles pièces d'art esquimau (la maison est tellement pleine de sculptures que Jack Pierce, président de la Ranger Oil et ami de Peter, a dit un jour que le salon des Bronfman lui faisait toujours penser à "la boutique hors taxe de l'aéroport de Gander").

Peter a horreur de dépenser de l'argent. Trevor Eyton, son avocat torontois et représentant au sein de nombreux conseils d'administration, se rappelle qu'un jour, ils se reposaient ensemble dans une chambre d'hôtel de Vancouver. Peter enleva ses chaussures. Eyton remarqua, non seulement qu'une de ses chaussettes était trouée, mais aussi que ses bas avaient de nombreuses reprises. Pendant un voyage de chemin de fer (en voiture coach) sur le rapido du CN entre Montréal et Toronto, son compagnon s'acheta un sandwich au jambon et au fromage. Peter lui demanda de le partager. Un jour, sa femme, Dora, commanda en entrée un demi-homard au restaurant de l'hôtel *Hyatt*

---

3) Linda, la fille de Peter, et son frère Bruce étudient à l'Université Brown de Providence, tandis que Brenda, la plus jeune des enfants de Peter, est inscrite à l'école Taft, dans le Connecticut. Peter lui-même fréquenta la Lawrenceville School, dans le New-Jersey, et obtint son diplôme universitaire à Yale en 1952.

Regency de Toronto (dont il détenait jusqu'à tout récemment trente-sept pour cent des parts) [4]. Cela énerva tellement Peter qu'il se mit à jouer avec son alliance, si bien qu'elle finit par tomber sur le plateau de service en étain en faisant un bruit symbolique.

"Je ne me sens pas assez à l'aise pour dépenser l'argent comme le font mes cousins ou pour vivre dans le genre de maison dans laquelle ils vivent, dit Peter. J'ai toujours la même sensation. Je me dis: "Bon sang! Regarde tout l'argent qu'un tel ou un tel dépense. Il doit penser qu'il sera toujours capable d'en avoir". Une part importante de moi-même se dit:"Mon Dieu, l'argent m'est venu, mais un beau jour il pourrait bien disparaître complètement!""

Edward, le frère de Peter, partage la plupart de ces opinions, comme il partage également le contrôle des affaires de cette branche de la famille Bronfman. De deux ans plus âgé que Peter, Edward fréquenta le collège Bishop de Lennoxville dans les Cantons de l'Est au Québec et obtint ensuite un baccalauréat en sciences avec spécialisation en gestion des entreprises de l'Institut Babson, près de Boston. Divorcé depuis peu (de Beverly Chertkow de Saskatoon), Edward habite une villa à Westmount. Il conduit une petite BMW et passe le plus clair de ses temps libres à faire du ski, du jogging ou en compagnie de ses trois fils, Paul, David et Brian. "Je ne regarde jamais vraiment en arrière, dit-il. Mon enfance fait partie de mon apprentissage de la vie. Cela m'a seulement demandé un peu plus de temps pour parvenir à me comprendre vraiment. Je ne pense pas que personne m'ait jamais particulièrement aidé. Je me suis simplement rendu compte que les braves

---

4) *Hyatt Regency* de Toronto fait maintenant partie de la chaîne Four Seasons.

types ne courent pas les rues. Je suis maintenant beaucoup moins facile à rouler que j'ai déjà pu l'être autrefois''.

"En affaires, dit Jack Pierce, dirigeant de la Ranger Oil, l'un des investissements favoris d'Edward, ce dernier demande et obtient qu'on le traite de façon spéciale. Il est extrêmement courtois, mais parfois attend des autres le respect dû à un aristocrate de la grande entreprise''.

Edward est légèrement moins tendu que Peter et beaucoup plus sociable. Mais il est sourd d'une oreille et cela contribue à lui donner un air inquiet comme s'il s'attendait constamment à quelque coup imminent du sort et qu'il avait à retenir ses paroles comme des pierres précieuses, de peur que ses commentaires inconsidérés ne déclenchent la catastrophe finale. Les deux frères dépendent émotivement l'un de l'autre, mais en affaires ne considèrent pas qu'ils sont interchangeables. Leur autorité respective dans le holding, baptisé d'après leurs noms, est de caractère très différent. "Les parts d'Edper sont divisées également, dit un spécialiste en investissement qui a déjà travaillé pour eux, mais si Peter dit non, c'est final. Quand Edward dit non, cela reste: peut-être''.

Peter et Edward nient avec force toute hypothétique rivalité entre eux et leurs cousins Charles et Edgar. Mais c'est bien difficile à croire. A peine Charles avait-il acquis les Expos qu'ils achetèrent les Canadiens; quand la compagnie Cemp se lança dans l'investissement immobilier de grande envergure (avec Fairview et Cadillac), Edper fit de même et prit le contrôle de Trizec; les deux clans ont tenté chacun d'accroître leurs investissements dans les systèmes de télévision. A l'automne 1972, Edper évinça Cemp pour obtenir le contrôle d'Astral Communications, une grosse entreprise de distribution de films et d'émissions de télévision, dont le siège social se trouve à Toronto. "Peter et Edward ont agi en bons citoyens et, en conséquence, font honneur au nom de la famille dit Edgar. Je pense que cela a peut-être été une erreur d'acheter les Canadiens après que Charles ait acquis les Expos. Nous ne voulons réellement pas que les Bronfman dominent les sports à Montréal. Mais ils ont le droit de se tailler une place au soleil."

Il n'y a vraiment eu qu'une seule échauffourée ouverte entre les deux branches de la famille. Le 19 juin 1972, lors d'une audience du CRTC à Kingston, Ontario, leurs intérêts respectifs entrèrent directement en conflit. Ils firent les uns et les autres une offre pour acquérir le contrôle de la Canadian Marconi Company qui possédait alors la station CFCF-TV de Montréal et trois stations de radio.

La compagnie dont les intérêts étaient britanniques avait déjà décidé d'accepter l'offre de dix-huit millions de dollars de Cemp, même si l'offre d'Edper comportait un comptant plus élevé. Aux audiences du CRTC, Jacques Courtois, porte-parole de Peter et Edward, accusa le clan de Charles et Edgar de manoeuvres détournées [5], de manipulations boursières et de vouloir acquérir la station de télévision uniquement pour profiter de dégrèvements fiscaux. "J'affirme que, dans ce cas, leur objectif premier n'est pas d'acquérir une station de télévision et des stations radio pour mieux servir la population, accusa Courtois. Leur objectif est de tirer profit des lois sur le fisc. J'affirme que si vous achetez en vue de payer moins de taxes, vous allez essayer de le faire et en même temps maximiser les profits. Vous pourrez déduire ce qui pourrait représenter près de onze millions de dollars en quatre ou cinq ans; et si vous

---

5) Courtois accusa spécifiquement plusieurs administrateurs de Multiple Access Ltd., une compagnie d'informatique contrôlée par Cemp, d'avoir acheté dix mille actions de Multiple (à laquelle Marconi était liée) à un dollar soixante-seize cents l'action, tout en sachant de l'intérieur que l'offre qu'ils comptaient faire en ferait grimper la valeur. Une semaine plus tard, les actions de Multiple valaient sept dollars.

essayez de maximiser les profits, vous n'investissez pas à long terme". Courtois accusa également Cemp de contrevenir aux dispositions de la loi canadienne sur la propriété des entreprises de radio-télédiffusion puisqu'un seul des principaux acquéreurs de la compagnie (Charles) était à l'époque résident de Montréal. Philip Vineberg parlait au nom des enfants de Sam. Il défia Peter et Edward d'oser révéler que l'un de leurs administrateurs, Zoë Scheckman, fille de Mona Bronfman, était citoyenne des Etats-Unis. "Je ne veux pas me laisser accuser de vouloir tromper le Conseil, cria Courtois depuis son siège dans la salle, Zoë Scheckman ne siège pas sur notre conseil d'administration". L'échange de propos aigres-doux se conclut par la décision du CRTC d'approuver l'achat par Cemp. Vineberg résuma magistralement sa pensée: "Quand on se marie, il ne faut pas espérer recevoir de cadeau du rival éconduit!"

De telles rivalités rappellent les querelles beaucoup plus amères qui opposèrent deux autres frères Bronfman pendant les années de vaches maigres dans les Prairies. Allan, le père de Peter et Edward, était le seul des Bronfman de sa génération à avoir fréquenté l'université; il devint avocat et c'est lui qui donna à la famille son lustre social. Il travailla d'abord comme bell-boy dans l'hôtel que possédait Harry à Yorkton. Allan économisa ses pourboires, s'installa à Winnipeg et fit ses études de droit à l'Université du Manitoba. Il finit par travailler comme avoué au salaire mensuel de soixante-quinze dollars pour l'étude Andrews, Andrews, Burbidge et Bastedo. En 1924, il déménagea à Montréal avec Sam et devint son conseiller. Sam et Allan faisaient équipe. Allan était plus brillant et possédait un instinct sûr, particulièrement utile au début pour établir leurs premiers contacts d'affaires.

Sam à la longue se mit à envier l'éducation et l'assurance d'Allan, et surtout la facilité qu'avait son jeune frère de se faire des amis et de monopoliser toute l'attention au cours de réunions mondaines en racontant des histoires et en jouant du piano. Ce qu'il pardonnait sans doute le plus difficilement à Allan, c'était son rôle dans la diversification des activités de la Seagram. C'est allan qui conseilla d'acquérir la Royalite, une compagnie d'huile canadienne. Si Sam était furieux contre ceux qui lui donnaient de mauvais conseils, il devenait littéralement enragé contre quiconque émettait un avis contraire au sien et qui s'avérait plus tard conforme à la réalité.

Allan était têtu (Peter se souvient d'avoir dit un jour à son père alors qu'ils venaient de discuter d'un problème commercial mineur: "Après tout, papa, il y a toujours deux aspects à un problème..."

Le vieil homme l'interrompit, frappa son poing sur la table en déclarant:

— Non! il n'y a pas deux aspects!"

Allan cependant n'était pas de taille à lutter contre Sam. Il devint petit à petit victime du mépris de son frère et fut progressivement écarté des affaires et confiné surtout à la gestion des bonnes oeuvres de la famille, même s'il resta vice-président de Seagram jusqu'en 1975.

Un ancien collègue se souvient s'être trouvé dans le bureau de Sam juste après la déclaration de la Seconde Guerre mondiale. Allan entra, vêtu d'un uniforme de simple soldat de l'armée canadienne. Il s'en allait passer dix jours d'exercices pour réservistes dans un camp militaire de Saint-Bruno, près de Montréal. Il serra la main de Sam, effectua un impeccable demi-tour, marcha jusqu'à la porte, salua et disparut. Sam avait du mal à se contenir: "Regardez-le donc jouer au héros! s'exclama-t-il; ne

dirait-on pas qu'il vient de gagner la guerre? Crisse! S'ils
en ont quelques autres comme lui, Hitler a de bonnes
chances!''

La légion d'honneur de son frère était un des sempi-
ternels sujets de rage de Sam. Pendant la reconstruction,
dans la période de l'immédiat après-guerre, Allan avait
donné un plein bateau de farine à une ville française. Les
Français lui avaient aussitôt décerné la légion d'honneur.
"Pourquoi diable n'a-t-il pas envoyé cette farine en notre
nom à tous? demandait Sam à qui voulait l'entendre.
Tout le reste, il a besoin de nous pour le faire, bon Dieu! Il
est incapable, maudit! de faire quelque chose tout seul et
voilà que c'est à lui qu'ils donnent cette fichue décoration!'' Allan ne souffla mot mais continua d'arborer fièrement à la boutonnière le macaron rouge, signe distinctif
de cette décoration française.

Sam eut sa revanche. Il couronna l'exclusion d'Allan
des affaires de la Seagram par la mise à l'écart de ses deux
fils. Ce qui eut pour résultat d'amorcer une vendetta qui
divisa la famille en deux camps opposés et qui aujourd'hui
encore est prête à ressurgir lors des contacts apparemment
cordiaux (mais rares) entre les deux clans. Allan, lui-
même, se satisfaisait assez de ne jouer qu'un rôle secondai-
re dans les affaires du géant de la distillerie. Mais il ne cessa
jamais d'espérer qu'Edward et Peter seraient un jour du
nombre de ses administrateurs seniors. Sam choisit de les
exclure carrément avant même d'être à même de juger de
leurs talents. Minda se souvient que la tension, qui commençait à monter entre les deux voisins du chemin du Belvédère, l'avait frappée. "Quand nous étions plus jeunes,
nous pensions que nos cousins feraient partie de la compagnie. Plus tard, nous sûmes ce qu'il en était réellement''.
Charles est plus laconique: "P'pa ne voulait absolument
pas d'eux dans les affaires''.

Le coup de grâce qui mit définitivement un terme aux espoirs du clan d'Allan fut porté à l'été 1952, peu de temps après que Peter ait obtenu son diplôme de Yale. Allan s'en rappelle. "Les garçons vinrent me trouver. Peter d'abord. Il se mit à crier et me demanda:

— Comment se fait-il que les portes de la compagnie nous soient fermées?

"Alors, je le lui ai expliqué".

Sam et Allan avaient placé leurs parts de la Seagram dans une compagnie privée, Seco Investments, que contrôlaient conjointement Cemp et Edper, leurs deux trusts familiaux. Mais ils n'étaient pas propriétaires à part égale. Sam possédait deux millions deux cent mille actions et Allan un million cent mille. Avec sa majorité de deux tiers, Sam avait le pouvoir d'empêcher les enfants d'Allan de faire partie de Seagram [6]. Il prit sa décision au cours d'une prise de bec mémorable avec Allan. "Sam était fou de rage contre moi, se souvient Allan; et quand Sam devient fou de rage, il est bien capable de s'en prendre à quatre générations à la fois!"

Sam donc l'emporta. Mais il fut si fâché que son frère ait osé remettre en doute son autorité suprême que les douze mois suivants, il refusa de lui adresser la parole. "Pendant toute une année, dit Allan, il est passé devant

---

6) En réalité, la situation était beaucoup plus compliquée. Allan avait un moment envisagé de remettre en question l'hégémonie de Sam. Les huit enfants Bronfman possédaient alors cinquante-trois pour cent des actions en circuit ordinaire de Seagram. En alignant toutes les actions que ne détenait pas le clan de Sam et en recourant à l'appui d'investisseurs extérieurs, Allan aurait pu faire suffisamment pression sur Sam pour le faire changer d'idée à propos de Peter et Edward. Mais Allan partait perdant. Comme Cemp détenait la majorité des actions de Seco, le vote de Sam était fort, non seulement des actions de la Seagram qu'il détenait en propre, mais aussi des actions détenues par Edper et contrôlées par Seco. Allan se trouvait désarmé et absolument incapable de forcer son frère à revenir sur sa décision.

mon bureau, voisin du sien, sans jamais s'arrêter pour me dire un mot". Aucun des membres des deux clans ne s'aventura à franchir la ligne de démarcation que constituait l'allée bien entretenue qui sépare leurs deux manoirs sur le chemin du Belvédère.

Huit ans plus tard, Sam porta un autre coup. Après avoir réussi à éliminer les deux enfants d'Allan de toute responsabilité au sein de la compagnie, il décida de les dépouiller de la moitié de leur portefeuille. Les actions de la Seagram valaient à l'époque sur le marché ouvert vingt-huit dollars l'unité. Sam planifia de racheter six cent mille du million cent mille actions détenues par Edper et de les payer vingt-six dollars l'action, alléguant qu'il était en droit de bénéficier d'un escompte à cause de la quantité d'actions qu'il achetait. Peter et Edward furent forcés d'accepter parce que l'offre était assortie d'une menace à peine voilée: s'ils refusaient, leur père serait éliminé du seul poste de responsabilité qu'il détenait encore, la vice-présidence de Seagram. Ce coup d'éclat porta à deux millions huit cent mille le nombre d'actions que détenait Sam. Deux fractionnements ultérieurs de deux pour un portèrent ce nombre jusqu'à plus de onze millions, quantité d'actions que possède aujourd'hui sa famille. En même temps, la part d'Edper dans Seagram tomba à cinq cent mille actions, qui, à cause des mêmes fractionnements, finirent par laisser au clan d'Allan deux millions de parts. Depuis, Peter et Edward se sont défait de ces titres en proclamant, dans leur dignité offensée, "qu'il y avait bien d'autres investissements plus rentables".

La rupture définitive avec Sam eut lieu en 1969. Peter et Edward étaient en train d'effectuer leur première manoeuvre financière de grande envergure. En tentant d'acheter la Great-West Life Assurance, une grosse compagnie d'assurances dont le siège social est situé à Winnipeg, ils firent grimper la cote de la Great West Sadlery Ltd., holding qui était leur instrument de prise de contrôle. Les actions de la Sadlery grimpèrent de quarante-six cents à vingt-quatre dollars. On les considéra tout d'un coup dans le milieu des affaires comme les nouveaux renards de la finance canadienne. Le 16 février, Sam convoqua Peter dans son bureau. Il lui mit sous le nez une liasse de coupures de presse qui toutes vantaient la montée spectaculaire des "autres" Bronfman.

— Peux-tu, diable! m'expliquer ce que cela signifie? demanda Sam.

— Je l'ignore, répondit Peter. Je ne réponds jamais aux coups de fil des journalistes. Je ne suis pas responsable de ce qu'ils écrivent.

— Ta ligne d'affaires personnelle est toujours reliée au central téléphonique de la Seagram?

— Oui! Mais nous payons tous nos appels interurbains.

— Bon! Tu ferais mieux de la faire débrancher. Et tout de suite!"

Les derniers liens ombilicaux entre les deux familles venaient d'être coupés.

Peter était alors âgé de quarante ans. Edward et lui n'avaient pas encore réussi grand chose. Ils avaient ouvert un édifice à bureaux, au 2055 rue Peel, à Montréal (où sont toujours situés leurs quartiers généraux), avaient acheté quelques salles de bowling, étaient devenus actionnaires d'une petite imprimerie, et surtout étaient restés inactifs, trop effrayés de faire des gaffes en prenant des risques. Mais maintenant, ils n'avaient plus d'excuses! La rupture brutale avec l'oncle Sam changea radicalement leur perception des choses. Ils cessèrent soudain d'avoir peur. Ils se rendirent compte qu'il n'est pas facile de s'en sortir et que le pouvoir de croître et de changer réside en chacun, et non dans les circonstances extérieures.

Ils avaient choisi comme instrument la Great West Saddlery. Cette firme avait été fondée en 1869. Elle vendait des tissus et des harnais à l'époque des chevaux et des charriots. La Police montée du Nord-Ouest lui avait commandé ses selles de style western; pendant la Première Guerre mondiale, la compagnie fournit quatorze mille brides à la cavalerie alliée. Divers investisseurs, avides d'exploiter ses trésors, s'étaient déjà repassé ses actions. En mars 1958, l'entreprise tomba entre les mains de deux hardis spéculateurs appelés Hugh Paton et Hubert Cox. Ils acquirent le contrôle de Brandon Packers, la compagnie de George H. Hees (manufacture d'appareils ménagers située à Toronto) et celui de Chapples Ltd. (une petite chaîne de magasins à rayons située dans le nord-ouest de l'Ontario). Ils proclamaient qu'ils allaient faire de la Great West Saddlery l'une des entreprises commerciales les plus importantes du pays. Paton voyait grand. Il prétendait que leur seul vrai compétiteur était Eaton et que les ventes atteindraient cent millions de dollars en 1964. En réalité, la compagnie frôla la faillite. Paton et Cox furent condamnés à quatre ans de prison pour avoir fraudé les actionnaires de Brandon Packers.

Peter et Edward Bronfman acquirent le contrôle de la Saddlery en mai 1968 pour quatre-vingt-quinze mille dollars. Ils achetèrent le reste des actions du trésor de la compagnie pour cinq cent quatre-vingt-dix-sept mille dollars. Paul Lowenstein et Neil Baker, deux jeunes brillants diplômés en administration (MBA) qui travaillaient à l'époque pour Edper entreprirent une série d'investissements rapides. Ils poussèrent la Saddlery, firme jusqu'alors un peu assoupie dans les secteurs industriels les plus florissants des prospères années 60: le monde de l'informatique (en faisant l'acquisition de Aquila Computers Services); la recherche spatiale (en fondant la Space Research Corporation pour prendre le relais du Space Research Institute) [7]; l'hôtellerie (en s'associant avec Western International); la consultation en management (par le biais d'un bureau appelé Berthiaume, Saint-Pierre, Thériault et Associés); et l'investissement immobilier (en s'associant avec Sam Hashman [8] et son impressionnante série de propriétés immobilières. Chacune de ces transactions fit grimper la valeur des actions de la Saddlery. Au début de 1969, Edper se lança dans une manoeuvre en vue d'acquérir le contrôle de la Great-West Life, compagnie qui valait un milliard cinq cents millions de dollars avec un chiffre d'affaires de plus de huit milliards. Les actions de cette compagnie d'assurances ultra-conservatrice de Winnipeg étaient assez éparpillées pour que le contrôle puisse en être acquis sur le marché

---

7) Ses laboratoires sont situés le long de la frontière entre le Vermont et le Québec. Elle possède aussi une rampe de lancement à la Barbade qui date d'un programme spatial canadien. Ce programme se servait d'installations de la marine américaine, tombées en désuétude, pour lancer des sondes spatiales et des satellites. Le programme, dirigé par un astrophysicien de l'Université McGill, Gérald Bull, a mis au point ultérieurement de nouveaux armements qui accroissent de trente et un à cinquante kilomètres sans aucune perte de précision la portée du Howitzer cent soixante-quinze mm américain. Les armées israéliennes ont utilisé cette arme; elle leur permet d'atteindre les installations égyptiennes à partir de la Passe de Mitla et Damas à partir des hauteurs du Golan.

8) Hashman n'a jamais terminé ses études secondaires. Il s'est lancé dans l'immobilier en 1950 avec cinq mille dollars en poche. A l'époque où il décida de fusionner avec la Great West Saddlery, il avait déjà transformé radicalement l'apparence du secteur des gratte-ciel dans le centre des villes de Regina, de Calgary et d'Edmonton. Il apportait avec lui un portefeuille de plus de neuf millions cinq cent mille dollars. A part les costumes verts à carreaux, il adore les grands yachts. Il a déjà transformé un avion BAC 1-11, d'une capacité de soixante-dix-neuf passagers, en villa aérienne entièrement équipée et munie même d'un lave-vaisselle. (Il l'a vendu récemment pour acquérir un JetStar de Lockheed). Hashman vit habituellement en Californie, mais garde des intérêts à Calgary.

ouvert. Les Bronfman s'emparèrent rapidement de cent quatre-vingt-quatorze mille actions en offrant pour chaque action de la Great-West Life six certificats du trésor de la Saddlery et trente dollars. Le prix d'achat total de soixante-seize millions entrait facilement dans les possibilités financières d'Edper. La valeur des actions de la compagnie d'assurances, vendues à soixante-dix-neuf dollars l'unité à la fin 1968, grimpa rapidement à cent quarante-neuf dollars. Les opérations sur les titres de la compagnie furent suspendues pendant cinq jours à la demande de David Kilgour, président de la Great-West Life, déterminé à empêcher les Bronfman de prendre le contrôle de sa compagnie. L'offre de Saddlery ne tint plus au moment où Paul Desmarais entra dans le décor. Les Bronfman purent néanmoins revendre à gros profit au président de Power Corporation le stock d'actions de la Great-West Life qu'ils avaient accumulées [9].

C'est Jacques Courtois, un avocat de Montréal, qui négocia la transaction avec Paul Desmarais. Il devint par la suite le plus important associé de Peter et Edward. Après une brillante carrière navale (comme officier de marine sur la corvette *Saskatoon*), Courtois mit rapidement ses connaissances juridiques en application dans le monde des affaires. Il devint administrateur de la Banque de Nouvelle-Ecosse, de la compagnie d'assurances Eagle Star, de la Brinco, d'IAC, de Norcent Energy Resources, de CAE Industries, Canada Life, McGraw-Hill Ryerson, Québec Iron Titanium, des Papeteries Rolland, du *Ritz Carlton* et d'une demi-douzaine de fonds mutuels, dont quelques-uns

---

9) Pour plus de détails sur la contre-offre de Desmarais, se référer au livre de Peter C. Newman, *The Canadian Establishment*, vol. I, Toronto, 1975, pp. 78-80.

de la famille Eaton [10]. Courtois est également président de la compagnie de Gaz Métropolitain de Montréal et principal représentant canadien du puissant groupe franco-belge Empain-Schneider. Son rôle le plus visible a été la présidence du club de hockey des Canadiens. Quand ils possédaient le club, Peter et Edward assistaient à la plupart des parties, mais ils plaçaient délibérément Courtois, leur homme, dans le box du propriétaire. Quand le Gouverneur général ou quelque autre personnalité se rendait au Forum, c'est Courtois qui l'escortait entre les périodes dans les salons réservés à la direction. Les frères Bronfman rôdaient gauchement aux alentours, comme s'ils passaient là par hasard et qu'ils n'étaient pas tout à fait sûrs d'avoir vraiment le droit d'entrer [11].

Courtois, homme d'affaires judicieux, a des allures d'aristocrate et une façon d'agir élégante. Il est un des juristes les plus brillants du monde des affaires de Montréal. Il passe ses temps libres à faire de la chasse à courre au Domaine du Lac des Deux-Montagnes, près de Hudson, à l'ouest de Montréal. C'est lui qui dirige les campagnes de souscription du Parti conservateur au Québec. Il habite dans un manoir occupé jadis par Lady Davis (la première femme de Sir Mortimer). Il est à la fois administrateur d'Edper et du trust privé qui le contrôle. "Peter et Edward n'ont pas besoin de revenus supplémentaires, dit-il, c'est pourquoi notre principal critère d'investissement reste la croissance à long terme dans quelques compagnies admi-

---

10) En octobre 1977, Nicole Cleophée, fille de Courtois, épousa Thor Edgar Eaton, avant-dernier des quatre fils de John David Eaton. Le clan Eaton au grand complet assista à la réception offerte après la cérémonie au club *Mont Royal*.

11) Paul, le fils d'Edward, causa quelque émoi pendant une saison, non seulement parce qu'il devint un chaud partisan des Maple Leafs de Toronto, mais parce qu'il insistait pour porter leur chandail dans le Forum.

nistrées de façon sûre et qui font des affaires dans des secteurs où nous nous sentons à l'aise et compétents."

Edper est géré par Jack Cockwell, un expert comptable originaire d'Afrique du Sud, qui allie à une conception rigoureuse des opérations d'investissement une sorte de sixième sens extrêmement développé qui lui permet de détecter à coup sûr les bonnes affaires [12]. Austin est un autre conseiller en investissement important dont la firme Beutel, Goodman administre trois cents millions de dollars placés dans des fonds privés. "Peter et Edward se sont débrouillé pour s'appuyer sur les actions de la Seagram et se créer un énorme actif, dit-il. Les capitaux dont ils disposent sont énormes et génèrent un afflux d'argent, mais le sommet n'est pas encore atteint".

J. Trevor Eyton, avocat réputé de l'étude Tory, Tory, Deslauriers et Binnington, dirige la division torontoise de Edper. Il chuchote ses avis légaux et, l'été, garde dans son bureau une longue-vue braquée en permanence sur l'Ile Olympique, située dans le port de Toronto, de façon à pouvoir surveiller ses filles qui prennent des cours de voile au *Royal Canadian Yacht Club*.

Peter et Edward Bronfman président aux destinées d'Edper grâce à ce qu'ils appellent des "intuitions bien informées". Ils étudient attentivement les rapports financiers mensuels de leurs compagnies. Ils s'informent auprès d'éventuels promoteurs et tâchent de leur avancer des capitaux. Harold Milavsky, président de Trizec, un des principaux holdings de Elper, dit: "Peter s'adresse aux bonnes personnes. Il leur fait confiance et leur donne des moyens

---

12) L'équipe de direction d'Edper se compose de cinq autres administrateurs seniors: Tim Price, David Kerr, Leonard Spilfogel, Tim Casgrain et Donald Marshall — plus un personnel de soutien composé de cinq comptables et de secrétaires.

d'action. Son secret c'est qu'il leur laisse entière autorité et pleine responsabilité, une fois qu'ils ont prouvé ce dont ils étaient capables. A Trizec, par exemple, nous lui rendons des comptes uniquement lors des réunions trimestrielles du conseil d'administration. ''

Les deux frères Bronfman, Courtois, Cockwell, Eyton et Beutel se sont arrangé pour qu'au moins deux ou trois d'entre eux fassent partie des conseils d'administration de chacune des neuf grandes compagnies dans lesquelles ils possèdent des intérêts [13] (les nombres entre parenthèses derrière les noms des firmes représentent le pourcentage d'actions détenues par Edper ou détenues par une compagnie contrôlée par Edper):

1. *Boyd, Stott and McDonald Limited,* Toronto (treize pour cent). L'homme qui convient à l'endroit qu'il faut et au bon moment. Ce trio devint en une quinzaine d'années l'une des puissances financières du Canada. Son plus beau fleuron est une banque à charte (la Banque canadienne de commerce et d'industrie qui possédait au premier juin 1978 un actif de cent soixante-six millions). Boyd, Stott and McDonald Ltd. investit dans les domaines les plus variés, depuis des investissements immobiliers sûrs aux investissements dans des technologies d'avant-garde.

---

13) Edper a gardé un droit de rachat sur les 24,2 pour cent d'actions de la Canadian Cablesystems Ltd. qu'il a récemment vendue pour la somme de dix-sept millions quatre cent mille dollars en argent liquide à TWC Television Ltd, une filiale appartenant au télédiffuseur torontois, Ted Rogers. Cablesystems n'est pas seulement l'une des plus grosses entreprises de télédistribution par câble au monde (avec quatre cent trente mille abonnés et des revenus de vingt-sept millions de dollars en 1977) mais cette firme détient également 48,9 pour cent des intérêts de Famous Players Ltd., la plus importante chaîne de cinémas canadienne (trois cent dix salles), sans compter les soixante-dix salles qu'elle possède en France. Edper possède également dix-huit pour cent des actions de Behavioral Research Laboratories, une compagnie californienne d'équipement pédagogique et scolaire.

Boyd, Stott et McDonald firent leurs premières armes dans le lucratif secteur hypothécaire pendant le boom de la construction des années 50: Michael Boyd avec Greenshields Inc. à Montréal en 1952, J.T. Stott avec Greenshields à Toronto en 1954 et W.H. McDonald, avec le service du prêt hypothécaire de la Banque de Nouvelle-Ecosse à Toronto en 1955. En 1961, les deux hommes de Greenshields contactèrent Bill McDonald à la B.N.E. pour amener leurs firmes à certains investissements hypothécaires conjoints dans le cadre de la Loi nationale sur l'habitation et à certains investissements dans le secteur de la promotion et du développement de projets immobiliers. La Scotia Convenants, section hypothécaire de la Banque de Nouvelle-Ecosse, la Markborough Properties (compagnie de promotion immobilière de Toronto qui fut l'objet d'une chaude lutte pour en obtenir le contrôle en 1971) et MICC Investments, la première et la plus grosse compagnie canadienne d'assurance hypothécaire du secteur privé, débutèrent en même temps que les trois hommes au début des années 60.

En 1964, les deux hommes de Greenshields fondèrent Boyd et Stott Ltée, que rejoignit McDonald en 1966. L'incorporation actuelle sous le nom de Boyd, Stott et McDonald (BSM) date de 1971, année ou Terry Stott se retira du groupe pour oeuvrer dans d'autres secteurs, tandis que Edper se joignit à l'impressionnante liste d'investisseurs de la BSM [14]. En 1978, cette liste comprenait: Time Inc.;

---

14) La structure de la BSM offre des possibilités d'investissement exceptionnelles pour des investisseurs du type d'Edper. Par exemple, Mico Enterprises, du groupe Edper, détenait cinquante pour cent des intérêts d'une filiale du BSM, Westguard Holdings Ltd., créée pour prendre la suite de Westmount Life Insurance Co. La vente de Westguard en 1976 rapporta à Mico un bénéfice d'un million six cent mille dollars (Westguard avait acquis cinquante-quatre pour cent des intérêts de Westmount Life en 1973 pour deux millions de dollars).

Duke Seabridge (filiale canadienne des intérêts britanniques et irlandais de la famille Guinness Starlaw Investments (principal holding de la famille McConnell de Montréal); les fonds de pension du CN et d'Air Canada; et finalement Mike Boyd et Bill McDonald eux-mêmes.

BSM réussit son plus gros coup en mars 1975, quand une filiale, la Morguard Trust Company, devint la compagnie attitrée des cinq plus grosses banques à charte pour les plans enregistrés d'épargne-logement — ces dispositions qui permettent aux Canadiens de mettre mille dollars de côté par an pendant dix ans, sans taxe, en vue de l'achat d'une maison. A la fin de juillet, la même année, la loi créant une onzième banque à charte canadienne, la Banque canadienne pour le commerce et l'industrie, parrainée par BSM, avait franchi toutes les étapes législatives. Le processus prit huit semaines. Un record de vitesse dans la création d'une banque à charte au Canada!

En 1976, le portefeuille de la nouvelle banque, ainsi que ceux d'autres services financiers, furent regroupés dans une nouvelle filiale, Boyd, Scott and McDonald Investments (BSMI). Morguard Investment Services faisait également partie du groupe. Cette dernière firme fêta son dixième anniversaire en 1976, en annonçant pour la première fois un profit net excédant le million de dollars et un portefeuille hypothécaire actuel et potentiel excédant le milliard [15]. L'année suivante BSM créa Boyd, Stott and

---

15) L'envergure des transactions dont est capable la BMSI fut clairement établie au printemps 1978, quand sa filiale, Morguard Properties, agit comme agent de Pensionfund Realty pour l'achat, au prix de quarante millions de dollars, de propriétés immobilières que possédaient la famille Reisman dans les environs de Toronto (Morguard Trust agit comme administrateur dans la transaction). Quelques mois plus tard, Morguard déboursa environ trente millions de dollars en vue d'acquérir pour le compte de Pensionfund Realty, un building en construction au 50 de la rue Bloor Ouest, au coeur du quartier commerçant de Toronto. Le principal locataire de cette édifice sera le magasin

McDonald Technologies pour s'occuper des divers intérêts du groupe dans la technologie de pointe: brevet de mise au point d'un nouveau type de fournaise aérothermique; brevet pour un système d'arrosage automatique susceptible de doubler le rendement de l'appareil; nouveau procédé de restructuration de la molécule d'amidon qui permet de produire de nouveaux produits chimiques; appareil capable d'étudier, de classer, de mémoriser les empreintes digitales, etc.

2. *Ranger Oil (Canada) Ltd*. Calgary (six pour cent, plus des actions privées). Une ambitieuse firme de prospection qui est devenue la troisième plus grosse compagnie du Canada à oeuvrer dans le domaine. Elle possède de substantielles réserves de gaz naturel et d'huile en Alberta, dans la Mer du Nord, au Colorado, au Texas, en Louisiane, au Wyoming et dans la mer celtique au large de l'Irlande. C'est sur l'iniative d'Edward Bronfman qu'Edper commença à investir dans Ranger en 1964. Cet investissement s'avère un des meilleurs d'Edper. "Les intérêts que détiennent les Bronfman dans notre entreprise, dit Jacques Pierce [16] président de la Ranger, représentent le meilleur gage possible de bonne santé, en ce sens que nous disposons d'un capital stable, placé à long terme dans une entreprise à risques élevés. Edward est un membre très actif de

---

à rayons Holt, Renfrew. Le vendeur était Fobasco Ltd., une compagnie privée d'investissement contrôlée par la famille Fingold de Toronto.

16) Pierce compte parmi les dirigeants d'entreprise pétrolière les plus influents et les plus éclairés au Canada. Il est aussi l'un des très rares Juifs qui a réussi à se tailler un poste de premier rang dans cette industrie. Lors d'une assemblée annuelle de la compagnie, sa mère servit une fois des bagels et du café. Avant la naissance de son fils, il ne jouait aucun rôle actif dans la communauté juive. Il décida néanmoins de faire circoncire son garçon. Il rentre chez lui en avion. Il habite un nouveau ranch de un million cinq cent mille dollars à quatorze milles de Calgary.

notre conseil d'administration; il n'a jamais raté une réunion et possède à un haut degré le sens de l'éthique des affaires. Je me souviens qu'au moment de la découverte du gisement de Rainbow, nous avions besoin d'un million de dollars très rapidement pour racheter les intérêts d'un de nos partenaires. Les gens de chez Edper voulaient assortir la transaction d'une clause qui leur aurait permis de tirer plus de profits du nouvel arrangement, mais Edward fut de l'avis contraire et nous avança l'argent sans conditions."

3. *S.B. McLaughlin Associates limited,* Mississauga (dix-huit pour cent). Grosse firme de développement foncier et immobilier. Elle possède un actif de deux cent cinquante millions de dollars qui comprend de nombreux lots situés dans des banlieues urbaines du sud de l'Ontario, soixante-quatre pour cent des intérêts de Grouse Mountain Resorts, centre de loisir et zone de développement domiciliaire à quinze minutes du centre-ville de Vancouver, et enfin de vastes étendues de tourbières au Manitoba et au Nouveau-Brunswick. McLaughlin est également propriétaire du plus gros centre commercial du Canada, le Square One à Mississauga. La compagnie vient d'acheter d'importants lots de terrains au Michigan [17].

4. *IAC Limited,* Toronto (19,4 pour cent). Connue sous le nom d'Industrial Acceptance Corporation, IAC

---

17) Pendant tout un temps, le plus mauvais investissement de McLaughlin fut cet hôtel de huit cent soixante-deux chambres (baptisé au début: "le plus grand *Holiday Inn* du monde") qui devait être construit en vue des jeux Olympiques de 1976, à Montréal. L'édifice ne fut pas achevé à temps à cause de nombreux problèmes, et notamment une grève de six semaines des ouvriers de la construction, cependant que les coûts grimpaient de trente à soixante millions de dollars. En 1978, McLaughlin et la Sheraton Corporation de Boston en vinrent à une entente en vertu de laquelle Sheraton s'engageait à financer les travaux pour terminer l'édifice de trente-sept étages du boulevard Dorchester à condition que McLaughlin rachète le *Sheraton Mont Royal* de l'investisseur privé qui le détient. Sheraton gérera à la fois le nouvel hôtel qui sera baptisé *Sheraton* de Montréal et le *Sheraton Mont Royal.*

était à l'origine la plus grosse compagnie de finance du Canada. Un décret du Parlement lui permit de se transformer en Banque continentale du Canada. Ses avoirs s'élevant à deux milliards cinq cents millions de dollars, ses deux cent soixante succursales et ses quatre cent cinquante unités administratives en firent la sixième plus grosse banque à charte du pays.

5. *National Hees Enterprises Limited,* Toronto (soixante-dix-huit pour cent). Société d'investissement dont le portefeuille (d'une valeur de vingt millions de dollars) comprend vingt-deux pour cent des parts de Carena-Bancorp, un autre holding des Bronfman; McGregor-Pine Estates (cent pour cent) qui possède un réseau de terrains de stationnement et de garages à l'échelle nationale; Halco Leasing (cinquante et un pour cent), service de location de voitures et de camions à Montréal et à Toronto; NHE Holdings (cent pour cent) qui administre les prêts consentis par National Hees; et Heco Securities (trente et un pour cent) qui surveille le portefeuille d'Edper, y inclus les actions restantes de Seagram.

6. *Mico Enterprises Limited,* Montréal (soixante-cinq pour cent) [18]. Entreprise commerciale d'opérations bancaires qui administre l'ensemble des biens rassemblés originellement par le Group Captain Kenneth R. Patrick, le génie qui se cache derrière CAE Electronics. Sa liste d'avoirs comprend les sociétés suivantes: Laurentian Lines qui exploite un réseau de machines distributrices et six salles de bowling dans la région montréalaise; Geo W. Bennet, Bryton and Company Ltd., une entreprise commerciale centenaire située dans les Caraïbes qui embouteille Coca-Cola

---

18) Par l'intermédiaire des compagnies privées dont ils sont propriétaires Jack Cockwell, David Kerr et Timothy Price sont des actionnaires individuels très importants de Mico.

à Antigua et y possède une chaîne de supermarchés, un port en eau profonde et une série de concessions automobiles; Northern Reserve Corporation et les Réserves Bancorp, compagnies de prêt et de développement foncier dans les Laurentides; Varitech Investors, service de consultation financière qui oeuvre à Montréal et à Toronto et Mico Securities, entreprise active sur le marché à court terme associée à la Banque mercantile du Canada (avec un capital de dix millions de dollars et une possibilité de crédit de vingt-cinq millions).

7. *Astral Bellevue Pathé Limited,* Toronto (vingt-six pour cent). Avec des ventes qui ont atteint en 1977, vingt-cinq millions de dollars, cette compagnie est un des géants de l'industrie cinématographique canadienne. Astral vend de l'équipement cinématographique, s'occupe du traitement des films et de la distribution des quelque deux mille titres hollywoodiens que comporte sa cinémathèque. Astral produit également ses propres longs métrages.

8. *Carena-Bancorp Incorporated,* Montréal (soixante-dix pour cent). Ce holding est la banque privée de Peter et d'Edward. En 1978, ses revenus avoisinaient les trois millions de dollars par mois. Jusqu'à récemment, le club de hockey des Canadiens de Montréal [19] en était la possession la plus importante. Les Canadiens ont été vendus, en août 1978, à la brasserie Molson du Canada en même temps que les Voyageurs de la nouvelle-Ecosse, équipe de la Ligue américaine et sorte d'équipe école du Canadien. Ce qui

---

19) Le club des Canadiens est le mieux géré et le meilleur de la Ligue nationale de Hockey. Depuis sa création en 1910, il a remporté vingt et une fois la Coupe Stanley, soit plus de deux fois plus que ses rivaux, les Maple Leafs de Toronto. "Les partisans des Canadiens révèrent les joueurs, dit Tim Burke, chroniqueur sportif de Montréal. Pourtant, les Canadiens vivent continuellement sous une incroyable tension nerveuse. Il faut qu'ils gagnent. La plupart des joueurs vivent à Montréal ou dans les alentours. Chaque Montréalais se considère comme un "expert" en hockey. Quand il arrive aux Glorieux de

Univers Edper

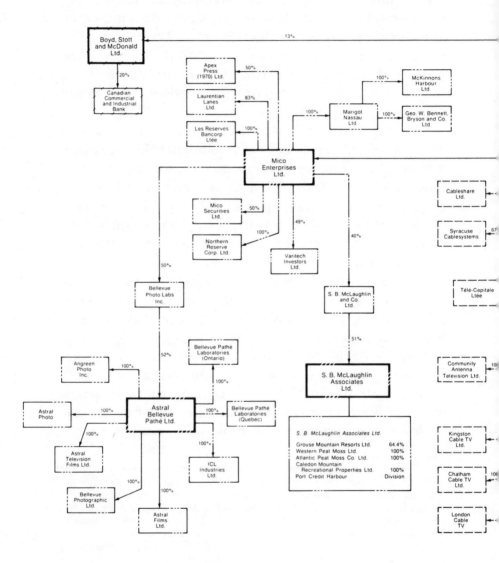

Boyd, Stott and McDonald Ltd. — 13% —

Boyd, Stott and McDonald Ltd. → 20% → Canadian Commercial and Industrial Bank

Apex Press (1970) Ltd. — 50% —
Laurentian Lanes Ltd. — 83% —
Les Reserves Bancorp Ltée — 100% —

Mico Enterprises Ltd.

McKinnons Harbour Ltd. — 100%
Marigot Nassau Ltd. — 100% → Geo. W. Bennett, Bryson and Co. Ltd. — 100%

Cableshare Ltd.

Mico Securities Ltd. — 50%
Northern Reserve Corp. Ltd. — 100%
Varitech Investors Ltd. — 49%

Syracuse Cablesystems — 67

S. B. McLaughlin and Co. Ltd. — 40%

Télé-Capitale Ltée

Bellevue Photo Labs Inc. — 50%

S. B. McLaughlin and Co. Ltd. — 51%

Angreen Photo Inc. — 100%
Bellevue Pathé Laboratories (Ontario)

Astral Photo — 100%
Astral Bellevue Pathé Ltd.
Bellevue Pathé Laboratories (Quebec) — 100% — 100%

Astral Television Films Ltd. — 100%
ICL Industries Ltd. — 100%

Bellevue Photographic Ltd. — 100%
Astral Films Ltd. — 100%

S. B. McLaughlin Associates Ltd. — 52%

Community Antenna Television Ltd. — 100

Kingston Cable TV Ltd.

S. B. McLaughlin Associates Ltd.

Grouse Mountain Resorts Ltd.	64.4%
Western Peat Moss Ltd.	100%
Atlantic Peat Moss Co. Ltd.	100%
Caledon Mountain Recreational Properties Ltd.	100%
Port Credit Harbour	Division

Chatham Cable TV Ltd. — 100

London Cable TV

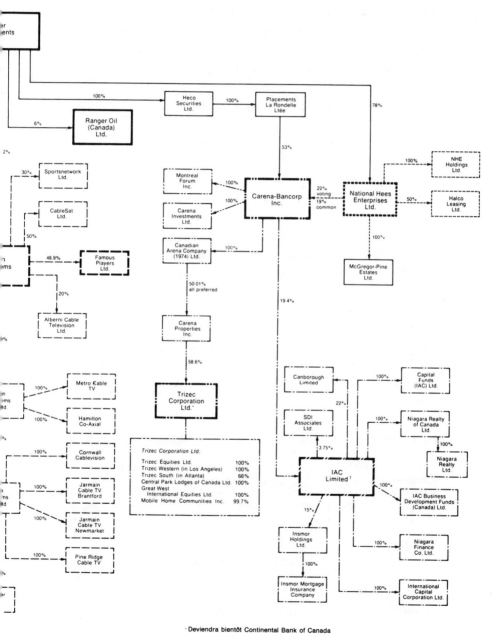

· Deviendra bientôt Continental Bank of Canada

[1] Pour avoir une liste des actions
de Trizec au Canada, voir l'annexe III.

est moins visible et spectaculaire, c'est la position majoritaire de Carena-Bancorp (50,01 pour cent des actions courantes et dix pour cent des actions privilégiées) dans une filiale baptisée Carena Properties et qui à son tour détient 58,6 pour cent des actions en circuit ordinaire de Trizec Corporation, la seconde société publique de développement immobilier au Canada.

9. *Trizec Corporation,* Calgary (58,6 pour cent). Acquise en 1976 de English Property Corporation suite à une transaction compliquée, impliquant un déboursé de liquidités et un échange d'actions. Cette corporation est la plus grosse des compagnies du groupe Edper. Trizec provient en partie de l'impressionnant empire immobilier que créa au début des années 60 la société Webb & Knapp de William Zeckendorf. Le plus beau fleuron en est la Place Ville-Marie dans le centre-ville de Montréal. Immense complexe (soixante-sept acres de surface locative), la Place Ville-Marie est l'un des plus vastes et des plus prestigieux édifices commerciaux du Canada. En 1968, Trizec prit le contrôle d'une chaîne de résidences pour personnes âgées et trois ans plus tard acquit deux compagnies immobilières: la Cummings Properties et la Great West International Equities [20] qui étaient alors respectivement les cinquième

---

jouer moins bien que d'habitude, les media les ridiculisent sans aucune pitié et souvent leurs amis et leurs voisins leur font la tête''. Sam Pollock, le gérant de l'équipe, et Jean Béliveau, aincien joueur vedette, siègent tous deux au conseil d'administration de Carena. Claude Charron, Haut-commissaire à la jeunesse et au sport dans le gouvernement issu du Parti québécois, leur a rendu l'ultime hommage. Il a dit, à l'Assemblée nationale, après la victoire de l'équipe pour l'obtention du la Coupe Stanley en 1978, qu'advenant une séparation du Québec, il serait d'avis de conserver au club son nom actuel: les Canadiens.

20) Avec un actif de soixante-dix-huit millions de dollars, cette compagnie naquit de la fusion des intérêts immobiliers de Sam Hashman avec ceux de Bronfman qui faisaient originellement partie de la Great West Saddlery dont le projet le plus important fut la construction au coût de soixante-quinze millions de dollars de l'édifice de trente-sept étages du Royal Center à Vancouver.

et septième plus grosses compagnies immobilières du Canada [21]. Le portefeuille de la Trizec comprend quarante-deux édifices à bureaux, douze centres commerciaux, trente-quatre parcs pour maisons mobiles, vingt-trois résidences pour personnes âgées ou maisons de repos et trois hôtels.

Débutant en 1971 par l'acquisition de l'énorme Fisher Building de Détroit, la compagnie a continué d'investir aux Etats-Unis. Actuellement un quart de ses avoirs se trouve en terre américaine. Elle possède sept des plus importants édifices à bureaux de Los Angeles, la Tour Peachtree Center d'Atlanta en Georgie, le Clearwater Mall en Floride. Trizec est également propriétaire de parcs pour maisons mobiles dispersés dans tout le Sud-Ouest américain et d'une capacité globale de onze mille places.

Il n'est pas facile de rendre compte de toutes les activités de la compagnie. Peter y est profondément impliqué, à tel point que dernièrement Edward recruta un expert en investissement pour l'aider à mener seul certaines transactions.

Peter a acquis sa maturité très tard. Et ce n'est que récemment qu'il décida de se secouer vraiment. "A vingt-quatre ans, j'agissais comme si j'en avais seize. Je n'ai commencé à travailler que bien après vingt ans. Ma vision de la vie n'était pas très réaliste. A quarante ans, je retardais encore de huit ou dix ans et faisais des choses que les gens que j'aime et respecte font d'habitude à trente ans. Mais aujourd'hui j'ai surmonté mes handicaps et j'aime la vie".

---

21) Les hôtels de la chaîne Trizec sont le *Hilton* de Québec, le *Regina Inn* et le *Van Air Marina*, près de l'aéroport de Vancouver (jusqu'à récemment les hôtels *Hyatt Regency* de Toronto et de Vancouver faisaient également partie de la chaîne). Voir en annexe III, la liste complète des possessions de Trizec et leur localisation. Trizec conserve des liens étroits avec certaines banques ouest-allemandes qui comptent investir sept cent cinquante millions de dollars dans l'immobilier en Amérique du Nord.

L'incident qui finit par libérer Peter Bronfman de sa quête d'identité fut une conversation avec son fils Bruce, alors âgé de six ans. Bruce voulait savoir ce que cela voulait dire être millionnaire. "J'ai essayé de le lui expliquer, dit Peter avec vivacité. J'ai parlé à Bruce de notre histoire familiale, de nos affaires et je lui ai demandé quel effet cela lui faisait d'être millionnaire".

Le bambin réfléchit sérieusement et répondit: "J'en suis fier!"

Sa réponse impressionna profondément Peter. La réaction de son fils lui parut très saine. "Dans le château où j'ai été élevé, il y avait trois sujets tabous dont nous n'avions jamais le droit de parler: l'argent, les autres et les relations sexuelles... Mais, à part cela, que peut-il bien exister?"

Chapitre Dix-Huit

Charles

Charles Bronfman règne sur sa satrapie, au sein de l'empire Bronfman, avec la bonne humeur d'un lutin, tirant sur sa pipe, le regard levé sur ses visiteurs par-dessus la demi-monture de ses lunettes; il donne l'impression d'être détaché de tout, néanmoins il est toujours entier dans ses décisions et ses entreprises.

De tous les Bronfman, Charles est le plus attachant. Ses yeux noisette expriment l'attitude tranquille de ceux qui vivent loin des remous de l'action; ils ont ce reflet qu'on retrouve parfois chez les chansonniers aveugles, les évêques anglicans guêtrés ou les biches apprivoisées.

Contrairement à ses frères et soeurs qui quittèrent la maison paternelle avec une hâte à peine excusable, Charles resta aux côtés de son père, tellement dominé par la force de caractère de Sam que la vie lui apparaissait comme une longue série d'images doubles — sa perception et celle de son père —, comme s'il avait voulu se dissimuler à l'intérieur du télémètre d'une lunette mal réglée.

Monsieur Sam savait transformer les hommes en petits garçons — et avec Charles, son second fils, il y était presque arrivé.

Pendant quarante longues années, il fut l'ombre consentante de son père, laissant les caprices et les sautes d'humeur du vieil homme imprimer leur marque dans ses angoisses personnelles. Durant ces quarante tristes années vécues dans l'amour et la crainte, les sentiments filiaux de Charles se transformèrent en une sorte d'adoration sans faille que même la mort de son père ne put diminuer. Sa personnalité survécut, peut-être pas intacte mais, du moins, épargnée par le cynisme ou la misanthropie, de telle sorte qu'il peut, maintenant, jeter sur le monde le regard tendrement désabusé d'un homme engagé dans une série d'errances existentielles.

Charles est le seul des enfants de Sam à avoir fait son apprentissage en tant que Bronfman. Ses séjours profondément malheureux et ses échecs universitaires au Trinity College School et à McGill le laissèrent frustré et mécontent de lui-même et sa rencontre avec la mort, qu'il frôla alors qu'il n'était encore qu'un adolescent, fit de lui un intraverti prudent. Il avait souffert d'un grave abcès à la gorge, provoqué par un bacille streptococcique très rare. "Je me souviens que j'étais trop las pour ouvrir les yeux et que les fermer était incroyablement douloureux, raconte-t-il. A l'époque, j'adorais jouer au hockey et faire du ski, mais je ne pouvais plus rien faire du tout. Je passai tout l'hiver assis dans la maison de mes parents, à Sainte-Marguerite, flottant quelque part entre la vie et la mort." S'il survécut, ce fut grâce à Sam qui usa de son autorité pour passer à travers le maquis bureaucratique et obtenir que le jeune Charles devînt le premier citoyen canadien à être traité avec une nouvelle drogue miracle, la pénicilline [1].

L'expérience traumatisante de la maladie et la domination absolue de Sam eurent un tel effet sur l'ego déjà fragile de Charles qu'il se métamorphosa en un perpétuel point d'interrogation. En 1959, il dut aller à Winnipeg pour l'inauguration d'un centre commercial appartenant à Cemp et où il était l'invité d'honneur; des jeunes gens vinrent alors le prier d'assister à une fête qui avait lieu dans les environs. Il déclina leur invitation et déclara à Michael McCormick, le vice-président de Cemp qui l'accompagnait: "Ils ne tiennent pas réellement à me voir. Ce n'est pas moi qu'ils invitent, c'est juste un maudit Bronfman millionnaire, un point c'est tout. Alors qu'ils aillent au diable.

— Non, plaida McCormick, ce n'est pas comme ça que vous devez voir les choses. Le problème, c'est que vous *êtes* un maudit Bronfman millionnaire, comme vous dites, et que vous le resterez toute votre vie, n'en déplaise à Dieu. Vous ne pouvez pas continuer éternellement à réagir ainsi chaque fois qu'on vous invite, uniquement parce que vous doutez de la sincérité des gens. Alors, laissez tomber et allez-y."

A peine rentré de la fête, vers vingt-trois heures, Charles donna libre cours à sa mauvaise humeur: "Dès que je suis arrivé, quelqu'un est venu me voir pour que je fasse un don à je ne sais trop quelle foutue organisation, puis un autre type m'a demandé de le faire entrer dans le secteur des assurances de Seagram et ça n'a pas dérougi de toute la soirée. Ils ne voulaient pas de moi, ils en avaient après ce

---

1) Charles fut de nouveau sérieusement malade, en 1970, alors qu'il fut victime de la mononucléose; pendant six mois, il ne put participer à aucune décision au sein de Seagram.

maudit argent, mon influence et toutes ces idioties. Ils se moquaient de moi, complètement."

Charles est toujours sur ses gardes. Il croit qu'il lui faut constamment défendre ses droits, constamment être le vainqueur, même quand il s'agit d'un passe-temps aussi innocent que le jeu de jacquet. "Au bout d'un moment, les parties deviennent de véritables combats, raconte Jean-Claude Baudinet, qui joue fréquemment avec Charles. Il ne sait absolument pas perdre. C'est contraire à la nature d'un Bronfman, perdre. Quand il pense que les choses tournent mal pour lui, il s'empare du tableau et il le jette en l'air. Une fois, au cours d'un séjour à la Jamaïque, il s'emporta de nouveau et renversa le tableau. Je lui dis alors:

— Ecoute Charles, si tu recommences une seule fois, tu devras faire le tour de la plage comme punition. Deux fois, d'accord? Et moi, je resterai assis et je te regarderai transpirer.

"Bien entendu, quelques minutes plus tard, le tableau faisait encore du vol plané. Nous descendîmes donc jusqu'à la plage. Mais ce jour-là, il faisait une tempête à décorner les boeufs: il faisait froid et venteux. Je dus rester assis, complètement frigorifié, tandis que Charles, ravi et riant aux éclats, courait de toutes ses forces pour se réchauffer. En fin de compte, j'avais perdu et il fut convaincu, une fois de plus, qu'il ne pouvait perdre."

Son attitude est similaire quand il assiste au camp d'entraînement des Expos, à Daytona Beach: Charles ne vient pas pour observer, il vient pour jouer. Vêtu de l'uniforme blanc aux parements bleus et rouges du club [2], le

---

2) Il porte invariablement le numéro quatre-vingt-trois, à cause du rye le plus vendu de Seagram, et il a même fait faire son portrait par l'ancien joueur de football devenu peintre, Tex Coulter.

muscle avachi et légèrement voûté, il se jette néanmoins à corps perdu dans la mêlée.

L'esprit combatif de Sam se manifesta surtout durant ses premières années chez Seagram. Trois ans après son départ de McGill, Sam plaça son cadet à la tête de Thomas Adams Distillers Limited [3] dont il venait de faire l'acquisition. "J'avais quarante vendeurs, aucune marque connue et seulement l'ordre de m'attaquer à la besogne. Ce fut loin d'être facile. Toutes les marques étaient nouvelles et je finis par découvrir que les vendeurs essayaient d'en faire adopter une pendant que le service de publicité en moussait une autre." Il connut sa première victoire en 1955, quand il décida de recommander à son père l'adoption d'une nouvelle ligne pour les bouteilles destinées au Adams Private Stock.

"Papa était contre tout ce qu'il appelait des "bouteilles de fantaisie", mais je lui déclarai:

— Je veux cette bouteille.

"Il me regarda longuement, puis me demanda:

— Alors, comme ça, tu veux te lancer dans les emballages de fantaisie?

— Oui, lui répondis-je, bien décidé à tenir mon bout.

"En moins d'une demi-heure, l'affaire était réglée. C'était la première fois de ma vie que je réussissais à convaincre papa de quelque chose. En deux ans, les ventes du produit passèrent de dix-neuf mille à cent mille caisses."

Trois ans plus tard, Charles, âgé de vingt-sept ans, prit la direction de House of Seagram, filiale responsable

---

3) C'est le nom que donnèrent les Bronfman à la United Distillers Ltd., de Vancouver, après l'achat. Les consommateurs avaient surnommé les produits de UDL: *"U Die Later"* (Mourez plus tard.)

des marchés relativement faibles du Canada, de la Jamaïque et d'Israël. Le 7 mai 1962, il épousa Barbara Baerwald, la ravissante petite-fille d'un banquier de Wall Street, dont il avait fait la connaissance lors d'un rendez-vous organisé par des amis, à New York. Puis il fut invité à siéger au conseil d'administration de la Banque de Montréal, adhéra au *Mount Royal Club,* se mit à jouer sérieusement au golf et devint l'un des administrateurs de l'Orchestre symphonique de Montréal ("même si je suis incapable de distinguer une symphonie d'une autre et que je ne me préoccupe guère des concerts qui se donnent à la Place des Arts"). Il s'installa dans un appartement banal, boulevard de Maisonneuve, fit de longues promenades autour du lac des Castors avec son jeune fils Stephen et sembla sur le point de se fondre dans le paysage financier de la ville en devenant le-pas-très-intéressant jeune héritier, chargé des opérations canadiennes de Seagram.

Puis, en 1970, à la veille de la naissance de son second enfant, Ellen Jane, Charles sortit brusquement de sa torpeur dorée. Dans un geste d'une audace inhabituelle, il décida d'entreprendre la construction d'une monumentale demeure sur un vaste terrain qu'il venait d'acheter presque au sommet de la montagne, à Westmount. Au lieu de se contenter d'expliquer ce qu'il voulait à des architectes, il entreprit de rédiger une sorte de cahier de charges de trente-deux pages, intitulé: *Ma Maison dans la ville.* C'était, adapté à la mode du XXIe siècle, un rappel des magnifiques manoirs qui dominent les collines des Cotswolds, en Angleterre, une longue résidence coiffée d'une tour en granit, avec l'apparente invincibilité d'une forteresse moderne [4].

---

4) La maison est protégée vingt-quatre heures sur vingt-quatre par des gardiens au service de Garda Security Services Ltd., compagnie dirigée par Michael McCormick, ancien vice-président de Seagram.

Les travaux durèrent plus de trois ans et s'élevèrent à près de deux millions de dollars, faisant de la maison de Charles la plus coûteuse jamais construite au Canada [5]. Il n'y a pas deux fenêtres qui aient la même forme; les planchers, les murs et les plafonds suivent chacun leur propre pente, de telle sorte qu'ils ne se rencontrent à peu près jamais, sinon par hasard, à quatre-vingt-dix degrés. "La vocation complexe de cette maison, expliquait Richard Weinstein, l'architecte new-yorkais qui en a dessiné les plans, était une accumulation d'apparentes contradictions. Il fallait y intégrer de nombreux espaces fermés, bien distincts, et faire en sorte que le tout dégage une atmosphère d'intimité: la famille voulait que les salons permettent la réunion de tous, mais souhaitait des territoires séparés pour les enfants et pour les parents. (...) L'aire totale est de quinze mille pieds carrés, ce qui en fait une très grande maison, à tous points de vue. Malgré ça, le client tenait à ce que le terrain, pourtant très irrégulier, fût préservé, autant que faire se pouvait."

En inclinant vers le haut les murs qui encadrent l'allée du garage, Weinstein a corrigé l'illusion de glissement vers le bas que pouvait donner la maison. Toute la conception est axée autour de deux éléments principaux: une série de magnifiques puits de lumière encastrés et lambrissés qui permettent au jour d'entrer à flots; et un immense complexe de natation [6] couvert d'une verrière qui descend en pente et, en été, se confond avec le sol. ("L'exposition au sud, les chutes d'eau et la végétation luxuriante créent une

---

5) Record brisé par l'éléphantesque maison que se fait construire à King City, au nord de Toronto, et au coût de trois millions de dollars, Joe Berman, un ancien directeur de Cadillac-Fairview Corporation, filiale de Cemp.

6) Il comprend un sauna, un solarium et une loggia, à côté d'une piscine et d'une barboteuse.

ambiance tropicale qui contraste avec la rigoureuse réalité du climat nordique.'')

La chambre à coucher des Bronfman est, en réalité, une suite digne d'un monarque avec sa propre cour intérieure, un escalier privé, un bureau, un atelier et un boudoir éclairé par un puits de lumière. La maison, meublée avec un goût exquis [7], comporte six salles de bain, une cave à vin, une salle de projection au sous-sol et une salle de jeu à l'étage supérieur; Weinstein décrit cette dernière comme "étant inclinée afin de donner l'impression d'entrer dans un monde de rêve total, tournoyant dans l'espace''.

En dépit du charme extravagant de leur maison, les Bronfman s'en éloignent très souvent. Il se rendent presque tous les week-ends à leur chalet des Laurentides. En hiver, ils vont faire du ski à Sun Valley et passent beaucoup de temps à Half Moon, en Jamaïque. Charles se détend en jouant au tennis. John Turner est l'un de ses partenaires préférés [8], mais il se mesure aussi au redoutable pro jamaïcain, Richard Russell, qu'il paye deux cent cinquante dollars par jour pour jouer avec lui [9].

Charles déjeune habituellement avec ses principaux directeurs dans la salle à manger privée de Seagram,

---

7) Parmi les nombreuses toiles de maître qui ornent la maison, plusieurs sont des oeuvres de l'artiste israélien préféré de Charles, Avigdor Arikha.

8) Charles et l'ancien ministre des Finances sont très liés. Parfois, quand Charles se sentait plus intimidé que de coutume par son père, il demandait à Turner de défendre son point de vue à sa place, un peu à la manière d'un avocat plaidant une cause. Turner ne lui a jamais présenté d'honoraires.

9) Charles est membre de plusieurs clubs de tennis: le Mount Royal, celui de l'Ile des Soeurs et le Hillside, le club de prédilection des WASP montréalais. Quand sa candidature fut proposée en 1969, Charles, très nerveux à l'idée d'être le premier Juif admis comme membre, ne cessait de demander à son parrain, Lorne Webster: "Briserai-je la barrière du son?" Tout se passa sans heurt, mais Webster avait pris la précaution de présenter un autre candidat, John McHale.

située au troisième étage du siège social montréalais [10]. Les repas se terminent invariablement de la même façon: Charles repousse sa chaise et commande: "Messieurs, au travail!" Sur quoi, tous retournent à leurs tâches respectives.

A l'encontre de son père, Charles bouleverse rarement la hiérarchie administrative pour aller demander leur avis aux employés, quel que soit leur rang dans l'organisation. Il dirige la compagnie, secondé par ses quatre collaborateurs du déjeuner qui lui rendent compte directement [11]. Dans le bureau de Charles, on retrouve l'inévitable Riopelle qui est accroché dans les sanctuaires de chacun des Bronfman [12]. Le décor très officiel du bureau, où dominent le marbre, le verre et le cuir, est atténué par un papier mural imitant le bambou et un tapis haute-laine beige. Le bureau et le secrétaire disparaissent sous les imprimés mécanographiques, les photos de famille et les échantillons de whisky présentés dans des carafes. Outre les appareils ordinaires, Charles est relié par des "téléphones rouges" avec John McHale, président des Expos, et Leo Kolber, à Cemp. L'atmosphère générale reflète l'attitude dichotomique de Charles envers les affaires qu'il considère à la fois comme un jeu passionnant et une tâche austère. Au début, il gar-

---

10) Il s'agit de Mel Griffin, de Jack Clifford, de David Roche et de Len Babich. Tous les midis, ils se font servir, par jeu, un vin de Seagram, sans identification. En plus d'en deviner la marque, ils cotent son aspect, son bouquet et sa saveur, puis comparent leurs résultats. Charles n'est pas de ceux qui boivent pour se détendre. Comme apéritif, avant le dîner, il pourra prendre un verre de V.O. ou un gin de Seagram; en été, sa boisson préférée est le rhum blanc Trenlawny additionné d'eau gazeuse.

11) William K. Friedman, ancien rédacteur en chef du *Time,* s'est récemment joint au groupe, à titre de conseiller en affaires publiques.

12) Le Riopelle de Gerald Bronfman est le plus grand; celui de Peter est le plus beau; Edgar possède le plus sombre, et Charles, le plus coûteux.

dait à côté de son bureau une grande table à café en plastique, offerte par Barbara, dont le dessus représente un tableau de tic-tac-toe. A cette époque, il était très tendu et estimait que ceux avec qui il traitait l'étaient, en général, tout autant. Le tic-tac-toe devait amener les visiteurs à penser que les affaires n'étaient qu'un passe-temps. Aujourd'hui, Charles n'a plus besoin de cet aide-mémoire; il est désormais convaincu que les affaires ne sont qu'un jeu [13].

Charles considère sa situation selon un angle assez complexe. Pour lui, les affaires ne sont tout au plus qu'un élément de son existence; il n'y a pas que les profits qui comptent: "Je n'ai pas besoin d'argent, alors le fait d'en gagner, comme tel, ne m'attire en rien. Je trouve inacceptable de se contenter d'encaisser des profits en jouant à la Bourse. Mais gagner de l'argent tout en faisant quelque chose d'utile, ça, ça me plaît... Bien sûr que la motivation qui découle du profit est sacrément importante, mais un homme d'affaires consciencieux a des responsabilités envers ses employés, ses actionnaires, lui-même, la société."

Il est l'un des rares hommes d'affaires canadiens à se déclarer ouvertement en faveur de la protection de l'environnement, mais il s'oppose énergiquement à toute intervention de l'Etat dans l'économie, parce que cela éliminerait l'esprit de concurrence. "Sans la concurrence, les affaires ne comportent plus aucun intérêt, affirme-t-il. Je me souviens combien c'était excitant lorsque le *Canadian Club* a commencé à nous talonner. Hiram Walker faisait de l'excellent boulot et, ici, tout le monde se promenait la mine

---

13) Dans l'ensemble, Edouard est du même avis: "Les affaires sont un jeu, d'accord, mais pas une mascarade. C'est un jeu très sérieux, aux règles bien établies et que chacun doit suivre. Comme tous les autres jeux du même type, il suppose un esprit de chevalerie. Pas question d'être malhonnête ou cruel."

basse. Moi, j'étais ravi et quand on me demanda pourquoi, je répondis:

— Il était grand temps que quelqu'un se charge de nous secouer."

A l'inverse de son père, Charles ne chercha jamais à forcer les portes de l'Establishment. Bien au contraire, ce fut celui-ci qui fit les premiers pas. Parvenu au faîte alors qu'il était parti de rien, Sam avait désespérément souhaité voir reconnaître tout ce qu'il avait accompli. Il en allait tout autrement dans le cas de Charles; obtenus sans effort, son fauteuil d'administrateur de la Banque de Montréal, son affiliation au *Mount Royal Club* ne comptaient pas beaucoup à ses yeux. "Il est un peu triste que la vie soit faite ainsi, dit-il. Vous n'avez envie de rien et tout vous tombe du ciel; vous tenez réellement à quelque chose et il vous faut lutter contre vents et marées pour l'obtenir."

Ce fut au cours de l'assemblée annuelle de Seagram, en 1974, que l'Establishment donna — et d'une façon qui ne prêtait à aucune équivoque — sa sanction officielle. Le sénateur Hartland de Montarville Molson proposa de changer la raison sociale de la compagnie qui, jusque-là, était Distillers Corporation-Seagrams; le directeur de la branche montréalaise de Wood Gundy, J. Michael Scott, suggéra d'engager Price Waterhouse and Company comme vérificateurs, motion qui fut appuyée par Biran Drummond, le grand patron de Greenshields Incorporated; et Peter Dixon, associé de A.E. Ames et fils d'un évêque anglican, proposa la levée de la séance.

Le 4 mai 1978, les Bronfman firent la démonstration de leur puissance sociale et économique en invitant la crème de l'oligarchie financière torontoise à un dîner sans prétention qui eut lieu dans la salle à manger du Toronto-Dominion Centre, au cinquante-quatrième étage. Le baron

Alain de Gunzburg vint de Paris par avion et Edgar, de New York; mais c'était Charles qui recevait et, après un excellent *canard à l'orange* [14], il remercia ses invités au nom de sa famille. Suivit la bénédiction officielle de l'Establishement, donnée par Allan Lambert, président sortant de la banque TD et qui, autrefois, avait négocié le financement, par les Bronfman, du Toronto-Dominion Centre.

L'influence personnelle de Charles a augmenté au même rythme que sa confiance en lui-même. Sa récente nomination à la commission de vérification de la Banque de Montréal, pour ne citer qu'un exemple, va beaucoup plus loin que la simple représentation du plus gros compte bancaire. Il ne fait aucun doute qu'il a le bras long, mais pour des raisons ignorées de tous sauf de lui-même, Charles ne cesse de minimiser la portée de son influence, même à l'intérieur de Seagram — et ce, quoiqu'il dispose, à titre de président du comité de direction de ce gigantesque consortium, d'un droit de veto sur les initiatives d'Edgar [15].

Il peut même se montrer d'une amusante candeur à cet égard. Il demanda un jour à Sol Kanee, un ami de la famille Bronfman, de lui ménager une entrevue avec le ministre fédéral des Finances. Mais Kanee lui tendit tout simplement le numéro privé du ministre et lui suggéra de téléphoner lui-même. Le jeune Bronfman fut stupéfait de voir le haut fonctionnaire accepter sur-le-champ de le rencontrer lors de son prochain passage à Montréal. "Je me demande toujours, confia Charles, si les gens se montrent amicaux parce qu'ils m'aiment bien ou parce qu'ils veulent quelque chose. Mais j'ai fini par m'y faire. L'un de mes meilleurs

---

14) En français dans le texte.

15) De fait, Charles suit de très près les activités de la compagnie en territoire américain et, trois semaines sur quatre, passe deux jours consécutifs dans les bureaux du siège social new-yorkais.

amis avait l'habitude de dire que ma robuste paranoïa me servait de bouclier. Je n'ai jamais recherché le pouvoir en soi. Je déclarais quelque chose et on me faisait remarquer :

— Tu te rends compte de ce que tu viens de dire?

— Bien sûr, j'ai seulement dit ça.

— Oui, mais c'est *toi* qui l'as dit. Tu n'as donc pas conscience de ce que tu es?

"Et moi, j'avais coutume de répondre :

— Eh bien quoi? Je suis un type comme tout le monde, non?

"Mais la réponse était toujours la même :

— Non, tu n'es pas n'importe qui.

"Et j'ai dû apprendre à me maîtriser, à peser mes mots. Cela m'a demandé beaucoup d'efforts, au début. Et même encore aujourd'hui, il reste que, pour certaines choses, j'ai du mal à saisir toute l'ampleur de ce soi-disant pouvoir dont je dispose. Il y a des fois où cela me semble affolant, mais je dois dire qu'il en est d'autres où c'est drôlement agréable."

Comme tous les hommes riches, il devine difficilement les motifs qui animent ceux qui viennent le solliciter. Lorne Webster, qui parle en connaissance de cause [16], estime que "Charles est l'un des très rares hommes puissants qui sait faire la différence entre l'amitié sincère et celle engendrée par sa fortune. Il a un profond sens de l'humour et aime bien le retrouver chez les autres. Cet aspect de son carac-

---

16) Bien qu'ils aient grandi ensemble, Lorne ne fut invité pour la première fois au Palais du Belvédère qu'à l'occasion du vingt-septième anniversaire de Charles. Ce fut Webster, qui est maintenant son principal associé dans le club des Expos de Montréal, qui présenta Charles à Evelyn de Rothschild, le président de la Banque britannique. Webster, héritier de l'immense fortune des Webster, est reconnu comme l'entrepreneur le plus imaginatif du Montréal anglophone.

tère permet d'éviter bien des frictions. Charles est épaulé par de nombreux conseillers et assistants, mais il sait prendre ses décisions. Non pas qu'il cherche à dominer, la mégalomanie lui est tout à fait étrangère. Non, c'est qu'il est en paix avec lui-même.''

Peu porté vers les mondanités, il ne se laisse pas accaparer par les rencontres sociales et, même s'il connaît la plupart des membres de l'oligarchie canadienne, il se livre rarement et se limite à son petit cercle d'amis et d'associés fidèles. Les quelques vrais amis que possède Charles — soigneusement choisis et capables de reconnaître la sensibilité qui se cache derrière son regard de biche — ont tendance à emprunter un ton protecteur quand ils parlent de lui. ''Le grand problème de Charles, dit Michael McCormick qui lui a déjà servi de chaperon, c'est qu'il est au moins cinq fois meilleur qu'il ne le croit.''

Hugh Hallward, l'entrepreneur en construction qui est l'un des associés de Charles dans le club des Expos, croit que ''Charles se sent probablement un petit peu comme George VI — alors qu'il n'était que le cadet, il s'est soudainement retrouvé enseveli sous les responsabilités''. Mais c'est probablement Jean-Claude Baudinet, qui est son associé dans la plus luxueuse chaîne de bijouteries canadienne, la société Gabriel Lucas Limitée, qui le connaît le mieux [17]. ''Charles s'est vu transmettre un très lourd héritage. Son père était loin d'avoir un caractère facile, c'est son frère qui tient la vedette. C'est uniquement depuis ces dix dernières années qu'il a vraiment commencé à s'affirmer.''

_____

17) D'origine française, Baudinet était arrivé à Montréal en 1955, essentiellement dans le but d'apprendre l'anglais. Il rencontra Charles un an plus tard, à l'occasion d'un événement mondain: quelques membres de l'élite montréalaise — Charles, John Turner, Ivan Phillips et Jean Rolland — décidèrent de donner un bal au Palais du Belvédère, chacun d'entre eux devant inviter

Après Leo Kolber, le plus proche conseiller de Charles est Philip Vineberg, le neveu de Lazarus Phillips, qui se joignit à l'étude juridique comme stagiaire en 1939. Intellectuel extrêmement réservé, s'exprimant dans une syntaxe impeccable, Vineberg joue, en quelque sorte, le rôle d'un bureau de centralisation au sein de la famille Bronfman. Administrateur de Seagram et de Cemp, il siège également aux conseils d'administration des sociétés de fiducie qui administrent les fortunes d'Allan et de Harry. Couvert de distinction, il est le premier Juif à avoir été élu *bâtonnier* [18] du Barreau de Montréal, fait partie du conseil d'administration de McGill et a déjà été président de la Canadian Tax Foundation. Logique, posé, attentif et, par-dessus tout, sensible, Vineberg peut apporter à tout problème, quel qu'il soit, ce qui semble toujours être l'unique solution. Le fait qu'il ne cède à peu près jamais à la panique constitue sa plus grande qualité. Quand, avec son épouse Miriam, il

---

vingt des plus jolies célibataires de la métropole et vingt de ses meilleurs amis. Jeune avocat déjà attiré par la politique, Turner eut la frousse à la dernière minute et fut remplacé par Baudinet. Ce fut une grande soirée, du genre de celles qui donnent naissance à des mariages en chaîne et à autant de divorces. Du reste, Baudinet épousa la petite-fille de Walter Stewart, héritier des tabacs Macdonald. Il mit sur pied une entreprise de distribution d'articles cadeaux et, soutenu financièrement par Charles, acheta la bijouterie Lucas — qui compte maintenant cinq magasins. Quoique Charles y soit associé à cinquante pour cent, Baudinet se plaint: "nous ne parlons affaires que cinq minutes, tous les six mois. J'essaye bien d'en obtenir un peu plus, mais avec Charles, il n'est question que de base-ball". Les deux familles sont très liées. En octobre 1976, Baudinet célébra son quarantième anniversaire et Barbara lui téléphona pour l'inviter à venir dîner entre amis, chez eux. "En ouvrant la porte, se souvient Baudinet, je fus accueilli par quarante de mes meilleurs amis qu'ils m'avaient fait la surprise d'inviter, chacun portant un costume représentant ce qu'il croyait être pour moi. Des armoiries avaient été dessinées exprès pour moi, il y avait des discours, des cadeaux. Ce fut une fête inoubliable et ils avaient eu beaucoup de plaisir à la préparer. On retrouve là toute la générosité de Charles."

18) En français dans le texte.

entreprit de meubler leur nouvel appartement en copropriété de Palm Beach, tous ceux qui se trouvaient là commencèrent à se cogner la tête contre les murs devant la découverte que le superbe lit ancien acheté lors d'une vente
aux enchères en Europe avait été inondé dans la cale du
paquebot, durant la traversée. Mais Vineberg ramena le
calme avec ce simple commentaire: "Encore heureux que
nous n'étions pas couchés dans le lit."

Plus que toute autre chose, ce fut l'achat des Expos,
en 1968, qui finit de faire de Charles un être en possession
de tous ses moyens. Ce fut sur le terrain du parc Jarry que
le jeune Bronfman parvint enfin à surmonter les traumatis-
mes de son adolescence et à se prendre véritablement en
main. "J'étais devenu le vice-président de Seagram sans
même m'en rendre compte, raconte-t-il, mais, dans l'affaire
des Expos, je savais parfaitement où je m'en allais. En fin
de compte, ce vers quoi il faut tendre, c'est vers l'affirmation de sa propre personnalité. Ce sont les Expos qui ont
fait de moi un homme."

Ce n'était ni chez lui ni à Westmount où il avait grandi
que Charles avait pu devenir un passionné du base-ball. En
vertu d'un règlement municipal, du reste, les jeux de balle
en groupe sont toujours interdits dans ce quartier, probablement pour éviter les bris de carreaux causés par des
coups de circuits maladroits; et à l'école privée de Port
Hope, c'était au cricket que Charles avait dû jouer. De
temps en temps, il avait pu assister à une partie des Royals
(le club-pépinière des Dodgers de Brooklyn, dans l'ancienne Ligue internationale) et il se souvient vaguement d'avoir
vu les Dodgers infliger une raclée aux Yankees, à Ebbets
Field. Mais la seule et unique fois que Charles avait pu
jouer lui-même, c'avait été comme "premier but" pour
l'équipe de Cemp, lors d'un match inter-compagnies de

lob-ball (forme de soft-ball) organisé par son ami Marvin Corber, un expert comptable montréalais.

L'histoire de Bronfman avec les Expos débuta le 3 avril 1968 par un coup de téléphone de Gerry Snyder, marchand d'articles de sport dans le quartier montréalais de Snowdon et, à titre de vice-président du "comité exécutif" de la ville, le plus haut gradé de l'administration du maire Jean Drapeau. "Barbara et moi nous trouvions à Porto-Rico pour une assemblée de l'Organisation des jeunes présidents, se souvient Charles, quand Snyder téléphona pour nous apprendre que le maire cherchait dix personnes prêtes à mettre, chacune, un million de dollars dans une équipe de la ligue majeure de base-ball. Convaincu que cela n'aboutirait à rien, de toute façon, je lui répondis:

— Bon, ça va, si c'est ce que le maire veut.

"Trois semaines plus tard, ma femme et moi écoutions le bulletin de nouvelles dans notre salon quand l'annonceur déclara que Montréal avait été admis dans la Ligue. Je me tournai vers Barbara et m'exclamai:

— Ah merde! nous voilà dans le bain!"

Tenus maintenant de mettre la main à leur poche, la plupart des commanditaires du début se défilèrent et il ne resta plus que Charles, la famille Webster et Jean-Louis Lévesque, le financier montréalais originaire du Nouveau-Brunswick, pour payer les pots cassés. Puis ce fut au tour de Lévesque de tout laisser tomber et Charles se retrouva au pied du mur: "Je m'enfermai dans mon bureau pendant deux heures, uniquement pour réfléchir, et prévins ma secrétaire:

— S'il vous plaît, je veux rester seul. Si mon père vient, ou je ne sais qui, dites que je suis malade, mort ou tout ce que vous voudrez.

"Puis je m'assis là et envisageai inlassablement la

question sous tous les angles. Je me répétais: je n'ai pas le choix, c'est une très bonne chose pour la ville, etc. L'idée que je pourrais en retirer un quelconque profit ne m'effleura pas un instant. Il est quand même probable que cette possibilité restait tapie dans un coin de ma tête parce que je ne crois pas au mécénat. Il y a toujours un déclic qui se fait et on pense: il y a sûrement là quelque chose pour moi, sur le plan personnel, pécuniaire ou autre.''

Quand il fut bien déterminé à se lancer dans l'aventure, Charles informa son père qu'il avait l'intention de placer une partie de sa fortune dans le club de base-ball. ''Il leva les yeux de son journal et me dit:

— C'est du whisky que tu es censé vendre, pas du base-ball.''

Charles téléphona alors à Ben Raginsky, un psychiatre montréalais qu'il avait consulté de temps à autre, et qui l'encouragea vivement à foncer sans plus se poser de questions. L'affaire débuta péniblement; Lorne Webster s'engagea à verser dix pour cent [19], Hugh Hallward et John McHale également, Paul et Charlemagne Beaudry en mirent vingt et Sydney Maislin contribua de cinq pour cent. Quant à Charles, il lui en coûta plus de quatre millions de dollars pour combler les autres quarante-cinq pour cent. Puis, durant quarante-huit heures, personne ne sut plus à quoi s'en tenir parce que le président de la Ligue nationale, Warren Giles, tentait de peser le pour et le contre entre le parc Jarry, bien réel, et le rêve du maire Drapeau: un stade couvert à côté duquel l'Astrodome de Houston paraîtrait lilliputien. ''Le premier soir, raconte Charles,

---

19) Alors que Lorne et Charles échangeaient quelques balles au camp d'entraînement des Expos, le premier demanda s'il pouvait rapporter à son fils le gant d'un receveur. ''Ecoute, pour un million de dollars, tu as sûrement droit à un gant'', répondit Bronfman.

de retour à la maison, je me suis mis à brailler comme un bébé parce que je croyais que toute l'affaire allait tomber à l'eau. Le lendemain, j'ai remis ça. J'étais fou de joie qu'on nous ait accordé la concession.''

La nouvelle équipe n'avait conclu aucun arrangement à propos du parc, n'avait pas de camp d'entraînement, pas de personnel administratif, pas de joueurs ni d'uniformes. Néanmoins, Bronfman était désormais propriétaire de la première équipe de base-ball, appartenant à la Ligue majeure, à avoir obtenu une licence à l'extérieur des Etats-Unis. "Si je fais une gaffe chez Seagram, confia-t-il à un ami, mon père est encore là, Dieu merci, pour me tirer du pétrin. Mais si c'est avec les Expos, il n'y a personne pour m'aider. Avec l'équipe, je ne suis plus le fils de mon père. Je suis moi-même.''

Drapeau consacra trois millions de dollars à l'aménagement du parc Jarry qui pouvait recevoir vingt-huit mille spectateurs et, même si les Expos terminèrent leur première année à la queue du classement, à quarante-huit parties des meneurs, l'équipe devint rapidement une institution montréalaise. Charles démontra qu'il était capable de lancer et de maintenir à flot, de sa propre initiative, une entreprise stable et éventuellement rentable [20].

La plus audacieuse décision que prit le club fut d'échanger Rusty Staub, le frappeur vedette de l'équipe qui, dès 1971, était devenu l'idole des amateurs montréa-

---

20) Les Expos n'ont connu de déficits qu'à trois reprises, en 1969, en 1976 et en 1977; malgré cela, ils permirent à Charles d'obtenir une réduction de ses propres impôts personnels. Pendant cinq ans, ses avocats se bagarrèrent avec le ministère du Revenu, à Ottawa, à propos des modalités de déduction de l'investissement original de dix millions, en tenant compte des contrats facilement dépréciables des joueurs et du coût de la concession qu'il était impossible de modifier. L'entente finale a permis un amortissement de six millions de dollars, ce qui place l'entreprise dans une situation très avantageuse sur le plan fiscal.

lais, contre trois joueurs doués mais peu connus: Mike Jorgensen, Tim Foli et Ken Singleton. L'échange provoqua la colère des fans, mais Charles considérait la transaction comme une manifestation incontestable de son autorité. Quand, dans le cadre de la campagne électorale de 1972, un ami qui ramassait des fonds pour les conservateurs vint le solliciter, Bronfman l'éconduisit en quelques mots: "Stanfield n'aurait jamais eu assez de cran pour échanger Rusty contre Jorgensen, Foli et Singleton. C'est pourquoi je mets mon fric sur Trudeau."

Les Expos ont maintenant quatre clubs-pépinières, attirent des foules impressionnantes à l'immense Stade olympique et gagnent un match de temps en temps [21]. Bronfman a confié l'administration du club à John McHale et estime qu'il consacre moins de sept pour cent de son temps à s'occuper de base-ball [22].

Il consacre une bien plus grande part de ses énergies à s'occuper des affaires de la communauté juive de Mont-

---

21) Pour atteindre le seuil de rentabilité quand ils jouent à Montréal, les Expos doivent attirer chaque saison un million sept cent mille spectateurs dans le stade de cinquante-neuf mille cinq cents sièges. En 1977, ils ont eu un million quatre cent trente-trois mille sept cent cinquante-sept spectateurs.

22) Bien qu'il se mêle rarement de la direction de l'équipe, Charles se fait un point d'honneur d'écrire personnellement à chaque joueur qui adhère au club ou le quitte. En janvier 1978, ayant reçu de Bronfman une lettre d'adieu, le lanceur Joe Kerrigan lui répondit:

Cher Monsieur,

Je vous remercie de la lettre que vous m'avez adressée au moment de mon départ des Expos. J'estime que ce fut pour moi une grande chance que de pouvoir jouer dans votre équipe. Les personnes remarquables que j'y ai connues ont eu une grande influence sur moi et ont contribué à mon développement personnel. Quand on me demandait quel était mon gagne-pain, j'étais toujours très fier de dire que je jouais au base-ball avec les Expos de Montréal. Et sans votre intérêt pour ce sport, je n'aurais pas pu réaliser ce rêve que je caressais depuis mon enfance. Je tiens à vous remercier, Monsieur, de tout ce que vous avez fait pour moi-même et pour ma famille. Je continuerai toujours d'appuyer l'équipe. En avant, les Expos!

Joe Kerrigan.

réal [23]. En 1973, Charles avait été élu président de la Fédération des Services communautaires juifs, la principale agence de coordination pour la région de Montréal, et il avait réussi à recueillir une somme sans précédent de vingt-trois millions de dollars. ''Je n'ai jamais tenté de prendre la place de quelqu'un d'autre, dit-il. Je ne fais pas ça à cause de mon père. Je sais évidemment que c'est ce qu'on attendait de moi. Mais je n'en ai pas tenu compte parce que si je n'avais pas été guidé par un intérêt véritable, je me serais abstenu.''

A l'inverse de son père, Charles tâche surtout d'amener les leaders de la communauté à se solidariser et, plutôt que de s'imposer comme chef, préfère prêcher d'exemple. ''Je me souviens d'une réunion dans le bureau de Charles, raconte Arthur Pascal, directeur de la chaîne de quincailleries, qui a succédé à Sam comme éminence grise de la communauté juive de Montréal. Il s'agissait d'envoyer une importante somme d'argent à Israël. J'avais pris l'initiative de convoquer les grandes familles de la métropole avant le coup d'envoi de la campagne, pour qu'elle prenne un bon départ. Nous étions donc là, assis dans le bureau de Charles, dix ou douze peut-être, et les choses évoluaient lentement, très lentement. Nous bavardions ainsi depuis environ une heure quand je demandai à Charles si nous ne pouvions pas échanger quelques mots dans une autre pièce. ''Char-

---

23) La générosité des Bronfman ne se limite pas aux oeuvres juives. En 1974, par exemple, la famille a contribué au fonds de construction de McGill. Elle verse un million de dollars par année, par le truchement de la Fondation de la famille Samuel et Saidye Bronfman, administrée avec intelligence par Peter Swan, ancien directeur du Royal Ontario Museum. ''Comme toutes les personnes timides et sensibles, dit Swann, Charles préserve une intériorité difficile à pénétrer. L'apparente légèreté avec laquelle il assume ses responsabilités cache un intérêt profond pour le Canada en général et pour la communauté juive en particulier.''

les, lui ai-je dit, nous sommes dans une impasse. Il nous faut énormément d'argent si on veut arriver quelque part. Pourquoi ne donnerais-tu pas un coup de pouce en annonçant un don beaucoup plus important que ce que tu avais prévu et je t'imiterai. Viens, on va aller les mettre au courant de notre décision, à la condition qu'ils en fassent autant.''

"Charles n'hésita pas une seconde, alors qu'il s'agissait, dans son cas, de cinq cent mille dollars de plus. Il n'y a pas eu de ''il faut que j'en parle à Edgar'' ou quoi que ce soit du genre. Nous avons rejoint les autres et la campagne a pu démarrer sur un bon pied.''

Au cours du printemps de 1976, Charles fut élu coprésident du Congrès juif du Canada, poste créé tout spécialement à son intention et dernier échelon avant d'arriver au sommet de la hiérarchie juive canadienne. Mais tout ça se passait avant que sa violente attaque contre le type de séparatisme prôné par René Lévesque, la veille de l'historique élection provinciale de 1976, ne vienne bouleverser et sa vie et l'image que le pays s'était faite de lui.

Charles Bronfman règne sur sa satrapie, au sein de l'empire Bronfman, avec la bonne humeur d'un lutin, tirant sur sa pipe, le regard levé sur ses visiteurs par-dessus la demi-monture de ses lunettes; il donne l'impression d'être détaché de tout; néanmoins, il est toujours entier dans ses décisions et ses entreprises. Si peu passionné qu'il soit, il est quand même un sujet (à part son père) qui le fait profondément vibrer et c'est sa fierté pour le Canada. "J'aime ce pays, dit-il en cherchant ses mots. Justement, hier soir — et c'était fort intéressant —, j'ai regardé la remise des prix Juno [24] à la télévision. Ça m'a beaucoup plu. Je me

---

24) Les prix annuels Juno qui consacrent ce qui se fait de mieux dans la musique populaire du Canada anglais ont été créés en 1964 par *RPM,* la revue

suis dit en moi-même: "C'est tout de même quelque chose, la façon dont tout se déroule, dont ces jeunes se lèvent et vont chercher leur prix avec une retenue toute canadienne." Et j'ai trouvé formidable que Pierre Juneau accepte qu'on donne son nom à ces récompenses, d'autant plus que, comme j'ai entendu dire qu'il est très timide en public, ça n'a pas dû être facile pour lui. La cérémonie tout entière m'a beaucoup plu. Bon, ça n'avait pas tout l'éclat, toute l'esbrouffe qui entourent la remise des Oscar, mais quand même... Peut-être serait-il bon pour nous, les Canadiens, de céder un peu plus à la vantardise. Mais pas tellement plus."

On retrouve chez Charles, vis-à-vis du Canada, pays au passé généreux et à l'avenir prometteur, cette forme d'engagement personnel qui caractérise le croyant convaincu. Quoiqu'il ait un peu de mal à mettre de l'ordre dans ses idées, cela n'a tout de même rien à voir avec le rêve d'un quelconque *valedictorian* [25]. Pour le second fils de Sam, le Canada est le pays qui a permis à son père d'accumuler l'une des plus grosses fortunes du monde — un pays immense et magique, où les Juifs n'ont besoin que d'un tout petit peu plus de chance pour réussir au même titre que les gentils. Il est fier d'être Canadien, est ému aux larmes par une inter-

---

canadienne de l'industrie du disque. Un concours avait été lancé en 1970 pour trouver un nom aux récompenses et c'était celui de Juneau qui avait remporté la palme, en l'honneur de Pierre Juneau. Président du Conseil de la radiodiffusion et des télécommunications canadiennes, celui-ci avait imposé, pour les émissions canadiennes, un contenu canadien dans une proportion de trente pour cent. Soucieuse de ne pas le mettre mal à l'aise, *RPM* opta pour l'orthographe Juno (rappelant le nom de la déesse et celui du troisième astéroïde) avant d'annoncer le résultat du concours, en 1970. En 1971, alors que la première remise des prix Juno coïncidait avec l'entrée en vigueur de la loi, Juneau se vit remettre un "Juno" spécial et fut nommé l'Homme de l'année dans l'industrie musicale canadienne.

25) Elève américain qui, ayant été choisi le meilleur de sa promotion, prononce le discours d'adieu à la fin des études. (N.D.L.T.)

prétation excellente (ou très naïve) de *O Canada* et s'est senti secrètement blessé quand Edgar et Minda ont rejeté leur pays natal.

Ce fut donc poussé par cet amour inconditionnel de son pays que Charles Bronfman se lança dans la bataille, de façon tout à fait inattendue, au moment des élections québécoises de 1976.

La dernière semaine frénétique de cette lutte capitale vit Robert Bourassa, le Premier ministre libéral, aux prises avec un sérieux problème. Celui-ci avait mené la fin de son absurde campagne à la façon du chef brillantiné d'une armée battant en retraite, après avoir si longtemps profité du pays conquis que ses soldats (et ses généraux) n'avaient plus le moindre souvenir des motifs patriotiques jadis à l'origine de leur offensive. Ecrasé par les signes de sa défaite prochaine, Bourassa emplissait l'air de ses craintes. Il avait parcouru la province en tous sens, tentant de mystifier ses auditoires de moins en moins nombreux à coups de phrases toutes faites: "Il faut obliger René Lévesque et les séparatistes à jeter le masque! Cette mascarade s'est prolongée beaucoup trop longtemps! Le Parti québécois cache son véritable jeu — il ne parle pas du coût de l'indépendance!"

Deux fois déjà avant 1976, soit en 1970 et 1973, Bourassa avait remporté d'éclatantes victoires en prétendant incarner la seule solution valable pour faire échec au séparatisme. Mais maintenant, plus personne ne l'écoutait. Le 8 novembre, une semaine avant le jour du scrutin, les stratèges de Bourassa réunis à l'hôtel *Reine Elizabeth,* à Montréal, prirent connaissance des résultats d'un sondage mené secrètement. Il en ressortait que pour quarante et un pour cent des électeurs, la grande question de la campagne était la situation économique, tandis qu'une autre tranche de vingt-neuf pour cent avait plutôt opté pour "l'honnêteté du gouvernement". Seulement sept pour cent des personnes interrogées avaient vu dans le séparatisme l'élément essentiel de la campagne menée par le Parti québécois; en s'attaquant aux nombreux scandales qui avaient souillé la réputation du gouvernement Bourassa et en dénonçant son incompétence en matière de gestion économique, le P.Q. avait adopté la bonne tactique et la victoire lui appartenait.

Tandis que Bourassa s'embourbait de plus en plus, essayant de s'agripper au pouvoir au nom du fédéralisme, le style de la lutte menée par René Lévesque rappelait l'*élan* [26] de ces films sur la Seconde Guerre mondiale, tournés à la gloire de la Résistance française — emplis d'accents nobles et de verbiage héroïque. Plus le temps passait et plus le chef du Parti québécois se voûtait, comme s'il se tenait en permanence sous un toit percé, un jour de pluie. C'était la télévision, dans le cadre des conférences de presse, qui rendait le mieux justice à ses talents de comédien professionnel. Il était passé maître dans l'art de la pause. Interrogé, il faisait mine d'hésiter avant de répondre, non pas pour éviter un faux pas, mais bien plutôt pour donner l'impression qu'il se retirait en lui-même, à la façon d'un enfant qui cherche une réponse franche et entière. Ses yeux d'un bleu vif, saillants comme ceux d'un vairon, sautaient d'une caméra à l'autre, sa bouche s'arrondissait en une expression de sincérité que la télévision savait si bien rendre et il s'obstinait à répéter que seule sa victoire doterait le Québec d'un gouvernement honnête.

Il n'était plus possible pour Bourassa d'ignorer qu'il serait battu. Les spéculateurs de Wall Street, quant à eux, étaient tellement certains de la victoire de Lévesque qu'ils vendaient à découvert leurs dollars canadiens; John Robertson, annonceur à la station radiophonique montréalai-

---

26) En français dans le texte.

se CFCF, avait dû se cacher après avoir reçu des menaces suscitées par sa série d'émissions pro-fédéralistes [27]; des épargnants hyper-nerveux retiraient secrètement leur argent des banques et des compagnies de fiducie et l'envoyaient à l'extérieur du Québec. Mais c'était surtout la communauté juive de Montréal qui se montrait particulièrement inquiète. Quoiqu'ils soient les plus bilingues des anglophones [28], les aristocrates juifs de la métropole ont consacré tellement d'énergies pour se hisser à la hauteur de l'Establishment WASP qu'ils ignorent à peu près complètement la société francophone qui les entoure. Plutôt que d'essayer de prendre le pouvoir, les Juifs montréalais ont toujours préféré déléguer l'un des leurs auprès de celui des partis politiques qui se faisait élire à Québec, pareille tactique suffisant à combler leurs aspirations politiques.

Vers le milieu des années 70, celui qui avait hérité de cette fonction était le docteur Victor Goldbloom, un ambitieux pédiatre qui devint ministre des Affaires municipales et de l'Environnement dans le cabinet Bourassa. Deux semaines avant le jour du scrutin, les dirigeants de la com-

---

27) CFCF, station anglophone, appartenait alors à Multiple Access, l'une des compagnies de la famille Bronfman. Un an plus tôt, Robertson avait reçu des menaces (il s'était effondré pendant une émission, sous l'effet du choc, et avait été conduit d'urgence à l'hôpital) alors qu'il menait une campagne sur les ondes de CFCF et récoltait un demi-million de signatures contre le projet de loi 22 assurant la prédominance de la langue française dans le monde des affaires et l'éducation. Cette campagne partiale et faisant plus appel à l'émotion qu'à la raison s'était accompagnée de slogans du type "Abolissez la loi 22 ou nous vous abolirons aux prochaines élections''. Robertson a quitté CFCF en 1977 et est maintenant annonceur au service des nouvelles d'une station de télévision de Winnipeg.

28) Sam n'avait jamais pu apprendre le français, mais il était très fier de Charles qui le parlait couramment; aussi, lorsque son fils fit un discours entièrement en français, lors d'une assemblée à Ville d'Anjou, il ne put se retenir et l'embrassa sur la bouche devant tout le monde. Charles a beaucoup amélioré son accent en passant une semaine à un institut linguistique de Jonquière, où il suivit un cours intensif.

munauté juive remplirent la Place des Arts pour assister à un festival hassidique animé par Ben Milner, militant de la première heure dans le parti Likud de Menahem Begin, en Israël. Lorsque le maître de cérémonie présenta les invités d'honneur, Victor Goldbloom fut longuement hué par l'auditoire qui exprimait ainsi son mépris parce qu'il avait appuyé le projet de loi 22, dont un chapitre traitait des droits linguistiques des minorités. Norman Spector, copropriétaire de la plus importante société pétrolière de la ville et l'un des plus brillants dirigeants de la communauté juive montréalaise, fut envahi par la crainte de voir celle-ci perdre son unique représentant à Québec et prit les dispositions pour que Goldbloom et Bronfman pussent se rencontrer, dès le lendemain matin. La réunion se déroula dans le bureau de Charles et deux décisions importantes y furent adoptées: la tenue d'une assemblée monstre, le 10 novembre, dans le but spécifique d'appuyer ouvertement Goldbloom et l'envoi à la communauté d'une lettre en sa faveur et signée par ses chefs de file [29]. L'ordre du jour du rassemblement, présidé par Spector, prévoyait que Charles Bronfman et Philip Vineberg, l'avocat de la famille Bronfman, prendraient tous les deux la parole pour exprimer, en des termes vigoureux, tout le bien qu'il fallait penser de Goldbloom. "Au début, raconte Spector, les assistants donnèrent libre cours à leur indignation, puis, peu à peu, leur colère laissa la place à de l'indifférence et, à la fin de la soirée, le vote de la plupart d'entre eux était chose acquise."

---

29) Cette lettre, qui faisait l'éloge de Goldbloom en le présentant comme "un homme digne et respectable", se terminait ainsi: *"Victor Goldbloom est le trait d'union entre les Québécois anglophones et francophones. Sa réélection est d'une importance capitale pour toute la communauté."* Elle portait cinquante-six signatures, dont celles de Charles Bronfman, de Leo Kolber, de Mordecai Richler et de deux WASP de service: G. Arnold Hart, président du comité de direction de la Banque de Montréal, et Kenneth White, président du Trust Royal.

Mais il s'était montré trop optimiste. Le lendemain après-midi, trente-six heures avant le vote, Arhtur Pascal convoqua secrètement une réunion d'urgence chez lui, réunion à laquelle participèrent outre Bronfman, Vineberg et Spector, Manny Batshaw, directeur de la Fédération des services communautaires juifs (F.S.C.J.), le plus puissant organisme juif de Montréal, et cinq autres dirigeants de la communauté: Hillel Becker, Leonard Ellen, Morley Cohen, Marvin Corber et Danny Albert. L'ordre du jour ne comportait qu'un seul point: un sondage de dernière minute indiquait que Goldbloom perdrait son siège, le 15 novembre, la plupart de ses électeurs ayant l'intention de s'abstenir ou de donner leur vote à l'Union nationale. Vineberg releva le fait que beaucoup de jeunes Juifs voteraient carrément pour le P.Q. et qu'il valait donc la peine d'organiser une réunion à laquelle on inviterait ceux-ci.

Cette proposition fut rapidement adoptée et tous les membres présents acceptèrent de convoquer par téléphone suffisamment de personnes pour remplir une salle. Oui, mais quelle salle? Devant l'urgence de la situation et étant donné que tous ceux qui participaient à la réunion étaient membres du bureau de la F.S.C.J., il fut décidé d'utiliser l'auditorium de l'association, situé chemin de la Côte Sainte-Catherine. Mais Manny Batshaw, qui était l'unique fonctionnaire du groupe, s'opposa fermement à cette idée parce qu'une institution neutre ne pouvait servir de cadre à une réunion partisane. Pour tenir compte de son objection, les autres conclurent qu'aucun candidat officiel ne serait invité et que, au lieu d'être une assemblée électorale, la réunion deviendrait un forum où les jeunes électeurs pourraient exprimer leurs opinions. Il fallait maintenant choisir un orateur et Charles Bronfman se proposa. Mais Manny, toujours inquiet, lui rappela qu'il fallait éviter de donner à la réunion une tournure trop politique. "Ecoute, Manny,

444

répliqua Charles, impatienté, c'est la guerre. Au diable les règlements."

Au fur et à mesure que la discussion s'approfondissait, il devenait évident que la réélection de Goldbloom n'était pas l'enjeu véritable. Pour ces hommes, la victoire du P.Q. ne serait pas seulement désastreuse pour la province et le pays, mais également pour eux-mêmes — dans la mesure, du moins, où leur rôle essentiel consistait à maintenir le pouvoir de la communauté juive. Leurs réseaux de contacts personnels avaient des ramifications à l'intérieur du Parti libéral provincial tout entier; subitement, tout était maintenant menacé: leur pouvoir d'action, la participation gouvernementale à des projets vitaux pour la communauté, tout. Mais leur inquiétude la plus secrète venait du danger que les ultranationalistes du P.Q., qui avaient fait circuler des bruits antisionistes, pouvaient faire courir à la communauté qui se trouvait dans une position minoritaire.

Batshaw était profondément inquiet. Il téléphona au président de la F.S.C.J., Joe Ain, directeur d'une entreprise de construction, qui participait à un congrès du Jewish Welfare Fund à Philadelphie, pour lui demander s'il était d'accord avec l'idée d'utiliser les locaux de l'association pour la réunion. Ain, qui venait de passer des vacances en Floride et s'était rendu directement à Philadelphie, avait donc été absent de Montréal depuis plusieurs semaines et il n'y vit aucun inconvénient. Ce même jeudi soir, Batshaw donna un second coup de téléphone. Il demanda à Philip Shaposnick, avocat membre du bureau de la F.S.C.J., d'accepter de prononcer le discours lors de la réunion prévue pour le dimanche 14 novembre, dans la matinée. Shaposnick refusa de prendre la parole, mais voulut savoir ce que Bronfman avait l'intention de dire. Il fut très ennuyé quand Batshaw lui fit part de sa totale ignorance sur la question. Il avait vu avec plaisir diminuer l'emprise de Sam Bronfman sur la communauté juive de Montréal et estimait que l'actuel processus de prise de décision était beaucoup plus démocratique. La réunion lui apparut alors comme un retour à l'ancienne mainmise de la Famille et il dit à Batshaw qu'il allait passer la journée de samedi à réfléchir pour savoir s'il allait continuer de siéger au bureau de la F.S.C.J. En fait, il remit sa lettre de démission à l'association, juste avant le début de la réunion. Il se rappelle très bien avoir vu arriver Bronfman en voiture, au moment où il s'en allait.

Charles avait passé le week-end dans son chalet des Laurentides. On peut facilement s'imaginer son état d'esprit, tandis que, se préparant mentalement pour la réunion, il revenait vers Montréal, au volant de sa Cadillac, ce dimanche matin-là, où tout baignait dans le calme. Son attitude faisait penser à l'histoire du conducteur roulant en pleine nuit alors qu'une tempête fait rage et qui, son pneu ayant crevé, découvre qu'il n'a pas de cric. Il regarde autour de lui et distingue, dans le lointain, une faible lueur lui indiquant la présence d'une maison isolée. Il décide de s'y rendre, bravant la tempête, au cas où le propriétaire pourrait lui prêter un cric. "Qu'est-ce qu'il fait froid, pense-t-il en lui-même. J'espère que ce type aura un cric." Le vent augmente, mais il continue de trébucher dans la neige et de penser. "Qu'est-ce que je ferai s'il n'en a pas? Ce serait tout de même étonnant, puisqu'il habite ici tout seul, à l'écart de tout. Ouais, mais s'il n'en a pas..."

Il est maintenant suffisamment près pour deviner les contours de la maison et il murmure pour lui-même: "C'est sûr qu'il doit avoir un cric. Mais voudra-t-il me le prêter? Ça fait des heures que je m'enfonce dans cette maudite neige vers cette damnée ferme pour quelque chose d'aussi insignifiant qu'un cric, et peut-être ne voudra-t-il même pas me le prêter! Ça serait bien ma veine!" Il monte les marches du perron et, gagné par la colère, cogne à la porte en songeant: "Je le sais que ce foutu crétin ne voudra pas me prêter son maudit cric!"

La porte s'ouvre et le fermier, à moitié endormi, lui demande poliment: "Puis-je vous aider?"

— Ouais, vous pouvez, hurle le conducteur à bout de forces et ne sachant plus où il en est, et vous savez quoi? Eh bien! votre sale cric, vous pouvez vous le mettre où je pense!"

Que Charles Bronfman se fût retrouvé ou non dans cet état d'esprit, il n'en demeure pas moins qu'il fit irruption dans le bureau de Manny Batshaw et l'aborda avec une grossièreté qu' on ne lui connaissait pas. "Quand je lui demandai ce qu'il avait l'intention de dire, raconte Batshaw, ce fut le doigt de son père que je vis pointer vers moi:

— Ça, Manny, il n'y a personne qui le saura.

"Mais Charles, ce n'est pas un meeting politique", lui répéta Batshaw, une dernière fois.

— Eh bien, *je vais* quand même parler de politique."

Le mot ayant couru que Bronfman prononcerait un discours, un journaliste du *Montreal Star* accourut, alléché par cette possibilité d'obtenir une dernière anecdote, juste avant les élections. ("Je m'attendais à un public jeune et relativement hostile, se rappelle Charles, mais il y avait surtout des gens d'un certain âge et très sympathiques. Je n'avais pas la moindre idée de ce que j'allais dire, j'avais à peine écrit quelques notes. J'ai soudain senti qu'ils étaient de mon côté et je me suis laissé emporter par l'atmosphère qui régnait dans la salle.")

Le public commença à se réchauffer et Bronfman se mit à défendre Bourassa, disant que c'était un type bien, mais un mauvais politicien qui ne s'était pas rendu compte de tout "le mal, la douleur, l'angoisse" que son projet de loi sur la langue avait causés. "Je jure devant Dieu que c'est vrai, lança Bronfman, implorant son auditoire de le croire. Cela semble incroyable, je le sais. Mais le Premier ministre ne savait pas. Et, maintenant, il sait!"

Brusquement, il changea de sujet et s'en prit à la stratégie de René Lévesque, accusant le P.Q. d'être "irréaliste, décevant et malhonnête", parce qu'il n'avait pas mené sa campagne sur le thème du séparatisme, l'idéologie réelle du parti. Il prédit que le Québec sombrerait dans le chaos économique si le P.Q. prenait le pouvoir et provoqua un silence terrifié dans l'auditoire tandis qu'il proférait ce sinistre avertissement: "Je vois la destruction de mon pays, la destruction de la communauté juive (...) Si le P.Q. forme le prochain gouvernement, ce sera l'enfer absolu, sans issue (...) C'est un combat. C'est une guerre — une guerre authentique (...) En tournant le dos aux libéraux, nous nous engageons sur la voie du suicide. Si le P.Q. gagne, mes amis, tout est fini. Et bien fini."

Ceci dit, Charles se calma un peu et lança froidement cette menace: "Je me vois, lors de la prochaine assemblée annuelle de Seagram, en train d'annoncer aux actionnaires que c'est la dernière qui se tient à Montréal. Si le P.Q. est élu, Dieu nous en garde, c'est bien ce que j'annoncerai [30]."

---

30) La menace de Charles était quelque peu équivoque. Le siège social canadien de Seagram avait été discrètement déménagé à Waterloo, en Ontario, durant l'automne de 1971. Seco-Cemp, qui détient la majorité des actions de Seagram, s'était d'abord installée à Calgary, puis à Toronto. L'élection du P.Q. ne pouvait endiguer le flot des capitaux Bronfman qui quittaient le Québec, de telle sorte que, à l'été de 1978, moins de quatre pour cent des actifs de Cemp et moins de un pour cent des ventes de Seagram se trouvaient encore dans la province. Les autres secteurs de l'entreprise familiale ont également participé à l'exode, quand Peter transféra les bureaux de Trizec Corporation à Calgary.

Les journalistes présents se ruèrent hors de la salle et, le lendemain, presque tous les journaux du pays reprenaient leur article en manchette, tandis que Bronfman manifestait la bienheureuse innocence de celui qui n'imagine pas avoir dit quoi que ce soit qui pourrait déclencher une polémique. "C'est curieux, se rappelle-t-il, mais la seule chose qui m'ait réellement horrifié, c'était le fait que j'avais assez malmené un membre du gouvernement Bourassa et je me souviens d'avoir pensé: "Bon sang, je ferais peut-être bien de lui téléphoner pour m'excuser." L'une des personnes présentes, ce jour-là, me dit que j'étais allé trop loin avec ma menace de quitter la province, mais je me contentai de lui répondre:

— Attendons la suite des événements.

"L'ennui, dans tout ça, c'est la façon dont les faits sont repris. Tout le monde croit, maintenant, que j'ai traité tous les Canadiens français, sans exception, de "salauds", ce qui est complètement ridicule. On prétend également que j'ai menacé de déménager ma distillerie. Je me demande bien comment on s'y prend, pour déménager une distillerie."

Le lendemain, les séparatistes de René Lévesque prenaient le pouvoir et Charles, profondément humilié, se vit forcé de présenter des excuses pour sa violente sortie [31]. Lors du banquet de la victoire, organisé par le Parti québécois, à l'hôtel *Reine Elizabeth,* des cartes imprimées à la hâte et dressées sur chaque table proclamaient: "Ici, on ne sert pas d'alcool Seagram". Mais la plus bouleversée, c'était la communauté juive qui craignait les réactions antisémites que la menace de Charles aurait pu provoquer; il est des choses que les Juifs n'aiment pas voir discuter sur la place

---

31) Goldbloom fut réélu avec une faible majorité de quatorze mille voix, si on la compare aux vingt-six mille votes de plus qu'il avait eus en 1973.

publique, entre autres, le fait qu'un des leurs soit suffisamment puissant pour pouvoir menacer le gouvernement en place. "Ses remarques ne pouvaient plus mal tomber, déclare Arnold Ages, professeur de langues classiques et romanes à l'Université de Waterloo et critique averti du judaïsme canadien. Le séparatisme est une question qui touche le Canada et non les Juifs. Charles n'aurait pas dû se montrer aussi chauvin, si je puis dire. Néanmoins, il a exprimé la crainte bien légitime de tous les Juifs de Montréal devant le chauvinisme canadien-français, crainte qui, sans contredit, plonge ses racines dans la tradition juive."

Lors de l'assemblée annuelle de 1976 (qui eut lieu à peine quatre jours après les élections), Jean-Charles Desroches, délégué de la section montréalaise de la Société Saint-Jean-Baptiste et détenteur de cinquante actions du stock Bronfman, accusa Bronfman de "se livrer au chantage". Il n'alla cependant pas jusqu'à réclamer sa démission. Edgar le rappela à l'ordre et Philip Vineberg le calma, en lui assurant que la compagnie avait l'intention de collaborer sans restriction avec le gouvernement péquiste.

Après ce pénible épisode, Charles se mura dans un silence morose dont il ne sortit que six mois plus tard, bien décidé à continuer. "Mes grands-parents, aussi bien paternels que maternels, ont eu suffisamment de cran pour venir s'installer ici. Le Canada s'est montré très bon pour nous. Je n'ai pas l'intention de le laisser démolir sans livrer bataille."

Lorsque les Blue Jays, de Toronto, inaugurèrent leur saison en 1977, Charles y était, échangeant des plaisanteries avec Donald Macdonald, le ministre fédéral des Finances de l'époque, qui était son invité. "Cela a dû être terrible pour vous, à Montréal, cette semaine, quand Camille Laurin a présenté son Livre Blanc sur la langue officielle", remarqua Macdonald.

— Pas pour moi, répondit Bronfman, sans broncher. Peut-être pour d'autres, mais je ne m'attendais pas à autre chose.

— Ah oui! C'est vrai. Je me souviens de votre sortie contre Lévesque, la veille des élections.

— En fait, Don, je tiens à ce que vous sachiez que je ne perds pas facilement mon sang-froid. C'était ainsi que je voyais la situation, à ce moment-là, et je n'aurais plus été capable de vivre en paix avec moi-même, si je n'en avais pas fait part aux électeurs."

Quand René Lévesque se rendit à New York, le 18 mai 1978, pour prendre la parole devant le Conseil des relations extérieures, Edgar se présenta au Premier ministre qui lui demanda: "Vous êtes vraiment un Bronfman de ces *Bronfman?* Votre frère et moi sommes presque en bons termes, de nouveau." La semaine précédente, en effet, les deux hommes s'étaient rencontrés à Montréal, au cours d'un déjeuner d'affaires et Lévesque avait fait une amicale allusion à Charles qui s'était donné la peine de suivre un cours intensif de français, à Jonquière. Après la réunion, Lévesque s'approcha de Bronfman et lui demanda — en anglais — s'il progressait en français. Bronfman répondit en haussant les épaules: "*Ça marche* [32]."

---

32) En français dans le texte.

Épilogue

L'empire Seagram poursuit son expansion dans un mouvement d'autopropulsion qui a depuis longtemps dépassé les contraintes que s'imposent les entreprises ordinaires. Bien peu de Canadiens ont conscience des véritables dimensions de ce géant parce que ses ventes sur le marché canadien correspondent à moins de sept pour cent de son chiffre global. Néanmoins, avec ses quinze mille deux cents employés et un chiffre d'affaires annuel qui devrait atteindre trois milliards de dollars en 1980, il s'agit d'une des plus grosses entreprises au monde.

La ligne de conduite adoptée en matière de commercialisation n'a pas tellement changé depuis l'époque de Monsieur Sam; l'impressionnant éventail de six cents marques explique en partie le fait qu'il se consomme quotidiennement un million et demi de bouteilles d'alcool Bronfman (dont soixante pour cent aux Etats-Unis). La plupart des étiquettes ne révèlent pas leur appartenance à l'empire Seagram: les vins Barton & Guestier, le rhum Myer, la vodka Wifschmidt, le champagne Mumm, les vins Bersano, le gin Burnett, le rhum Captain Morgan, comme tant d'autres produits apparemment indépendants, ne sont pourtant ni plus ni moins que des filiales.

L'exploitation de l'entreprise est d'une extrême complexité. A cause de la multitude de règlements locaux, le V.O., par exemple, se vend dans vingt types de bouteilles qui sont toutes de dimensions différentes. C'est sur le marché des vins européens que Seagram a lancé, récemment, sa plus importante offensive. La compagnie, dont le capital d'exploitation à l'extérieur des Etats-Unis atteignait six cent millions de dollars en 1978, possède maintenant huit grandes entreprises viticoles en France et dix autres dans d'autres pays [1].

Presque imperceptiblement, la compagnie Seagram est en train de devenir autant une société pétrolière qu'une distillerie. Malgré son importante activité par le truchement de nombreuses sociétés d'exploration dont elle est copropriétaire, son principal instrument est la Texas Pacific Oil Company qui lui appartient en totalité et qui est maintenant la cinquième société pétrolière indépendante des Etats-Unis. Avec une production quotidienne de quarante mille barils de pétrole et de cent soixante-quinze millions

---

1) Les activités outre-mer de Seagram ont atteint une telle envergure que la compagnie est maintenant un important marché monétaire à court terme, étant donné qu'elle a en permanence au moins cent millions de dollars de comptes en circulation. "Cela peut paraître prétentieux, de dire Richard Goeltz, le trésorier de Seagram, mais le fait est que de nombreuses banques nous offrent soit de nous ouvrir de nouvelles marges de crédit, soit d'augmenter nos marges actuelles."

de pieds cubes de gaz, la Texas Pacific n'en continue pas moins de forer de nouveaux puits au large des côtes de Dubai et de la Thaïlande, en Espagne, au Kenya, aux Philippines, dans la mer du Nord et au Mexique. Cela signifie que dix-huit millions six cent mille acres sont actuellement explorés. Selon Morton Cohen, de Yorkton Securities, à Montréal, au moins quarante pour cent des revenus annuels proviennent du pétrole et il estime que si on vendait les actions Seagram uniquement en fonction de la plus-value des exploitations pétrolières de la compagnie, elles atteindraient au moins dix-huit dollars sur le marché.

L'existence, la permanence, la structure et l'avenir de Seagram sont autant de monuments en hommage à la clairvoyance et à l'intuition de Monsieur Sam. Même si presque dix ans se sont maintenant écoulés depuis sa disparition, c'est son esprit qui continue de présider aux destinées de son empire. Dans chaque salle de réception, dans chaque bureau réservé à la direction, dans l'édifice Seagram de Montréal comme dans celui de New York, des statues et des portraits de Sam Bronfman — dégageant une impression de calme dont il n'était guère coutumier — trônent à la place d'honneur.

"Non seulement je continue de penser à p'pa, reconnaît Charles, mais je rêve de lui. Je ne cesse de me demander comment il aurait réagi dans telle ou telle situation. Lorsque nous avons conclu la transaction Glenlivet, Edgar et moi nous sommes retrouvés seuls, une fois la décision prise, et il a dit: "Ouais, papa aurait été content de celle-ci."

"Mais je n'étais pas de son avis.

— Non, il nous aurait probablement dit: Vous vous êtes fait avoir sur le prix, espèces d'imbéciles!"

De l'initiative de Charles, le siège social de Seagram à Montréal est resté un musée à la mémoire de son père.

L'étage réservé aux bureaux de la haute direction est dominé par un immense portrait du fondateur, oeuvre du peintre Cleeve Horne, et dans le bureau même de Charles, il n'y a pas moins de sept photographies ou souvenirs de son "p'pa" adoré [2].

Le bureau du deuxième étage d'où Sam dirigeait son empire est resté tel qu'il était, le dernier jour où il y a travaillé. C'est une grande pièce au plafond bas, aux boiseries de chêne clair, baignant dans une douce lumière grâce à des puits de lumière aménagés à chaque extrémité. Derrière le magnifique bureau en acajou — qui n'aurait pas détonné dans la demeure d'un banquier londonien — se trouve un fauteuil vert plus grand que la normale et qui contraste étrangement avec les divans bas réservés aux visiteurs.

C'était un truc mis au point par Monsieur Sam pour paraître plus grand qu'il ne l'était en réalité. Mais il est faux de prétendre, comme le croyaient ses ennemis, qu'il avait fait fabriquer chacun des fauteuils de la salle de conférence pour que les administrateurs, quelle que fût leur taille, aient toujours une demi-tête de moins que lui. Sam Bronfman n'avait pas besoin de ça. Un jour qu'il était attendu depuis un long moment à une réunion du conseil d'administration, l'un des directeurs, croyant qu'il ne viendrait plus, avait pris sa place au bout de la table. Quand

---

2) Y compris un exemplaire encadré du rapport annuel de la compagnie pour 1970, qui porte la mention suivante: *A mon très cher fils, Charles. L'histoire de notre compagnie est en partie celle de ma vie, basée sur les enseignements de mes chers parents dont je chéris la mémoire et qui m'ont appris à être ferme, sincère, à bâtir ma vie pierre après pierre. Voici, à gauche, cet arbre symbolique, qui pousse dru, avec ses racines qui s'enfoncent loin dans le sol et peuvent même remonter. Les branches représentent nos enfants et nos petits-enfants. Ainsi que tous nos employés dispersés à travers le monde. Le tronc est votre mère et je souhaite que cet arbre soit à ton image et à celle de Barbara et que les branches soient vos enfants ainsi que, si Dieu le veut, vos petits-enfants. Avec tout mon amour. Papa. 3 novembre 1970.*

Bronfman arriva enfin, il voulut se lever. "Non, non, ne bougez pas, lui dit Sam avec un geste de la main. Le bout de la table se trouve toujours *où* je m'assieds."

Les murs de son ancien sanctuaire disparaissent sous des douzaines de souvenirs de sa longue vie mouvementée [3]. Au milieu des photos dédicacées, il en est une, toute jaunie, de Stephen Leacock, l'humoriste canadien bien connu qui fut également professeur de sciences économiques à l'université McGill [4].

---

3) Il y a un grand bison en bronze qui lui a été offert par la province du Manitoba, en 1968; une clé en or de la ville de Waterloo, en Ontario; un extrait encadré d'une circulaire de Wood Gundy: "Distillers Corporation-Seagram's Limited n'a jamais été une compagnie "suiveuse". Elle a toujours été au premier rang dans tous les aspects de l'exploitation, depuis la mise en marché d'un nouveau produit jusqu'à l'ultime étape financière."; une montre en or avec la double inscription: *A papa, pour qui j'éprouve une grande affection, un constant étonnement et beaucoup d'amour, Charles* et *A mon père, avec toute mon admiration et mon amour, Edgar;* une poupée japonaise, grandeur nature, offerte par un associé de Seagram au Japon; une pelle en or, portant la date du 23 mai 1924, jour où fut levée la première motte de terre pour la construction de la première distillerie des Bronfman, à Ville La Salle, au Québec; et une carafe à demi-remplie, contenant des mélanges de luxe, offerte lors d'un banquet de distillateurs, le 10 mars 1971, dernier événement officiel auquel il assista. Il n'y a qu'une seule peinture, mais c'était celle qu'il préférait de la collection "Villes du Canada" organisée par Seagram et qui fut montrée en Europe et à travers le Canada, au cours des années 50. Il s'agit d'une peinture à l'huile représentant la Place d'Armes, à Montréal. Lors du passage de la collection à Rome, Bronfman avait offert au pape Pie XII de choisir parmi les tableaux et Sa Sainteté opta pour celui de J.S. Hallam. Bronfman voulut en faire faire une copie, mais comme l'artiste était mort entre-temps, ce fut H.S. Palmer qui l'exécuta et c'est sa toile qui est maintenant accrochée dans le bureau de la rue Peel. Il n'y a pas de classeurs dans le bureau. Sam les avait en horreur et leur préférait de beaucoup, pour classer le courrier, ce qu'il appelait le "Dossier numéro 13", sa corbeille à papier.

4) C'est un souvenir de la première grande aventure de Sam, en dehors du whisky et de l'argent. En 1941, voyant que les premiers revers de la Seconde Guerre mondiale avaient laissé un goût amer aux Canadiens qui cédaient au pessimisme, il commanda à Leacock une Histoire du Canada humoristique. Celle-ci (*Canada: The Foundations of Its Future*) fut tirée à cent soixante-cinq mille exemplaires, environ, qui furent distribués gratuitement. Certains membres du clan Bronfman songent encore à cette entreprise avec une admiration sans borne. Le 19 juin 1972, plaidant devant le C.R.T.C. l'octroi d'un permis de télé-

Un objet, entre autres, rappelle de façon plus précise les réalisations de Sam Bronfman. Il s'agit d'un plumier de marbre noir, portant cette unique inscription: *Merci un milliard de fois, papa. Avec tendresse, Edgar et Charles, le 19 octobre 1965.* C'était ce jour-là que les ventes de Seagram avaient dépassé, pour la première fois, un milliard de dollars et les fils de Sam, déjà à la tête de la compagnie, avaient célébré l'événement en organisant une fête monstre au *Ritz*.

Il y a encore un autre souvenir de Monsieur Sam, sur son vieux bureau: c'est son téléphone. Rien, dans son apparence inoffensive, ne laisse soupçonner ce qu'on confie au visiteur: la forme particulière du combiné lui vient de la partie renforcée, précaution indispensable pour qu'il pût résister au traitement que lui faisait subir Monsieur qui raccrochait souvent avec violence. Monsieur Sam avait, du reste, une relation un peu bizarre avec l'appareil, le dotant d'une vie propre. Quand son interlocuteur lui déclarait quelque chose qui le laissait incrédule, il éloignait le combiné de son oreille, le regardait avec méfiance, longuement, puis le déposait de toutes ses forces sur le support. Une fois, au moins, à l'annonce de la victoire d'un concurrent, il s'était saisi de l'appareil et l'avait lancé par la fenêtre.

On retrouve chez Edgar, au siège social new-yorkais de Seagram, une atmosphère similaire où tout rend hommage à son père. Mais ses souvenirs personnels sont plus terre à terre que ceux de Charles. "Dieu sait combien de fois je l'ai provoqué. Je me souviens d'une fois, je devais avoir dix-huit, vingt ans, ou j'avais fait quelque chose qui n'avait vraiment pas plu à père. Il m'avait regardé d'un air intrigué en me demandant:

---

diffusion pour l'une des compagnies familiales, à Montréal, Philip Vineberg, l'avocat des Bronfman, lut un extrait de la préface et déclara aux commissaires: "C'est dans cet esprit que nous sollicitons et votre appui et votre accord à notre requête."

— Edgar, que ferais-tu si tu étais un père comme moi, ayant un fils comme toi?

"Je lui avais répondu:

— Eh bien, je crois que je dépenserais tout mon argent et que je l'enverrais se faire pendre ailleurs."

Il se contenta de hocher la tête. Dieu merci, il ne me prit pas au mot. Nous nous entendions extraordinairement. Bien sûr, c'était plus difficile au fur et à mesure qu'il vieillissait, mais il avait beaucoup de respect pour moi et m'aimait énormément...

"Son secret? C'était un ensemble de facteurs. Il avait débuté avec un intense désir de réussir, mais je crois qu'il en va de même pour beaucoup de monde. Mais ce qu'il avait en plus — et il ne s'est jamais détourné de cette ligne de conduite —, c'était qu'il savait *comment* il entendait réussir. Il voulait fabriquer un produit de première qualité, avoir la fierté d'y apposer un prix et faire en sorte que le consommateur l'achète à ce même prix. En même temps, c'était un négociateur hors pair. Il savait deviner les autres et, en dépit de tout ce qu'on a pu raconter sur son compte — j'ai moi-même été souvent témoin de ses crises de colère —, il exprimait une malice teintée de tendresse aussi bien dans son sourire que dans son regard. Tout son personnel se serait jeté au feu pour lui. A l'occasion de son quatre-vingtième anniversaire, nous avions organisé un déjeuner et tous les employés de New York y ont assisté, quelque chose comme un millier de personnes. Lorsqu'il entra dans la salle, il fut accueilli par une immense acclamation, telle que je ne pourrai jamais l'oublier. Il ne s'agissait pas d'une ovation ordinaire. Il était réellement aimé."

Maintenant qu'ils atteignent un certain âge, Edgar et Charles commencent à penser au problème que posera leur succession. "Si jamais Stevie, mon fils, décide d'entrer dans la compagnie, dit Charles, et qu'il a les qualités requises pour pouvoir prendre la relève, la première chose que je ferai sera de vider les lieux en compagnie de mes administrateurs pour lui céder la place. Qu'il s'en trouve lui-même des administrateurs. L'écart entre les générations est bien réel. Je ne m'attends pas à ce que ses valeurs soient les miennes, ni à ce qu'il ait le même caractère que moi. Il n'est absolument pas question de se retrouver avec deux directions."

"On peut maintenir la cohésion d'une famille grâce à l'argent, dit Edgar. Oui, c'est possible. Mais ce qui ne l'est pas, c'est de forcer les membres à s'aimer. Nous, mon frère et mes soeurs, nous avons de la chance. Nous nous entendons très bien. Mais pour ce qui est de nos enfants, nous estimons que leurs décisions leur appartiennent."

La forme que prendra la succession reste encore à déterminer, mais ce fut dans l'intimité de leur immense chagrin, au moment de la mort de leur père, en 1971, que Charles et Edgar s'engagèrent personnellement vis-à-vis de l'avenir.

Le lendemain des funérailles, Moe Levine, le beau-frère de Saidye et le fournisseur des "sacs violets" du Crown Royal se trouvait seul chez lui, lorsqu'il reçut, à l'improviste, la visite des deux frères. "Oncle Moe, demanda Edgar, y a-t-il une loi quelconque qui pourrait nous empêcher d'aller au cimetière?"

Levine leur expliqua que la coutume juive interdisait aux proches du disparu de se rendre au cimetière moins de trente jours après les funérailles. "Selon moi, il n'y a aucun mal à y aller, mais je ne suis pas rabbin. Pourquoi tenez-vous à cette visite?

— Nous aimerions jurer solennellement sur la tombe de papa, répondit Charles, que nous resterons toujours unis."

La dynastie de Monsieur Sam ne s'éteindra pas.

Annexes

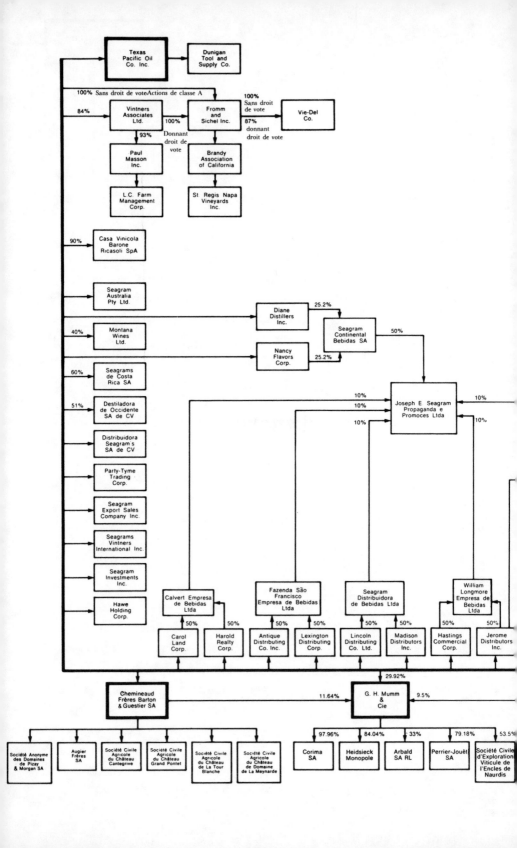

I — La galaxie Seagram

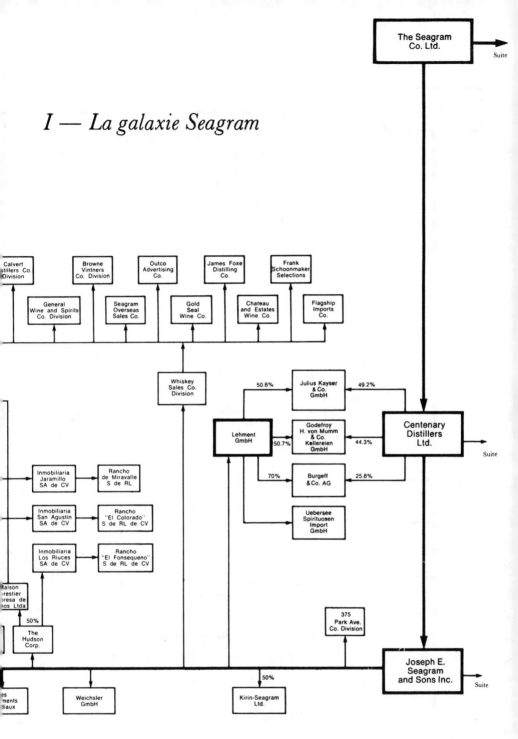

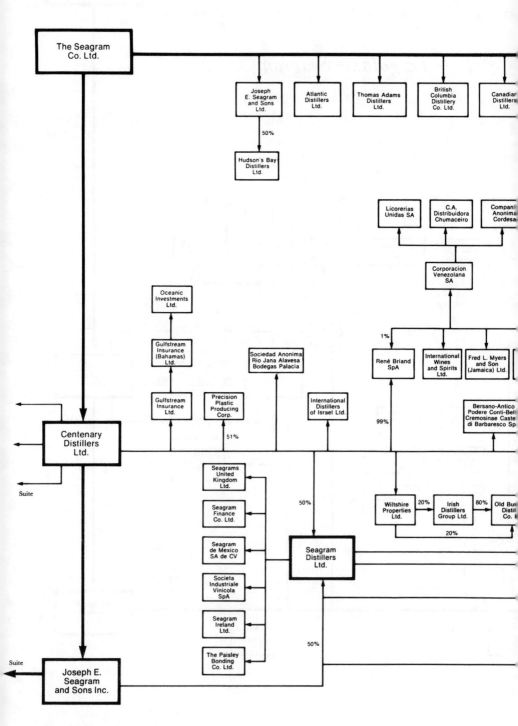

466

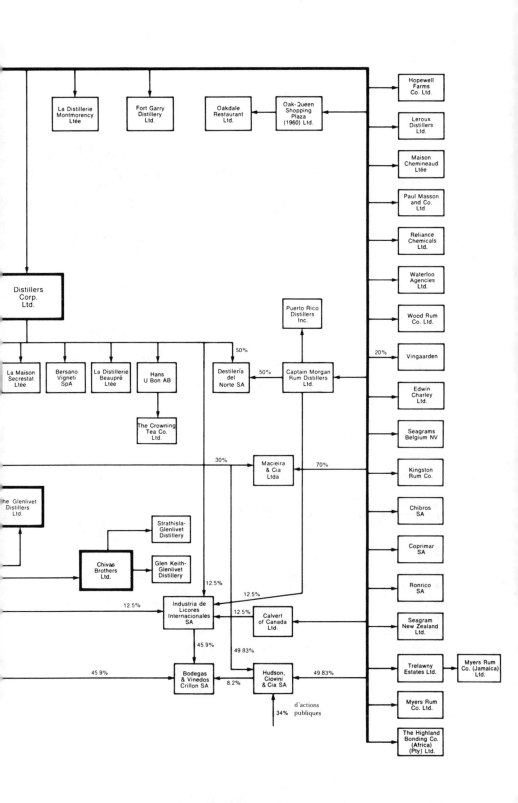

II — L'univers Seagram

× Centres de distribution Seagram

● Distilleries appartenant à Seagram

■ Entreprises vinicoles appartenant à Seagram

◆ Distillateurs ou viticulteurs indépendants dont les produits sont mis en marché et distribués par Seagram

▲ Principaux secteurs de production (gaz et pétrole) de Texas Pacific

▼ Principales zones d'exploration (gaz et pétrole) de Texas Pacific

III — Les Bronfman au Canada:
sociétés immobilières et de gestion

Nom	Description	Compagnie représentant les intérêts de la famille Bronfman	Pourcentage possédé	Dimension/Actif
Colombie-Britannique				
BURNABY (*voir* Vancouver)				
GREENWOOD *Entreprise* Motherlode-Greyhound	Concession minière	GM Resources	100	
HARRISON LAKE *Entreprise*	215 concessions minières cuivre-nickel	GM Resources	14	
HEDLEY *Entreprise* Nickel Plate	mine (non exploitée)	GM Resources	76	
PORT ALBERNI *Entreprise* Alberni Cable Television Ltd.	télévision par câble	Canadian Cablesystems	20	
RICHMOND (*voir* Vancouver)				
SPILLIMACHEEN *Entreprise*	16 concessions minières plomb-zinc	GM Resources	100	

VANCOUVER ET LES ENVIRONS

Immobilier

Royal Centre	bureaux	Trizec[1]	100	846 000 p^2
Lougheed Shoppers Mall	centre commercial	Trizec	90	491 000 p^2
Crown Zellerbach	centre commercial	Trizec	100	56 000 p^2
Brentwood Mall	centre commercial	Trizec	50	441 000 p^2
Pacific Centre	boutiques et bureaux	Cadillac Fairview[2]	33 1/3	2 436 000 p^2
Pacific Centre	boutiques et bureaux (en construction)	Cadillac Fairview	33 1/3	500 000 p^2
Windermere Lodge	maison de retraite	Trizec	100	234 places
Grouse Mountain Resorts		S.B. McLaughlin[3]	64,4	1 500 acres
Western Peat Moss	terrain	S.B. McLaughlin	100	7 887 acres
Van Air Marina (Richmond)	hôtel	Trizec	100	373 chambres

Entreprise

Bow Valley Industries Ltd. (*voir aussi* Calgary):		Cemp	12,6	$150 534 738
Connors Drilling Ltd.		Bow Valley	100	
Elworthy & Co. Ltd.		Bow Valley	100	
Mainland Foundry & Engineering Ltd.		Bow Valley	100	
Wesdrill Equipment		Bow Valley	100	
GM Resources Ltd. (*voir aussi* Calgary):		Cemp	46	Réserves: 44 000 000 mi p^3 gaz naturel
GM Explorations Ltd.		GM Resources	100	
Giant Explorations Ltd.		GM Resources	27,7	
Mascot Mines & Petroleums Ltd.		GM Resources	100	
Mascot Nickel Plate Mines Ltd.		GM Resources	76	

(1) Trizec relève de Edper Investments.
(2) Cadillac Fairview appartient à 35% à Cemp Investments.
(3) S.B. McLaughlin appartient à 18% à Edper Investments.

Nom	Description	Compagnie représentant les intérêts de la famille Bronfman	Pourcentage possédé	Dimension/Actif
WASA				
Entreprise				
Estella property	concessions minières	GM Resources	100	
Alberta				
CALGARY				
Immobilier				
Medical Arts Building	bureaux	Gerin Ltd.	100	76 544 p²
Chevron Building	bureaux	Gerin Ltd.	100	127 082 p²
Calgary Place	bureaux	Trizec	50	733 000 p²
17th Avenue Building	bureaux	Trizec	100	27 000 p²
Texaco Building	bureaux	Trizec	75	159 000 p²
Glidden Building	bureaux	Trizec	100	18 000 p²
Pacific 66 Plaza	bureaux	Trizec	100	230 000 p²
Royal Bank Building	bureaux	Trizec	100	360 000 p²
9th Avenue Building	bureaux	Trizec	100	87 000 p²
8th Avenue Building	bureaux	Trizec	100	110 000 p²
6th Ave. & 2e rue sud-ouest	bureaux (en construction)	Cadillac Fairview	100	549 000 p²
BP House	bureaux (en construction)	Cadillac Fairview	80	271 000 p²
Scotia Centre	bureaux	Trizec	50	620 000 p²
Central Park Calgary	maison de repos	Trizec	100	123 places
North Hill	centre commercial	Cadillac Fairview	100	510 000 p²
Entreprises				
GM Resources :	compagnie extractive	Cemp	46	réserves : 44 000 000 mi p³ gaz naturel
Panarctic Oils Ltd.		GM Resources	3,8	$191 871 029

Société	Type	Actionnaire	%	Détails
Calgary International Energy Ltd.		GM Resources	100	1) 0,534% intérêts à redevance dans Strachan D-3 champ gazifère de Leduc 2) 30% dans 39 puits de gaz Seven Persons, Alberta 3) 50% dans 7 lots secteur de Bassano, Alberta
Calgary International Ltd. (U.S.)		GM Resources	100	
G.V. Lloyd Exploration Ltd.		GM Resources	100	
Bow Valley Industries:	compagnie extractive	Cemp	12,6	$150 534 738 3 606 999 acres, pétrole brut
Bow Valley Helicopters Ltd.		Bow Valley Industries	100	
Bow Valley Industry Supplies Ltd.		Bow Valley Industries	100	
Bow Valley Resource Services Ltd.		Bow Valley Industries	100	
Resolute Construction Ltd.		Bow Valley Industries	100	
Western Research & Development Ltd.		Bow Valley Industries	100	
Wonderly & Kershaw Petrochemical Services Ltd.		Bow Valley Industries	100	
Narwhal Arctic Services		Bow Valley Industries	60	
Commonwealth Hi-Tower Arctic		Bow Valley Industries	50	
Drillarctic		Bow Valley Industries	33 1/3	
Digitech Ltd.		Bow Valley Industries	11,3	
Western Rock Bit Co. Ltd.		Bow Valley Industries	10,4	
Panarctic Oils Ltd.		Bow Valley Industries	1,89	
Fairview Centres Canada Ltd.	salle de quilles	Cemp	99,9	
Ranger Oil:		Edper	6 (plus sociétés privées)	$155 822 000 1 009 003 acres, pétrole brut
Bralsaman Petroleums Ltd.		Ranger Oil	98	
Ranger Drilling Co.		Ranger Oil	100	

Nom	Description	Compagnie représentant les intérêts de la famille Bronfman	Pourcentage possédé	Dimension/Actif
Canadian Cablesystems (*voir aussi* Toronto): Community Antenna Television Ltd.		Edper	24,2	$100 225 000
		Canadian Cablesystems	100	
Astral Bellevue Pathé (*voir aussi* Toronto): Angreen Photo		Edper	100	
		Astral Bellevue Pathé	100	
Joseph E. Seagram & Sons Inc.	distillerie	Seagram Company Ltd.	100	
Texas Pacific Oil (Canada) Ltd.[1]	pétrole	Joseph E. Seagram & Sons Inc.	100	350 000 acres, pétrole
EDMONTON				
Immobilier				
CN Tower	bureaux	Trizec	100	368 000 p^2
Centennial Building	bureaux	Trizec	100	326 000 p^2
Central Park Edmonton	maison de repos	Trizec	100	134 places
Central Park Jasper Place	maison de repos	Trizec	100	100 places
Willowdale	zone résidentielle à faible densité	Cadillac Fairview	100	127 logements
Castledown	zone résidentielle à faible densité	Cadillac Fairview	100	80 logements
Bonnie Doon	centre commercial	Cadillac Fairview	100	415 000 p^2
108th Street	boutiques et bureaux	Cadillac Fairview	70	224 000 p^2
Entreprises				
Boyd, Scott & McDonald (*voir aussi* Toronto): Canadian Industrial & Commercial Bank		Edper	13	$35 000 000 (1976)
		Boyd, Scott & McDonald	20	$166 000 000
Fairview Centres Canada Ltd.	salle de quilles	Cemp	99,9	

(1) Anciennement Seafort Petroleum. Texas Pacific Oil (Canada) Ltd. est né de la fusion, en mai 1978, entre Seafort et Texas Pacific Oil Co. Inc. La nouvelle entreprise a repris les champs pétrolifères de Seafort

Saskatchewan

REGINA

Immobilier

Regina Inn	hôtel	Trizec	50	240 chambres
Southland Mall	centre commercial	Cadillac Fairview	100	297 000 p²

Entreprises

GM Resources
(*voir aussi* Calgary):

Calgary International Energy Ltd.	compagnie extractive	Čemp	46	
		GM Resources	100	
Cypress Hills	pétrole	Calgary International Energy Ltd.	1,66 intérêts à redevance	600 000 acres

Manitoba

BRANDON

Immobilier

Central Park Brandon	maison de repos	Trizec	100	89 places

WINNIPEG

Immobilier

Winnipeg Square	boutiques et bureaux (en construction)	Trizec	100	546 000 p²
Unicity Fashion Square	centre commercial	Trizec	67	477 000 p²
Central Park Winnipeg #1	maison de repos	Trizec	100	277 places
Central Park Winnipeg #2	maison de repos	Trizec	100	215 places
Southglen	terrain pour roulottes	Trizec	50	364 emplacements
Polo Park	centre commercial	Cadillac Fairview	100	585 000 p²
Rupertsland Square	boutiques et bureaux	Cadillac Fairview	50	411 000 p²

Nom	Description	Compagnie représentant les intérêts de la famille Bronfman	Pourcentage possédé	Dimension/Actif
Western Peat Moss	terrain	S.B. McLaughlin	100	lotissement de 9 500 acres
Northstar Inn	hôtel	Famous Players	100	272 chambres
Ontario				
BARRIE				
Immobilier				
Georgian Mall	centre commercial	Cadillac Fairview	100	108 000 p²
BRANTFORD				
Entreprise				
Jarmain Cable TV Brantford	télévision par câble	Canadian Cablesystems	100	
BURLINGTON				
Immobilier				
	terrain	S.B. McLaughlin	50	25 acres
Entreprise				
Metro Cable TV	télévision par câble	Canadian Cablesystems	100	
CALEDON				
Immobilier				
	terrain	S.B. McLaughlin	100	2 607 acres
CAMBRIDGE				
Entreprise				
Grand River Cable TV	télévision par câble	Canadian Cablesystems	100	
CHATHAM				
Entreprise				
Chatham Cable TV Ltd.	télévision par câble	Canadian Cablesystems	100	

CORNWALL

Entreprise

Cornwall Cablevision	télévision par câble	Canadian Cablesystems	100	

ERIN MILLS (devenez propriétaire de votre ville)

Immobilier

Il s'agit d'un des plus grands projets de cité communautaire au monde, avec zones résidentielles, commerciales et industrielles; le lotissement s'étend sur environ quinze milles x sept. — Erin Mills fait partie de Mississauga.

	terrain à bâtir	Cadillac Fairview	100	5 474 acres
	terrain en construction	Cadillac Fairview	100	551 acres

GEORGETOWN (Halton Hills)

Immobilier

	terrain	S.B. McLaughlin	100	945 acres

HAMILTON

Immobilier

Central Park Hamilton	maison de retraite	Trizec	100	81 places
One Hundred Bay South	immeuble d'habitation	Cadillac Fairview	50	175 appartements
The Centre Mall	centre commercial	Cadillac Fairview	100	343 000 p^2
Eastgate Square	centre commercial	Cadillac Fairview	70	525 000 p^2
Gage Square	centre commercial	Cadillac Fairview	70	67 000 p^2

Entreprise

Hamilton Co-Axial	télévision par câble	Canadian Cablesystems	100	

HENSALL

Entreprises

Cook's Division	traitement industrialisé de la fève	Gerbro Corp.	100	
Usines: Kirkton				
Hensall				
Centralia				

Nom	Description	Compagnie représentant les intérêts de la famille Bronfman	Pourcentage possédé	Dimension/Actif
KINGSTON				
Entreprise				
Kingston Cable TV Ltd.	télévision par câble	Canadian Cablesystems	50	
KITCHENER-WATERLOO				
Immobilier				
Fairview Park Mall	centre commercial	Cadillac Fairview	100	390 000 p^2
Central Park Kitchener	maison de repos	Trizec	100	208 places
Entreprises				
Warrington Products:	groupe de manufacturiers fabricants de Hush Puppies, Kodiak Boots, Bauer Skates	Cemp	46,1	$65 015 000
Greb Industries Ltd.				
Grand River Cable TV	télévision par câble	Canadian Cablesystems	100	
Joseph E. Seagram & Sons Ltd.	distillerie	Seagram Company Ltd.	100	$42 013 000
LONDON				
Immobilier				
Central Park London	maison de retraite	Trizec	100	111 places
Entreprise				
London Cable TV	télévision par câble	Canadian Cablesystems	100	
MISSISSAUGA				
Centre-ville	terrain à bâtir	S.B. McLaughlin	100	123 acres
Ouest du centre-ville	terrain à bâtir	S.B. McLaughlin	50	169 acres
Sud et ouest du centre-ville	terrain à bâtir	S.B. McLaughlin	50	216 acres
Sud et ouest du centre-ville	terrain à bâtir	S.B. McLaughlin	100	45 acres
Nord du centre-ville	terrain à bâtir	S.B. McLaughlin	100	2 200 acres
Square One	centre commercial	S.B. McLaughlin	100	1 100 000 p^2
Univac Building	bureaux	S.B. McLaughlin	100	187 000 p^2
McLaughlin Building	bureaux	S.B. McLaughlin	100	59 000 p^2

Northern Telecom Building	bureaux	S.B. McLaughlin	100	207 000 p²
Parkway Terrace	immeuble en copropriété	S.B. McLaughlin	100	180 logements
Morningstar Place	immeuble d'habitation	Cadillac Fairview	100	246 appartements
Millway	centre commercial	Cadillac Fairview	100	45 000 p²
Rockwood Mall	centre commercial	Cadillac Fairview	42	291 000 p²

NEWMARKET

Entreprise

Jarmain Cable TV Newmarket	télévision par câble	Canadian Cablesystems	100	

OAKVILLE

Immobilier

	terrain	S.B. McLaughlin	100	381 acres

OSHAWA

Entreprise

Pine Ridge Cable TV	télévision par câble	Canadian Cablesystems	100	

OTTAWA-HULL

Immobilier

Central Park Ottawa #1	maison de retraite	Trizec	100	140 places
Central Park Ottawa #2	maison de retraite	Trizec	100	150 places
Carlington	centre commercial	Trizec	100	290 000 p²
Merivale Industrial Complex	complexe industriel	Cadillac Fairview	100	4,2 acres
The Seigniory	immeuble d'habitation	Cadillac Fairview	100	199 appartements
Watergate	immeuble d'habitation	Cadillac Fairview	100	289 appartements
Barrhaven	zone résidentielle à faible densité	Cadillac Fairview	100	73 logements
Lucerne	zone résidentielle à faible densité	Cadillac Fairview	100	200 logements
Pointe Gatineau	zone résidentielle à faible densité	Cadillac Fairview	100	265 logements
Bridlewood Neighbourhood	zone résidentielle à faible densité	Cadillac Fairview	100	1 719 logements
Sussex House	immeuble en copropriété	Cadillac Fairview	50	44 logements
Montreal Square	centre commercial	Cadillac Fairview	70	58 000 p²

Nom	Description	Compagnie représentant les intérêts de la famille Bronfman	Pourcentage possédé	Dimension/Actif
Vista Square	centre commercial	Cadillac Fairview	100	70 000 p^2
Place du Centre (Hull)	boutiques et bureaux	Cadillac Fairview	100	1 068 000 p^2
400 Cumberland	boutiques et bureaux	Cadillac Fairview	88,8	201 000 p^2
Carling Square I	boutiques et bureaux	Cadillac Fairview	40	66 000 p^2
Carling Square II	boutiques et bureaux	Cadillac Fairview	40	132 000 p^2
Kent Square (Phase I)	boutiques et bureaux	Cadillac Fairview	80	266 000 p^2
Meriline Court (Phase I)	boutiques et bureaux	Cadillac Fairview	50	228 000 p^2
	services et industriel	Cadillac Fairview		9 acres
Kent Square (Phases I & II)	boutiques et bureaux (projet)	Cadillac Fairview	80	610 000 p^2
Meriline Court (Phase II)	boutiques et bureaux (projet)	Cadillac Fairview	50	228 000 p^2
Slater et Metcalfe (rues)	boutiques et bureaux (projet)	Cadillac Fairview	50	180 000 p^2
	terrain	S.B. McLaughlin	100	244 acres
Capitol Square	"plaza"	Famous Players	66 2/3	200 000 p^2
Four Seasons (ex-Carleton Towers)	hôtel	Louis Dreyfus Property Corporation	33 1/3	236

RICHMOND HILL
(*voir* Toronto)

ST. CATHARINES

Immobilier

Cushman Industrial Mall	industriel	Cadillac Fairview	100	78 000 p^2
	services et industriel	Cadillac Fairview	100	6 acres
Fairview Mall	centre commercial	Cadillac Fairview	100	194 000 p^2

Entreprise

Fairview Centres Canada Ltd.	salle de quilles	Cemp	99,9	

STONEY CREEK

THUNDER BAY

Immobilier

Thunder Bay Mall	centre commercial	Cadillac Fairview	70	140 000 p^2
Central Park Thunder Bay	maison de repos	Trizec	100	108 places

STRATFORD

Entreprises

Grand River Cable TV	télévision par câble	Canadian Cablesystems	100	

TORONTO ET LES ENVIRONS

Immobilier

180 Wellington	bureaux	Trizec	100	249 000 p^2
Yorkdale	centre commercial	Trizec	100	904 000 p^2
Scarborough Shopping Centre	centre commercial	Trizec	90	700 000 p^2
Markham Marketplace	centre commercial	Trizec	50	264 000 p^2
Central Park Queen's Drive	maison de retraite	Trizec	100	204 places
Central Park Thorncliffe #1	maison de retraite	Trizec	100	168 places
Central Park Thorncliffe #2	maison de retraite	Trizec	100	150 places
Central Park Jane Street	maison de retraite	Trizec	100	129 places
Central Park Albion Road	maison de repos	Trizec	100	256 places
Charlotte Villa	maison de repos	Trizec	100	80 places
Hazelton Lanes	boutiques et bureaux	Louis Dreyfus Property Corporation	100	340 000 p^2
University Place (quadrilatère délimité par les rues Dundas, St. Patrick, Elm et Simcoe)	terrain	Louis Dreyfus Property Corporation	80	3 acres
Albion Way (Etobicoke)	industriel	Cadillac Fairview	100	118 000 p^2
Auto Service Building (Richmond Hill)	industriel	Cadillac Fairview	100	11 000 p^2
Auto Service Building (Toronto)	industriel (en vente)	Cadillac Fairview	100	6 000 p^2
Skyway Business Park	industriel services et industriel	Cadillac Fairview Famous Players	50 50	85 acres
(Etobicoke)		Cadillac Fairview	100	4 acres
Ainsley Court	immeuble d'habitation	Cadillac Fairview	100	56 appartements

Nom	Description	Compagnie représentant les intérêts de la famille Bronfman	Pourcentage possédé	Dimension/Actif
Bayview Mews	immeuble d'habitation	Cadillac Fairview	70	304 appartements
Bayview Mills	immeuble d'habitation	Cadillac Fairview	80	345 appartements
Bayview Square	immeuble d'habitation	Cadillac Fairview	100	310 appartements
Bretton Place	immeuble d'habitation (terrain loué à bail)	Cadillac Fairview	100	629 appartements
Carolyn Court	immeuble d'habitation	Cadillac Fairview	50	132 appartements
Castellana	immeuble d'habitation	Cadillac Fairview	100	72 appartements
Charlton Court	immeuble d'habitation	Cadillac Fairview	100	120 appartements
Chequers Place	immeuble d'habitation	Cadillac Fairview	100	481 appartements
Clintwood Court	immeuble d'habitation	Cadillac Fairview	100	64 appartements
Craigton Court	immeuble d'habitation	Cadillac Fairview	100	125 appartements
Del Prado	immeuble d'habitation	Cadillac Fairview	75	156 appartements
Don Ridge Towers	immeuble d'habitation	Cadillac Fairview	100	65 appartements
Forest Grove	immeuble d'habitation	Cadillac Fairview	100	114 appartements
The Four Thousand	immeuble d'habitation (terrain loué à bail)	Cadillac Fairview	50	307 appartements
Grenadier Square	immeuble d'habitation	Cadillac Fairview	100	664 appartements
Hampton House	immeuble d'habitation	Cadillac Fairview	100	438 appartements
Horizon House	immeuble d'habitation	Cadillac Fairview	100	226 appartements
Horizon Village	immeuble d'habitation	Cadillac Fairview	100	160 appartements
Humber Ridge	immeuble d'habitation	Cadillac Fairview	100	190 appartements
Ivordale Maisonettes	immeuble d'habitation	Cadillac Fairview	100	60 appartements
Keelegate Towers	immeuble d'habitation	Cadillac Fairview	50	187 appartements
Maisonette Apartments	immeuble d'habitation	Cadillac Fairview	100	84 appartements
Park Place	immeuble d'habitation	Cadillac Fairview	100	1 971 appartements
Park Willow	immeuble d'habitation	Cadillac Fairview	66 2/3	496 appartements
Park Towers	immeuble d'habitation (terrain loué à bail)	Cadillac Fairview	75	548 appartements
Parkway Forest	immeuble d'habitation	Cadillac Fairview	100	1 854 appartements
Plaza 100	immeuble d'habitation	Cadillac Fairview	100	412 appartements

Rosedale est	immeuble d'habitation	Cadillac Fairview	100	…appartements
Summit Place	immeuble d'habitation	Cadillac Fairview	100	249 appartements
The Towne	immeuble d'habitation	Cadillac Fairview	100	185 appartements
University City	immeuble d'habitation	Cadillac Fairview	100	1 480 appartements
Village Green	immeuble d'habitation	Cadillac Fairview	50	687 appartements
West Park Village	immeuble d'habitation	Cadillac Fairview	50	464 appartements
Woodview Court	immeuble d'habitation	Cadillac Fairview	100	59 appartements
Etobicoke Nord (Neighbourhood I)	zone résidentielle à faible densité	Cadillac Fairview	65	280 logements
Bayview Place	zone résidentielle à faible densité	Cadillac Fairview	100	151 logements
Yonge Nord (Neighbourhood I)	zone résidentielle à faible densité	Cadillac Fairview	50	761 logements
Yonge Nord (Neighbourhood II)	zone résidentielle à faible densité	Cadillac Fairview	50	577 logements
150 Heath	immeuble en copropriété	Cadillac Fairview	100	46 logements
Lambton Square	immeuble en copropriété	Cadillac Fairview	100	1 024 logements
Quebec-Gothic	immeuble en copropriété	Cadillac Fairview	50	192 logements
Victoria Towne	immeuble en copropriété	Cadillac Fairview	100	397 logements
Yonge North	immeuble en copropriété	Cadillac Fairview	50	387 logements
Bayview Place III	immeuble en copropriété	Cadillac Fairview	100	240 logements
Hillcrest Mall (Richmond Hill)	centre commercial	Cadillac Fairview	100	566 000 p²
York Mills	centre commercial	Cadillac Fairview	100	51 000 p²
Don Mills	centre commercial	Cadillac Fairview	100	387 000 p²
Parkway Plaza	centre commercial	Cadillac Fairview	100	280 000 p²
Cedarbrae Plaza	centre commercial	Cadillac Fairview	100	289 000 p²
Parkwoods Village	centre commercial	Cadillac Fairview	100	39 000 p²
The Towne Mall	centre commercial	Cadillac Fairview	100	71 000 p²
Peanut Plaza	centre commercial	Cadillac Fairview	100	90 000 p²
Fairview Mall	centre commercial	Cadillac Fairview	50	570 000 p²
University City	centre commercial	Cadillac Fairview	50	44 000 p²
500 University Avenue	boutiques et bureaux	Cadillac Fairview	100	160 000 p²
130 Bloor ouest	boutiques et bureaux	Cadillac Fairview	100	309 000 p²
Toronto-Dominion Centre	boutiques et bureaux	Cadillac Fairview	50	3 335 000 p²
101 Bloor ouest	boutiques et bureaux	Cadillac Fairview	80	144 000 p²
77 Bloor ouest	boutiques et bureaux	Cadillac Fairview	90	420 000 p²
5 Fairview Mall Drive	boutiques et bureaux	Cadillac Fairview	100	81 000 p²

Nom	Description	Compagnie représentant les intérêts de la famille Bronfman	Pourcentage possédé	Dimension/Actif
245 Fairview Mall Drive	boutiques et bureaux	Cadillac Fairview	100	99 000 p^2
60 Bloor ouest	boutiques et bureaux	Cadillac Fairview	60	256 000 p^2
1200 Sheppard Ave est	siège social	Cadillac Fairview	100	150 000 p^2
111 Avenue Road	boutiques et bureaux	Cadillac Fairview	64	146 000 p^2
1210 Sheppard Ave est	boutiques et bureaux	Cadillac Fairview	80	337 000 p^2
1155 Leslie	boutiques et bureaux	Cadillac Fairview	100	20 000 p^2
Toronto Eaton Centre	boutiques et bureaux	Cadillac Fairview	60	2 282 000 p^2
Toronto Eaton Centre (Phase 1B)	boutiques et bureaux (en construction)	Cadillac Fairview	60	380 000 p^2
1075 Bay	boutiques et bureaux	Cadillac Fairview	80	328 000 p^2
Bay & Charles (rues)	boutiques et bureaux (en construction)	Cadillac Fairview	88,8	673 000 p^2
Toronto Eaton Centre	boutiques et bureaux (projet)	Cadillac Fairview	60	620 000 p^2
1220 Sheppard Ave est	boutiques et bureaux (projet)	Cadillac Fairview	80	270 000 p^2
Conservatory site	hôtel	Louis Dreyfus Property Corporation	50	2 acres
Flemingdon Park	hôtel — immeuble d'habitation	Louis Dreyfus Property Corporation	50	3 acres
Entreprises				
Cadillac Fairview Corp. Ltd.	société d'exploitation	Cemp	35	$1 405 020 000
Seco-Cemp Ltd.	société de gestion	Cemp	94,55	$343 089 000
Carena-Bancorp *(voir aussi Montréal)*:		Edper	72	$149 316 000
IAC Limited		Carena-Bancorp	19,4	$2 536 484 000
IAC Limited *(voir ci-dessus)*:		Carena-Bancorp		$2 536 484 000
Capital Funds Ltd.		IAC	100	
Insmor Holdings Ltd.	propriétaire de Insmor Insurance	IAC	15	$78 312 517
Niagara Finance Co. Ltd.		IAC	100	$289 080 000

Société	Catégorie	Société mère	%	Montant
Niagara Realty of Canada Ltd.		IAC	100	$265 618 000
SDI Associates Ltd.		IAC	3,75	
Canborough Limited		IAC	22	
Capital Funds (IAC) Ltd.	ordinateurs	IAC	100	
Mico Enterprises		Edper	65	$53 794 000
(voir aussi Montréal):				
Bellevue Photo Labs Inc.	société d'exploitation	Mico	50	
S.B. McLaughlin Associates		Mico	18	
Varitech Investors Ltd.		Mico	49	
Bellevue Photo Labs		Edper	52	
(voir aussi ci-dessus):				
Astral Bellevue Pathé		Bellevue Photo Labs / Edper	(voir ci-dessus)	$13 506 000
Astral Bellevue Pathé:				
Angreen Photo Inc.		Astral Bellevue Pathé	100	
Astral Films		Astral Bellevue Pathé	100	
Bellevue Pathé		Astral Bellevue Pathé	100	
ICL Industries		Astral Bellevue Pathé	100	
Heco Securities:				
National Hees Enterprises	société de gestion	Edper	100	
National Hees Enterprises		Heco Securities	78	$18 438 800
(voir aussi ci-dessus):				
NHE holdings		Heco Securities		
Warrington Products		Cemp	46,1	$65 015 000
(voir aussi Kitchener):				
Dominion Luggage Co. Ltd.		Warrington products	100	
Sundry Merchandise Sales Ltd.		Warrington Products	100	
Boyd, Stott & McDonald	société de crédit	Edper	13	$54 689 000
Canadian Cablesystems Ltd.:		Edper	24,2	$100 225 000
Cableshare Ltd.		Canadian Cablesystems	50	
Canadian Cablesystems (Metro) Ltd.		Canadian Cablesystems	100	
Canadian Cablesystems (Ontario) Ltd.		Canadian Cablesystems	100	

Nom	Description	Compagnie représentant les intérêts de la famille Bronfman	Pourcentage possédé	Dimension/Actif
Famous Players Ltd.		Canadian Cablesystems	48,9	$139 124 000
Télé-Capitale Ltée (Ste-Foy, Québec)		Canadian Cablesystems	18	
Canadian Cablesystems (Metro) Ltd. (*voir ci-dessus*) :		Canadian Cablesystems	100	
Metro Cable TV Division		Canadian Cablesystems	100	
Hamilton Co-Axial Division		Canadian Cablesystems	100	
Gabriel Lucas Ltée	joaillier	Charles Bronfman	50	
			particulier	
Econtech Ltd.	courtiers en valeurs	Cemp	100	

WESTON (*voir* Toronto)

WHITBY
Entreprise

Nom	Description	Compagnie représentant les intérêts de la famille Bronfman	Pourcentage possédé	Dimension/Actif
Pine Ridge Cable TV	télévision par câble	Canadian Cablesystems	100	

WINDSOR ET LES ENVIRONS
Immobilier

Nom	Description	Compagnie représentant les intérêts de la famille Bronfman	Pourcentage possédé	Dimension/Actif
Little River Acres	zone résidentielle à faible densité	Cadillac Fairview	67	658 logements
Central Park Windsor	maison de retraite	Trizec	100	175 places

WOODSTOCK
Immobilier

Nom	Description	Compagnie représentant les intérêts de la famille Bronfman	Pourcentage possédé	Dimension/Actif
	terrain	S.B. McLaughlin	110 acres	

Québec

GIFFARD
Immobilier

LÉVIS

Immobilier

Les Galeries Chagnon	centre commercial	Cadillac Fairview	70	536 000 p²

MIRABEL

Immobilier

	terrain à bâtir	S.B. McLaughlin	100	2 522 acres

MONTRÉAL

Immobilier

Place Ville-Marie	bureaux	Trizec	100	2 931 000 p²
360 rue St-Jacques	bureaux	Trizec	100	314 000 p²
BCN Building	bureaux	Trizec	100	511 000 p²
2020 University	bureaux	Trizec	85	530 000 p²
Domtar House	bureaux	Trizec	100	197 000 p²
Orpheum Building	bureaux	Trizec	100	157 000 p²
5165 chemin de la Reine-Marie	bureaux	Trizec	100	63 000 p²
Drummond Medical Building	bureaux	Trizec	100	136 000 p²
Peel Centre Building	bureaux	Trizec	100	164 000 p²
Port St-Laurent	bureaux	Trizec	100	179 000 p²
Les Galeries Normandie	centre commercial	Trizec	100	241 000 p²
Jean-Talon	centre commercial	Trizec	100	65 000 p²
Sheraton	hôtel	S.B. McLaughlin	100	4 acres
Brossard	zone résidentielle à faible densité	Cadillac Fairview	100	129 logements
Kirkland	zone résidentielle à faible densité	Cadillac Fairview	100	103 logements
Pierrefonds	zone résidentielle à faible densité	Cadillac Fairview	100	186 logements
Côte St-Luc	immeuble en copropriété	Cadillac Fairview	100	236 logements
Les Habitations Malicorne	immeuble d'habitation	Cadillac Fairview	50	312 appartements
Domaine	centre commercial	Cadillac Fairview	100	210 000 p²
Maisonneuve	centre commercial	Cadillac Fairview	100	139 000 p²
Greenfield Park	centre commercial	Cadillac Fairview	50	375 000 p²
Fairview Pointe-Claire	centre commercial	Cadillac Fairview	50	628 000 p²
Les Galeries d'Anjou	centre commercial	Cadillac Fairview	50	459 000 p²

Nom	Description	Compagnie représentant les intérêts de la famille Bronfman	Pourcentage possédé	Dimension/Actif
Les Galeries du Décor	centre commercial	Cadillac Fairview	50	60 000 p²
Le Carrefour Laval	centre commercial	Cadillac Fairview	51	870 000 p²
Les Promenades St-Bruno	centre commercial	Cadillac Fairview	51	906 000 p²
Home Improvement Centre	centre commercial	Cadillac Fairview	50	60 000 p²
Dominion Square Building	boutiques et bureaux	Cadillac Fairview	100	400 000 p²
2100 Papineau	boutiques et bureaux	Cadillac Fairview	100	45 000 p²
1440 Ste-Catherine ouest	boutiques et bureaux	Cadillac Fairview	75	295 000 p²
2525 Boulevard Marois	boutiques et bureaux	Cadillac Fairview	51	109 000 p²
James Walker Hardware (1955) Ltd.	terrains	Cemp	100	terrain de 12 millions p² situé à Dollard-des-Ormeaux, évalué à plus de $8 millions
Medical Arts Building	bureaux	Gerin Ltd.	100	65 000 p²
Le Cours Le Royer	immeuble en copropriété	Cemp	100	350 000 p² (terminé)
Les Terrasses	immeuble en copropriété	Louis Dreyfus Property Corporation	50	125 logements
Capitol Centre	boutiques et bureaux	Famous Players	100	290 000 p²
Boulevard de Maisonneuve et avenue McGill College	bureaux	Louis Dreyfus Property Corporation	100	500 000 p²
Entreprises				
Astral Bellevue Pathé (*voir aussi* Toronto): Bellevue Pathé	traitement de films	Astral Bellevue Pathé	100	$13 506 000
Carena-Bancorp:		Edper	53 +22 par l'entremise de National Hees Enterprises	Actifs: $149 316 000

Nom	Type	Société mère / Propriétaire	%	Valeur
Carena Investments		Carena-Bancorp	100	
Carena Properties		Carena-Bancorp	51,01 + toutes les actions privilégiées	$2 536 484 000
IAC Limited (*voir aussi* Toronto)		Carena-Bancorp	19,4	
Montreal Forum		Carena-Bancorp	100	
Carena Properties (*voir ci-dessus*):				
Trizec Corporation Ltd.	société de gestion	Carena Properties	58,6	$931 607 000
Cemp Investments Ltd.		Charles, Edgar, etc.	fiducie	$269 091 000
Warrington Products (*voir aussi* Kitchener):		Cemp	47	
The Danby Corporation	fabrication d'appareils	Warrington Products	100	
Laiterie Dominion Ltée		Gerin Ltd.	11,3	$38 504 943
Fairview Centres Canada Ltd.	2 salles de quilles	Cemp	100	
Gabriel Lucas Ltée	joaillier	Charles Bronfman	50	
Club de base-ball de Montréal	Les Expos	Charles Bronfman	particulier	
Edper Investments Ltd.	société de gestion	Edward, Peter, etc.	particulier	$242 084 000
IAC Limited (*voir aussi* Toronto):		Carena-Bancorp	fiducie 19,4	$2 536 484 000
IAC Business Development Funds		IAC	100	
International Capital Corporation		IAC	100	
Mico Enterprises:		Edper	65	$53 794 000
Laurentian Lanes		Mico	83	
Les Réserves Bancorp		Mico	100	
Mico Securities		Mico	50	
Northern Reserve Corporation		Mico	100	
Apex Press		Mico	50	

Nom	Description	Compagnie représentant les intérêts de la famille Bronfman	Pourcentage possédé	Dimension/Actif
National Hees Enterprises (*voir aussi* Toronto):		Edper	78	$18 438 800
Halco Leasing Ltd.		National Hees Enterprises	50	
McGregor-Pine Estates		National Hees Enterprises	100	
Carena-Bancorp		National Hees Enterprises	22	
Seagram Company Ltd. (*voir aussi* Kitchener-Waterloo)	plus grande distillerie au monde	Cemp Edper Gerin	33,1 0,42 1,07	$2 048 767 000 (1977)
Distillers Corporation Ltd.			100	$169 767 000
Centenary Distillers Ltd.			100	$159 171 000
Calvert of Canada Ltd.			100	$150 275 000
Captain Morgan Rum Distillers Ltd.			100	$5 029 000
Thomas Adams Distillers Ltd.			100	$3 774 000
Wingate Holdings Ltd.	hypothèques	Cemp	100	

PORT CARTIER

Immobilier

Nom	Description	Compagnie représentant les intérêts de la famille Bronfman	Pourcentage possédé	Dimension/Actif
	silo à céréales de tête de ligne	Louis Dreyfus Canada Ltd.	100	

QUÉBEC

Immobilier

Nom	Description	Compagnie représentant les intérêts de la famille Bronfman	Pourcentage possédé	Dimension/Actif
Place Québec (Phases I & II)	bureaux	Trizec	100	785 000 p²
Québec Hilton	hôtel	Trizec	50	572 chambres
Les Jardins de Coulonge	immeuble d'habitation	Cadillac Fairview	50	218 appartements
Les Jardins de Coulonge	immeuble en copropriété	Cadillac Fairview	50	79 logements

ST-LAMBERT

Immobilier

Central Park St. Lambert	maison de retraite	100	Trizec	210 places

Les Maritimes

DARTMOUTH, NOVA SCOTIA

Immobilier

Dartmouth Shopping Centre	centre commercial	100	Trizec	104 000 p²

HALIFAX, NOVA SCOTIA

Immobilier

Halifax Insurance Building	bureaux	100	Trizec	83 000 p²
Centennial Building	bureaux	100	Trizec	163 000 p²
Maritime Centre	bureaux	100	Trizec	427 000 p²
Halifax Shopping Centre	centre commercial	100	Trizec	467 000 p²
Spring Garden Terrace Apartments	immeuble d'habitation	100	Trizec	201 appartements
Park Victoria Apartments	immeuble d'habitation	100	Trizec	400 appartements
Embassy Tower	immeuble d'habitation	100	Trizec	162 appartements
Toronto-Dominion Bank Building	boutiques et bureaux	100	Cadillac Fairview	104 000 p²

SAINT JOHN, NEW BRUNSWICK

Immobilier

Brunswick Square	bureaux	29,5	Trizec	549 000 p²
Fairview Plaza	centre commercial	100	Cadillac Fairview	93 000 p²
Atlantic Peat Moss	terrain	100	S.B. McLaughlin	lotissement de 9 500 acres

Entreprise

Fairview Centres Canada Ltd.	salle de quilles	99,9	Cemp	

Table des matières

Avant-propos 11

Monsieur Sam

Chapitre Un: Les Rothschild du Nouveau-Monde ... 21

Chapitre Deux: Monsieur Sam 35

Chapitre Trois: Candidat à la Chambre rouge 81

Chapitre Quatre: Les origines cachées 99

Chapitre Cinq: L'ère de la gnôle 119

Chapitre Six: Meurtre à "Beanfate" 159

Chapitre Sept: A la barre des accusés 169

Chapitre Huit: Ah! Etre un Bronfman! 217

Chapitre Neuf: La mort d'un titan 233

Les héritiers

Chapitre Dix: Grandir au Palais du Belvédère 253

Chapitre Onze: Phyllis 265

Chapitre Douze: Minda 279

Chapitre Treize: Edgar 287

Chapitre Quatorze: Leo 327

Chapitre Quinze: Gerald 353

Chapitre Seize: Mitch 367

Chapitre Dix-Sept: Peter 383

Chapitre Dix-Huit: Charles 417

Epilogue 453

Annexe I: La galaxie Seagram 464

Annexe II: L'univers Seagram 468

Annexe III: Les Bronfman au Canada 470

Achevé d'imprimer sur les presses de
L'IMPRIMERIE ELECTRA*
pour
LES ÉDITIONS DE L'HOMME LTÉE
*Division de l'A.D.P. Inc.

Imprimé au Canada/Printed in Canada

Ouvrages parus chez les Éditeurs du groupe Sogides

Ouvrages parus aux ÉDITIONS DE L'HOMME

ART CULINAIRE

Art d'apprêter les restes (L'),
S. Lapointe,
Art de la table (L'), M. du Coffre,
Art de vivre en bonne santé (L'),
Dr W. Leblond,
Boîte à lunch (La), L. Lagacé,
101 omelettes, M. Claude,
Cocktails de Jacques Normand (Les),
J. Normand,
Congélation (La), S. Lapointe,
Conserves (Les), Soeur Berthe,
Cuisine chinoise (La), L. Gervais,
Cuisine de maman Lapointe (La),
S. Lapointe,
Cuisine de Pol Martin (La), Pol Martin,
Cuisine des 4 saisons (La),
Mme Hélène Durand-LaRoche,
Cuisine en plein air, H. Doucet,
Cuisine française pour Canadiens,
R. Montigny,
Cuisine italienne (La), Di Tomasso,
Diététique dans la vie quotidienne,
L. Lagacé,
En cuisinant de 5 à 6, J. Huot,
Fondues et flambées de maman Lapointe,
S. Lapointe,
Fruits (Les), J. Goode,

Grande Cuisine au Pernod (La),
S. Lapointe,
Hors-d'oeuvre, salades et buffets froids,
L. Dubois,
Légumes (Les), J. Goode,
Madame reçoit, H.D. LaRoche,
Mangez bien et rajeunissez, R. Barbeau,
Poissons et fruits de mer,
Soeur Berthe,
Recettes à la bière des grandes cuisines
Molson, M.L. Beaulieu,
Recettes au "blender", J. Huot,
Recettes de gibier, S. Lapointe,
Recettes de Juliette (Les), J. Huot,
Recettes de maman Lapointe,
S. Lapointe,
Régimes pour maigrir, M.J. Beaudoin,
Tous les secrets de l'alimentation,
M.J. Beaudoin,
Vin (Le), P. Petel,
Vins, cocktails et spiritueux,
G. Cloutier,
Vos vedettes et leurs recettes,
G. Dufour et G. Poirier,
Y'a du soleil dans votre assiette,
Georget-Berval-Gignac,

DOCUMENTS, BIOGRAPHIE

Architecture traditionnelle au Québec (L'),
Y. Laframboise,
Art traditionnel au Québec (L'),
Lessard et Marquis,
Artisanat québécois 1. Les bois et les
textiles, C. Simard,

Artisanat québécois 2. Les arts du feu,
C. Simard,
Acadiens (Les), E. Leblanc,
Bien-pensants (Les), P. Berton,
Ce combat qui n'en finit plus,
A. Stanké,-J.L. Morgan,

Charlebois, qui es-tu?, B. L'Herbier,

Comité (Le), M. et P. Thyraud de Vosjoli,

Des hommes qui bâtissent le Québec,
collaboration,

Drogues, J. Durocher,

Epaves du Saint-Laurent (Les),
J. Lafrance,

Ermite (L'), L. Rampa,

Fabuleux Onassis (Le), C. Cafarakis,

Félix Leclerc, J.P. Sylvain,

Filière canadienne (La), J.-P. Charbonneau,

Francois Mauriac, F. Seguin,

Greffes du coeur (Les), collaboration,

Han Suyin, F. Seguin,

Hippies (Les), Time-coll.,

Imprévisible M. Houde (L'), C. Renaud,

Insolences du Frère Untel, F. Untel,

J'aime encore mieux le jus de betteraves,
A. Stanké,

Jean Rostand, F. Seguin,

Juliette Béliveau, D. Martineau,

Lamia, P.T. de Vosjoli,

Louis Aragon, F. Seguin,

Magadan, M. Solomon,

Maison traditionnelle au Québec (La),
M. Lessard, G. Vilandré,

Maîtresse (La), James et Kedgley,

Mammifères de mon pays,
Duchesnay-Dumais,

Masques et visages du spiritualisme
contemporain, J. Evola,

Michel Simon, F. Seguin,

Michèle Richard raconte Michèle Richard,
M. Richard,

Mon calvaire roumain, M. Solomon,

Mozart, raconté en 50 chefs-d'oeuvre,
P. Roussel,

Nationalisation de l'électricité (La),
P. Sauriol,

Napoléon vu par Guillemin, H. Guillemin,

Objets familiers de nos ancêtres, L. Ver-
mette, N. Genêt, L. Décarie-Audet,

On veut savoir, (4 t.), L. Trépanier,

Option Québec, R. Lévesque,

Pour entretenir la flamme, L. Rampa,

Pour une radio civilisée, G. Proulx,

Prague, l'été des tanks, collaboration,

Premiers sur la lune,
Armstrong-Aldrin-Collins,

Prisonniers à l'Oflag 79, P. Vallée,

Prostitution à Montréal (La),
T. Limoges,

Provencher, le dernier des coureurs
des bois, P. Provencher,

Québec 1800, W.H. Bartlett,

Rage des goof-balls (La),
A. Stanké, M.J. Beaudoin,

Rescapée de l'enfer nazi, R. Charrier,

Révolte contre le monde moderne,
J. Evola,

Riopelle, G. Robert,

Struma (Le), M. Solomon,

Terrorisme québécois (Le), Dr G. Morf,

Ti-blanc, mouton noir, R. Laplante,

Treizième chandelle (La), L. Rampa,

Trois vies de Pearson (Les),
Poliquin-Beal,

Trudeau, le paradoxe, A. Westell,

Un peuple oui, une peuplade jamais!
J. Lévesque,

Un Yankee au Canada, A. Thério,

Une culture appelée québécoise,
G. Turi,

Vizzini, S. Vizzini,

Vrai visage de Duplessis (Le),
P. Laporte,

ENCYCLOPEDIES

Encyclopédie de la maison québécoise,
Lessard et Marquis,

Encyclopédie des antiquités du Québec,
Lessard et Marquis,

Encyclopédie des oiseaux du Québec,
W. Earl Godfrey,

Encyclopédie du jardinier horticulteur,
W.H. Perron,

Encyclopédie du Québec, Vol. I et Vol. II,
L. Landry,

ESTHÉTIQUE ET VIE MODERNE

Cellulite (La), Dr G.J. Léonard,
Chirurgie plastique et esthétique (La),
   Dr A. Genest,
Embellissez votre corps, J. Ghedin,
Embellissez votre visage, J. Ghedin,
Etiquette du mariage, Fortin-Jacques,
   Farley,
Exercices pour rester jeune, T. Sekely,
Exercices pour toi et moi,
   J. Dussault-Corbeil,
Face-lifting par l'exercice (Le),
   S.M. Rungé,
Femme après 30 ans (La), N. Germain,

Femme émancipée (La), N. Germain et
   L. Desjardins,
Leçons de beauté, E. Serei,
Médecine esthétique (La),
   Dr G. Lanctôt,
Savoir se maquiller, J. Ghedin,
Savoir-vivre, N. Germain,
Savoir-vivre d'aujourd'hui (Le),
   M.F. Jacques,
Sein (Le), collaboration,
Soignez votre personnalité, messieurs,
   E. Serei,
Vos cheveux, J. Ghedin,
Vos dents, Archambault-Déom,

LINGUISTIQUE

Améliorez votre français, J. Laurin,
Anglais par la méthode choc (L'),
   J.L. Morgan,
Corrigeons nos anglicismes, J. Laurin,
Dictionnaire en 5 langues, L. Stanké,

Petit dictionnaire du joual au français,
   A. Turenne,
Savoir parler, R.S. Catta,
Verbes (Les), J. Laurin,

LITTERATURE

Amour, police et morgue, J.M. Laporte,
Bigaouette, R. Lévesque,
Bousille et les justes, G. Gélinas,
Berger (Les), M. Cabay-Marin, Ed. TM,
Candy, Southern & Hoffenberg,
Cent pas dans ma tête (Les), P. Dudan,
Commettants de Caridad (Les),
   Y. Thériault,
Des bois, des champs, des bêtes,
   J.C. Harvey,
Ecrits de la Taverne Royal, collaboration,
Exodus U.K., R. Rohmer,
Exxoneration, R. Rohmer,
Homme qui va (L'), J.C. Harvey,
J'parle tout seul quand j'en narrache,
   E. Coderre,
Malheur a pas des bons yeux (Le),
   R. Lévesque,
Marche ou crève Carignan, R. Hollier,
Mauvais bergers (Les), A.E. Caron,

Mes anges sont des diables,
   J. de Roussan,
Mon 29e meurtre, Joey,
Montréalités, A. Stanké,
Mort attendra (La), A. Malavoy,
Mort d'eau (La), Y. Thériault,
Ni queue, ni tête, M.C. Brault,
Pays voilés, existences, M.C. Blais,
Pomme de pin, L.P. Dlamini,
Printemps qui pleure (Le), A. Thério,
Propos du timide (Les), A. Brie,
Séjour à Moscou, Y. Thériault,
Tit-Coq, G. Gélinas,
Toges, bistouris, matraques et soutanes,
   collaboration,
Ultimatum, R. Rohmer,
Un simple soldat, M. Dubé,
Valérie, Y. Thériault,
Vertige du dégoût (Le), E.P. Morin,

LIVRES PRATIQUES – LOISIRS

Aérobix, Dr P. Gravel,
Alimentation pour futures mamans,
   T. Sekely et R. Gougeon,

Améliorons notre bridge, C. Durand,
Apprenez la photographie avec Antoine
   Desilets, A. Desilets,

Arbres, les arbustes, les haies (Les),
   P. Pouliot,
Armes de chasse (Les), Y. Jarrettie,
Astrologie et l'amour (L'), T. King,
Bougies (Les), W. Schutz,
Bricolage (Le), J.M. Doré,
Bricolage au féminin (Le), J.-M. Doré,
Bridge (Le), V. Beaulieu,
Camping et caravaning, J. Vic et
   R. Savoie,
Caractères par l'interprétation des visages,
   (Les), L. Stanké,
Ciné-guide, A. Lafrance,
Chaînes stéréophoniques (Les),
   G. Poirier,
Cinquante et une chansons à répondre,
   P. Daigneault,
Comment amuser nos enfants,
   L. Stanké,
Comment tirer le maximum d'une mini-
   calculatrice, H. Mullish,
Conseils à ceux qui veulent bâtir,
   A. Poulin,
Conseils aux inventeurs, R.A. Robic,
Couture et tricot, M.H. Berthouin,
Dictionnaire des mots croisés,
   noms propres, collaboration,
Dictionnaire des mots croisés,
   noms communs, P. Lasnier,
Fins de partie aux dames,
   H. Tranquille, G. Lefebvre,
Fléché (Le), L. Lavigne et F. Bourret,
Fourrure (La), C. Labelle,
Guide complet de la couture (Le),
   L. Chartier,
Guide de la secrétaire, M. G. Simpson,
Hatha-yoga pour tous, S. Piuze,
8/Super 8/16, A. Lafrance,
Hypnotisme (L'), J. Manolesco,
Information Voyage, R. Viau et J. Daunais,
   Ed. TM,
Interprétez vos rêves, L. Stanké,

J'installe mon équipement stéréo, T. I et II,
   J.M. Doré,
Jardinage (Le), P. Pouliot,
Je décore avec des fleurs, M. Bassili,
Je développe mes photos, A. Desilets,
Je prends des photos, A. Desilets,
Jeux de cartes, G. F. Hervey,
Jeux de société, L. Stanké,
Lignes de la main (Les), L. Stanké,
Magie et tours de passe-passe,
   I. Adair,
Massage (Le), B. Scott,
Météo (La), A. Ouellet,
Nature et l'artisanat (La), P. Roy,
Noeuds (Les), G.R. Shaw,
Origami I, R. Harbin,
Origami II, R. Harbin,
Ouverture aux échecs (L'), C. Coudari,
Parties courtes aux échecs,
   H. Tranquille,
Petit manuel de la femme au travail,
   L. Cardinal,
Photo-guide, A. Desilets,
Plantes d'intérieur (Les), P. Pouliot,
Poids et mesures, calcul rapide,
   L. Stanké,
Tapisserie (La), T.-M. Perrier,
   N.-B. Langlois,
Taxidermie (La), J. Labrie,
Technique de la photo, A. Desilets,
Techniques du jardinage (Les),
   P. Pouliot,
Tenir maison, F.G. Smet,
Tricot (Le), F. Vandelac,
Vive la compagnie, P. Daigneault,
Vivre, c'est vendre, J.M. Chaput,
Voir clair aux dames, H. Tranquille,
Voir clair aux échecs, H. Tranquille et
   G. Lefebvre,
Votre avenir par les cartes, L. Stanké,
Votre discothèque, P. Roussel,
Votre pelouse, P. Pouliot,

LE MONDE DES AFFAIRES ET LA LOI

ABC du marketing (L'), A. Dahamni,
Bourse (La), A. Lambert,
Budget (Le), collaboration,
Ce qu'en pense le notaire, Me A. Senay,
Connaissez-vous la loi? R. Millet,
Dactylographie (La), W. Lebel,
Dictionnaire de la loi (Le), R. Millet,
Dictionnaire des affaires (Le), W. Lebel,
Dictionnaire économique et financier,
   E. Lafond,

Divorce (Le), M. Champagne et Léger,
Guide de la finance (Le), B. Pharand,
Initiation au système métrique,
   L. Stanké,
Loi et vos droits (La),
   Me P.A. Marchand,
Savoir organiser, savoir décider,
   G. Lefebvre,
Secrétaire (Le/La) bilingue, W. Lebel,

PATOF

Cuisinons avec Patof, J. Desrosiers,

Patof raconte, J. Desrosiers,
Patofun, J. Desrosiers,

SANTE, PSYCHOLOGIE, EDUCATION

Activité émotionnelle (L'), P. Fletcher,
Allergies (Les), Dr P. Delorme,
Apprenez à connaître vos médicaments,
R. Poitevin,
Caractères et tempéraments,
C.-G. Sarrazin,
Comment animer un groupe,
collaboration,
Comment nourrir son enfant,
L. Lambert-Lagacé,
Comment vaincre la gêne et la timidité,
R.S. Catta,
Communication et épanouissement
personnel, L. Auger,
Complexes et psychanalyse,
P. Valinieff,
Contact, L. et N. Zunin,
Contraception (La), Dr L. Gendron,
Cours de psychologie populaire,
F. Cantin,
Dépression nerveuse (La), collaboration,
Développez votre personnalité,
vous réussirez, S. Brind'Amour,
Douze premiers mois de mon enfant (Les),
F. Caplan,
Dynamique des groupes,
Aubry-Saint-Arnaud,
En attendant mon enfant,
Y.P. Marchessault,
Femme enceinte (La), Dr R. Bradley,
Guérir sans risques, Dr E. Plisnier,
Guide des premiers soins, Dr J. Hartley,

Guide médical de mon médecin de famille,
Dr M. Lauzon,
Langage de votre enfant (Le),
C. Langevin,
Maladies psychosomatiques (Les),
Dr R. Foisy,
Maman et son nouveau-né (La),
T. Sekely,
Mathématiques modernes pour tous,
G. Bourbonnais,
Méditation transcendantale (La),
J. Forem,
Mieux vivre avec son enfant, D. Calvet,
Parents face à l'année scolaire (Les),
collaboration,
Personne humaine (La), Y. Saint-Arnaud,
Pour bébé, le sein ou le biberon,
Y. Pratte-Marchessault,
Pour vous future maman, T. Sekely,
15/20 ans, F. Tournier et P. Vincent,
Relaxation sensorielle (La), Dr P. Gravel,
S'aider soi-même, L. Auger,
Soignez-vous par le vin, Dr E. A. Maury,
Volonté (La), l'attention, la mémoire,
R. Tocquet,
Vos mains, miroir de la personnalité,
P. Maby,
Votre personnalité, votre caractère,
Y. Benoist-Morin,
Yoga, corps et pensée, B. Leclerq,
Yoga, santé totale pour tous,
G. Lescouflar,

SEXOLOGIE

Adolescent veut savoir (L'),
Dr L. Gendron,
Adolescente veut savoir (L'),
Dr L. Gendron,
Amour après 50 ans (L'), Dr L. Gendron,
Couple sensuel (Le), Dr L. Gendron,
Déviations sexuelles (Les), Dr Y. Léger,
Femme et le sexe (La), Dr L. Gendron,
Helga, E. Bender,
Homme et l'art érotique (L'),
Dr L. Gendron,
Madame est servie, Dr L. Gendron,

Maladies transmises par relations
sexuelles, Dr L. Gendron,
Mariée veut savoir (La), Dr L. Gendron,
Ménopause (La), Dr L. Gendron,
Merveilleuse histoire de la naissance (La),
Dr L. Gendron,
Qu'est-ce qu'un homme, Dr L. Gendron,
Qu'est-ce qu'une femme, Dr L. Gendron,
Quel est votre quotient psycho-sexuel?
Dr L. Gendron,
Sexualité (La), Dr L. Gendron,
Teach-in sur la sexualité,
Université de Montréal,
Yoga sexe, Dr L. Gendron et S. Piuze,

SPORTS (collection dirigée par Louis Arpin)

ABC du hockey (L'), H. Meeker,
Aikido, au-delà de l'agressivité,
M. Di Villadorata,
Bicyclette (La), J. Blish,

Comment se sortir du trou au golf,
Brien et Barrette,
Courses de chevaux (Les), Y. Leclerc,

Devant le filet, J. Plante
D. Brodeur
Entraînement par les poids et haltères,
F. Ryan
Expos, cinq ans après,
D. Brodeur, J.-P. Sarrault
Football (Le), collaboration
Football professionnel, J. Séguin
Guide de l'auto (Le) (1967), J. Duval
(1968-69-70-71)
Guy Lafleur, Y. Pedneault et D. Brodeur
Guide du judo, au sol (Le), L. Arpin
Guide du judo, debout (Le), L. Arpin
Guide du self-defense (Le), L. Arpin
Guide du trappeur,
P. Provencher
Initiation à la plongée sous-marine,
R. Goblot
J'apprends à nager, R. Lacoursière
Jocelyne Bourassa,
J. Barrette et D. Brodeur
Jogging (Le), R. Chevalier
Karaté (Le), Y. Nanbu
Kung-fu, R. Lesourd
Livre des règlements, LNH
Lutte olympique (La), M. Sauvé
Match du siècle: Canada-URSS,
D. Brodeur, G. Terroux
Mon coup de patin, le secret du hockey,
J. Wild
Moto (La), Duhamel et Balsam

Natation (La), M. Mann
Natation de compétition (La),
R. Lacoursière
Parachutisme (Le), C. Bédard
Pêche au Québec (La), M. Chamberland
Petit guide des Jeux olympiques,
J. About, M. Duplat
Puissance au centre, Jean Béliveau,
H. Hood
Raquette (La), Osgood et Hurley
Ski (Le), W. Schaffler-E. Bowen
Ski de fond (Le), J. Caldwell
Soccer, G. Schwartz
Stratégie au hockey (La), J.W. Meagher
Surhommes du sport, M. Desjardins
Techniques du golf,
L. Brien et J. Barrette
Techniques du tennis, Ellwanger
Tennis (Le), W.F. Talbert
Tous les secrets de la chasse,
M. Chamberland
Tous les secrets de la pêche,
M. Chamberland
36-24-36, A. Coutu
Troisième retrait (Le), C. Raymond,
M. Gaudette
Vivre en forêt, P. Provencher
Vivre en plein air, P. Gingras
Voie du guerrier (La), M. di Villadorata
Voile (La), Nik Kebedgy

Ouvrages parus à
L'ACTUELLE

Echec au réseau meurtrier, R. White
Engrenage (L'), C. Numainville
Feuilles de thym et fleurs d'amour,
M. Jacob
Lady Sylvana, L. Morin
Moi ou la planète, C. Montpetit

Porte sur l'enfer, M. Vézina
Silences de la croix du Sud (Les),
D. Pilon
Terreur bleue (La), L. Gingras
Trou (Le), S. Chapdelaine
Une chance sur trois, S. Beauchamp
22,222 milles à l'heure, G. Gagnon

Aaron, Y. Thériault
Agaguk, Y. Thériault
Allocutaire (L'), G. Langlois
Bois pourri (Le), A. Maillet
Carnivores (Les), F. Moreau
Carré Saint-Louis, J.J. Richard
Centre-ville, J.-J. Richard
Chez les termites,
M. Ouellette-Michalska
Cul-de-sac, Y. Thériault
D'un mur à l'autre, P.A. Bibeau

Danka, M. Godin
Débarque (La), R. Plante
Demi-civilisés (Les), J.C. Harvey
Dernier havre (Le), Y. Thériault
Domaine de Cassaubon (Le),
G. Langlois
Dompteur d'ours (Le), Y. Thériault
Doux Mal (Le), A. Maillet
En hommage aux araignées, E. Rochon
Et puis tout est silence, C. Jasmin
Faites de beaux rêves, J. Poulin

Fille laide (La), Y. Thériault
Fréquences interdites, P.-A. Bibeau
Fuite immobile (La), G. Archambault
Jeu des saisons (Le),
  M. Ouellette-Michalska
Marche des grands cocus (La),
  R. Fournier
Monsieur Isaac, N. de Bellefeuille et
  G. Racette
Mourir en automne, C. de Cotret
N'Tsuk, Y. Thériault
Neuf jours de haine, J.J. Richard
New Medea, M. Bosco

Ossature (L'), R. Morency
Outaragasipi (L'), C. Jasmin
Petite fleur du Vietnam (La),
  C. Gaumont
Pièges, J.J. Richard
Porte Silence, P.A. Bibeau
Requiem pour un père, F. Moreau
Scouine (La), A. Laberge
Tayaout, fils d'Agaguk, Y. Thériault
Tours de Babylone (Les), M. Gagnon
Vendeurs du Temple (Les), Y. Thériault
Visages de l'enfance (Les), D. Blondeau
Vogue (La), P. Jeancard

Les nouvelles parutions aux Editions de l'Homme

Art culinaire

Brasserie la Mère Clavet vous présente ses recettes (La), L. Godon
Bonne Table (La), J. Huot
Canapés et amuse-gueule, Col. La Bonne Fourchette
Confitures (Les), M. Godard
Cuisine aux herbes (La), Col. La Bonne Fourchette
Cuisine Micro-ondes (La), J. Benoît
Cuisiner avec le robot gourmand, P. Martin
Desserts diététiques, C. Poliquin
Du Potager à la table, P. Martin et P. Pouliot
Fondue et barbecue, Col. La Bonne Fourchette
Gastronomie au Québec (La), A. Benquet
Grillades (Les), Col. La Bonne Fourchette
Liqueurs et philtres d'amour, H. Morasse
Madame reçoit, H. Durand-Laroche
Menu de santé, L. Lambert-Lagacé
Poissons et crustacés, Col. La Bonne Fourchette
Poulet à toutes les sauces (Le), M. Thyraud de Vosjoli
Recettes pour aider à maigrir, Dr J.-P. Ostiguy
Techniques culinaires de Soeur Berthe (Les), Soeur Berthe

Documents, biographies

Action Montréal, S. Joyal
Artisanat québécois 3. Indiens et esquimaux, C. Simard
Duplessis T. 1 L'Ascension, C. Black
Duplessis T. 2 Le Pouvoir, C. Black
Grand livre des antiquités, K. Bell et J. et E. Smith
Homme et sa mission (Un), Le Cardinal Léger en Afrique, K. Bell et H. Major
Idole d'un peuple, Maurice Richard (L'), J.-M. Pellerin
Margaret Trudeau, F. Cochrane
Mastantuono, M. Mastantuono et M. Auger
Moulins à eau de la vallée du Saint-Laurent (Les), F. Adam-Villeneuve et C. Felteau
Musique au Québec (1600-1875) (La), W. Amtmann
Option (L'), J.-P. Charbonneau et G. Paquette

Petite Barbe (La), Père A. Steinman
Québec des libertés (Le), Parti Libéral du Québec
Troisième voie (La), E. Colas
Voleur (Le), C. Jodoin

Encyclopédies

Encyclopédie de la chasse, B. Leiffet
Photo de A à Z (La), A. Desilets, L.-P. Coiteux et C. M. Gariépy

Esthétique et vie moderne

Savoir-vivre d'aujourd'hui (Le), M. Fortin-Jacques (Edition revue et corrigée)

Linguistique

Français au Football (Le), Ligue Canadienne de Football
Notre français et ses pièges, J. Laurin

Littérature

Cap sur l'enfer, I. Slater
Joey Tue, Joey
Joey, tueur à gages, (Killer — Joey)
Monde aime mieux (Le), C. Desrochers
Séparation, R. Rohmer
Si tu savais, G. Dor

Livres pratiques, loisirs

Bien dormir, Dr J. C. Paupst
Bien nourrir son chat, C. d'Orangeville
Bien nourrir son chien, C. d'Orangeville
Bonnes idées de maman Lapointe (Les), L. Lapointe
Carte et boussole, B. Kjellstrom
Chaînes stéréophoniques (Les) (Ed. revue et corrigée), G. Poirier
Collectionner les timbres, Y. Taschereau
Comment interpréter les gestes, L. Stanké
Dictionnaire raisonné des mots croisés, J. Charron
Distractions mathématiques, C. E. Jean
Gagster, C. Landré
Guide de la moto, D. Héraud
Guide de l'automobile 1978, D. Héraud

Guide du propriétaire et du locataire, M. Bolduc, M. Lavigne, J. Giroux
Guide du véhicule de loisir, D. Héraud
Guitare (La), P. Collins
Jeu de la carte et ses techniques (Le), C. Durand
Magie par la science (La), W. B. Gibson
Mécanique de mon auto (La), Edition abrégée du Time Life Book of the Family Car
Navigation de plaisance au Québec (La), R. Desjardins-Ledoux, A. Ledoux
Observations sur les insectes (Mes), P. Provencher
Observations sur les mammifères (Mes), P. Provencher
Observations sur les oiseaux (Mes), P. Provencher
Observations sur les poissons (Mes), P. Provencher
Papillons du Québec (Les), B. Prévost, C. Veilleux
Petit livre du vin (Le), A. Arnoldi
Races de chats, chats de race, C. d'Orangeville
Races de chiens, chiens de race, C. d'Orangeville
Scrabble (Le), D. Gallez
Techniques du billard, P. Morin
Terrariums (Les), K. Kayatta et S. Schmidt
Tout sur le macramé, V. I. Harvey
Trouvailles de Clémence (Les), C. Desrochers

Le Monde des affaires et la loi

Abris fiscaux (Les), R. Pouliot et al.
Loi et vos droits (La), Me P.-E. Marchand (Edition revue et corrigée)
Rapport d'impôt (Mon), R. Pouliot et al.
Règles d'or de la vente (Les), G. N. Kahn

Santé, Psychologie, éducation

Aidez votre enfant à lire et à écrire, L. Doyon-Richard
Bien dormir, Dr J.-C. Paupst
Conseils de mon médecin de famille (Les), Dr M. Lauzon (Edition revue et corrigée)
Contrôlez votre poids, Dr J.-P. Ostiguy
Développement psychomoteur du bébé, D. Calvet
Facteur chance (Le), M. Gunther
Futur père, Y. Pratte-Marchessault
J'aime, Y. St-Arnaud
Préparez votre enfant à l'école, L. Doyon-Richard
Santé et joie de vivre, Dr J.-P. Ostiguy
Se connaître soi-même, G. Artaud
Séparation du couple (La), Dr R. S. Weiss
Vaincre ses peurs, Dr L. Auger

Vouloir c'est pouvoir, R. Hull
Yoga des sphères (Le), B. Leclercq

Sexologie

Plaisir partagé (Le), H. G. Bishop
Sexualité et la femme enceinte (La), E. Bing, L. Colman

Sports

Armes de chasse (Les), C. Petit-Martinon
Canadiens, nos glorieux champions (Les), D. Brodeur, Y. Pedneault
Chasse photographique (La), L.-P. Coiteux
Jeu défensif au hockey (Le), H. Meeker
Karaté et la femme (Le), R. Lesourd
Nadia, D. Brodeur, B. Aubin
Pêche à la mouche (La), S. Marleau
Pistes de ski de fond au Québec (Les), C. Veilleux, B. Prévost
Règlements de la ligue nationale du hockey, L.N.H.
Ski avec Nancy Greene (Le), N. Greene, A. Raine
Ski nautique (Le), G. Athans jr, C. Ward
Squash (Le), Jim Rowland
Techniques du hockey en U.R.S.S.

Bricolage Maison

Appareils électro-ménagers: entretien et réparation (Les)
Culture des fleurs, des fruits et des légumes (La)
Décapage, le rembourrage et la finition des meubles (Le)
Décoration intérieure (La)
Dessiner et aménager son terrain
Entretenir et embellir sa maison
Entretien et réparation de la maison: chauffage, plomberie et air conditionné
Fabriquer soi-même des meubles
Menuiserie: les notions de base (La)
Meubles: comment les réparer et les rajeunir (Les)
Outils électriques: quand et comment les utiliser (Les)
Outils manuels: quand et comment les utiliser (Les)
Petits appareils électriques: entretien et réparation (Les)
Piscines, barbecues et patios

A paraître:

Comment aménager une salle de séjour
Comment utiliser l'espace disponible dans sa maison

Imprimé au Canada
Printed in Canada